KB077235

블루스 350가지 완전 정복 I

블루스 350가지 완전 정복 I

발 행 | 2024년 5월 28일
저 자 | 엄승민
펴낸이 | 한건희
펴낸곳 | 주식회사 부크크
출판사등록 | 2014.07.15.(제2014-16호)
주 소 | 서울특별시 금천구 가산디지털1로 119 SK트윈타워 A동 305호
전 화 | 1670-8316
이메일 | info@bookk.co.kr

ISBN | 979-11-410-8690-9

www.bookk.co.kr

블루스 350가지 완전정복 I

엄승민 지음

CONTENT

3. 블루스 루틴 완전 정복(초급)

4. 부록

춤사위가

바람결처럼 스친다.

가볍게 한 포즈 한 동작이 연결되나 오랫동안

질곡(桎梏)의 늪 속에 빠져있다.

더 빠른 템포-

환희, 희열로 충만하다.

대단원의 막은 내렸다.

오선지의 숱한 음표들

그들은 복잡하게 얽혀 있었다.

그러나

나의 바이올린은 부드럽게,

때로 격정(激情)스런 선율을 자아내며

아름다움을 구사해 갔다.

댄스 자격증

제KQA-J10-06- L-0394호

자 격 증

성 명 : 엄 승 민
주민등록번호 :
주 소 :
자 격 명 : Latin American Dancing Associate
유 효 기 간 : 2006. 3.12-2009. 3.11

위 사람은 교육부소관 공익법인KQA인증자격관리기관(사단)대한댄스스포츠총연합회 자격검정시험에서 상기종목을 합격하였기에 자격증을 인증 발급함.

2006년 3월 12일

제2001-4호
社團法人 大韓댄스스포츠總聯合會總裁

認證機關
社團法人 韓國民間資格協會長

제J10-06-L-0394호

資格認證書

資格管理者 : (사단)대한댄스스포츠총연합회

姓 名 : 엄 승 민
住民登錄番號 :
資 格 名 : 라틴아메리칸댄싱 초급
分 野 : 사회체육
有 效 期 間 : 2006. 3.12-2009. 3.11

위 사람은 上記 資格管理者가 實施한 所定의 檢定을 거쳐 資格을 取得하였음을 認證합니다.

社團法人 韓國民間資格協會長

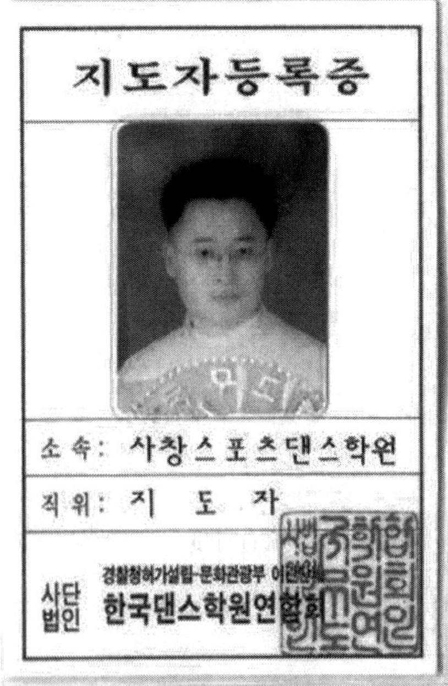

지도자등록증

소 속: 사창스포츠댄스학원
직 위: 지 도 자

사단법인 한국댄스학원연합회

등록번호: 제1964호

성 명: 엄 승 민

생년월일 : 년 월 일생

위 사람은 본회 정관에 의한 국제 표준댄스 지도자 등록을 하였음을 증함.

유효기간 자2003 년 5 월22 일
지2003 년 5 월22 일

2003년 5 월 22 일

작가 이력

꿈결 속의 메모리

잊혀진 시간의 노래

달콤한 리듬의 순간

시간을 담은 풍경

기타 외 다수

자이브 59 가지 완전 정복

자이브 52 가지 해설집

지르박 1000 가지 완전 정복 I

블루스 350 가지 완전 정복 I

트로트 완전 정복

알기 쉽게 풀이한 댄스 용어

라틴댄스 루틴 사전

모던댄스 루틴 사전

댄스스포츠 자격증 예상 문제(자이브)

댄스스포츠 자격증 예상 문제(룸바)

댄스스포츠 자격증 예상 문제(차차차)

댄스스포츠 자격증 예상 문제(왈츠)

댄스스포츠 자격증 예상 문제(탱고)

기타 외 다수

블루스 루틴

초급

1번 기본 베이직(전·후진 스텝)

2번 포워드 4 스텝

3번 전진 2 스텝

4번 첵

5번 체크 턴

6번~7번 레프트 샤세 & 라이트 샤세

8번 오픈 9번 프롬나드 샤세 10번 아웃 투웍

11번 내츄럴 위브

12번 솔로 턴(어깨)

13번 리버스턴 인사이드 턴

14번 지그재그 워킹

15번 리버스 턴&체크턴(90°)

16번 180° 체크턴

17번 내츄럴 프롬나드 턴

18번 2 Walk 턴

19번 목감기

20번 비하인드 백 여성 솔로 턴

21번 터널 & 남·여 턴

22번 더블 오픈(프롬나드 샤세)

23번 로터이 아웃 사이드 턴(여성)

24번 사이드 샤세 라운드

25번 헤드 플릭

26번 워킹 당겨 오픈

27번 사이드 스텝 오픈

28번 백 지그재그

29번 백 스텝 프롬나드 스텝

30번 홀드, 전진 스텝

31번 등 뒤로 8박 허리 걸이 턴

32번 사이드 지그재그&백 스텝

33번 포장&아웃사이드 턴

34번 아웃사이드 턴

35번 로터리 지그재그 스위블

36번 리버스턴(마무리 턴) 갈까 말까

37번 워킹 오픈

38번 프롬나드 쓰리 스텝

39번 역 오픈(프롬나드 샤세)

40번 180도 체크 턴, 트위스트(스위블)

41번 180도 체크 턴, 트위스트(스위블), 턴

42번 프롬나드 쓰리 스텝, 트위스트(스위블)

43번 2 Walk, 사이드 스텝

44번 리듬 타기

45번 리듬 전·후진 스텝

46번 후진 사이드 스텝(남-왼쪽)

47번 후진 사이드 스텝(L/R)

48번 크로스 스위블(백 지그재그) 역 오픈

49번 지그재그, 프롬나드 포지션

50번 지그재그 아웃사이드 턴

51번 바운스 사이드 지그재그

52번 지그재그 리버스 턴

53번 반 스핀(네츄럴 턴)

54번 트윙클

55번 지그재그 인사이드턴

56번 백스텝 내츄럴 턴

57번 전진 지그재그

58번 후진 스텝(6스텝)

59번 프롬나드 첵 락

60번 사이드 스텝 지그재그

61번 백 스텝 스위블 역회전

62번 전진 커트

63번 아웃사이드 턴, 인사이드 턴

64번 오픈 프롬나드 샤세 잔발

65번 스탑 콘트라 체크

66번 아웃사이드 턴 응용

67번 리버스 스위블, 트위스트

68번 제자리 리듬 타기

69번 백 링크

70번 프로그레시브 링크

71번 백 스텝, 런닝 브레이크

72번 런닝, 훅 던지기

73번 팽이 연속

74번 오픈 전진 트위스트(스위블)

75번 백 스텝 90° 연속

76번 어깨걸이

77번 전진 트위스트(스위블)

78번 어깨 커트

79번 백 스텝 후 아웃사이드 턴

80번 터널

81번 리버스턴 커트 턴

82번 후진 커트 1

83번 후진 커트, 갈까 말까, 전진 투웍

84번 후진 커트 2

85번 후진 커트 3

86번 오픈 프롬나드 샤세 다이아몬드 스텝

87번 런닝, 훅 던지기(손 머리 위)

88번 후진 커트

89번 전 후진 8박

90번 브레이크

91번 쿼터 턴

중급

1번 사이드 지그재그(열고 닫고)

2번 사이드 지그재그(열고 닫고, 로터리(내츄럴 턴)

3번 사이드 지그재그(열고 닫고, 스위블 마무리 턴)

4번 아우사이드턴, 포장, 터널

5번 레프트 언더암턴, 헤머락, 어깨 컷
6번 아웃사이드 스핀
7번 남성 포장, 여성 인사이드 턴
8번 프롬나드 샤세, 백워드, 터널
9번 홀딩, 회전 커트
10번 오픈 프로미네이드 아웃사이드 스위블
11번 백 스텝 자리바꿈 연속
12번 아웃사이드 2턴,터널,어깨터치 턴
13번 남성 포장, 여성 인사이드 턴
14번 폴어웨이 지그재그
15번 프롬나드 샤세, 백 워드, 터널
16번 여자 후진 돌기(쉐도우 턴)
17번 홀딩, 회전 커트
18번 오픈 프로미네이드 아웃사이드 스위블
19번 투웨 여성 포장 후 인사이드 턴
20번 아웃사이드 2턴, 터널, 어깨 터치 턴
21번 (아웃사이드턴) 언더암턴 회전 6박
22번 팔짱 끼기
23번 외곽 돌기
24번 오픈 프롬나드 샤세, 백 스텝, 비하인드 백
25번 루프, 헤머락, 여성 턴
26번 다이아몬드 스텝(제자리)
27번 다이아몬드 스텝(90°)
28번 다이아몬드 스텝(180°)
29번 백스텝 스위블 역회전 후 허리 걸이
30번 연속 리버스 첵
31번 남성 허리 터치 후 여성 솔로 턴
32번 허리 걸이
33번 다이아몬드 링크
34번 투웨 여성 포장 후 인사이드 턴
35번 리버스턴, 락턴
36번 다이아몬드 업프로치 홀드
37번 (아웃사이드 턴) 언더암턴 회전 6박

상급

1번 지그재그, 클로즈드 포지션

2번 백 스텝 인사이드 턴, 허리 걸이

3번 내츄럴스핀, 아웃사이드 턴

4번 내츄럴턴, 여성 툭 던지기

5번 쉐도우 턴, 인사이드 턴(여성)

6번 터널 후 남성 뒤 목걸이, 쉐도우 턴

7번 백 스텝 남성 허리 걸이 후 남·여 회전

8번 윈, 오 커트

9번 빽 스위블, 스위블

10번 백스텝 커트, 지그재그 홀딩

11번 백스텝 커트, 쉐도우 턴

12번 전진 샤세, 후진 샤세, 터널 후 남성 뒤 목걸이

13번 포장, 남성 허리 걸이

14번 백 스텝, 포장

15번 사이드 샤세 턴

16번 남성 허리 걸이 쉐도우 턴, 여성 솔로 턴

17번 락턴

18번 지그재그 홀딩

19번 지그재그, 리버스턴 프롬나드 포지션 오픈

20번 백 스텝 남성 후진 연속 턴

21번 지그재그 연속 스위블 마무리

22번 남성 전진 솔로 턴, 여성 아웃사이드 턴

23번 지그재그 링크, 오픈

24번 회전 6박 커트

25번 백 스텝, 포장, 쉐도우 턴

26번 전진 샤세, 후진 샤세 남성 포장

27번 남성 전진 연속 전진 턴

28번 네추럴턴(안스핀)

29번 네츄럴 피봇

30번 트윙클 1번

31번 트윙클, 클로우드 포지션으로 마무리

32번 오픈, 크로즈드 샤세

33번 다이아몬드 런닝 스텝 연속, 홀드
34번 백 스텝 남녀 손들고 그림자 턴
35번 백 스텝, 다이아몬드 스텝
36번 지그재그 피벗 턴
37번 일자 다이아몬드(샤세 후)
38번 연속 커트, 다이아몬드

고급

1번 오버 스웨이 역 지그재그 크로스첵 원투 마무리
2번 지그재그 프롬나드 피벗
3번 백 스텝 쉐도우 턴
4번 스위블, 제자리 트위스트
5번 후진 샤세
6번 지그재그 아웃사이드 스위블 헤드플릭
7번 하나 스위블
8번 연속 리버스턴
9번 크로스 스위블
10번 샤세, 피벗 턴
11번 스위블 오픈 프롬나드 샤세
12번 어프로치 크로스첵 홀드
13번 지그재그 턴, 프롬나드 포지션으로 마무리
14번 터널, 스위블
15번 지그재그 연속 스위블 오픈
16번 내츄럴턴 마무리
17번 커플 스위블
18번 연속 리버스턴
19번 백 스텝, 다이아몬드 스텝
20번 트윙클 지그재그
21번 텔레스핀
22번 바운스 론데
23번 찰스턴 크로스 첵 내츄럴스핀 턴, 리버스턴 마무리
24번 트윙클 지그재그
25번 다이아몬드 스텝 여성 솔로 심플 스핀

26번 백 스텝 커트, 헤드플릭
27번 안스핀 ,비엔나 스핀
28번 백 스텝, 쉐도우 턴
29번 프론나드 샤세 응용
30번 홀딩(왼.오 체인지)
31번 백 스텝 여성 솔로 턴
32번 드레그
33번 포장 후 백턴
34번 폴어웨이 런닝 리버스턴
35번 리버스턴 블루스 딥
36번 백 스텝 커트, 쉐도우 턴(연속)
37번 백 스텝 리버스턴 스위블 응용
38번 스위블(정면)
39번 지그재그 스위블 응용
40번 안스핀(네추럴턴) 응용
41번 리버스턴, 스위블 연속 응용
42번 리버스턴 스웨이 응용
43번 스위블, 딥
44번 다이아몬드 심플 턴
45번 스위블, 딥
46번 전진 스위블 브레이크
47번 사이드 스위블 브레이크
48번 스핀 엔 텔레스핀
49번 U턴
50번 백 스텝, 스탠딩 스핀
51번 백스텝, 스탠딩 스핀(왼.오)
52번 내츄럴턴(안스핀), 헤드플릭
53번 다이아먼드 스텝 응용
54번 포장, 피앙새(멈춤)
55번 스위블턴 SS
56번 리버스턴(비엔나)

최고급

1번 런닝 연속

2번 런닝, 심플 홀딩 턴 1

3번 런닝, 심플 홀딩 턴 2

4번 크로스 스핀

5번 론데 스핀

6번 백 스텝 리버스턴 런닝 스텝

7번 론데, 런닝

8번 론데 크로스,쉐도우 턴 브레이크

9번 여 지그재그, 남 연속 런닝 딥

10번 백 스텝 런닝 커트, 내츄럴 턴

11번 론데 크로스, 브레이크

12번 크로스 론데

13번 런닝(세임풋 런지) 턴

14번 런닝(세임풋 런지) 론데 브레이크

15번 런닝(세임풋 런지) 론데 브레이크, 여 지그재그

16번 지그재그 런닝(세임풋 런지), 내츄럴 턴 연속

17번 지그재그 런닝(세임풋 런지)

18번 지그재그 론데 스핀 연속

19번 론데 크로스

20번 론데 크로스 브레이크

21번 스탠딩 스핀 포지션에서 크로스 리버스턴

22번 스탠딩 스핀, 론데 스핀 크로스 리버스턴

23번 러닝네츄럴턴

24번 아웃사이드 론데

25번 샤링스위블 리버스턴

26번 런닝, 론데 응용

27번 런닝,홀드

28번 프롬나드 샤세, 피벗 턴

29번 커트 샤링

30번 런닝 멋내기 스텝

31번 크로스 첵 스위블

32번 더블 커트, 크로스 첵 스위블

33번 론데 크로스,쉐도우 턴
34번 백 스위블
35번 론데 크로스첵
36번 론데 360° 턴
37번 세임풋 런지

마스터

1번 라이트 런지
2번 세임 풋 런지
3번 지그재그 쎄임풋 런지
4번 테레스핀 오버스웨이
5번 콘트라체크
6번 오버스웨이 론데
7번 세임 풋 런지, 오버스웨이
8번 세임 풋 런지, 드로우어웨이 오버스웨이
9번 백스텝, 런닌, 리버스턴, 드로우어웨이 오버스웨이
10번 리버스턴(마무리턴) 응용(딥)
11번 지그재그 론데
12번 지그재그 오버스웨이
13번 지그재그 드로우어웨이 오버스웨이
14번 지그재그 스탠딩 스핀 포지션
15번 지그재그 콘트라체크
16번 블룻 오버스웨이 론데
17번 휘스크&스탠딩스핀
18번 프롬나드 샤세 오버스웨이
19번 트윙클 3, 런지, 콘트라 체크

바레이션

1번 터널 2회 제자리 사이드에서 당겨 손 놓기
2번 후진 10박 포장
3번 그림자 턴
4번 왼·왼 여성 역회전 터널

5번 제자리 손잡은 상태에서 앞 돌리기

6번 제자리 손목 밀기

7번 왼손 커트 응용(사이드)

8번 남성 허리 걸이 후 여성 커트

9번 여성 백 역회전

10번 여성 역회전 연속 2번

11번 여성 등 뒤 어깨걸이 백턴

12번 홀딩 응용

13번 팔꿈치 터치

14번 헬리콥터 남성 허리 걸이 남·여 같이 턴 꼬리 자르기

15번 사이드 남·여 동시 회전

16번 전진 외곽돌기

17번 정면에서 포장 후 사이드에서 풀기

18번 헬리콥터 사이드에서 여성 당겨 회전

19번 남성 허리 걸이 후 여성 턴

20번 제자리 사이드에서 여성 당겨 놓고 커트

21번 여성 등 뒤로 8박 손 놓고, 어깨 터치 백턴

22번 크게 돌리기

23번 팔꿈치 걸이 응용

24번 헬리콥터 팔짱 끼고 여성과 같이 회전

25번 핸드 크로스에서 오. 오 목감기

26번 여성 허리 걸이 전진 연속 턴

27번 사이드 팔짱 끼고 남·여 같이 돌기

28번 톱니바퀴

29번 터널. 4박. 헬리콥터

30번 여성 당겨 회전 후 여성 따라가면서 다시 회전

31번 여성 역회전 후 커트

32번 제자리 헤드락 후 터널(아치)

33번 외곽 돌기. 터널. 커트

34번 원 그리며 회전 컷 연속 응용

35번 등 뒤로 겨드랑이 걸기 540° 여성 턴

36번 후진 12박 목걸이 왼.오

37번 목감아 풀기(역으로 한 바퀴 반 턴)

38번 여성 역회전 후 보내기
39번 여성 돌면서 남성 배 터치
40번 제자리 회전·터널
41번 양손 포장 후 남·여 동시 회전, 커트 연속
42번 남성 등 뒤로 손들어 여성 회전
43번 사이드 터널 만들고 여성 허리 걸이
44번 여성 등 뒤 후진 2박 손들어 여성 턴
45번 쳐킹
46번 사이드 이동 4박 6박 턴 마무리
47번 헤드락 남·여 동시 회전. 헤드락 커트
48번 등 뒤로 8박 후 여성 겨드랑이 턴
49번 양손 잡고 여성 턴 후 여성 등 뒤
50번 등 뒤로 여성 어깨 커트 2회 손 커트
51번 그림자 턴
52번 여성 크게 돌리고 목 뒤로 손 체인지
53번 사이드에서 목걸이 여성 허리 걸이 손 놓으면서 턴
54번 당겨 놓으면서 여성 턴, 사이드 컷
55번 양손 쓰기 응용 1
56번 남녀 우회전 후 연속 커트
57번 그림자 포지션에서 남·여 동시 회전
58번 후진 6박 역회전 팽이
59번 역회전 목걸이 후 남·여 같이 회전
60번 양손 쓰기 2
61번 양손 쓰기 응용 3
62번 뉴욕 후 남성 목걸이
63번 남성 허리 걸이 손 놓고 외곽 돌기
64번 남성 겨드랑이 걸이. 남·여 동시 회전 후 외곽 돌기
65번 남성 허리 걸이 턴. 풀기
66번 스윗하트 그림자 회전
67번 4박 u턴
68번 여성 정면·뒷면 커트
69번 사이드 여성 역회전 어깨걸이
70번 사이드 목감기 상태에서 남·여 동시 회전

71번 여성 180° 턴 후 남성 심플 턴

72번 터널(아치) 커트 연속 2회. 손 놓고 남·여 동시 턴

73번 여성 허리 걸이 상태에서 남·여 동시 회전 후 여성 턴

74번 외곽 돌기 여성 4박 턴, 6박 턴

75번 왼손 겹 돌기 1

76번 왼손 겹 돌기 2

77번 왼손 겹 돌기 3

78번 양손 쓰기 4

79번 상급 터널 후 팔꿈치 걸이

80번 오프닝 아웃

81번 후진 6박 제자리 트위스트 백 턴

82번 왼·왼 어깨걸이 후 브레이크

83번 양손 쓰기 5

84번 톱니바퀴 응용

85번 목 겹 돌기(외곽 돌기)

86번 여성 배 감아 풀기 연속 커트

87번 터널 후 여성 중심으로 손 놓고 빙빙 돌기

88번 터널, 풍차

89번 양손 굴 통과 후 여성 따라가기

90번 기본 옆 커트 2회

91번 후진 10박 왼.오 목걸이. 역 풀기

92번 하트

93번 후진 6박 포장. 풀기 헤드락 컷

94번 후진 어깨걸이 10박

95번 후진 겨드랑이 턴 10박

96번 여성 허리 걸이 후 턴

97번 제자리 어깨걸이 커트

98번 외곽 돌기. 여성 역회전 커트

99번 여성 회전 후 목걸이

100번 제자리 돌리고 여성 등 뒤로 후진 턴

101번 그림자 회전하면서 기찻길 건네기

102번 후진 6박 오. 왼 목걸이 역회전

103번 전진 외곽 돌기

104번 남성 허리 걸이 전진 여성 커트

105번 등 뒤 백 턴 목걸이 후 풀기

106번 연속 터널, 팔 걸어 돌리기

107번 양손 어깨걸이 손 체인지

108번 스윗하트 커트

109번 왼손 외곽 돌기(겹 돌기) 후 여성 사이트 커트

110번 양손(목·허리 연속 동작)

111번 여성 배 감기 응용

112번 후진 12박 오. 오 손들고

113번 등 뒤로 이동하면서 여성 오른손 어깨걸이 후 턴

114번 등 뒤로 기본 8박 여성 사이드에서 여성 턴

115번 터널 후 기본 커트

116번 왼.오 후진 10박

117번 헬리콥터. 뉴욕스프링

118번 남성 허리, 여성 목걸이

119번 풍차 돌리기. 어깨동무 남·여 같이 턴

120번 한 손 연속 커트

121번 뉴욕 2회 후 커트

122번 남성 허리 걸이, 남·여 같이 회전

123번 아치(터널) 커트

124번 양손 쓰기 응용 6

125번 사이드에서 목감아 풀기

126번 사이드에서 여성 역회전 후 정회전

127번 양손 쓰기 응용 7

128번 남성 사이드 후진하면서 목감고 풀기

129번 후진 어깨걸이 14박

130번 헬리콥터 남·여 동시 회전

131번 전 후진 8박 포장 응용

132번 남성 목 뒤 걸 이후 여성과 동시 돌기

133번 팔짱 끼기, 여성 남성 배 타고 턴

134번 후진 6박. 허리 동무 동시 회전

135번 제자리 남성 턴 후 외곽 돌기(겹 돌기)

136번 팽이(배. 목) 응용

137번 후진 6박 어깨걸이 스윗하트 6박

138번 외곽 돌기 솔로 턴

139번 남성 허리 걸이, 어깨 밀기 원 그리면 회전 컷 연속

140번 헬리콥터 목감기. 손들어 4박 커트 후 여성 턴

141번 등 뒤로 8박 후 외곽 돌시(겹 돌기)

142번 터널 후 어깨 턴

143번 남성 심플 턴. 리프낫 남·여 같이 회전

144번 여성 허리 걸이 컷 연속

145번 등 뒤 팔짱 끼기

춤과 예술

예술

예술은 인간의 창조적인 감정, 능력, 경험을 표현하고 공감을 일으키며, 다양한 형태와 스타일로 문화와 연관된 매우 복잡하고 다양한 개념입니다. 이는 예술이 제공하는 경험 그 자체로도 충분한 가치를 지니며, 사회적인 의미와 가치를 내포합니다. 음악, 미술, 연극, 영화, 문학, 댄스 등 다양한 형태의 예술은 각자의 언어와 스타일을 사용하여 아름다움과 의미를 표현합니다. 이러한 예술 형태는 개인적인 창조적 활동부터 문화와 역사 전달까지 다양한 기능을 하며, 고대부터 현대까지 이어지는 전통을 형성하고 인간의 경험과 감정을 바탕으로 만들어졌습니다.

예술은 개인의 창조적 능력을 표현하고 성장과 자아실현을 위한 수단으로 작용하며 인간의 감정과 경험으로 창의적 아이디어를 현실로 구현할 수 있는 중요한 수단입니다. 우리는 예술을 통해 인간의 창조적 능력과 인간성을 발휘하며, 삶을 더욱 풍요롭게 만들어나갈 수 있습니다.

예술의 역사

예술은 인간의 생존과 직결된 활동에서 비롯되었고 그 역사는 매우 오래되었습니다. 초기 인간들은 사냥, 수집, 농업, 전투 등의 일상생활에서 예술적인 표현을 찾아내며 예술의 뿌리를 다져나갔습니다. 시간이 흐름에 따라 예술은 규모를 확장하고 발전하며 새로운 아이디어와 개념을 발견하며 인간의 역사와 문화에 큰 영향을 미쳤습니다. 예술은 역사적으로 다양한 형태로 발전해 왔습니다. 고대 예술은 주로 신성한 목적을 위해 사용되었는데, 이는 종교적인 용도로 사용되어 인간들의 영적 상호작용을 돕는 역할을 했습니다. 예를 들어, 이집트의 피라미드는 죽은 이들의 영혼이 여행하는 데 도움을 주기 위해 세워졌습니다. 중세 유럽의 대성당과 교회는 신성한 곳으로만 사용되는 것이 아니라, 커뮤니티 센터의 역할도 수행했습니다. 이들은 사람들이 모여서 의식을 치르고, 지식을 교환하며, 예술적 표현을 보여주는 장소였습니다.

예술은 시대와 문화에 따라 변화하며 발전했습니다. 과거에는 그림과 조각을 통해 미술이 주로 표현되었지만, 이후에는 음악, 연극, 문학, 영화, 댄스 등 다양한 형태의 예술이 발전했습니다. 각각의 예술 형태는 자신만의 특성과 의미를 지니며, 인간의 감정, 상상력, 그리고 사회적 상황에 대한 반영을 보여주었습니다. 또한, 문화적인 변화와 혁신을 이끌었습니다. 예술가들은 새로운 아이디어와 시각을 제시하며 사회적인 변화에 기여했습니다. 예술은 우리의 삶에 깊은 영향을 끼치며, 인간의 감성과 정서를 표현하고 인류의 이야기를 전달하는 중요한 매개체로 작용해 왔습니다.

르네상스 시대는 예술이 현대적인 형태로 발전하는데 큰 역할을 하였으며 이 시기는 인간 중심의 철학적인 개념이 두드러지며, 예술가들은 사람들의 미적 감각에 더욱 주목하게 되었습니다. 미켈란젤로, 레오나르도 다빈치, 그리고 라파엘로는 르네상스 시대의 뛰어난 예술가들로 이들의 작품은 인류

문화와 미술사에 큰 영향을 미쳤습니다. 르네상스는 중세에서 현대로의 전환기로, 지식과 예술, 과학의 재생산을 통해 새로운 시대의 시작을 의미합니다.

라파엘로는 이탈리아 르네상스 시대의 중요한 화가 중 한 명으로 1483년에 이탈리아 우르비노에서 태어났습니다. 아버지인 조반니 산티로부터 교육을 받으면서 어린 시절부터 그의 뛰어난 예술적 재능이 드러났습니다. 페루지노의 영향을 받았지만, 라파엘로는 자신만의 스타일과 기술을 발전시키기 위해 끊임없이 노력했습니다. 그는 레오나르도 다빈치와 미켈란젤로의 작품을 연구하며 새로운 기술을 습득하고, 피렌체에서 활동하면서 그들의 예술적 기술을 익혔습니다. 이후 교황 율리우스 2세의 초청으로 로마에 거주하게 되었고, 바티칸 교황청의 방들을 장식하는 등 그의 명성은 한층 높아졌습니다. 그의 작품 중 '아테네 학당'은 그의 창의성과 예술적 재능을 대표하는 명작 중 하나입니다. 라파엘로는 작품뿐만 아니라 매력적인 인격으로도 유명했습니다. 그의 매력적인 성격과 빠른 작업 속도, 작품의 품질은 동시대 사람들을 매료시켰죠. 그는 어린 나이에도 탁월한 작품을 선보이며 로마에서 삶을 즐기고, 사망 전까지도 활발한 활동을 이어갔습니다. 라파엘로의 작품은 예술사에 큰 영향을 끼쳤습니다. 창의성과 기술적 완성도에서 뛰어나며, 르네상스 시대의 예술을 대표하는 중요한 인물로 평가되고 있습니다. 현대 예술가들에게도 여전히 큰 영감을 주며, 라파엘로의 작품은 르네상스 예술의 중요한 부분으로 기억되고 있습니다.

레오나르도 다 빈치는 르네상스를 대표하는 천재 중 한 명으로, 1452년 이탈리아의 토스카나 지방 빈치에서 태어났지만, 출생에 대한 기록은 명확하지 않습니다. 그러나 어린 시절부터 그는 뛰어난 재능을 지닌 예술가, 과학자, 발명가로 주목받았습니다. 그의 뛰어난 미술 작품들은 입체적인 표현과 공간의 활용으로 유명합니다. '최후의 만찬', '모나리자' 등은 그의 미술적 재능과 사실적인 표현력으로 인정받는 작품들입니다. 특히 '모나리자'는 그의 창의성과 신비로움으로 많은 이들에게 영감을 주었으며, 미술사상 최고의 걸작 중 하나로 평가받고 있습니다. 또한, 다 빈치는 미술뿐만 아니라 과학, 공학, 발명 분야에서도 놀라운 업적을 이뤘습니다. 인체 해부학, 자연 현상 관찰 등 다양한 분야에서 깊은 흥미를 보이며 비행기, 잠수함, 다리 등의 기획과 설계를 시도했습니다. 이런 기술적 탐구는 그의 과학적 연구와 결합되어 인체 해부학, 기체 역학, 동물학 등에 큰 영향을 미쳤습니다.

다 빈치의 삶은 이탈리아 여러 지역에서 그의 작품과 연구가 펼쳐졌으며, 르네상스의 대표적인 예술가로서 그는 다양한 분야에서 뛰어난 재능을 발휘하여 인류 문명에 큰 유산을 남겼습니다. 오늘날에도 다빈치의 천재성과 창의력은 많은 사람들에게 영감을 주며, 이를 통해 많은 연구와 탐구의 대상이 되고 있습니다.

미켈란젤로 부에나로티 (Michelangelo Buonarroti)는 르네상스 시대의 대단한 예술가로, 이탈리아의 조각가, 화가, 건축가이기도 합니다. 1475년에 이탈리아의 카프리 도시에서 태어났고, 르네상스 예술에 큰 영향을 미쳤습니다. 미켈란젤로는 대리석 등 다양한 재료를 사용하여 많은 작품을 만들었는데, 그의 대표작 중 하나는 천장 그림으로 유명한 싱카피에 기념관의 '신의 창조'입니다. 또한, 그의 조각 작품 중 하나로는 '다윗'이 유명합니다. 이 작품들은 미켈란젤로의 뛰어난 조각 기술과 미적 감각을 잘 보여주고 있습니다. 그는 성당 등의 건축 분야에서도 뛰어난 업적을 이뤄냈습니다. 로마의 성피에트로 대성당의 기둥 설계 등이 그의 건축 작품으로 알려져 있습니다.

미켈란젤로는 그의 예술 작품뿐만 아니라, 인간의 형상과 인체 해부학에 대한 그의 깊은 이해로도 유명했으며 그의 작품들은 강렬한 감정과 깊은 인간성을 담아내며, 르네상스 시대의 예술 발전에 큰 기여를 했습니다.

르네상스 시대 예술가들은 자연과 인간의 아름다움을 탐구하고, 인체와 자연의 심미적 표현을 통해 혁신적인 작품을 만들어 냈습니다. 그들의 작품은 당시 대중들의 눈길을 끌 뿐만 아니라, 오늘날에도 놀라움과 감탄을 자아냅니다. 이 시기의 예술은 미적 감각과 창의성을 높이 평가하며, 르네상스 예술은 현대 예술에도 깊은 영향을 끼쳤습니다.

근대 예술은 전통적인 예술 표현 방식을 도전하고 새로운 시각을 제시했습니다. 미술, 음악, 연극 등 다양한 분야에서는 이론과 실용성이 중요시되었던 시대적 틀을 넘어선 순수한 예술적 가치에 더 많은 주목을 받았습니다. 이 시기의 예술가들은 예술에 대한 새로운 이해와 표현을 탐구했습니다. 초현실주의, 인상주의, 표현주의 등과 같은 다양한 예술적 운동들이 등장했죠. 각 운동은 자신만의 예술적 철학과 목표를 가지고 있었습니다.

초현실주의는 현실 세계를 벗어나 상상과 비현실적인 요소를 강조하는 예술 운동이었습니다. 작품들은 꿈을 표현하며, 대상의 변형, 일상적인 요소의 비정상화를 통해 현실을 왜곡시킵니다. 인상주의는 빛과 색채를 강조하여 순간적인 효과와 감정을 표현하는데 중점을 두었습니다. 화가들은 자연과 일상생활에서 순간적인 표현을 추구했고 감정적인 표현을 중시했습니다. 표현주의는 감정과 내면세계의 표현을 강조하는 예술적 운동으로, 감정적 충격과 내적 경험을 강렬하게 표현했습니다. 이러한 작품들은 감정의 폭발적인 표현과 강렬한 색채, 비틀린 형태 등을 특징으로 합니다.

근대 예술가들은 기존의 예술 규범을 깨고 새로운 표현 방식을 탐구했으며 그들은 예술의 경계를 넓히고 창의성을 통해 예술의 역할을 재정의하는 데 기여했습니다. 이러한 변화와 혁신은 오늘날의 예술에도 깊은 영향을 미치며, 예술의 다양성과 창의성을 높이 평가되게 했습니다.

현대 예술은 이전 예술의 틀을 깨고 혁신적인 방식으로 발전해 왔습니다. 미술에서는 다양한 재료와 매체를 사용하여 작품을 만들며, 디지털 기술을 적극적으로 도입하여 새로운 작업을 선보입니다. 컴퓨터와 디지털 기술은 미술가들에게 새로운 창조적 가능성을 제공하고, 디지털 아트와 설치미술 등의 현대 미술 형태를 발전시켜왔습니다. 음악 분야에서도 현대 음악은 전통적인 장르를 넘어 다양한 소리와 기술을 결합하여 새로운 표현 방식을 찾아냈으며 전자 음악, 실험 음악, 현대적인 음악 장르의 등장은 음악의 혁신과 다양성을 증명합니다.

이러한 현대 예술은 우리의 시선을 확장하고 새로운 가능성을 제시합니다. 예술은 문화와 인간의 삶을 바라보는 시각을 넓혀주고, 창의성과 이해력을 증진시켜 우리가 보다 풍요로운 삶을 살아가는데 지름길이 될 수 있습니다. 이는 우리의 일상에 새로운 영감을 불어넣고, 예술을 통해 우리가 경험하는 세계를 더 다채롭게 만들어줍니다.

댄스의 역사

댄스는 시간과 문화를 초월하여 우리의 삶에 깊은 영향을 미칩니다. 고대부터 현대까지, 댄스는 인간의 역사와 문화를 반영하며 발전해 왔습니다. 고대 문명에서 댄스는 생활의 한 부분이었고, 각 문화에서 그 특유의 의미와 기능을 지니고 있었습니다. 고대 그리스에서는 댄스가 올림픽 대회에서 승자를 축하하는 방식으로 활용되었고, 이집트에서는 춤이 왕가와 귀족들의 문화적 활동으로 자리 잡았습니다. 댄스는 문화와 신앙, 축제와 예술에 깊은 영향을 주었습니다.

중세 시대에는 댄스가 사회적인 행사에서 중요한 부분을 차지했으며, 현대에 이르러서는 예술의 한 형태로서 발전해 왔습니다. 이를테면, 댄스는 우리가 사는 세상을 반영하고, 역사를 전하는 매개체로 작용해 왔습니다. 각 문화와 시대마다 다양한 춤의 형태와 의미가 있었고, 이는 그 문화와 시대적 배경을 반영하는 중요한 표현 수단으로 작용했습니다.

댄스는 우리의 감정과 정서를 표현하는 방식으로서뿐만 아니라, 문화의 장르적 특성과 사회적 관습을 전달하는 매개체로서의 역할을 하고 있으며 이러한 다양성과 풍부한 역사를 통해 댄스는 우리의 삶과 문화를 더욱 풍요롭게 만들어왔습니다.

고대 그리스에서 댄스는 그들의 문화와 승리를 기념하는 중요한 방식 중 하나였습니다. 특히 올림픽 대회에서 승자들이 축하를 하기 위해 춤을 추었고 그들의 승리와 영광을 나누는 의식으로 그들의 우승을 축하하고 기념하는 방식이었습니다. 댄스는 고대 그리스 문화의 핵심적인 부분을 차지하고 있었는데, 그들은 춤과 음악을 통해 생활의 다양한 순간들을 축하하고 기념했습니다. 이 춤은 그들의 문화와 승리의 상징이 되며, 사회적인 결속과 공동체 의식을 도모하는 중요한 수단으로 작용했습니다. 또한, 고대 그리스의 댄스는 예술적인 측면 뿐만 아니라 신체의 운동과 조화를 표현하는 데서도 중요한 역할을 했습니다. 춤은 그들의 미적 감각과 우아함을 보여주는 동시에, 사람들 간의 소통과 연결을 촉진하는 방식이기도 했습니다. 이러한 고대 그리스의 댄스는 그들의 문화와 승리를 기념하는 의식의 한 부분으로서 그 중요성을 더했습니다. 댄스는 이들의 삶과 사회를 풍요롭게 만들며, 그들의 문화적 정체성과 연대감을 표현하는 중요한 예술적 표현 수단으로 자리매김했습니다.

이집트에서는 왕가와 귀족들이 춤을 추며 예술과 문화를 즐기곤 했습니다. 춤은 이집트 문명에서 중요한 예술 형태로, 음악과 함께 삶의 일부분으로 자리 잡았으며 이들의 춤은 종종 의식이나 축제에서 중요한 역할을 하면서, 예술과 문화의 풍요로움을 나타내기도 했습니다. 중국에서도 제사나 기념일 때 춤이 행해졌고 종교적 의식과 전통적인 행사에서 중요한 부분을 차지하며, 문화적인 이벤트와 축제에서도 중요한 역할을 했습니다. 이들의 춤은 종종 희생 제물에 대한 예배나, 풍요와 행운을 기원하는 의식에서 행해졌으며, 중국의 예술과 문화의 다양성을 반영하는 중요한 측면으로 작용했습니다. 춤은 그들의 예술과 문화를 보존하고 전달하는데 큰 역할을 했습니다.

이들의 춤은 그들의 삶의 방식과 전통, 종교적인 신념을 나타내는 중요한 매체로 작용했으며, 문화적으로도 다양성을 보여주었습니다. 춤은 그들의 역사와 정체성을 반영하며, 그들의 예술적인 표현의 한 부분으로서 중요한 역할을 하였습니다. 인도에서는 종교적인 의식에서 댄스를 즐기면서 신과의 교감을 이루기도 했습니다.

중세 시대에 댄스는 사회적인 행사나 의례에서 중요한 역할을 하였습니다. 교회에서는 때때로 춤이 금지되기도 했지만, 여전히 귀족층에서는 인기를 끌었고 귀족들의 상징적인 문화 예술로 자리 잡았습니다. 댄스는 중세 시대의 사회에서 축제, 결혼식, 귀족들의 연회 등 다양한 행사에서 중요한 요소로 작용했습니다. 하지만 교회의 영향으로 춤이 종종 금지되거나 비난을 받기도 했죠. 이로 인해 댄스는 상류층의 문화 예술로서의 성격을 띄게 되었고, 귀족들의 사교적인 활동에서 중요한 부분을 차지했습니다.

19세기에는 발레와 현대 댄스가 예술의 영역으로 더욱 확장되었습니다. 발레는 기술적으로 정교하면서도 우아한 춤으로 발전하여 왕실과 귀족층뿐만 아니라 일반 대중들에게까지 사랑받았습니다. 동시에, 현대 댄스는 예술성과 자유로움을 추구하는 방식으로 다양한 스타일과 기법이 발전했습니다. 이러한 발레와 현대 댄스의 성장은 댄스를 예술의 한 형태로 폭넓게 인정받게 되었고, 예술의 영역에서 그 중요성을 더욱 확립시켰습니다.

19세기 말부터 미국에서 현대 댄스가 시작되었습니다. 이것은 발레와는 다른 형태의 댄스로, 자연스러운 운동과 신체적인 자유로움을 중시했습니다. 이는 발레의 구조화된 움직임과는 대조적으로 더 자유로운 움직임을 추구했습니다. 특히, 현대 댄스는 다양한 문화와 예술과 융합되어 새로운 장르를 탄생시켰습니다. 예를 들어, 재즈 댄스는 흑인 문화와 함께 발전하여 현대 댄스의 일부분이 되었습니다. 이는 미국의 흑인 문화와 음악적 요소들을 댄스로 표현하는 방식으로, 움직임과 음악이 조화를 이루며 다채로운 현대 댄스의 양식 중 하나로 자리 잡았습니다. 또한, 현대 댄스는 탄탄한 기술과 그들만의 움직임을 개발하면서 더욱 다양한 스타일과 형태로 발전해 왔습니다. 각각의 댄서들은 자신만의 개성과 스타일을 가지며, 현대 댄스의 다양성과 창의성을 표현하고 있습니다. 이렇듯 현대 댄스는 미국을 중심으로 다양한 문화와 예술과 융합되어 발전해온 예술 형태로 자유로운 움직임과 창의성을 바탕으로 새로운 댄스 양식이 계속해서 탄생하고 발전해 왔습니다.

20세기에는 댄스의 다양한 장르들이 등장하여 대중문화의 중요한 부분으로 자리 잡게 되었습니다. 20세기 초반에는 다양한 춤이 탄생했으며, 미국에서는 재즈 댄스와 스윙 댄스, 라틴 댄스 등의 장르들이 큰 인기를 끌었습니다. 재즈 댄스는 미국에서 발전하여 재즈 음악에 맞춰 유연하고 활발한 움직임으로 구성된 춤으로, 특히 1920년대와 1930년대에 사람들에게 사랑받았으며 스윙 댄스는 1930년대 후반부터 1940년대에 유행하면서 빠른 템포의 스윙 음악에 맞춰 춤을 추는 스타일을 가졌고, 이는 대중들 사이에서 큰 인기를 끌었습니다.

라틴 댄스는 다양한 문화와 음악적 영감을 통해 미국의 대중문화 속에서 자리를 잡게 되었으며 힙합 등 새로운 장르들이 등장하면서 20세기 후반에 대중문화에서 큰 영향을 미쳤습니다. 이는 미국의 대중문화뿐만 아니라 전 세계적으로 인기를 끌며 댄스의 다양성과 현대성을 더욱 강조하는 데에 큰 역할을 하였습니다.

현대에는 다양한 댄스 장르들이 존재하고 있는데 각각의 고유한 스타일과 움직임으로 다양성을 보여주며, 각자의 역사와 문화적 배경을 반영하고 있습니다. 인터넷과 스마트폰의 발달로 인해 댄스에 대한 접근성과 배우기 쉬운 방법이 많이 늘었습니다. 유튜브나 인스타그램 같은 소셜 미디어 플랫폼에서는 수많은 댄스 커버 영상들이 공유되고 있어 댄스를 배우고 싶은 사람들에게 큰 도움이 되고 있습니다. 이를 통해 댄스를 자유롭게 배울 수 있는 기회가 더 많이 제공되고 있죠. 또한, 댄스 챌린지와 같은 이벤트들이 열리면서 댄스가 더욱 대중적으로 사랑받고 있습니다. 이런 챌린지들은 사람들이 자신의 댄스 실력을 공유하고 서로 영감을 주고받는 장을 제공하며, 대중들 사이에서 댄스에 대한 관심을 높이고 있습니다. 이러한 다양한 방식으로 댄스가 보편화 되고, 대중화되며, 사람들에게 큰 영감을 주고 있다고 볼 수 있습니다. 인터넷과 소셜 미디어가 댄스 문화에 큰 영향을 미치며, 댄스가 더욱 다양한 사람들에게 접근 가능한 예술로 자리 잡고 있는 것 같습니다.

또한, 댄스는 예술로서뿐만 아니라 운동 방식으로서도 인기를 끌고 있고 몸의 균형감각과 유연성을 향상시키며, 근육량을 늘리고 심폐 지구력을 향상시키는 등의 효과가 있습니다. 이러한 이유로 댄스가 다양한 운동 프로그램이나 요가와 같은 스트레칭 프로그램에서도 활용되고 있습니다. 댄스는 인류의 역사와 함께하는 예술이며, 다양한 문화와 예술적 요소들이 결합하여 다양한 형태로 진화해왔고 오늘날의 댄스는 인류의 역사와 발전을 반영하면서, 다양한 장르들과 그에 맞는 음악, 옷차림 등의 스타일을 가지고 있으며 예술로서의 가치와 운동 방식의 효과를 모두 지니고 있어, 대중적으로 사랑받고 있으며 더욱 다양한 발전이 예상됩니다.

신체적 예술 활동

댄스는 몸과 마음을 움직이며 음악과 함께하는 아름다운 예술 활동입니다. 몸의 움직임을 위해서는 근육, 유연성, 균형, 자세 등을 적극적으로 활용해야 합니다. 이러한 물리적 요소들을 향상시키기 위해서는 꾸준한 연습과 반복된 훈련이 필요합니다. 하지만 댄스는 단순히 몸을 움직이는 것 이상의 의미를 담고 있습니다. 감정이 녹아있는 춤은 다른 이에게 강한 감정적인 인상을 전달할 수 있습니다. 댄스를 통해 우리는 내적으로 느끼는 감정을 몸으로 표현할 수 있으며, 이는 우리의 감성과 정서를 표출하는 데 큰 도움이 됩니다.

댄스는 우리의 내면적인 감정과 외적인 움직임을 조화롭게 결합하여 표현하는데, 이를 통해 우리가 원하는 감정을 표출하고 다른 이들과 소통하는데 큰 역할을 합니다. 따라서 댄스를 배우고 연습하는 과정에서는 우리의 감정을 이해하고 표현하는 것이 매우 중요합니다. 이것이 댄스가 보다 풍부하고 감동적인 예술로 인정받는 이유 중 하나입니다.

1. 댄스는 예술의 한 형태로써 다양한 스타일과 장르를 가지고 있습니다. 각각의 댄스 스타일은 고유한 예술적 특징과 요소를 지니고 있어서 서로 다른 분위기와 감정을 표현합니다.

발레는 우아하고 정교한 움직임으로 유명하며, 몸의 포즈와 우아한 흐름을 통해 아름다운 이야기를 전달합니다. 그렇기에 발레는 고전적이고 우아한 예술성을 지닌 것으로 알려져 있습니다. 현대 무용은 자유롭고 현대적인 스타일로 몸의 유연성과 다양한 움직임을 강조합니다. 이는 더 다이내믹하고 개인의 창의성을 표현하는데 중점을 두고 있어 현대적이고 독특한 예술성을 갖추고 있습니다. 힙합은 역동적이고 강렬한 움직임을 특징으로 하며 리듬과 펑키한 음악에 맞춰 에너지 넘치는 춤을 보여줍니다. 이는 강렬하고 현대적인 느낌을 주는 동시에 힙합 문화의 특징과 정신을 표현하는 데 중점을 두고 있습니다.

이렇듯 각각의 댄스 스타일은 고유한 예술적 특징과 표현 방식을 가지고 있어 다양한 감정과 분위기를 전달하며 각각의 예술성을 표출하는데 큰 역할을 합니다. 각 스타일의 다양성은 댄스가 더욱 풍부하고 다채롭게 발전할 수 있도록 도와주고 있습니다.

2. 댄스는 몸과 마음을 통합하여 우리의 감정을 표현하는 예술 중 하나입니다. 댄스를 통해 우리는 자신의 몸과 감정을 자유롭게 드러낼 수 있습니다. 이는 우리가 느끼는 다양한 감정을 자유롭게 표현할 수 있는 기회를 제공해주기도 합니다. 일상에서 힘든 시간을 보낼 때, 댄스는 스트레스를 해소하고 힐링의 역할을 할 수 있습니다. 음악에 몸을 맡기고 춤을 추면서, 우리는 마음의 부담을 덜 수 있고, 표현하고자 하는 감정을 자유롭게 내뱉을 수 있습니다. 댄스를 통해 우리는 일상의 스트레스와 부담에서 벗어나 자신의 내면을 탐구하고 자아를 발견하는 시간을 가질 수 있습니다.

각자가 원하는 감정이나 메시지를 댄스를 통해 표현하는 것은 아주 강력한 치유와 힐링의 도구가 될 수 있습니다. 댄스는 우리의 몸과 마음을 연결시켜주며, 우리의 내면을 탐구하고 자유롭게 표현하는 것을 도와주는데요. 특히 힘든 순간에는 댄스를 통해 내면의 안정과 평화를 찾을 수 있을 것입니다.

3. 댄스는 몸과 마음을 표현하는 아름다운 예술적 활동입니다. 댄스를 통해 우리는 신체적, 정서적, 예술적 요소를 모두 발휘하고 우리는 감정을 자유롭게 드러내며, 예술적인 표현력을 발전시킬 수 있습니다. 하지만 댄스를 하면서 항상 건강과 안전을 우선으로 생각해야 합니다. 적절한 운동과 워밍업을 통해 근육을 준비시키고 몸을 풀어주는 것이 중요합니다. 또한, 부상을 예방하기 위한 조치들도 필요합니다. 좋은 자세와 적절한 기술을 배우는 것도 부상을 방지하는 데 도움이 됩니다.

댄스는 즐거움과 창의성을 키우는 것뿐만 아니라, 건강과 안전을 유지하는 것도 중요합니다. 건강한 상태로 댄스를 즐기면서 자신의 예술적인 재능을 발전시키고 성장하는 것이 중요하죠. 그러므로 항상 적절한 준비와 조심성을 가지고 댄스를 즐기는 것이 좋습니다.

4. 댄스는 순수한 즐거움이자 힐링의 한 방법이 될 수 있습니다. 댄스를 할 때는 즐기고 즐기며 스트레스를 풀어나가는 것이 중요합니다. 때로는 시작할 때 어려움에 부딪히기도 하지만, 포기하지 않고 꾸준한 연습을 통해 새로운 댄스를 배우고 자신만의 스타일을 찾아나가는 것이 중요합니다. 댄스는 나이나 배경에 상관없이 누구에게나 열려 있는 활동입니다. 시작하는 데에 있어서 가장 중요한 것은 즐거움과 열정입니다. 댄스를 즐기며 새로운 것을 배우고 자신의 개성을 발휘해나가는 과정은 정말 값진 경험이 될 수 있습니다. 무엇보다도, 자신의 몸과 마음을 표현하고 표출하는 기회를 가지게 되어 매우 의미 있고 특별한 경험이 될 것입니다.

댄스와 음악

댄스와 음악은 서로 깊게 엮여있는 예술 형식입니다. 음악이 없이는 춤추기 어려울 뿐만 아니라 불가능할 정도로 댄스는 음악과 함께 진행됩니다. 음악은 댄스의 기반을 제공하고, 댄서들의 움직임으로 이야기를 전달합니다. 댄스와 음악은 서로 영감을 주고받으며 발전해 왔습니다. 댄스와 음악의 관계는 역사적으로도 뿌리 깊습니다. 고대 그리스와 로마 시대부터 시작해 중세 시대의 교회 음악과 댄스 음악은 상호작용하며 영향을 주고받았습니다. 현재에 이르러서도 댄스와 음악은 매우 밀접한 관계를 유지하며 다양한 장르들이 함께 어우러져 있습니다. 발레와 클래식 음악은 댄스와 음악이 가장 대표적으로 어우러진 예시입니다. 발레는 고전 음악과 함께 춤추는 고전적인 춤으로, 클래식 음악의 구성요소 중 하나인 바이올린은 발레에서 주로 사용됩니다. 이와 같이 다양한 댄스와 음악의 조합이 있으며, 각각의 조합은 그 특유의 분위기와 스타일을 지니고 있습니다. 재즈 댄스와 재즈 음악, 힙합 댄스와 힙합 음악, 라틴 댄스와 라틴 음악 등 다양한 조합이 이에 해당합니다. 결국, 댄스와 음악은 서로를 보완하며 새로운 예술의 경지로 이끌어왔습니다.

댄스와 음악 사이의 상호작용은 정말 흥미로운 부분입니다. 음악은 댄스에게 리듬과 멜로디를 제공하여 댄스가 음악을 시각적으로 표현하고 음악의 감성을 깊게 전달할 수 있게 해줍니다. 이러한 상호 작용은 댄스와 음악을 더욱 풍부하고 매력적인 예술 형식으로 발전시켰습니다. 이 두 예술 형식은 현대 예술에서도 중요한 위치를 차지하고 있습니다. 영상, 영화, 뮤지컬 등에서 댄스와 음악이 사용되며, 이를 통해 대중들은 다양하고 풍부한 예술 경험을 할 수 있습니다. 이는 문화와 예술의 다양성을 지키면서 다른 문화와의 상호 이해와 공유에 큰 기여를 합니다. 또한, 댄스와 음악은 예술 분야에서의 창의성과 예술적 감성을 자극하여 발전시키는 역할 뿐만 아니라 소통과 대화를 촉진하는 데도 큰 역할을 합니다. 이들은 인간들 사이의 문화적 교류와 이해를 촉진하면서 다양한 배경과 경험을 가진 사람들 간에 소통의 다리 역할을 하며 그 결과로 예술 분야와 사회 전반에 긍정적인 영향을 끼치고 있습니다.

댄스와 음악이 경제적인 영향을 미치는 측면을 살펴보면, 이들은 문화 산업의 핵심 요소로 자리 잡고 있습니다. 문화 산업은 취업 기회를 제공하고 창조적인 분야에서의 경제적 발전을 촉진합니다. 또한, 댄스와 음악을 통한 문화 소비는 예술가와 예술 단체에 수입을 제공하며, 문화 산업을 지속적으로 유지할 수 있는 경제적 기반을 마련합니다. 문화 산업은 국가 간 교류와 이해, 그리고 창의성과 혁신을 촉진하는 역할도 합니다. 다양한 문화 요소를 통해 서로 다른 사회적 배경과 전통을 이해하고 공유함으로써 문화적 다양성이 확장되고, 이는 더 풍부하고 유익한 예술 경험을 제공합니다.

이러한 의미에서 댄스와 음악은 우리의 삶에서 뿐만 아니라 사회와 경제적인 측면에서도 상당히 중요한 요소로 작용하고 있습니다. 예술과 문화는 우리의 삶을 더욱 풍요롭게 만들어주며, 이는 다양한 측면에서 긍정적인 영향을 끼치고 있습니다.

댄스의 건강증진 효과

댄스는 우리의 건강과 웰빙에 다양한 측면에서 긍정적인 영향을 미치는 것으로 확인되었습니다. 이 예술적 활동은 단순한 운동 방법으로만 그치지 않고, 신체적, 정신적인 측면에서 광범위한 이점을 제공합니다.

댄스는 유연성, 균형, 근력, 심폐 지구력 등 다양한 신체적 능력을 촉진합니다. 댄스 동작은 다양한 근육을 사용하며, 근력과 유연성을 향상시킵니다. 이는 관절 가동 범위를 증가시켜 부상 예방에 도움을 줄 수 있습니다. 댄스는 운동량을 늘리고 체지방을 감소시키는 데 도움을 주며, 규칙적인 댄스 활동은 심혈관 건강을 증진시키고 심장 기능을 향상시킬 수 있습니다. 이는 심혈관 질환의 위험을 줄이고, 대사활동을 개선하여 일상적인 활동 수행에 도움을 줄 수 있습니다. 댄스는 정신적 안녕에도 긍정적인 영향을 미칩니다. 댄스는 스트레스를 감소시키고 신경 계통을 진정시키는 데 도움이 됩니다. 운동을 통해 분비되는 호르몬은 우울증과 불안감을 줄이는 데 효과적일 뿐만 아니라, 자아존중과 긍정적인 정서를 증진시키기도 합니다. 댄스는 또한 사회적 상호작용과 관계 형성을 촉진하여 소속감을 높이고, 사회적 고립을 완화하는 데 기여합니다. 이는 정신적 안녕과 삶의 만족도를 높일 수 있습니다. 다양한 댄스 스타일은 각자 다른 신체적, 정신적 이점을 제공합니다. 발레는 우아함과 균형을 개선 시키며 유연성을 증진 시킵니다. 재즈 댄스는 유연성과 유연한 움직임을 강화하고 심신을 활발하게 합니다. 힙합은 유산소 운동을 통한 심혈관 건강을 증진 시키고 신체 조정을 도와주며, 사교댄스는 사회적 상호작용을 강화하고 커뮤니케이션 기술을 향상시킵니다.

댄스는 단순한 운동 방법으로만 그치지 않습니다. 신체적인 활동뿐만 아니라, 정신적, 감정적인 요소를 모두 포함하는 전체적인 경험으로서 건강과 웰빙에 긍정적인 영향을 줄 수 있습니다. 정기적인 댄스 활동은 신체와 마음의 건강을 향상시키고, 삶의 질을 높일 수 있는 유용한 방법 중 하나입니다. 이러한 이점은 댄스를 즐기며 더욱 건강하고 행복한 삶을 살아가는 데 큰 도움이 될 것입니다.

댄스 다이어트

당신이 원하는 목표를 이루기 위해 댄스를 활용하는 것은 훌륭한 선택일 수 있습니다. 댄스 다이어트는 운동과 즐거움을 결합한 효과적인 방법 중 하나입니다. 일상적인 댄스는 높은 칼로리 소모를 도와줄 수 있습니다. 실제로, 댄스는 우리의 신체를 활발하게 움직이게 하고 심혈관 기능을 증진시키는데 도움이 됩니다. 운동량과 타입에 따라 소비되는 칼로리는 다르기는 하지만, 중요한 것은 꾸준한 댄스 활동은 컬로리를 필요로 하며, 심장 박동수와 호흡을 늘려 높은 에너지를 소비한다는 점입니다. 대략적으로 댄스는 시간당 약 200-400 칼로리를 소모할 수 있습니다. 이는 댄스의 형태, 강도, 시간 등에 따라 다르며, 더 많은 운동량을 원한다면 더 긴 시간이나 더 높은 강도의 댄스를 선택할 수 있습니다. 댄스는 고강도의 유산소 운동으로서, 다이어트 방법 중 하나의 요소가 될 수 있습니다. 하지만, 단순히 댄스만으로는 다이어트 효과를 달성하는 것은 어렵습니다. 올바른 식습관과 규칙적인 운동을 조합하는 것이 중요합니다. 다이어트에서 가장 중요한 것은 역시 칼로리 섭취와 소모의 균형을 유지하는 것입니다. 또한, 댄스 다이어트에서 중요한 점은 꾸준함과 변화입니다. 다양한 댄스 스타일을 시도하고, 운동의 종류나 강도를 변화시키면서 신선함을 유지하는 것이 좋습니다. 댄스는 꾸준한 연습을 통해 신체의 유연성과 근력을 향상시키는데 도움이 되며, 신체의 변화를 느낄 수 있을 것입니다.

다이어트에는 각자의 신체적 상태와 목표에 맞는 맞춤형 계획이 중요합니다. 건강한 식습관과 규칙적인 운동, 충분한 수면과 휴식이 조화롭게 결합 된 계획이 올바른 방향으로 나아가는데 도움이 될 것입니다. 다이어트를 위해 댄스를 선택하는 것은 훌륭한 선택이며, 꾸준한 노력과 규칙적인 습관을 갖추면 원하는 목표에 조금씩 다가갈 수 있을 것입니다. 하지만, 다이어트와 운동 계획을 시작하기 전에 전문가의 조언을 듣는 것도 중요합니다.

블루스 기초 지식

블루스 정의
블루스 역사
블루스 댄스
한국 스타일 블루스
댄스 프로그레셔니: 단계별 발전을 위한 효과적인 접근 방식
댄스 레벨
블루스 댄스 입문
Warming Up(워밍업)
블루스 카운트(리듬)
블루스 진행 방향
블루스 카운트&스텝
블루스 리듬 및 박자 값
댄스 종목별 템포&박자 값
댄스 종목별 타임 시그니처&카운트 및 악센트
사교댄스 타임 시그니처&템포 및 리듬
블루스는 굴신(屈伸) 운동
블루스 특색
감각의 흐름: 몸으로 표현하는 춤의 느낌
Elements of Dancd(엘리먼츠 어브 댄스)
포잇즈(Poise)
Posture(포스트워)
블록스 어브 웨이트(Blocks of Weight)
톤드 프레임(Toned Frame)
발의 올바른 위치
남성의 Standing Poise
여성의 Standing Poise
가슴이 좁아지는 것을 막기 위해서
팔꿈치를 활용한 팔의 움직임을 향상시키는 방법
블루스 Hold
홀드의 중요성
블루스의 꽃 Closed Position
춤의 미학: 몸의 움직임이 이끄는 연결과 의미
댄스의 매력적인 대화: 남녀 간 시선 및 헤드 액션
Head Action(헤드 액션)
홀드 종류

메모장

블루스 정의

20세기 초반에 블루스 음악가들은 다양한 스타일의 음악을 연주했지만, 악보로 기록하지 않았고, 당시 음악가들이 "블루스"라는 용어를 쓰지 않는 경우가 많아서 초기 jazz(재즈), ragtime(래그타임) and gospel(복음서) 음악과 혼동되기도 했습니다.

'블루스'를 정의하는 것은 그 의미와 본질에 대한 이해와 해석을 위한 중요한 과제입니다. 이 용어는 음악적, 문화적, 사회적 맥락에 따라 다양하게 해석되고 사용되어왔습니다. 재즈와 대중음악에 대한 전문가인 Alyn Shipton(앨린 쉽튼)은 블루스를 다음과 같이 정의했습니다. "19세기 후반 발라드와 field-holler(필드홀러)의 영향을 받은 아프리카계 미국인의 노래 형식으로, 영적 음악과 복음 음악의 요소를 포함한다." 이 정의는 블루스의 음악적 기원과 문화적 영향을 강조합니다.

(field-holler(필드홀러): 흑인 노동가들은 가성이나 음정을 유연하게 전환하거나 갑작스럽게 바꾸는 발성 기법을 사용했습니다. 이는 후에 블루스 음악의 창법으로 도입되었습니다.)

앨린 쉽튼은 블루스를 정의하는 데 어려움이 있다고 언급했습니다. 그는 블루스가 단순히 음악적 형식을 넘어서 우울함, 어려움, 삶의 고통과 관련된 감정을 표현하는 매체로서의 면도 포함한다고 말했습니다. 이 용어가 오랜-기간 동안 우울한 감정과 관련된 가사가 사용된 증거도 있다고 소개했죠. 결국, 블루스는 오랜 역사를 통해 우울함과 연관된 감정을 표현하는데 중점을 둔 음악적 형식이라고 볼 수 있습니다. 블루스는 음악적인 표현의 한 형태로, 감정과 경험에 중점을 두는 음악 장르입니다. 이는 주로 아프리카계 미국인들의 문화에서 유래되었으며, 특유한 음악적 구조와 가사를 갖추고 있습니다. 이 음악은 종종 간결하고 직관적인 구조를 가지며, 감정적으로 깊은 주제들을 다룹니다. 블루스의 가사는 종종 사랑, 상실, 어려움 등의 주관적인 경험에 대한 이야기를 담고 있으며, 이를 통해 듣는 이들에게 공감과 연결을 이끌어냅니다. 또한, 블루스 음악은 특유의 멜로디와 화음, 그리고 감정적으로 풍부한 보컬 스타일로 특징지어집니다.

블루스 역사

블루스는 미국 남북전쟁 이후, 1861년부터 1865년까지의 시기에 미국 남부 지역에서 탄생했습니다. 이 시기에는 아프리카계 미국인들이 억압받고 경제적으로 불리한 상황에 처해 있었습니다. 노예제도 폐지 이후에도 흑인들은 여전히 많은 사회적, 경제적 제약을 겪었고, 이러한 어려움 속에서 블루스가 발전하게 되었습니다. 많은 유명한 블루스 음악가들이 미국 남부 지역에서 태어났는데 이런 이유로 어떤 사람들은 델타가 블루스의 탄생지라고 주장합니다. 이 지역은 다른 지역보다 훨씬 많은 흑인이 살았으며, 주로 소작 농업을 중심으로 한 경제 구조를 갖추고 있었습니다. 백인들은 흑인들에게 경제적 제약을 가하며, 이로 인해 사회적 격리와 고립이 심화 되었습니다. 이러한 제한된 환경은 블루스 음악을 통해 흑인들의 감정과 경험을 표현하는데 영감을 주었습니다. 블루스는 이러한 고통과 어려움을 표현하고, 동시에 희망과 용기를 전하는 음악으로 자리 잡게 되었습니다.

블루스의 음악적 기원은 종교적인 노래였습니다. 교회는 가난한 시골 지역에서 안식을 안겨주는 유일한 장소였으며 흑인들은 교회에서 어느 정도의 교육을 받을 수 있었고, 교회를 통해 지역 사회에서 지도자로서의 지위를 얻기도 했습니다. 교회 예배는 힘을 얻는 곳이자 공동체가 함께하는 경험의 장이었는데, 특히 노래를 통해 감정을 표현하는 수단으로 활용되기도 했습니다.

노예 시대의 노동 노래, 필드 홀러, 복음서, 발라드, 그리고 댄스 등 영향을 받아 자연스럽게 블루스가 탄생했습니다. 이 음악들은 사람들에게 정체성과 공동체 의식을 형성하는 데 큰 역할을 했습니다. 음악은 기쁨과 슬픔, 절망과 희망을 표현하는 수단으로 사용되었죠. 이런 음악들은 공동체 구성원들 간의 유대감을 강화하는 데 큰 역할을 했습니다. 또한, 재능을 가진 사람들에게는 생계 수단으로서의 역할도 했습니다. 유명한 여성 가수들은 클럽, 바 등 다양한 장소에서 활동하며 종종 남성 동료들과 협업했습니다. 예를 들어, Bessie Smith는 루이 암스트롱과 함께 활동했는데, 암스트롱은 초기 재즈 트럼펫 연주자로 잘 알려져 있습니다. Smith는 강렬한 목소리와 감정적인 가창력으로 유명했습니다. 그녀와 같은 여성 블루스 아티스트들은 남성들이 주도하는 음악 산업에서도 자신만의 공간을 만들어 내며 블루스 장르의 성장과 인기에 상당한 영향을 끼쳤습니다. 재즈의 선구자들 중 남성 가수들은 미시시피 델타의 농장에서 출발해 멤피스, 세인트루이스, 시카고 등 대도시로 이주했으며 그들은 어려운 환경에서 살며 인종적인 격리와 학대를 겪었습니다. 그렇게 이주한 지역 사회에서 노래와 춤은 집단적 정체성을 유지하고 감정을 표현하는 수단으로 자리 잡았습니다.

원래의 델타 블루스는 남부 문화의 일부로 남아 있었지만, 음악가들의 이동으로 블루스는 새로운 공동체를 위해 변모하게 되었습니다.

남부에서 북부 도시로 흑인 노동자들의 대규모 이주는 도시 내에 밀집된 가난한 흑인 지역들을 만들어 냈습니다. 1930년대의 대공황 이전, 이주한 농업 노동자들 중 많은 사람들이 도시 공장에서 일자리를 얻었지만, 이 일들은 급여가 낮았습니다. 흑인들은 차별과 무시로 그들만의 공동체 의식을 지니게 되었고 그 시대에 새로운 기술을 사용하여 더 역동적인 버전의 블루스를 만들었으며 그로 인해 시카고는 도시 블루스의 발상지로 여겨졌습니다. 또한, 음반 산업이 번성함에 따라 이 도시의 활기찬 음악적 환경은 재즈, 블루스, 그리고 다른 음악가들을 유혹했습니다.

블루스의 탄생은 농촌에서 비롯되었지만, 도시로 확산-되면서 음악가들은 자신들의 연주와 노래를 변화시켰습니다. 새로운 청중을 대상으로 하면서 자연스럽게 그들이 사는 지역의 다양한 문화와 사회적 배경을 반영하게 됐었습니다. 블루스에 대한 현대적인 연구에서는 다양한 스타일로 나뉘어지는데, Delta blues(델타 블루스), country blues(컨트리 블루스), down-home blues(다운홈 블루스), urban blues(어반 블루스), harmonica blues(하모니카 블루스) 등이 있습니다.

Jefferson은 기타를 연주하면서 자신의 보컬 및 리듬을 강조했습니다. 다른 악기는 사용되지 않았고 보컬이 곡의 핵심이었죠. 악기가 추가되더라도 연주자들은 종종 보컬 소리를 모방하거나 보컬과 악기가 상호작용하는 패턴을 만들기도 했습니다. Sonny Boy Williamson은 '하모니카 블루스' 스타일을 개척하며 하모니카 멜로디를 그의 곡에 삽입했습니다. 그는 많은 곡에서 보컬과 하모니카를 번갈아가며 사용하여 악기로써도 그의 목소리와 일맥상통하는 반음과 슬라이드 같은 표현력을 자아내기도 했습니다. 피아노, 드럼, 기타 등이 추가됨에 따라 더 세련된 사운드와 강렬한 리듬이 형성되었습니다.

1912년에 악보로 출판된 최초의 블루스-곡 중 하나인 'Memphis Blues'의 작곡가인 W. C. Handy는 이 곡에 대한 영감에 대해 후에 기록을 남겼습니다. 그는 농장에서 노래를 들었는데, 그 소리를 기록했습니다. 그 소리는 흠잡을 데 없는 멜로디로, 반복적인 코드 순서를 보여주었습니다. WC Handy는 애수 어린 그리움이나 슬픔을 떠올리는 멜로디와 특정한 코드 패턴의 블루스를 상업적으로 알렸습니다. Handy의 Memphis Blues와 같은 곡은 초기 블루스의 특징을 잘 보여주며, 악기들의 조화로운 연주와 민속적인 멜로디가 특징입니다. Handy의 노력과 창의성으로 블루스는 사람들 사이에서 점점 더 알려지게 되었고, 이를 통해 블루스 음악은 큰 발전을 이루게 되었습니다. 이 시기에 블루스는 미국 남부 지역에서 특히 더 많은 인기를 얻으며, 이후에는 다양한 스타일과 형태로 변화해왔습니다. 감정적인 내용과 특유의 리듬, 눈에 띄는 악기 연주로 블루스는 당시의 사회적인 갈등과 감정을 표현하는 중요한 수단으로 자리 잡았습니다. 이는 블루스가 미국 음악의 중요한 요소로서 영향력을 키우게 된 원동력 중 하나입니다.

1920년대 후반, 블루스가 미국에서 큰 인기를 끌었던 시기였습니다. 이 시기에는 많은 블루스 가수들이 무대에 올라와 이 음악 장르를 확고하게 다졌습니다. Bessie Smith, Ma Rainey, Blind Lemon Jefferson, Robert Johnson과 같은 아티스트들은 그 시대를 대표하는 블루스 가수로서 뛰어난 업적을 남겼습니다. 이들은 블루스를 보다 다채롭고 깊이 있는 음악으로 발전시킴으로써 그 인기를 한층 높였습니다. 1920년대 후반부터 1930년대에는 블루스가 스윙 재즈와 함께 대중음악의 주류로 자리 잡았으며 특히 뉴올리언스와 시카고 같은 도시에서 블루스는 큰 인기를 끌었습니다. 그 당시의 사회적 변화와 문화적 상황에 부합하는 멜로디와 가사는 많은 사람들에게 공감을 일으켰습니다. 이러한 인기는 블루스의 발전을 더욱 가속화시켰고, 1930년대 후반에서 1940년대에 이르면서 전기-기타의 등장은 블루스 음악의 혁명을 이끌었습니다. T-Bone Walker, Charlie Christian, Django Reinhardt 같은 기타리스트들은 전기 기타의 등장과 함께 블루스 음악을 혁신하였고 전기 기타의 도입으로 음악은 더욱 다채롭고 풍부한 음향으로 발전하며, 그들의 연주는 블루스 음악의 현대적인 모습을 완성 시켰습니다. 이런 혁신적인 기술과 연주는 블루스 음악의 역사에 큰 흔적을 남겼고 이는 블루스 음악이 꾸준히 발전하고 변화하는 과정에서 중요한 순간 중 하나였습니다.

1950년대와 1960년대 초반은 로큰롤이 대중음악의 중심으로 떠오르던 시기였습니다. 이때 등장한 로큰롤 아티스트들은 블루스 음악의 영향을 크게 받아 로큰롤을 형성했습니다. Elvis Presley, Chuck Berry, Little Richard과 같은 뮤지션들은 블루스를 기반으로 새로운 음악적 혁명을 이끌었습니다. 그들의 음악은 블루스의 루트를 담아내면서도 새로운 형태와 활력을 불어넣었고, 블루스와 로큰롤의 결합으로 폭발적인 인기를 얻게 되었습니다. 1970년대에는 블루스 음악이 재조명되며 다시 한번 큰 인기를 얻었습니다. 이때 등장한 뮤지션들은 전통적인 블루스 음악을 현대적으로 재해석하여 새로운 관객들에게 다가갔습니다. Stevie Ray Vaughan, Eric Clapton, John Lee Hooker와 같은 아티스트들은 전통적인 블루스의 감성을 유지하면서도 그 음악을 새롭게 표현하며, 그들의 음악은 전 세대의 청취자들에게 새로운 매력을 전달했습니다. 그들은 블루스의 상징적인 요소를 살려 현대적이고 다채로운 음악으로 발전시켰고 이들은 블루스 음악을 전 세계에 알리고 이를 좀 더 폭넓은 청중들과 공유하며, 블루스의 잠재력을 다시 한번 보여주었습니다.

블루스 음악은 지속적으로 변화하며 진화하고 있습니다. 현재에도 음악가들이 전통적인 블루스 곡을 새롭게 재해석하고 자신만의 스타일로 연주하며 이를 발전시키고 있습니다. 블루스 음악은 여전히 전 세계적으로 사랑받는 음악 장르 중 하나로 자리 잡고 있으며, 그 영향력은 다양한 분야에 미치고 있습니다. 또한, 문화적으로 블루스 음악은 매우 중요한 역할을 하고 있습니다. 이 음악은 미국-내 아프리카계 미국인들이 직면한 어려움과 고통, 차별과 혐오를 담고 있어, 미국 역사와 문화를 이해하는 데 큰 도움이 됩니다. 블루스는 미국 남부 지방에서 일어난 문화적, 사회적, 정치적 변화를 반영하며, 이를 통해 미국 역사의 한 측면을 이해할 수 있게 합니다. 게다가, 블루스 음악은 미국 이외의 다른 지역에서도 문화적 연결고리로 작용합니다. 유럽, 아시아, 아프리카 등에서도 인기를 끌면서 서로 다른 문화들-간의 이해와 연결에 기여합니다. 이러한 문화적 상호작용은 다양성과 이해를 촉진하여 세계 각지의 사람들이 함께 소통하고 문화를 나누는 데에 도움이 됩니다. 블루스 음악은 오랜 역사와 다채로운 음악적 표현을 통해 인류의 다양성과 연결성을 형성하는 데 일조하고 있습니다.

블루스 댄스

블루스 음악과 더불어 블루스 댄스도 서유럽의 댄스 구조와 파트너 개념이 서아프리카의 리듬과 움직임과 결합된 역사적 기원을 가지고 있습니다. 이 댄스는 서로 다른 문화가 만나고 융합되며 형성되었습니다. 19세기에는 미국 남부의 시골에서 아프리카계 미국인 노예들이 중심이 되어 댄스가 발전했습니다. 그중 하나인 스트럿(Strut)은 경쟁적인 파트너댄스로, 이것이 케이크 워크(Cakewalk)의 기초가 되었습니다. 케이크 워크는 백인 노예 소유주들을 조롱하기 위한 방식으로 발전했죠. 노예들은 소유주들을 흉내 내며 걸음걸이와 자세를 흉내 내는 것으로 춤을 추면서 서로 경쟁하곤 했습니다. 하지만, 백인 노예 소유주들을 희화화하기 위한 요소도 있었지만, 댄스는 그들의 본성과 정체성을 표현하고자 했습니다.

블루스 댄스는 블루스 음악과 마찬가지로 다양한 형태와 스타일을 가지고 있습니다. "The Fish Tail," "Struttin'," "The Slow Drag" 등은 전통적으로 블루스 음악과 함께 전해져 온 춤으로, 19세기 후반과 20세기 초반의 아프리카계 미국인 문화에서 발전해 왔습니다. 이 춤들은 블루스 음악과 함께 노래하며 춤추며 블루스의 구조와 미적 감각을 반영하고 있습니다. 블루스 음악과 춤의 조화는 그들의 발전에 상당한 역할을 했는데, 이것은 블루스 음악의 리듬과 멜로디가 춤의 움직임을 따라갔기 때문입니다. 이러한 춤들은 블루스 음악과 함께 성장하며, 음악의 감정과 메시지를 시각적으로 표현하는 수단으로 자리 잡았습니다. 또한, 다른 음악 형태에도 큰 영향을 미쳤습니다. 재즈를 비롯한 여러 음악 장르에서도 블루스의 영향을 찾아볼 수 있습니다. 블루스의 특유한 리듬, 감정의 전달, 자유로운 표현은 다양한 음악 스타일에서 영감을 주고 계속해서 발전하고 있습니다. 이는 블루스가 음악뿐 아니라 춤과 함께 다양한 문화적 표현을 간직하고 있습니다.

1920년대에는 블루스 댄스가 주목받기 시작했으며, 아프리카계 미국인들에게 크게 인기를 끌었습니다. 이 춤은 매우 단순하지만 음악 해석에 다양성을 허용했습니다. 흑인들의 리듬, 움직임 및 멜로디에 대한 흑인 문화를 대변했으며, 주로 단순한 원스텝이나 투스텝으로 이루어졌습니다. 이 춤의 역사와 다양성은 미국의 다문화적인 풍경과 더불어 음악과 춤의 연대기를 이어가고 있습니다. 이 춤은 그들만의 특별한 이야기와 정체성을 지니고 있으며, 그 흔적은 오늘날까지도 남아 있습니다.

블루스는 억압과 불만을 해소하고 자유로움을 느끼게 해줘 지금까지 많은 사람에게 인기를 끌고 있습니다. 이 댄스는 무엇보다도 감성적이며, 춤을 추는 사람들은 음악에 맞춰 몸을 움직이며 감정을 표현합니다. 블루스는 커플 댄스로 파트너와 유대감이 높아지며, 연인 사이에서도 인기가 높고 다양한 요소를 포함하고 있으며, 그중에서도 풋워크는 이 댄스에서 가장 중요한 역할을 합니다. 이는 감성을 최대한으로 전달하기 위해, 그리고 춤을 추는 사람들이 상대방과 함께 공감할 수 있는 감정적인 분위기를 만들기 위해 필수적으로 사용되는 요소입니다. 블루스는 그루브, 셔플, 탭, 미러 등 다양한 기술을 활용합니다. 그루브는 블루스 댄스의 리듬을 느끼고 몸을 움직이는 것을 의미하며, 셔플은 발을 움직이는 방식을 말고 탭은 발끝을 바닥에 찍는 것으로, 미러는 서로 반대 방향으로 춤을 추는 것을 의미합니다.

블루스 댄스는 느린 리듬과 감성적인 움직임을 강조하는 춤으로, 현재도 많은 이들에게 사랑받는 춤 중 하나이며 블루스 댄스를 즐기는 이들은 춤을 추는 즐거움뿐만 아니라, 블루스 음악과 함께하는 로맨틱한 분위기를 즐기며, 건강한 운동까지 동시에 즐길 수 있습니다.

한국 스타일 블루스

한국 스타일의 블루스는, 미국의 블루스 음악이 한국에 소개되고 선보인 이후로 시작되었으며 이러한 블루스 음악은 1950년대와 60년대에 대부분 군부 및 미군의 기지를 통해 한국인들에게 소개되었고, 블루스 음악이 서울의 클럽에서 라이브 공연을 시작으로 블루스 음악의 한국 내 수요를 증가시키는 데 큰 역할을 했습니다.

70년대 대중음악 산업이 발전하면서 블루스 음악도 점차 발전해갔으나 그 당시 대중적인 음악 장르 중심으로 새로운 음악 장르들이 등장함에 따라 블루스 음악의 인기는 일시적으로 하락하게 되었고 이후, 한국의 블루스 음악은 점차 발전해가면서 다양한 장르들과 결합하면서 오리지널 미국식이 아닌 독특하고 창의적인 한국식 블루스 음악 스타일이 만들어졌으며, 댄스 또한 미국의 블루스 댄스와 같은 스타일로 춤을 추는 것이 아니라, 한국 문화와 블루스 음악을 융합시켜 새로운 형태의 댄스가 탄생했습니다.

한국식 블루스 댄스는 미국의 블루스 댄스와는 다른 스타일을 가지고 있지만, 이러한 차이점이 오히려 블루스 댄스를 더욱 다양하고 매력적인 것으로 만들어 주고 있습니다. 블루스 음악과 춤은 시대와 문화를 초월하여 사람들의 마음을 여는 힘이 있으며. 이러한 블루스 음악과 춤의 매력은 한국 블루스 댄스를 추는 이들에게도 큰 영감을 주고 있습니다.

한국식 블루스 댄스는 콜라텍, 카바레, 무도학원에서 많이 추는 춤으로 더욱 발전하고 다양화될 것으로 기대되고 블루스 음악과 춤은 계속해서 새로운 형태로 진화하고 있으며, 이러한 진화 과정에서 한국 블루스 댄스는 새로운 시도와 창조적인 아이디어를 통해 더욱 멋진 모습으로 성장해나갈 것입니다.

"댄스 프로그레션: 단계별 발전을 위한 효과적인 접근 방식"

1. **기본 자세** (Basic Posture): 바른 자세와 몸의 균형을 유지하는 것으로 춤의 기초를 다지는 단계입니다.
2. **스탠딩 포지션** (Standing Position): 춤의 시작 포지션과 춤을 시작하는 방법을 익히는 단계입니다.
3. **스텝 워크** (Step Walks): 기초적인 스텝과 걸음을 익히고 발전시키는 단계입니다.
4. **타이밍 및 리듬** (Timing and Rhythm): 음악에 맞춰 춤을 추는 타이밍과 음악의 리듬에 따라 움직이는 법을 연습하는 단계입니다.
5. **기초 스윙** (Basic Swing): 춤의 스윙 움직임을 익히고 발전시키는 단계입니다.
6. **발의 사용** (Footwork): 발의 움직임과 걸음에 초점을 맞춰 발전시키는 단계입니다.

7. **체리오그래피 (Choreography, 안무 기술법)**: 춤의 흐름과 움직임을 연속적으로 연결하고 조화롭게 만드는 연습을 하는 단계입니다.

8. **패턴과 변화** (Patterns and Variations): 다양한 패턴과 변화를 익히고 연습하는 단계입니다.

9. **핵심 테크닉** (Core Techniques): 춤의 기본적인 기술과 기법을 익히고 발전시키는 단계입니다.

10. **리더십과 파워** (Leadership and Power): 리더와 팔로우의 역할과 기술을 학습하고 연습하는 단계입니다.

11. **밸런스와 컨트롤** (Balance and Control): 몸의 밸런스를 유지하고 움직임을 컨트롤하는 기술을 향상시키는 단계입니다.

12. **댄스 플로어 커버리지** (Dance Floor Coverage): 댄스 플로어를 효율적으로 활용하고 이동하는 기술을 향상시키는 단계입니다.

13. **프레임워크** (:Framework) 춤을 추는데 필요한 프레임워크를 만들고 유지하는 방법을 학습하는 단계입니다.

14. **스텝 융합** (Step Integration): 다양한 스텝과 기술을 통합하고 효과적으로 사용하는 방법을 연습하는 단계입니다.

15. **익스프레션과 스타일** (Expression and Style): 춤에서의 개성과 스타일을 발전시키는 연습을 하는 단계입니다.

16. **파트너십과 커뮤니케이션** (Partnership and Communication): 파트너와의 소통과 협력을 강화하는 단계입니다.

17. **퍼포먼스 준비** (Performance Readiness): 공연을 위한 실전 준비와 자신감을 키우는 단계입니다.

18. **테스트와 평가** (Testing and Evaluation): 학습한 내용을 평가하고 발전시키기 위한 테스트와 평가를 진행하는 단계입니다.

19. **실전 연습** (Real Practice): 현실적인 상황에서의 연습과 경험을 통해 실력을 향상시키는 단계입니다.

20. **계속된 성장과 발전** (Continued Growth and Advancement): 춤을 계속해서 발전시키고 성장시키는 데 초점을 맞추는 단계입니다.

댄스 레벨

1. **입문자** (Novice): 춤을 처음 시작한 사람들로 기본적인 자세와 움직임을 익히는 단계입니다.

2. **기초 학습자** (Fundamental Learner): 기본적인 스텝과 동작을 숙지하고, 움직임에 대한 이해도를 높이는 단계입니다.

3. **중간 단계** (Intermediate Stage): 조금 더 복잡한 스텝과 기술을 습득하며, 기초를 넘어서는

단계입니다.

4. **고급 학습자** (Advanced Learner): 높은 수준의 기술과 움직임을 배우며, 춤에서의 자신만의 스타일을 개발하는 중요한 단계입니다.

5. **전문가** (Expert): 높은 수준의 테크닉과 퍼포먼스를 갖춘 댄서로, 뛰어난 기술과 표현력을 보유하고 있습니다.

6. **댄스 마스터** (Dance Master): 댄스를 진정한 전문가로서 다루며, 통제력과 표현력을 가지고 있습니다.

7. **창조자** (Creator): 새로운 스타일과 기법을 개발하고, 댄스 예술을 창조적으로 펼치는 단계입니다.

8. **혁신가** (Innovator): 댄스 예술의 혁신적인 방향성을 제시하고, 새로운 영역과 아이디어를 탐구하는 단계입니다.

9. **마에스트로** (Maestro): 댄스 예술을 지배하며, 뛰어난 리더십과 예술적 비전을 구현하는 전문가입니다.

10. **무한한 예술가** (Infinite Artiste): 댄스 예술의 경지에 이르며, 끊임없는 창조와 예술적 열정으로 댄스의 영역을 초월합니다.

이러한 레벨은 개인의 노력과 무대 경험, 창의성, 학습 노력에 따라 변화할 수 있습니다. 또한, 댄스의 다양한 스타일과 장르에 따라서도 레벨의 해석과 적용이 달라질 수 있습니다.

블루스 댄스 입문

1. **자신의 목표 설정하기**: 어떤 스타일의 블루스 댄스를 배우고 싶은지, 어떤 레벨에 도전하고 싶은지 명확히 설정해보세요.

2. **레슨 탐색**: 현지의 춤 학원, 온라인 강의, 댄스 스튜디오 등에서 블루스 댄스 레슨을 찾아보세요. 강사의 경험과 레슨 계획을 확인하는 것이 중요합니다.

3. **학습 환경 고려**: 스튜디오나 강의실의 분위기, 강사와의 상호작용, 그리고 다른 학생들과의 교류 등, 학습 환경을 고려해보세요. 여러 가지 학습 방식 중 어떤 것이 자신에게 맞을지 생각해보세요.

4. **복장과 준비물**: 편안한 운동복과 춤을 추기에 적합한 신발을 준비하세요. 또한, 필요한 경우 물병이나 수건 등을 챙기는 것도 잊지 마세요.

5. **열정과 인내심 유지하기**: 블루스 댄스는 감성적이고 표현력이 중요한 춤입니다. 처음부터 모든 것을 완벽하게 익히기는 어려울 수 있지만, 끊임없는 연습과 열정으로 자신의 댄스 실력을 향상시킬 수 있어요. 블루스 댄스를 배우는 과정은 즐거운 여정이 될 것입니다. 자신의 목표와 학습 방식에 맞는 레슨을 찾아서 시작해보세요.

Warming Up(워밍업)

춤을 추기 전 스트레칭은 부상을 방지하고 유연성을 향상시키며, 무엇보다 춤을 더 재미있게 즐길 수 있도록 도와줍니다. 이를 위해서는 발부터 머리까지 전체적인 스트레칭이 필요합니다.

우선 발의 역할은 춤 출 때 중요한 부분입니다. 발은 우리 몸의 연결고리이자 균형을 잡는 핵심입니다. 발을 움직이고 조작함으로써 몸의 전체적인 움직임을 조절하고 향상시킬 수 있습니다. 발의 준비운동은 다양한 형태로 이루어질 수 있습니다. 발뒤꿈치를 들어 올리거나, 발을 바닥에 붙여서 세우고 발끝에 압력을 주는 동작, 발끝을 바닥에서 떼어 올리는 등의 동작을 통해 발목 관절의 유연성을 높일 수 있습니다. 발레에서처럼 무릎과 허벅지를 활용하는 움직임들도 발의 준비운동 중 하나입니다. 또한, 허리와 엉덩이를 흔들거나, 비틀어 엉덩이와 골반의 근육들을 이완시키는 것도 중요합니다. 이러한 동작들은 몸의 유연성을 향상시키고, 자연스러운 움직임을 도와줍니다.

팔과 어깨 또한 춤출 때 매우 중요한 부분입니다. 춤을 출 때 팔과 어깨의 움직임은 몸의 균형과 운동 범위를 조절하는 데 큰 영향을 미칩니다. 어깨를 원형으로 움직여 근육을 이완시키고, 손가락과 손목을 스트레칭하는 것도 중요합니다. 이렇게 함으로써 팔과 어깨의 유연성을 높일 수 있으며, 춤을 출 때 몸의 운동을 더욱 자연스럽게 만들어줍니다.

머리와 목 또한 춤출 때 스트레칭과 이완이 필요한 부분입니다. 목과 머리의 움직임은 춤을 출 때 자세와 균형을 조절하는 데 큰 영향을 미칩니다. 목의 근육을 느껴보고 머리를 움직여서 몸의 유연성을 높이는 것은 춤을 출 때 편안한 움직임을 돕습니다.

발부터 머리까지 전체적인 스트레칭과 워밍업을 통해 몸을 유연하게 하고, 부상을 방지할 수 있습니다. 춤출 때 몸을 준비하는 것은 단순히 운동 전에 필요한 것뿐만 아니라, 춤을 더욱 자유롭게 출 수 있게 해줍니다.

블루스 카운트(리듬)

리듬	읽을 때	음악 타이밍
S, S	슬로우, 슬로우	쿵짝, 쿵짝
Q, Q, Q, Q	퀵, 퀵, 퀵, 퀵	쿵, 짝, 쿵, 짝
S, Q, Q	슬로우, 퀵, 퀵	쿵짝, 쿵, 짝
Q, Q, S	퀵, 퀵, 슬로우	쿵, 짝, 쿵짝
S&, S&	슬로우앤, 슬로우앤	쿵짝, 쿵짝
Q, Q, S&	퀵, 퀵, 슬로우앤	쿵, 짝, 쿵짝
Q, &, Q, S	퀵, 앤, 퀵, 슬로우	쿵, 짝, 짝, 쿵짝
Q, &, Q, Q, &, Q	퀵, 앤, 퀵, 퀵, 앤, 퀵	쿵, 짝, 짝, 쿵, 짝, 짝

블루스 진행 방향

1번	Forward walk, Backward walk

2번	Chasse To Left, Chasse To Right
3번	Diagonally Forward walk, Diagonally Backward walk

블루스 카운트&스텝

S(슬로우)	2박자에 스텝 1보
Q(퀵)	1박자에 스텝 1보
&(앤)	1/2박자에 스텝 1보

블루스 리듬 및 박자 값

블루스는 음악의 흐름과 함께 춤을 추는 것이 핵심입니다. 이 춤은 다양한 스타일과 테크닉을 포함하며, 이 모든 것이 음악의 리듬과 조화를 이루는 것이 특징입니다. 블루스를 출 때, 가장 중요한 것은 음악의 리듬에 맞추는 것입니다. 블루스 음악의 특성을 이해하고, 그 흐름과 비트에 따라 몸을 움직여야 합니다. 기본 리듬을 익히고, 그에 맞춰 자연스럽게 춤을 추는 것이 댄스를 더욱 아름답게 만드는 방법입니다. 블루스는 자유로운 춤이기도 합니다. 표준화된 패턴보다는 음악에 따라 자유롭게 표현할 수 있는 춤입니다. 따라서 리듬을 익히고, 자신만의 감성과 스타일을 녹여내며 춤을 출 수 있는 능력이 중요합니다. 블루스는 마음의 감정과 음악의 흐름을 함께 이어가는 춤입니다. 음악과 몸이 하나가 되어 표현되는 순간들이 댄서에게 큰 즐거움을 주며, 이를 위해서 기본적인 리듬을 꼼꼼히 익히고 연습하는 것이 중요합니다.

리듬	박자 값
S, S	2, 2
Q, Q, Q, Q	1, 1, 1, 1
S, Q, Q	2, 1, 1
Q, Q, S	1, 1, 2
S&, S&	2, 2
Q, Q, S&	1, 1, 2
Q&, Q, S	1(1/2), 1(1/2), 1, 2
Q&, Q, Q&, Q	1(1/2), 1(1/2), 1, 1(1/2), 1(1/2), 1

댄스 종목별 템포&박자 값

종목	템포/1분간	박자 값
왈츠(waltz)	30소절	1.1.1
탱고(tango)	33~34소절	S:2 Q:1/2
폭스트롯(fox trot)	30소절	S:2 Q:1
비엔나왈츠(Viennese waltz)	58~60소절	1.1.1
퀵스텝(Quick step)	50소절	S:2 Q:1
룸바(Rumba)	27~28소절	1.1.1.1
삼바(Samba)	52~54소절	3/4 1/4 1 (카운트에 따라 달라짐)
자이브(Jive)	42~44소절	1.1.3/4.1/4.1.3/4.1/4.1

차차차(Cha cha cha)	30~32소절	1.1.1/2.1/2.1
파소도블레(Paso Doble)	60~62소절	1. 1.

댄스 종목별 타임 시그니처&카운트 및 악센트

종목	타임 시그니처	카운트	악센트
왈츠(waltz)	3/4박자	1.2.3	카운트 1
탱고(tango)	2/4박자	1& 2&	각 박자마다
폭스트롯 (fox trot)	4/4박자	1.2.3.4	1(강) 2(약) 3(중강) 4(중약)
비엔나왈츠 (Viennese waltz)	3/4박자	1.2.3	카운트 1
퀵스텝 (Quick step)	4/4박자	1.2.3.4	1(강) 2(약) 3(중강) 4(중약)
룸바(Rumba)	4/4박자	2.3.4.1	카운트 4
삼바(Samba)	2/4박자	1 a2	카운트 2
자이브(Jive)	4/4박자	1.2.3a4.3a4	카운트 2&4
차차차 (Cha cha cha)	4/4박자	2.3.4&.1	카운트 1
파소도블레 (Paso Doble)	2/4박자	1. 2.	카운트 1

사교댄스 타임 시그니처 & 템포 및 리듬

종목	타임 시그니처	템포/1분간	리듬
지르박	4/4박자	40	SSQQ
도롯트	4/4박자	26	QSS
블루스	4/4박자	28	SQQ
탱고	4/4박자	32	SQQ
리듬짝	4/4박자	36	QQQQ

블루스는 굴신(屈伸) 운동

굴신 운동은 우리의 움직임에 깊게 관여하는 것으로, 이는 댄스에 큰 영향을 미칩니다. 댄스는 굴신 운동을 다양한 형태로 포함하고 있으며, 발의 움직임과 무릎의 유연한 굴신 운동이 그 특징 중 하나입니다. 각각의 댄스 스타일은 굴신 운동의 다른 요구사항을 가지고 있습니다. 예를 들어, 왈츠나 볼레로와 같은 댄스는 굴신 운동이 큰 각도로 요구되는 경향이 있지만, 지르박 댄스나 블루스와 같은 댄스는 굴신 각도가 작은 편입니다. 또한, 이러한 특성들은 연령층과도 연관이 있습니다. 모던계 댄스는 일반적으로 청년층과 잘 어울리는 반면, 라틴계 댄스는 중장년층에게 더 인기가 있는 경향이 있습니다. 모든 연령층에서 댄스는 건강한 운동과 즐거움을 제공합니다. 굴신 운동을 통해 유연성과 균형을 향상시키는 것은 건강에 매우 도움이 되며, 음악과의 조화는 감정과 표현력을 높여줍니다. 댄스를 통해 굴신 운동을 강화하고 음악과 조화를 이루며 표현력을 향상시키는 것은 매우 유익한데요, 이러한 특성들은 전문적인 용어로 '댄스 특성'이라고 불리기도 합니다. 또한, 댄스의 다양한 형태와 스타일은 사람들에게 즐거움과 건강에 이로운 운동을 제공합니다.

블루스 특색

블루스 댄스는 특유의 음악적 흐름과 감성을 춤으로 표현하는 고유한 스타일을 가지고 있어요. 이 댄스는 감정의 깊이와 감성을 중시하며, 음악의 감정을 몸으로 표현하는 데 중점을 두고 있습니다.

1. **감성적 표현**: 블루스 댄스는 음악의 감정을 몸으로 표현하는 데 중점을 둡니다. 감정의 진정성과 깊이를 나타내는 것이 중요하며, 이는 춤을 추는 사람과 감정적인 연결을 만들어냅니다.
2. **느린 리듬과 편안한 움직임**: 블루스 음악은 느린 리듬과 감정적인 멜로디로 유명합니다. 이에 맞춰 블루스 댄스는 서서히 흘러가는 음악에 맞춰 서서히 흘러가는 움직임과 스텝을 중시합니다.
3. **임프로바이제이션(즉흥적인 창작)**: 블루스 댄스는 음악의 변화와 함께 춤을 춥니다. 음악의 변화에 따라 댄서는 임프로바이제이션을 통해 자유롭게 춤을 표현하며, 감정의 변화를 반영합니다.
4. **직접적인 연결**: 블루스 댄스에서는 파트너와의 직접적인 연결이 중요합니다. 서로의 몸과 감정을 공유하며 춤을 추는 것이 블루스 댄스의 중요한 부분이에요.
5. **고유한 스타일과 감성**: 각각의 댄서들은 자신만의 스타일과 감성을 블루스 댄스에 녹여냅니다. 이를 통해 각자의 감정과 개성을 춤을 통해 표현하는 것이 가능해져요.

블루스 댄스는 감정적이고 편안한 분위기에서 음악과 춤을 통해 감정을 표현하는 데 큰 매력을 가지고 있어요. 이는 춤을 즐기는 이들에게 감정의 깊이를 더하고, 특별한 연출과 연결을 만들어냅니다.

감각의 흐름: 몸으로 표현하는 춤의 느낌

춤은 위치, 걸음, 타이밍, 그리고 운동적인 요소들을 담고 있지만, 그 안에는 더 깊은 감정과 의미가 있어요. 예를 들어, 특정한 춤의 동작을 하나로 이어가는 것이 중요하겠지만, 그 동작들이 어떤 감정을 담고 있는지, 파트너와의 협력과 의사소통을 통해 어떤 이야기를 전달하고 있는지가 더 중요할 수 있습니다. 댄스는 단순한 운동이 아니라 파트너와의 감정적인 연결을 표현하는 것이기도 합니다. 홀드하는 순간, 단순히 몸을 움직이는 것 이상으로 서로에게 따뜻한 감정을 전달하고 나누는 시간일 수 있어요. 이때의 자세, 표정, 그리고 각종 움직임은 단순히 자세를 취하는 것 이상의 의미를 갖게 됩니다.

춤은 또한 파트너와의 연결을 강화하고 서로의 감정을 이해하는 것입니다. 이때 자세, 팔 움직임, 심지어는 표정도 매우 중요하죠. 그리고 텐션 및 사인(리드) 또한 중요한데, 이때 어떤 신호를 주고

받으며 상호작용하는지가 춤의 완성도를 높일 수 있어요. 새로운 동작을 연습할 때, 단순히 동작 자체에만 집중하는 것이 아니라 그 동작이 담고 있는 감정과 이야기를 파트너와 함께 어떻게 표현할 수 있는지 고민해보는 것이 중요합니다. 이를 통해 더욱 깊고 의미 있는 춤을 출 수 있을 거예요.

Elements of Dance(엘리먼츠 어브 댄스)

댄스의 요소(elements of dance)는 모든 춤의 움직임을 이루는 부분이거나 구성요소입니다. 예를 들어, 공간, 시간, 바디, 에너지 등이 이에 해당합니다. 댄스의 요소(elements of dance)는 크게 다음과 같이 분류됩니다:

가. 바디:

1. **라인(Line)**: 라인은 댄서의 바디 형태, 자세, 그리고 공간 내에서의 위치를 의미합니다. 바디 라인은 춤의 아름다움과 우아함을 결정짓는 중요한 요소 중 하나입니다. 예를 들어, 스트레칭과 자세 교정을 통해 바디 라인을 강화하고, 춤을 추는 동안 댄서의 자세와 위치를 조절하여 춤의 미적인 효과를 높일 수 있습니다.
2. **밸런스(Balance)**: 밸런스는 중심을 잡고 움직임을 조절하는 능력을 의미합니다. 춤을 추는 과정에서 몸의 중심을 유지하고, 여러 동작을 수행하는 동안 안정감 있는 밸런스를 유지하는 것이 중요합니다. 이는 춤을 통해 표현되는 동작의 안정성과 정확성에 직접적으로 영향을 미치며, 댄서가 공간을 활용하고 다양한 동작을 자유롭게 표현하는 데 큰 영향을 줍니다.
3. **동작(Action)**: 동작은 춤의 형태와 스타일을 결정합니다. 각각의 동작은 특정한 의도나 감정을 전달하고, 춤을 더욱 풍부하고 다채롭게 만들어 냅니다. 동작은 다양한 기술과 스텝을 포함하며, 댄서의 감정과 음악에 맞춰 자유롭게 변화할 수 있습니다. 춤의 감정과 메시지를 전달하는데 있어 동작은 핵심적인 역할을 담당합니다.

나. 공간:

1. **방향(Direction)**: 춤에서 방향은 댄서가 이동하거나 특정 동작을 수행하는 방식을 가리킵니다. 전진, 후진, 좌우 이동뿐만 아니라, 대각선으로의 이동, 회전 등 다양한 방향성을 포함합니다. 방향은 춤의 흐름과 무대 공간을 활용하는 데 중요한 역할을 합니다.
2. **크기(Size)**: 크기는 댄서의 움직임이나 동작의 범위를 나타냅니다. 춤에서 크기는 움직임이 작고 섬세하거나 크고 화려할 수 있습니다. 크기는 댄스의 표현력을 높여주며, 춤을 추는 과정에서 감정이나 음악의 강도에 따라 변화할 수 있습니다.
3. **레이아웃(Layout)**: 레이아웃은 댄스하는 공간의 활용과 배치를 의미합니다. 무대의 크기, 춤을 추는 영역, 댄서들 간의 거리 등이 레이아웃에 해당합니다. 레이아웃은 춤의 구성과 연출에 영향을

미치며, 무대를 효과적으로 활용하여 댄스를 표현하는 데 중요한 역할을 합니다.

다. 시간:

1. **비트(Beat)**: 비트는 음악의 리듬과 타이밍에 맞춰 움직임을 결정합니다. 음악에서의 비트는 규칙적인 진동이며, 이것이 춤추는 사람의 움직임과 연결됩니다. 춤추는 사람은 비트에 맞춰서 발걸음, 손의 움직임, 몸의 동작 등을 조절하여 음악과 함께 움직입니다.

2. **템포(Tempo)**: 템포는 음악의 속도나 빠르기를 나타냅니다. 춤의 템포는 음악의 속도와 일치하거나 그에 대비하여 다양한 템포로 춤을 표현할 수 있습니다. 다양한 템포에서 춤을 표현하는 것은 춤추는 사람의 기술과 다양성을 나타내는 중요한 요소 중 하나입니다.

3. **딜레이(Delay)**: 딜레이는 움직임을 지연하거나 빠르게 하는 것을 의미합니다. 춤추는 사람은 음악의 특정한 부분에 맞춰 딜레이를 주거나, 반응 속도를 빠르게 하는 등의 템포의 변화를 통해 춤을 표현하고 다채롭게 만들어 냅니다. 딜레이는 춤의 다양성과 표현력을 높이는 데에 중요한 역할을 합니다.

라. 에너지:

1. **포스(Force)**: 포스는 댄서의 움직임의 강도나 강렬함을 나타냅니다. 댄서는 춤을 통해 감정이나 메시지를 표현할 때, 그 움직임에 포스를 더하거나 줄일 수 있습니다. 춤의 포스는 움직임에 에너지를 부여하고 댄서의 힘과 열정을 나타내며, 관객에게 더 강한 메시지를 전달하는 데에 도움을 줍니다.

2. **플로(Flow)**: 플로는 움직임이 부드럽게 연결되어 있는지를 나타냅니다. 댄서는 서로 다른 동작이나 스텝을 부드럽고 자연스럽게 연결하여 춤을 표현합니다. 플로는 움직임의 연속성과 조화를 의미하며, 그것이 춤의 우아함과 아름다움을 높입니다.

3. **표현(Expression)**: 표현은 댄서의 감정이나 의도가 얼마나 잘 전달되는지를 나타냅니다. 춤추는 사람은 음악이나 춤의 컨셉에 맞게 감정을 표현하고, 관객에게 메시지를 전달합니다. 표현력이 뛰어난 댄서는 자신의 감정을 춤으로 표현하여 관객들에게 감동과 여운을 남기게 됩니다.

댄스는 이러한 요소들의 조합을 통해 예술적으로 표현되며, 댄서의 창의성과 기술을 통해 다양한 스타일과 형태로 발전해 왔습니다.

포이즈(Poise)

평형과 균형은 댄스에서 핵심적인 요소입니다. 춤을 추는 동안 몸의 안정성과 우아함을 유지하기 위해 필수적인데요, 이는 포이즈라 불리는 것으로, 댄서가 몸의 균형과 자세를 춤을 추면서 지속적으로 유지하는 것을 말합니다. 올바른 포이즈를 유지하는 것은 댄서의 기술과 춤을 추는 동안 보여지는 자세에 큰 영향을 미칩니다. 기본적인 올바른 자세를 유지하는 방법 중 하나는 어깨를 펴고 허리를 일직선으로 유지하며, 머리는 수직으로 유지하는 것입니다. 이러한 자세는 댄서의 몸을 일관되고 안정적으로 유지하는 데 중요합니다. 또한, 발과 다리를 올바르게 사용하여 몸의 균형을 유지하는 것도 중요한데, 발을 바닥에 밀착시키고 발끝을 올바른 각도로 유지하여 춤을 추는 동안 발끝이 지면에 끌지 않도록 주의해야 합니다. 댄스를 배우는 사람이라면, 일상생활에서도 균형 잡힌 자세로 걷는 것이 도움이 됩니다.

올바른 자세는 댄스에도 큰 영향을 미치며, 집에서도 앉은 자세를 확인하고 벽에 등을 대고 자세를 조절하는 연습을 함으로써 올바른 자세를 향상시킬 수 있습니다. 이는 춤을 추는 동안 몸의 안정성과 우아함을 높이는 데에 도움이 됩니다.

Posture(포스트워)

포스트워(Posture)는 몸의 자세나 태도를 나타내며, 특히 올바른 자세를 유지하는 것을 강조하는 용어입니다. 올바른 포스트워는 몸의 각 부분이 적절한 위치에 있고 균형을 이루며, 근육과 관절이 올바르게 지지-되어 있을 때 얻을 수 있는 자세를 의미합니다.

댄스나 운동, 일상생활에서도 중요한 개념으로, 올바른 포스트워를 유지하는 것은 척추의 정렬을 통해 몸의 무게를 균형 있게 지탱하고 근육과 관절에 부담이 고르게 가해지도록 돕습니다. 이는 부상을 예방하고 우아한 움직임을 가능하게 하며, 몸의 효율성을 높이는 데에 도움이 됩니다. 정확한 포스트워를 유지하는 것은 몸의 건강과 기능성을 향상시키며 운동 또는 춤을 추는 과정에서 자세와 안정성을 유지하는 데에 큰 도움이 됩니다.

블록스 어브 웨이트(Blocks of Weight)

"블록스 어브 웨이트(Blocks of Weight)"는 몸의 다섯 부분을 명명하여 무게 중심과 균형을 이해하고 조절하는 데 도움이 되는 개념입니다. 이 부분들은 다음과 같은 역할을 합니다.

1. **머리:** 머리는 우리 몸의 정상에 자리하고 있지만, 그 무게와 위치는 우리의 전체적인 자세와 균형에 많은 영향을 미칩니다. 머리는 상당한 무게를 갖고 있으며, 목과 척추를 통해 지탱됩니다. 이것이 몸의 균형을 조절하는 데에 큰 역할을 합니다. 머리가 올바른 위치에 있고 균형을 잡는다면, 몸 전체의 자세도 안정되고 올바르게 유지될 가능성이 높아집니다.

이는 우리가 일상생활에서 걷거나 서 있는 동안에도 중요합니다. 머리의 위치가 자연스럽게 곧바로 느껴지고, 목과 척추가 수직을 이루며 자연스러운 곡선을 이루도록 하는 것이 중요합니다. 이것이 올바른 자세를 유지하는 데에 있어서 중요한 부분 중 하나입니다. 몸의 균형은 머리와 목의 위치와 밀접한 관련이 있으며, 이를 조절하여 올바른 자세를 유지하는 것이 중요합니다.

2. 어깨: 어깨는 상체의 지지를 담당하고 있습니다. 팔과 상체의 움직임을 조절하고, 우리가 다양한 동작을 할 수 있도록 도와주는 중요한 부위입니다. 팔이 자유롭게 움직일 수 있도록 연결돼 있죠. 적절한 어깨는 팔을 높이 들거나 움직일 때 더 많은 자유로움을 제공합니다. 잘못된 어깨 자세는 팔의 움직임에 제약을 주고, 근육들에 부담을 줄 수 있습니다. 때로는 잘못된 자세나 스트레스로 인해 어깨에 통증이나 불편함이 생길 수도 있습니다. 따라서 올바른 자세를 유지하고 어깨를 제대로 지탱하는 것이 중요합니다. 정확한 어깨의 위치와 움직임은 팔과 상체의 움직임을 원활하게 만들어주며, 몸의 균형과 편안함을 유지하는 데에 도움을 줄 수 있습니다.

3. 갈비뼈: 갈비뼈는 가슴에서 복부까지 이어지는 중요한 부분입니다. 몸의 중심 부분으로, 호흡과 같은 핵심적인 기능을 조절하고 몸의 균형을 유지하는 데 큰 역할을 합니다. 갈비뼈는 몸의 중심에 위치하여 척추를 지지하고 있으며, 이는 몸의 안정성과 균형을 제공합니다. 또한, 호흡과 관련하여 중요한 역할을 하는데, 갈비뼈는 효율적인 호흡을 도와주고 호흡 용량을 확보하는 데 도움을 줍니다. 몸의 중심 부분에 위치한 갈비뼈는 우리가 움직일 때 몸의 균형을 유지하는 데에도 중요한데, 이것이 안정적이고 올바른 자세를 유지하는 데 큰 역할을 합니다. 갈비뼈가 제대로 지탱되고 균형을 유지하면, 몸 전체가 안정되고 건강한 상태를 유지하는 데에 도움이 됩니다.

4. 엉덩이: 엉덩이는 몸의 상체와 하체를 연결하는 부분으로, 걷거나 움직일 때 매우 중요한 역할을 합니다. 엉덩이는 몸의 안정성을 제공하고, 운동할 때나 일상적인 활동을 할 때 필수적인 기능을 담당하죠. 엉덩이 근육들은 몸의 균형과 안정성을 유지하는 데 핵심적입니다. 걷거나 달릴 때, 또는 서서 일을 할 때 엉덩이 근육들은 우리 몸을 지탱하고 균형을 유지하는 데 도움을 줍니다. 또한, 엉덩이 근육들은 하체 근육들과 함께 작동하여 움직임의 조절과 힘을 제공합니다. 엉덩이는 몸의 중심 부분이기도 하며, 몸의 자세를 제어하는데 중요한 부분입니다. 강하고 안정된 엉덩이 근육들은 다양한 움직임을 할 때 우리 몸을 지지하고 안정성을 유지하는 데에 큰 도움이 됩니다. 그래서 엉덩이 근육들을 강화하고 유연하게 유지하는 것이 건강한 움직임과 자세를 유지하는 데 중요합니다.

5. 다리: 다리는 엉덩이 아래부터 발끝까지 이어지는 부분으로, 몸의 무게를 지탱하고 서 있거나 움직일 때 필요한 기능을 수행합니다. 몸의 균형을 유지하고 운동 시 올바른 자세를 유지하는 데 매우 중요합니다. 다리는 우리 몸을 지탱하고 무게를 지탱하는 주된 역할을 합니다. 서 있거나 걷거나 뛰면서 몸의 무게를 지탱하고, 운동할 때 몸의 균형을 유지하는데 큰 도움을 줍니다. 또한, 다리 근육들은 운동과 움직임에 필수적이며, 이를 통해 우리는 다양한 동작을 수행할 수 있습니다.

다리는 몸의 하부 근육들과 함께 작동하여 운동과 자세를 조절하고 균형을 유지하는 데 중요한 역할을 합니다. 강하고 유연한 다리 근육은 몸의 안정성을 유지하고 다양한 운동을 할 수 있도록 도와줍니다.

이러한 부분들은 모던, 라틴 댄스, 사교 댄스 뿐만 아니라 운동 전반에서 자세와 균형을 유지하는 데 중요합니다. 이 개념을 이해하고 이를 활용하면 몸의 균형을 유지하고 운동의 효율성을 높일 수 있습니다.

톤드 프레임(Toned Frame)

톤드 프레임(Toned Frame)은 춤에서 매우 중요한 개념으로, 여러 가지 측면을 포함합니다:

1. **좋은 자세와 몸의 정렬**: 올바른 자세와 몸의 정렬은 춤을 출 때 균형을 유지하는 데 매우 중요합니다. 몸을 일관되게 정렬하는 것은 댄스 동작을 보다 효율적으로 수행하고 움직임이 자연스러워지도록 돕습니다. 바른 자세는 몸의 각 부분이 올바른 위치에 있고 균형을 유지하는 것을 의미합니다. 어깨는 내리고, 등은 곧게 펴고 머리는 수직으로 유지하는 것이 중요하며, 특히 춤을 추는 동안 허리와 복부를 지탱하는 것은 움직임의 안정성을 높이고 체형을 잘 유지하는 데 도움이 됩니다. 올바른 발바닥의 사용과 발목, 무릎, 골반의 정렬도 중요합니다. 몸의 각 부분이 올바른 자세를 유지함으로써 운동의 효율성과 자연스러움을 증진시킬 수 있고 이러한 올바른 자세와 몸의 정렬은 댄서가 균형을 유지하고 춤을 자연스럽게 추는 데 도움을 줍니다. 또한, 부상의 예방과 체형 개선에도 기여할 수 있습니다. 하지만 올바른 자세를 유지하는 데에는 시간과 연습이 필요합니다. 정확한 자세와 몸의 정렬을 위해 주의 깊은 연습이 필요하며, 전문가의 조언을 받는 것도 도움이 될 수 있습니다.

2. **적당한 팔 텐션**: 적절한 팔 텐션은 춤에서 파트너와의 커넥션과 소통을 위해 중요한 요소입니다. 이는 춤을 추는 동안 서로의 움직임을 더 잘 이해하고 응답할 수 있도록 도와줍니다.

적절한 팔 텐션은 손과 팔의 힘을 파트너와의 연결성을 유지하면서 조절하는 것을 의미합니다. 너무 강하거나 약한 힘은 파트너와의 의사소통을 방해할 수 있고, 춤을 추는 동안 적당한 힘과 긴장을 유지하면 서로의 움직임을 더욱 자연스럽게 연결시킬 수 있습니다. 또한, 적절한 팔 텐션은 춤을 추는 파트너들 간의 상호작용을 촉진합니다. 춤은 파트너 간의 상호작용과 협력이 필요한 예술적인 표현이기 때문에, 적절한 팔 텐션은 파트너와의 유기적인 연결을 통해 춤의 품격과 아름다움을 더욱 높일 수 있습니다. 따라서 춤을 추는 동안 적당한 팔 텐션을 유지하는 것은 춤의 품격과 파트너와의 연결성을 향상시키는 데 도움이 됩니다. 이는 댄스를 보다 매력적으로 만들며, 파트너와의 커뮤니케이션과 호흡을 개선할 수 있도록 돕습니다.

3. **자신의 센터 유지**: 자신의 센터를 유지하는 것은 춤을 추는 동안 균형과 힘을 조절하고, 움직임의 안정성과 정확성을 유지하는 데 중요한 역할을 합니다. 댄스에서 센터는 몸의 중심을 말합니다. 이는 몸의 균형을 유지하는 데 있어 핵심적인 역할을 합니다. 춤을 추면서 자신의 센터를 잘 유

지하는 것은 정확하고 강력한 움직임을 가능하게 합니다. 센터를 잃지 않으면서, 적절한 힘과 균형을 유지하는 것이 댄스 동작의 정확성과 효율성을 높이는 데 도움이 됩니다. 또한, 파트너와의 연결을 유지하고 원활한 소통을 위해서도 센터 유지가 필요합니다. 댄스에서는 파트너들 간의 조화로운 움직임이 중요하기 때문에, 서로의 센터를 조화롭게 유지하면서 춤을 추는 것이 중요합니다. 이는 파트너와의 원활한 소통과 협력을 도모하며, 댄스를 더욱 효과적으로 즐길 수 있도록 돕습니다. 이러한 요소들은 춤출 때 서로 간의 커넥션과 협업을 강화하며, 보다 효과적인 춤을 만들어냅니다. Toned Frame은 춤의 기본이자, 더 뛰어난 춤 경험을 위한 필수적인 요소 중 하나입니다.

Frame(프레임)

프레임(Frame)은 춤에서 중요한 개념으로, 춤을 추는 동안 상체의 위치, 머리, 목, 어깨, 팔, 손 등의 자세를 의미합니다. 이는 댄스 포지션에서 상체가 취하는 정확한 자세와 라인을 가리키며, 춤추는 데 필수적인 요소입니다. 좋은 프레임은 하반신인 엉덩이, 다리, 발의 올바른 자세와 함께 춤추기에 필수적입니다. 이는 춤에서 균형을 유지하고 명확한 리드와 텐션, 부드러운 움직임을 가능케 합니다.

프레임은 춤추는 과정에서 매우 중요한 역할을 합니다. 상체의 위치와 팔의 움직임은 춤의 흐름과 연결성을 제공하며, 상대방과의 원활한 소통과 움직임의 정확성에 영향을 미칩니다. 좋은 프레임은 춤을 추는 동안 균형을 유지하고 스무스하고 정확한 움직임을 가능하게 하며, 텐션과 리드를 명확히 전달하는 데도 중요한 역할을 합니다. 상체와 팔의 강도와 유연성을 유지하면 춤의 흐름과 스텝의 정확성을 유지하는 데 도움이 됩니다. 이는 춤의 운동성과 우아함을 높이는 데 큰 영향을 미치며, 춤의 품격과 스타일을 높입니다. 춤추는 과정에서 프레임을 유지하는 것은 파트너와의 상호작용과 효과적인 연습에 필수적입니다. 상체와 팔의 안정성과 우아함을 유지하여 춤의 완성도와 품격을 높이는 데 큰 영향을 미칩니다. 파트너와의 원활한 협업을 통해 춤의 미학을 더욱 높일 수 있습니다. 댄스에서의 프레임은 고급 기술이자 핵심적인 요소로, 춤의 완성도와 품격을 높이는 데 큰 도움이 됩니다.

발의 올바른 위치

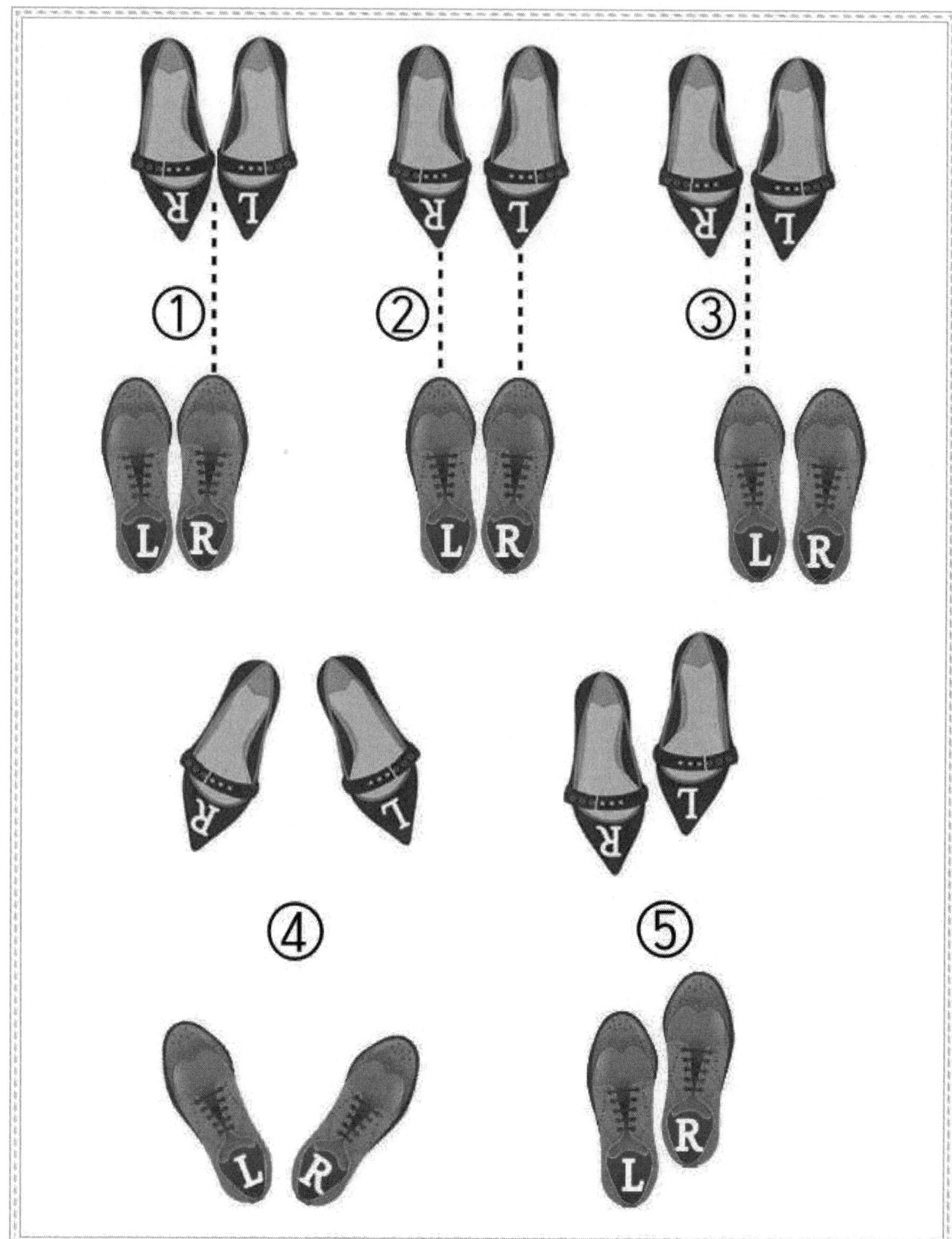

올바른 발의 위치	2번
나쁜 발의 위치	1, 3번, 4번, 5번

남성의 Standing Poise

양발을 11자로 정렬하는 것은 댄스에서 안정적인 자세를 유지하고 움직임을 효과적으로 지원하는 중요한 기초입니다. 이 자세는 발을 일직선으로 정렬하여 몸의 균형을 유지하는 데 도움이 되며, 댄스 동작 중에도 다양한 방향으로의 움직임을 용이하게 합니다. 댄스에서 회전과 방향 변환은 빈번하게 발생하는데, 안정된 자세는 이러한 움직임들을 안정적으로 수행할 수 있도록 돕습니다.

머리부터 발끝까지의 일직선 정렬은 몸의 중심축을 유지함으로써 안정성을 제공합니다. 이는 밸런스를 유지하고 움직임의 흐름을 원활하게 만들어줍니다. 또한, 발의 중심을 몸의 중심에 맞추면 움직임을 더욱 부드럽게 만들어주어 동작의 정확성과 조화를 높여줍니다. 이러한 안정된 자세는 댄스를 할 때 발과 다리의 힘과 안정성을 높여주는 것뿐만 아니라, 댄스 동작들을 더욱 우아하고 자연스럽게 만들어줍니다.

올바른 자세는 춤을 추는 데 있어서 균형과 우아함을 위한 출발점입니다. 춤을 추는 동안 올바른 자세를 유지하는 것은 뛰어난 기술을 발휘하는 데 중요한 역할을 합니다. 이는 춤을 추는 데 있어서 필수적인 기반이며 춤의 안정성과 우아함을 결정짓는 중요한 부분입니다. 등과 골반이 수직으로 일직선을 이루며 어깨는 편안하게 펴져야 합니다. 체형과 균형을 유지하며 자세를 유지하는 것은 춤을 추는 데 필수적인 요소입니다. 등의 수직성은 춤을 추는 데 있어서 가장 중요한 요소 중 하나입니다. 올바르게 세워진 등과 약간 뒤로 빠진 골반은 자연스러운 곡선을 만들어냅니다. 어깨와 팔은 편안하게 펴져야 합니다. 어깨를 들고 움직이면 답답함을 느낄 수 있기 때문에 가능한 한 편안하게 유지하는 것이 중요합니다. 올바른 자세는 춤의 표현에 큰 영향을 미칩니다. 이는 춤을 더욱 우아하고 연결성 있게 만들어주며, 자세가 제공하는 안정성은 춤을 추는 데 큰 도움을 줍니다. 춤을 표현하고 연결성을 유지하기 위해서는 올바른 자세가 필수적입니다.

블루스에서의 올바른 자세와 균형은 춤을 추는 데 중요한 역할을 합니다. 상체 안정성을 유지하는 것이 중요하며, 몸 각 부분의 위치와 균형 조절이 필요합니다. 올바른 자세를 유지하기 위해서는 목 뒤의 옷깃을 끌어 올렸을 때, 상체가 자연스럽게 세워지고 명치가 올라가는 자세를 유지해야 합니다. 상체가 뒤로 뒤집히지 않도록 주의하고, 여성의 경우 명치를 올린 자세를 유지하는 것이 중요합니다. 또한, 머리의 위치도 중요한데, 머리를 견갑골 뒤에 위치시켜야 합니다. 이러한 자세 조절을 통해 올바른 Forward Balance를 유지할 수 있습니다. 특히 춤을 추는 과정에서 팔을 앞으로 내밀어야 올바른 포워드 밸런스를 유지할 수 있습니다. 이러한 자세와 균형 조절을 통해 블루스에서 자연스럽고 우아한 움직임을 연출할 수 있습니다. 올바른 자세와 균형은 춤의 안정성과 아름다움을 높여주는 중요한 요소입니다.

가슴의 안정성은 춤을 추는 과정에서 매우 중요합니다. 가슴이 좁아지는 것을 막기 위해서는 몸을 제어하고 적절한 자세를 유지하는 것이 필요합니다. 춤을 추는 동안 자연스러운 움직임에서도 가슴이 마치 안정된 위치에 고정되어 있다고 느끼는 것이 중요합니다. 상반신의 안정성은 춤의 품격과 우아함을 결정짓는 중요한 요소 중 하나입니다. 올바른 자세와 움직임은 춤을 추는 동안 안정성과 우아함을 높여줍니다. 특히, 올바른 가슴의 자세는 몸을 제어하고 춤을 추는 동안 안정된 느낌을 주는 데 큰 역할을 합니다. 가슴이 안정되고 고정된 듯한 느낌을 주는 것은 춤의 자연스러움과 우아함을 높일 수 있는 중요한 요소 중 하나입니다. 이는 몸의 안정성을 유지하고 자세를 조절하는 데 도움이 되며 올바른 자세를 유지하고 몸을 제어하는 것이 가슴의 안정성을 유지하는 데 중요합니다.

팔의 움직임은 춤에서 매우 중요한 역할을 합니다. 특히 팔꿈치의 위치는 자세와 우아함을 결정짓는 중요한 부분 중 하나입니다. 춤을 출 때 팔꿈치는 팔의 움직임을 조절하는 핵심적인 부분이기 때문에 올바른 위치와 움직임이 필요합니다. 팔꿈치의 제대로 된 조절이 없으면 팔이 둔감하게 보일 수 있고, 동작의 우아함을 상실시킬 수 있습니다. 특히 남성 초보자들은 어깨가 올라가거나 팔꿈치가 모이는 경향을 보일 수 있습니다. 이러한 자세는 팔의 움직임을 제한하고 춤의 우아함을 해치는 요소가 될 수 있습니다. 팔과 팔꿈치를 자연스럽게 움직이면서 조절하는 것은 춤을 보다 우아하고 정교하게 만드는 데 도움이 됩니다. 팔꿈치와 팔의 움직임을 부드럽게 조절하면 둔감한 동작을 피할 수 있으며, 이는 춤의 우아함을 높이고 정교한 동작을 가능하게 합니다. 이는 춤을 추는 과정에서 큰 차이를 만들어내는 중요한 기술 중 하나입니다.

팔의 움직임은 춤을 출 때 중요한 부분입니다. 팔꿈치를 제대로 활용하여 자연스럽고 우아한 움직임을 만들어내는 것이 중요합니다. 팔꿈치를 조절하는 능력은 춤의 표현력을 향상시키고 자신의 춤을 더욱 매력적으로 만들어줄 것입니다. 팔의 높이를 조절하는 것은 춤에서 매우 중요한 부분이며 이 작은 디테일이 춤의 우아함과 아름다움을 결정짓는데 큰 영향을 미치죠. 남성과 여성이 함께 춤을 추면서 팔의 높이 차이가 생길 수 있지만, 이는 자연스러운 과정입니다. 그러나 춤을 추는 동안에도 대칭적인 아름다움을 유지하기 위해 서로의 레벨을 존중하고 팔의 높이를 조절하는 것이 중요합니다. 높이를 맞추는 것보다는 자신의 편안한 높이를 유지하면서 춤을 즐기는 것이 좋습니다. 그리고 남성과 여성은 서로의 움직임을 공유하고, 팔의 높이를 조절하여 함께 아름다운 협업을 이뤄낼 수 있습니다.

춤은 협력과 조화의 과정이며, 서로의 움직임을 조율하고 팔의 높이를 조절함으로써 더욱 아름다운 춤을 이뤄낼 수 있습니다. 서로를 이해하고 조화롭게 움직이는 것이 춤의 아름다움과 조화로움을 더욱 부각 되고 이런 관점을 가지고 춤을 즐기면서 서로의 조화로운 협업을 만들어나갈 수 있습니다.

춤을 추면서 왼쪽 팔의 높이는 실제로 매우 중요한 요소 중 하나입니다. 일반적으로 왼쪽 손은 남성의 눈과 입 사이의 높이에 유지하는 것이 바람직합니다. 그러나 때로는 조금 낮추는 것이 시각적인 균형을 더 잘 이룰 수도 있습니다. 팔의 높이를 너무 높이거나 낮추는 것보다는 적절한 위치를 찾는 것이 중요합니다. 전문적인 춤 지도자들은 팔꿈치를 약간 올리는 것을 가르치지만, 이로 인해 손이 지나치게 높아지는 경향이 있을 수 있습니다. 팔의 높이를 조절하는 것은 춤에서 미적인 균형과 조화를 창출하는 데 큰 영향을 미칩니다. 적당한 높이를 유지하면서 손을 지나치게 높이 들지 않도록 주의하는 것이 춤의 자연스러움과 우아함을 유지하는 데 도움이 됩니다. 그래서, 춤을 추면서 왼쪽 팔의 높이를 조절하는 것은 시각적인 조화와 균형을 유지하여 춤을 더욱 아름답게 만드는 데 중요한 역할을 합니다. 이런 작은 디테일들이 춤의 아름다움과 우아함을 높여주는 것이죠.

춤에서는 손과 팔의 각도와 방향이 여성과의 연결을 이끌고, 함께 호흡하고 조화롭게 움직이는 데 중요한 역할을 합니다. 이것은 두 파트너 간의 유기적인 협업을 구축하며, 춤의 흐름과 아름다움을 창출합니다. 남성은 여성을 리드하고 안내하는 역할을 하면서, 이때 손과 팔의 각도 및 방향은 파트너와의 조화로운 상호작용을 위해 조절되어야 합니다. 이러한 손과 팔의 움직임은 춤의 특성과 파트너십을 고려하여 맞춤형으로 조정되어야 합니다. 여성과의 간격이 멀면 팔꿈치의 각도가 커지게 되고, 간격이 너무 좁으면 팔꿈치의 각도가 줄어들 수 있습니다. 팔꿈치의 각도가 너무 크거나 작으면, 둘 다 불편함을 느낄 수 있고 춤의 흐름도 아름답지 못할 수 있습니다. 적절한 여성과의 간격을 유지하면서 손과 팔의 각도를 조절함으로써 너무 과하거나 서로 불편함을 미치지 않는 적절한 각도를 유지할 수 있습니다. 이를 통해 춤의 우아함과 조화를 유지하면서 더욱 편안하고 아름다운 춤을 즐길 수 있습니다.

견갑골은 춤에서 몸의 움직임과 자연스러움을 조절하는 데 매우 중요한 부분입니다. 몸의 핵심 부분 중 하나로, 춤의 우아함과 아름다움을 형성하는 데 결정적인 역할을 합니다. 견갑골을 확장하고 넓히는 것은 어깨와 상반신의 움직임을 조정하며, 자연스럽고 우아한 자세를 완성 시킵니다. 견갑골을 넓히는 것은 몸의 안정성과 유연성을 조화롭게 유지하는 데 필수이며 이를 위해 가슴 옆과 등쪽의 근육을 활용하여 몸의 움직임을 자연스럽게 만들어내는 것이 중요합니다. 이 자세를 취할 때 양쪽 어깨를 아래로 내리고, 가슴을 넓게 펴는 느낌을 주면서 몸의 중심을 유지하는 것이 핵심입니다. 견갑골을 넓힘으로써 양쪽 팔꿈치를 잡아당기는 느낌으로 움직임을 제어하고 조화롭게 춤을 출 수 있습니다. 이는 춤의 흐름과 파트너와의 연결을 조율하여 우아하고 조화로운 춤을 만들어냅니다. 결국, 견갑골의 확장은 댄스에서 우아한 자세와 움직임을 형성하는 핵심적인 요소로 작용하며, 몸의 자연스러운 움직임과 아름다움을 만들어냅니다. 이를 통해 춤의 우아함과 조화를 높일 수 있습니다.

몸의 각도와 방향을 균형 있게 유지하는 것은 춤의 우아함과 아름다움을 그리기 위해 매우 중요합니다. 올바른 자세를 유지하기 위해 몇 가지 요소를 고려하는 것이 중요합니다.

첫째로, 턱밑 선을 마루와 수평하게 유지하는 것이 필요합니다. 이를 위해 턱을 부드럽게 당겨 약간의 턱을 들어 올리는 것이 좋습니다. 이렇게 함으로써 목과 척추의 직선을 유지하고 몸의 중심을 잡아줄 수 있습니다.

두 번째로, 코-라인은 약 45도 각도를 유지하는 것이 좋습니다. 이렇게 하면 머리와 목의 자연스러운 연결을 유지하면서 눈의 시선은 약 30도 위를 향하도록 조절할 수 있습니다. 이는 자연스러운 시선을 유지하면서도 몸의 균형을 유지하는 데 도움이 됩니다. 마지막으로, 머리의 방향은 척추를 중심으로 정면을 응시합니다. 이러한 자세를 유지하면 춤을 추는 동안 몸의 균형과 우아함을 유지할 수 있습니다. 이러한 안정성과 우아함을 결합하여 춤의 아름다움을 한층 더 빛나게 만들 수 있습니다. 이는 춤을 출 때 몸의 안정성과 우아함을 함께 유지하여 더욱 멋진 춤을 완성하는 데에 도움이 됩니다.

여성의 Standing Poise

헤드 액션은 춤에서 아름다움을 높이고 연결을 강화하는 핵심적인 요소 중 하나입니다. 여성이 몸의 정렬과 자세를 유지하면서 헤드를 위로 30도 정도 들고, 정면 앞으로 응시하는 경우와 목을 약간 기울이고 상체를 약간 뒤로 기울이는 경우가 있습니다. 헤드를 약 23도 정도 기울이면 춤의 우아함과 연결성을 더해주며 우아한 움직임은 춤을 더욱 아름답고 우아하게 만들어줍니다. 여성의 헤드 액션은 더 많은 표현력을 부여하며, 이는 춤의 감정을 보다 풍부하게 전달하는 데에도 도움이 됩니다. 헤드 모션은 춤을 더욱 흥미롭고 매력적으로 만들어주는 데 기여합니다. 이런 작은 움직임들이 춤의 아름다움과 표현력을 한층 더 높여주는 것이죠. 헤드 액션은 춤의 연출을 완성시키는데 중요한 부분이며, 여성이 자신의 우아함과 연결성을 춤을 통해 표현하는 데에 큰 역할을 합니다. (헤드 액션은 선택)

여성이 남성과의 춤에서 왼쪽 팔을 조절할 때 약간의 여유를 유지하는 것이 자연스러울 수 있으며 팔꿈치를 완전히 겹쳐 맞추는 것보다 약간 왼쪽으로 튀어나오고, 앞으로 약간 밀려 나오는 것은 춤을 더 유연하게 추는 데 도움이 됩니다. 이렇게 함으로써 서로에게 압박을 주지 않으면서도 춤의 자유로움을 유지할 수 있습니다. 또한, 여성이 너무 강하게 남성의 팔을 내리거나 누르는 것은 피해야 할 행동입니다. 이는 춤의 조화를 방해할 수 있고, 서로의 편안함을 해치게 될 수 있습니다.

여성의 아름다움은 춤추는 그 순간, 고요함 속에서 마주하는 아름다움입니다. **목선에서 시작되어 쇄골을 따라 흐르는 우아한 곡선은 숨겨질 수 없는 매력입니다.** 올바른 자세를 갖춘 순간 그 아름다움이 비로소 느껴집니다. 여성은 예술 작품이며, 남성들은 그 아름다움에 끌리지만, 그것을 항상 스포트라이트 아래 빛나는 존재로 여기는 것이 중요합니다.

우아한 여성의 모습은 단순히 외모의 아름다움이 아니라, 내적인 우아함과도 연결되어 있으며 그들은 강인함과 섬세함을 동시에 지니며, 춤을 추는 것과는 별개로 올바른 자세와 내면의 아름다움으로 자신을 표현합니다. 우아한 여성은 마치 예술 작품처럼 주변을 아름답게 만들어 주며, 끊임없는 조명이 비추는 스포트라이트 속에서 빛을 발하는 존재로 여겨져야 합니다.

여성은 자신만의 독특한 아름다움을 지니고 있으며. 우아함은 외모뿐 아니라, 행동과 자세에도 담겨있습니다. 그리고 그 아름다움은 끝없는 여정이며, 항상 스포트라이트 아래 빛나는 존재로서 그것을 자랑스럽게 가져야 하며 그녀들의 아름다움은 우리가 주목하는 것뿐만 아니라, 자신들도 깨달아야 하는 소중한 보석입니다.

라틴 댄스나 모던 댄스를 배운 사람들은 몸의 균형과 자세를 제어하는 방법을 터득하게 됩니다. 그래서 블루스 같은 댄스에서도 더 아름다운 자세를 보여줄 수 있으며 자연스럽게 몸을 올바르게 세울 수 있습니다.

현실은 레슨이 스텝 중심으로 진행되며 자세를 제대로 가르치지 않는다는 것은 중요한 문제입니다. 자세와 균형은 춤을 추는 데 매우 중요한 요소이지만, 몸의 자세나 균형을 강조하지 않고 스텝에만 집중하는 학원이 많습니다. 자세가 올바르게 유지되지 않으면 상반신이 흔들리거나 불안정한 춤이 될 수 있습니다. 자세와 균형을 잡는 것은 댄스에서 아름다움을 더하고 안정된 춤을 추는 데 중요한 요소입니다. 따라서 레슨을 받을 때 이러한 요소에 집중하여 자세를 올바르게 유지하는 것이 매우 중요합니다. 자세와 균형을 잘 유지하면서 춤을 추는 것은 아름다운 댄스를 표현하는 데 큰 도움이 됩니다.

가슴이 좁아지는 것을 막기 위해서

1. **코어 근육 강화:** 코어 근육 강화는 춤을 출 때 가슴이 안정적으로 느껴지게 하는 데 중요한 역할을 합니다. 이를 위해 복근과 허리 부분의 근육을 강화하는 것이 필요합니다. 코어 근육은 몸의 중심을 지탱하고, 춤 동작 중에 안정성을 제공합니다. 특히 춤을 출 때 허리와 복부 근육이 강해야 하며, 이는 몸의 균형을 유지하고 자연스러운 움직임을 가능하게 합니다. 복부 근육은 몸의 중심인 코어를 지탱하고 춤 동작 중 가슴의 안정성을 유지하는 데 큰 영향을 미칩니다. 이러한 근육을 강화하기 위해 유산소와 근력 운동을 결합하는 효과적인 트레이닝이 필요합니다. 특히 플랭크, 크런치, 다이나믹한 복근 운동 등을 통해 코어 근육을 효과적으로 강화할 수 있습니다. 코어 근육이 강화되면 춤 동작 중 몸의 안정성이 향상되어, 가슴이 안정적으로 느껴질 수 있습니다. 이는 춤을 추는 동안 자세와 균형을 유지하는 데 도움이 되며, 몸의 안정성을 높여 더 우아하고 자연스러운 춤을 추도록 도와줍니다. 따라서 춤을 출 때 코어 근육을 강화하는 것은 몸의 안정성을 높여 가슴이 안정적으로 느껴지게 하는 데 중요한 역할을 합니다.

2. **우아한 가슴의 움직임:** 춤을 추면서 우아하고 자연스럽게 움직이는 가슴은 안정적인 움직임을

유지하는 데 중요합니다. 너무 강하게 움직이거나 지나치게 움직이면 자세가 불안정해질 수 있습니다. 가슴의 움직임을 조절하여 안정성을 유지하는 것이 핵심입니다. 가슴의 움직임을 자연스럽게 유지하기 위해서는 근육을 올바르게 활용하는 것이 중요합니다. 지나치게 힘주지 않고, 또 너무 느슨해지지 않도록 조절하는 것이 필요합니다. 이를 위해 가슴의 근육을 유연하게 하면서도 균형 있게 조절하는 연습이 필요합니다. 가슴의 움직임을 자유롭게 만들기 위해 숨을 깊게 들이마시고 내쉬면 자연스럽게 움직이는 것이 도움이 됩니다.

가슴의 움직임은 안정성을 유지하면서도 춤을 더욱 아름답게 만들어줍니다. 적절한 강도와 범위 내에서 가슴을 움직여 안정성을 유지하는 것이 중요하며 이는 춤을 추는 동안 자세와 균형을 유지하는 데 도움이 되며, 자연스럽고 우아한 움직임을 표현하는 데 도움이 됩니다. 따라서 춤을 추면서도 가슴의 자유로운 움직임을 유지하는 것은 안정성을 유지하면서 더욱 아름다운 춤을 완성하는 데 중요한 요소입니다.

3. 자세의 제어와 정렬: 춤을 추는 과정에서 몸을 제어하고 정렬하여 척추가 직선으로 유지되도록 하면, 가슴은 안정된 상태로 유지되며 몸의 중심을 잡는 데 도움이 됩니다. 또한, 척추의 정렬은 가슴이 너무 앞으로 나가거나 뒤로 빠지는 것을 방지하여 춤을 추는 동안 안정성을 유지되는데 이를 통해 춤을 추는 동안 자연스럽고 우아한 움직임을 표현하는 데 도움이 됩니다.

4.균형 유지와 연결: 몸 전체의 균형과 연결은 춤을 추는 데 매우 중요한 역할을 합니다. 가슴뿐만 아니라 팔, 어깨, 등과의 조화로운 연결을 유지하여 안정성을 높일 수 있습니다.

춤을 출 때, 몸의 균형을 유지하는 것이 핵심입니다. 가슴뿐 아니라 팔, 어깨, 등과의 조화로운 연결을 유지함으로써 몸 전체의 안정성을 유지할 수 있습니다. 이는 몸의 각 부분이 서로 연결되어 하나의 조화로운 움직임을 만들어내는 것을 의미합니다. 팔과 어깨 및 가슴과 등이 조화롭게 움직이면서 몸의 안정성을 더욱 높여주며 춤을 추는 동안 안정성을 유지하고 연출에 균형감을 더해줍니다. 이는 몸의 일부분만으로 춤을 출 때 발생하는 불균형을 방지하고, 몸 전체의 조화로운 움직임을 유지하는 데 도움이 됩니다. 따라서 몸 전체의 균형과 연결을 유지하는 것은 안정성을 높이고 아름다운 춤을 표현하는 데 중요한 역할을 합니다.

가슴의 안정성은 춤을 출 때 우아함과 자신감을 더해주며 자세의 제어, 코어 근육 강화, 자연스러운 움직임과 연결된 안정성은 춤을 추는 데 도움이 되는 중요한 요소입니다.

팔꿈치를 활용한 팔의 움직임을 향상시키는 방법

1. 팔꿈치 각도의 조절: 팔꿈치 각도의 조절은 춤을 출 때 중요한 부분 중 하나입니다. 팔을 움직일 때, 팔꿈치 각도를 자연스럽게 조절하는 것이 매우 중요합니다. 팔을 뻗거나 굽힐 때, 팔꿈치의 각도를 적절히 조절하여 자연스러운 곡선을 만들 수 있습니다. 이를 통해 팔의 움직임이 더욱 우아

하고 자연스럽게 보입니다.

팔꿈치를 너무 과도하게 굽히거나 뻗으면 움직임이 부자연스러워질 수 있으므로 팔의 움직임을 조절할 때 팔꿈치 각도에 신경을 써야 합니다. 적절한 팔꿈치 각도를 유지하면서 움직임을 조절하면 춤이 더욱 우아하고 매끄러워 보일 것입니다. 이는 춤을 보다 아름답게 표현하는 데 큰 영향을 줄 수 있습니다.

2. **균형 유지와 연결:** 팔을 움직일 때는 팔꿈치를 통해 상체와의 연결을 유지하는 것이 중요합니다. 팔을 올리거나 내릴 때, 팔꿈치를 자연스럽게 조절하여 상체와의 균형을 유지하고 자연스러운 움직임을 만들어내는 것이 필요합니다. 이렇게 하면 몸의 균형이 유지되면서 팔의 움직임이 자연스럽고 조화롭게 이루어질 수 있습니다. 팔을 움직일 때 팔꿈치를 적절히 활용하여 연결을 유지하면, 춤이 더욱 우아하고 매끄러워 보일 것입니다.

3. **크기와 감도의 조절:** 팔의 움직임은 춤의 스타일과 음악에 맞게 조절되어야 합니다. 활기찬 음악에는 빠르고 활발한 움직임이 어울리며, 이에 맞게 빠르게 팔을 움직여야 합니다. 반면, 느린 음악에는 부드럽고 우아한 움직임이 어울리므로 팔을 부드럽게 움직여야 합니다. 음악의 템포와 분위기에 맞게 팔의 크기와 움직임의 감도를 조절하여 춤의 느낌을 표현할 수 있습니다. 이렇게 함으로써 음악과의 조화로운 연출을 이룰 수 있습니다.

4. **연습과 익숙함:** 연습과 익숙함은 팔 움직임을 향상시키는 핵심입니다. 팔꿈치를 효과적으로 사용하기 위해서는 꾸준한 연습이 필수입니다. 거울을 활용하여 자신의 팔 움직임을 확인하고 조절하는 연습을 지속하는 것이 중요합니다. 반복적인 연습을 통해 익숙해질수록 팔꿈치를 더욱 정확하게 조절할 수 있게 됩니다. 이를 통해 춤을 추는 과정에서 팔의 움직임을 더욱 자연스럽고 정밀하게 다룰 수 있을 겁니다.

블루스 Hold

"비트는 힘 및 장력이 적당히 갖추어져 있을 때 아무런 인체에 무리 없이 몸을 바르게 세울 수 있다."

블루스는 춤의 세계에서 감성적인 여정을 제공하는데, 그 독특한 리듬과 깊은 감정을 표현하는 데 많은 기술과 노력이 필요한 춤 중 하나입니다. 이 춤에서 홀드는 중요한 역할을 합니다. 홀드는 상대방과의 감정적인 연결을 나타내며, 춤을 추는 이들은 홀드를 통해 서로의 몸과 숨결을 느끼며 운동을 조율하고 춤의 분위기와 감성을 전달합니다.

홀드의 종류에는 여러 가지가 있으며 가장 일반적인 홀드는 클래식한 블루스 댄스 홀드로, 이는 서로의 팔을 감싸며 서로를 껴안는 자세를 말하며 이 외에도 오픈 홀드, closed facing position 등 다양한 홀드 기술이 사용됩니다.

블루스 홀드 하는 방법은 파트너와 배 사이에 주먹이 들어갈 정도 떨어져 마주 선 다음에 여성의 견갑골(날개 뼈)에 남성의 오른손으로 살짝 가져다 대고 여성의 왼손은 남성의 오른쪽 어깨에 살짝 얹는다. 남성의 왼팔은 "L"자 모양으로 팔꿈치를 90°로 구부려 준 상태에서 왼손으로 여성의 오른손과 그립을 합니다. 턱은 당기고 머리는 뒤로 올리고, 그립의 높이는 입 또는 눈높이이며 약간 턱을 당긴 상태를 유지하고 시선은 정면에서 약간 위를 바라봅니다. 이런 홀드를 closed facing position이라고 하며 남성과 여성은 양쪽 손가락을 벌리지 말고 모은 상태를 유지해야 하며, 자세, 어깨 및 팔은 견고해야 합니다.

블루스 댄스의 특성상 슬로우한 리듬으로 춤을 추는 경우가 많으므로, 서로의 움직임에 맞춰 천천히 움직이는 것이 좋으며 춤을 추는 동안 서로의 체중이나 균형을 지켜야 하며, 남성은 여성을 안정적으로 이끌어주어야 합니다.

홀드의 중요성

홀드는 춤에서 매우 중요한 부분입니다. 남성과 여성 사이의 연결고리로서, 춤의 흐름과 리드를 조절하는 핵심적인 역할을 합니다. 적절한 홀드는 춤을 안정적으로 이끄는 데 필수적이며, 파트너들 간에 흔들림 없는 움직임을 촉진합니다. 이는 춤의 흐름을 조절하고 파트너들 간의 조화를 높이며, 댄스의 전문성과 연결성을 높이는 데 도움이 됩니다. 홀드는 춤을 출 때 감정과 의도를 전달하는데도 큰 역할을 하며, 이를 통해 춤의 아름다움과 의미를 높여줍니다.

남성과 여성의 위치

남성과 여성은 약간 뒤틀린 대각선 방향으로 서서 서로에게 적절한 거리를 유지하면서도 자유롭게 움직일 수 있는 포지션을 확보합니다. 이 위치는 상호간의 연결을 강화하면서도 춤의 움직임을 조율하는 데에 유용합니다.

메모

1. 남성은 여성의 오른손을 왼쪽 손으로 잡아 귀 높이에서 약간 밑으로 내려 손을 잡습니다.
2. 손목을 꺾지 않고 일직선으로 유지하며, 팔꿈치와 손까지 직선이 되도록 유지해야 합니다.
3. 오른손은 여성의 왼쪽 어깨 아래를 가볍게 잡아줍니다. 팔을 아래쪽으로 경사지게 하고, 손가락은 모아 여성의 어깨 아래를 가볍게 감싸야 합니다.

4. 여성은 오른팔로 남성의 오른팔 팔 상단을 가볍게 잡습니다. 팔을 아래쪽으로 경사지게 하고, 손가락을 모아 남성의 어깨 아래에 가볍게 놓아줍니다.

블루스의 꽃 Closed Position

블루스에서의 Closed Position는 남성과 여성은 서로 마주하고 서 있지만, 서로가 직접 눈을 맞추거나 시선을 공유하는 것이 아니라 약간의 간격을 유지하는 것이 중요합니다. 이 포지션에서는 파트너의 머리와 오른쪽 어깨 사이의 공간을 '스크린'으로 생각하며, 항상 이 스크린을 주시하는 것이 중요합니다. 상대방의 눈을 향하는 것보다는 좀 더 왼쪽을 바라보도록 유지함으로써, 서로의 안전과 공간을 존중할 수 있습니다. 남성이 오른쪽을 바라보게 되면 파트너의 공간을 침범하거나 충돌할 수 있으므로, 안정성과 공간을 유지하는 데에 중요한 역할을 합니다. 파트너와의 거리를 유지하면서 걸을 때는 오른쪽(왼발) 발로 나아가는 걸음을 따라가되, 파트너의 발 사이를 부드럽게 따라가야 합니다. 이렇게 세심한 부분들이 춤을 더욱 아름답게 만들어주며, 서로의 안전과 편안함을 유지하는 데 도움이 됩니다.

오른쪽(왼쪽)으로 이동하면서도 왼쪽(오른쪽)으로 휘거나 기울이지 않는 것이 필요하겠죠. 상체를 조심스럽게 움직이면서도 남녀 각자의 공간을 유지하게끔 하는 것이 중요합니다. 그리고 허리를 굽히지 않으면서 가슴을 들고 폐에 공기를 충분히 공급하고 어깨를 뒤로 젖히며 아주 조금의 아치 모양을 유지하는 것도 좋겠네요. 너무 어깨를 높이거나 긴장을 풀지 않도록 주의해야 하며 몸을 너무 뒤로 아치 모양으로 만들지 않도록 조심하는 것도 중요합니다. 이런 세심한 움직임들은 춤을 더욱 우아하고 아름답게 만들어주며 안정감을 줄 수 있어요. 상체의 조절과 균형 유지는 춤추는 동안 자신감을 주고, 파트너와의 조화를 높여줄 겁니다.

Closed Position에서 상체의 연결은 댄스에서 중요한 부분 중 하나입니다. 특히, 상체를 서로에게 가깝게 유지하면서 연결을 느끼는 것은 춤을 추는 데에 핵심적인 역할을 합니다. 이런 연결은 대개 주로 팔을 통해 이루어집니다. 팔을 사용하여 상대방과 연결을 유지하면서, 서로의 움직임을 주고받고 의사소통할 수 있습니다. 팔의 약간의 압력을 사용하여 연결을 유지하는 것이 도움이 될 수 있으며 팔을 사용하여 상대방의 움직임을 느끼고 그에 맞게 반응하는 것도 중요합니다. 이런 연결은 춤을 더욱 편안하고 조화롭게 만들어주며, 서로 간의 의사소통과 조정을 용이하게 해줍니다. Closed Position에서의 연결은 춤을 더욱 느껴지게 하고 파트너와의 조화를 높여줍니다.

팔의 위치와 손의 자세는 춤에서 매우 중요한데요. 남성이 여성의 어깨 아래쪽에 오른쪽 팔을 높게 위치시키고, 오른손을 여성의 왼쪽 어깨 견갑골 위에 올리며, 이때 손가락을 모아 아래쪽으로 약간 향하도록 하는 것이 상대 파트너에게 편안함을 느끼게 해줍니다. 이런 자세는 여성이 남성의 리드를 더 잘 느끼고 따르도록 도와주며, 서로의 움직임을 민감하게 전달하고 받을 수 있게 해줍니다. 이는 춤을 보다 조화롭게 춤추게 해주는 요소 중 하나입니다.

여성의 왼팔은 남성의 오른팔 위에 부드럽게 놓여야 하며 왼손은 남성의 어깨에 부드럽게 자리 잡아야 합니다. 손은 아치 모양을 유지하며 여성의 손끝은 남성의 어깨 뒷부분에 조금 뒤에 위치하고, 엄지는 약간 앞쪽에 있지만 너무 강하게 붙잡지 말아야 합니다. 손이 목 쪽으로 올라가거나 남성에게 기대지 않도록 주의하고 서로가 각자의 몸무게를 지탱할 수 있어야 합니다.

남성의 왼팔도 비슷한 방식으로 들어 올려 몸쪽으로 펴고 상박(팔꿈치에서 어깨까지의 사이)은 약간 아래쪽으로 기울이고, 하박(팔꿈치에서 손목까지의 부분)은 위쪽으로 향해야 합니다. 여성은 오른손의 손바닥을 남성의 왼손 손바닥에 놓고, 손가락을 남성의 엄지와 검지 사이에 넣어주세요. 서로의 손을 부드럽게 감싸 주며 손목을 과도하게 꺾거나 너무 강하게 잡지 않도록 주의해야 합니다. 각자의 팔은 스스로 지탱해야 하고 만약 서로의 손을 놓고 멀어진다 해도 여전히 편안한 자세를 유지할 수 있어야 하며 갑자기 불안한 느낌이 들지 않아야 합니다. 팔이 몸 옆으로 늘어지거나 내려가지 않아야 댄스가 끝날 때까지 각자의 몸을 단단하게 지탱시킬 수 있습니다.

댄스 동작에서 상박(팔꿈치에서 어깨까지의 사이)을 일직선으로 유지하는 것은 매우 중요합니다. 특히, 어깨를 앞쪽으로 내려가게 되거나 팔꿈치를 몸쪽으로 떨어뜨리는 경우에는 파트너와의 조화가 깨질 수 있습니다. 그렇게 되면 상대 파트너 팔에 마치 큰 뱀장어가 덮치는 듯한 불편한 기분을 느낄 수 있습니다. 팔을 올리고 상반신을 일직선으로 유지하는 것은 댄스 동작에서 기본적인 포인트 중 하나입니다. 서로의 키나 체형이 크게 다르더라도, 이 수평 타원형을 만드는 것이 목표입니다. 남성의 왼손은 타원형의 윗부분에 위치하고, 오른손은 아랫부분에 위치하지만, 이 타원형이 자연스럽게 프레임이 되어야 합니다. 상체 근육을 전체적으로 긴장시켜 이 모양을 유지하는 것이 중요합니다. 이렇게 하면 댄스하는 동안 프레임을 유지하고, 파트너와의 균형을 유지하는-데 도움이 됩니다. 팔과 어깨의 위치를 조절하면서도, 자연스럽게 움직일 수 있도록 노력해야 합니다. 이 모양을 유지하는 것은 서로의 움직임을 조화롭게 만들고, 더욱 아름다운 댄스를 완성하기 위한 중요한 요소입니다.

남성이 전진 및 후진해도, 남성의 오른팔은 여전히 자리를 유지하고 프레임을 유지해야 하며 여성은 왼손의 손끝에서부터 왼팔, 등의 압력을 느끼고 오른손에서 압력이 풀리는 걸 느끼기에 남성은 팔꿈치로 그녀를 당기지 마시고 그냥 움직여서 그녀를 자연스럽게 당기시면 됩니다. 남성이 앞으로 걸음을 내디뎌도, 여성은 왼손 엄지의 끝에서부터 왼팔, 오른손의 손바닥에 이르는 움직임을 느끼게 됩니다. 여성은 상체를 유지하고 오른손에 약간의 압력을 유지하면 남성의 움직임과 압력 변화를 느끼고, 그에 반응하게 되죠. 남성이 오른쪽이나 왼쪽으로 움직이거나 회전할 때, 남성의 프레임도 함께 움직이면서 많은 부분에서 그 움직임을 여성에게 자연스럽게 전달됩니다.

댄스는 서로의 힘과 조화가 중요한데 여성분들도 텐션 조절이 필요합니다. 특히, 남성이 이끄는 동작에 텐션이 부족하면 상호작용이 어려울 수 있어요. 등을 쫙 펴고 아치 모양을 만들면 자세가 더욱 우아하고 안정적으로 유지됩니다. 왼쪽을 바라보며 몸의 균형을 잡고, 이때 특히 팔을 올리고 텐션을 유지하며 상대방의 움직임을 느끼고 리액션 할 준비를 하는 게 중요합니다. 이런 자세와 힘의 조절은 댄스를 훨씬 부드럽고 조화롭게 만들어주죠. 함께 춤을 추는 과정에서 서로의 움직임을 느끼고 이에 맞춰 반응하는 것이 댄스의 매력을 높이는 핵심입니다.

두 번째 연결은 히프에서 일어나는데 여기서의 연결은 간단하면서도 직접적입니다. 히프를 서로 붙이는 거죠. 상체에서의 연결은 다소 섬세합니다. 상체는 떨어져 있으면서도 연결을 유지해야 해요. 이를 위해 전체적인 긴장감이 필요한데요, 반면에 히프에서의 연결은 더 간단합니다. 그냥 가까이 붙어 있으면 됩니다. 우리는 서로 왼쪽으로 약간 떨어진 자세에서 춤을 추죠. 그래서 우리는 '배에서 배로' 춤을 추는 게 아니기에 오른쪽 히프-뼈가 파트너의 히프 안으로 조금 들어가 있는 모습을 유지해야 합니다. 히프의 접촉은 상대방의 위치와 움직임을 파악하는 데에 매우 직접적인 방법이에요. 남성분들, 오른쪽으로 움직이고 싶을 때 왼손으로 밀지 말아야 합니다. 그런 밀기는 상체를 어색하게 움직여 자세를 망치게 될 됩니다. 대신, 조금 무릎을 굽히고 하체를 조금 돌려서 그녀에게 회전을 미리 알려주면 더 부드럽고, 균형 있는 자세를 지속적인 유지할 수 있을 겁니다.

남성은 여성을 리드를 할 때 어디로 이동해야 할지 다음 스텝을 어떤 스텝을 할지 고민하다가 파트너에서 멀어지는 일이 생길 수 있습니다. 이를 방지하기 위해서는 여성을 항상 오른쪽 히프에 유지하며. 이를 위해선 남성은 발을 전진하거나 후진할 때, 서로의 움직임에 맞추어 함께 이동하는 것이 중요합니다. 이는 파트너와의 호흡을 맞추고 서로의 움직임을 조화롭게 하여 더 원활한 소통과 흐름을 만들어냅니다.

만약 여성분이 오른쪽 히프 뼈가 남성 오른쪽 히프 뼈 안쪽에서 벗어나는 것을 느끼신다면, 자리를 찾을 수 있게 조정을 해야 다음 피겨를 수행 할 때 편안하게 기술이 여성에게 들어갑니다.

여성분이 할 수 있는 일은 남성의 움직임을 따라가되, 남성이 무게를 옮기기 전까지는 무게를 옮기지 않고 기다리는 것입니다. 그 후에야 여성분이 남성의 움직임에 맞춰 무게를 옮기며 히프를 올바른 자리에 두실 수 있습니다. 따라서, 좋은 연결은 히프 사이의 접촉으로부터 시작됩니다. 이 접촉이 자연스럽게 이루어질 수 있도록 늑골 부위에서의 부드러운 연결에 초점을 맞추어보세요. 또한,

상체는 멀리 떨어져 있으면서도 소통할 수 있는 긴장감(힘, 텐션)이 조절된 프레임을 유지하도록 노력하세요. 좋은 연결이 명확한 리드와 팔로우로 이어지며, 거기서 부드러운 춤이 탄생합니다.

춤은 진정한 예술의 한 형태로서 음악에 맞춰 움직이는 것 이상을 담고 있습니다. 그 중요한 부분 중 하나는 스타일링이며, 춤의 표현과 감정을 몸으로 전달하는 것입니다. 발의 움직임은 중요하지만, 몸의 다른 부분을 다루는 것이 춤의 미학을 형성하는데 큰 역할을 합니다. 풍성하고 완벽한 춤은 몸 전체의 조화로 구성됩니다. 예를 들어, 팔의 움직임, 어깨의 동작, 허리의 회전 등이 춤의 표현력과 스타일링에 큰 영향을 미칩니다. 춤을 출 때 몸매가 중요한 이유는 몸의 선과 움직임이 춤의 아름다움을 강조하기 때문입니다. 그러나 몸매뿐만 아니라 몸의 각 부분의 운동과 움직임이 춤의 감정을 전달하는데 중요한 역할을 합니다. 예를 들어, 우아한 발레의 포즈, 힙합 댄스의 유연한 몸동작, 혹은 라틴의 센슈얼한 움직임 등은 각자의 스타일과 감정을 몸으로 표현합니다. 몸의 다양한 부분을 유연하고 표현력 있게 다루면서 음악과 조화롭게 움직이는 것이 춤의 아름다움을 극대화시키는데 중요한 역할을 합니다. 따라서 춤의 스타일링은 몸 전체의 움직임과 표현력을 포함하여 춤의 아름다움을 창출하는데 중요한 부분입니다.

일반적인 걷는 동작에서는 팔이 느슨하게 흔들리고 몸이 느슨해지는 것이 보통입니다. 그러나 춤에서는 프레임이 중요한데, 이는 몸을 아름답게 연출하고 파트너와의 연결성을 강조하는 데 사용됩니다. 오른쪽 팔이 파트너를 감싸고, 팔꿈치가 옆구리에 놓이며, 몸이 서로 약간 오른쪽으로 위치함으로써 우아하고 단단한 연출을 만들어낼 수 있습니다. 팔을 위로 올리고 탄력 있게 유지하는 것은 춤의 우아함을 부각시키며, Closed Position를 유지하면서 서로의 몸이 오른쪽으로 위치한다면 연결성과 품위를 높일 수 있습니다. 좋은 프레임은 춤을 보다 우아하고 아름답게 만들어주며, 서로의 움직임을 보다 조화롭게 만들어 줍니다. 그래서, 남성은 여성을 오른팔로 감싸고 손목을 어깨 아래로 올리고 오른손은 여성의 왼쪽 어깨 날에 대고 손가락을 모아 약간 아래로 향하게 합니다. 여성의 왼팔은 남성의 오른팔 위에 부드럽게 얹히고, 왼손은 남성 어깨 위에 부드럽게 얹힙니다. 손가락 끝은 아래로 향해야 하며, 남녀는 자신의 체중을 지탱해야 하며, 상대에게 기대지 않아야 합니다. 남성의 왼팔도 비슷한 방식으로 들어 올려 옆으로 뻗어야 하며 팔꿈치는 약간 아래로 기울이고, 팔은 위쪽으로 향해야 합니다. 여성은 남성의 오른쪽 손바닥 위에 자신의 왼손바닥을 얹고, 남성 엄지와 집게 손가락 사이에 손가락을 넣습니다. 그리고 파트너의 손 위에 부드럽게 손가락을 접습니다. 손목을 뒤로 구부리거나 꽉 잡지 말아야 합니다.

마지막으로, 머리, 손, 팔, 팔꿈치, 등, 엉덩이, 자세, 근육 긴장 등 '프레임'의 다양한 측면을 고려해보세요. 이들 중 가장 중요한 부분은 아마도 머리일 겁니다. 머리를 통제하는 것이 중요하죠. 머리를 제어하지 못하면 몸 전체가 불안정해질 수 있어요. 머리를 다른 부분과 독립적으로 움직이지 말고, 춤을 추거나 움직일 때 머리를 다른 방향으로 돌리는 게 아니라, 상대방을 중심으로 움직이세요. 그렇게 하면 균형을 유지할 수 있습니다. 머리의 독립적인 움직임은 파트너와 댄스의 흐름에 영향을 미칠 수 있죠. 움직임에 균형과 조화를 유지하는 것이 중요합니다. 우리가 주의를 기울일 곳은 파트너가 아닌 서로, 우리 자신과의 연결이죠. 이것이 바로 댄스에서의 핵심입니다.

남성이 뒤로 걸을 때, 오른팔은 근육을 잘 사용하여 자세를 유지하고, 여성은 남성의 움직임을 왼팔을 통해 느낍니다. 남성은 여성을 당기지 않고, 그냥 움직이면 여성이 자연스럽게 따라올 거예요. 그리고 남성이 앞으로 나가면, 그의 오른손이 여성의 등에 가해지는 압력이 줄어듭니다. 여성은 상체를 유지하고, 남성의 손에 부드러운 압력을 줘서 그 압력 변화를 느끼고 움직이게 될 거예요. 남성이 좌우로 움직이면, 남성의 몸이 움직여서 여러 접촉 지점을 통해 그 움직임이 전달돼요. 손으로 밀거나 당기지 말고, 프레임을 단단하게 유지하고 함께 움직이는 거죠.

여성의 손에 주목해보죠. 사실, 여성은 남성에게 비슷한 방식으로 양손을 올려놓아요. 압박을 주지 않고, 오른손은 남성의 왼손 위로 느슨하게 얹고, 왼손은 남성의 오른쪽 어깨 위로 느슨하게 얹습니다. 여성은 남성의 어깨와 손을 부드럽게 감싸죠. 남성이 앞으로 나아갈 때, 여성은 오른손과 왼쪽 엄지손가락에 약간한 압력을 느끼고, 남성이 뒤로 움직일 때, 여성은 오른손과 왼쪽 손가락에 약간 압력을 느낄 거예요. 서로의 텐션을 느끼면서 추는 춤사위는 최고가 아닐까요.

춤의 미학: 몸의 움직임이 이끄는 연결과 의미

춤에서 스텝은 단순히 발을 옮기는 것 이상의 의미를 담고 있죠. 춤을 시작하는 순간부터 몸의 움직임이 춤의 품격과 흐름을 결정합니다. 그래서 춤을 시작할 때 몸의 움직임과 발의 움직임이 연결되어야 합니다. 스텝에서 발걸음보다도 체중 이동과 몸의 회전이 중요한 이유는 파트너에게 춤의 흐름을 미리 알리는 신호 역할을 하며, 자연스러운 움직임과 연결성을 만들어주기 때문입니다.

특히 역회전 같은 복잡한 동작에서는 발의 움직임보다도 몸의 움직임이 더 중요합니다. 춤을 추는 과정에서 몸을 어떻게 이동시키는지, 상체의 회전이 춤의 방향을 결정하며, 이는 파트너와의 협업과 조화를 가능하게 합니다. 춤은 단순히 기계적인 움직임이 아니라, 두 사람 간의 연결이 중요한데요. 발의 스텝만으로는 춤의 감정과 의미를 충분히 전달하기 어렵습니다. 춤은 몸의 움직임과 상호작용이 결합된 것으로, 이를 통해 파트너와의 연결과 의사소통을 더 깊게 나눌 수 있습니다. 각각의 동작이 함께 조화롭게 어우러져 춤을 아름답고 의미 있는 경험으로 만들어주는 것이죠. 춤은 물리적인 퍼포먼스뿐만 아니라, 그 안에 담긴 감정과 연결이 중요합니다.

댄스의 매력적인 대화: 남녀 간 시선 및 헤드 액션

고대 속담에서 눈을 영혼의 창으로 언급한 것처럼, 외향적인 예술 형태인 블루스에서 눈의 시선, 표정과 우아함, 머리와 팔의 조화 또한 중요합니다. 팔의 모양, 머리의 기울임, 얼굴의 빛과 그림자, 그리고 눈의 표정 및 시선은 댄서가 결정해야 하는데, 이러한 조화는 '기술적으로 강력한 사람과 아름다운 사람 사이의 큰 간극을 메꾸어 줄 수 있다'고 합니다. 이 요소들은 무의식적으로 결합 되어야 하며, 이를 통해 감정과 기술의 조화가 만들어집니다.

춤을 출 때 너무 과도한 집중은 자세에 나쁜 영향을 줄 수 있으며 바닥을 지나치게 응시하거나 남성의 리드에 집중하면서 눈을 바닥 쪽으로 내리뜨리는 것은 좋지 않은 습관일 수 있습니다. 또한, 댄스에 집중하지 않고 다른 생각에 잠겨 있는 사람들도 있는데, 이는 때로 자세에 대한 문제를 초래할 수 있고 파트너의 어깨를 주시하면서 어깨가 앞으로 치우치는 자세는 홀드의 연결을 방해하고 균형을 깨뜨릴 수 있습니다. 그래서 올바른 자세를 유지하는 것이 중요합니다. 상체를 펴고 넓게 펼치며 머리를 뒤로 빼고 어깨를 뒤로 늘어뜨리는 것이 도움이 되며 눈을 바닥이 아니라 고정된 높은 지점을 보면 자세가 안정되고 파트너와의 연결도 좋아질 거예요. 상체가 너무 압박받지 않도록 조금 떨어뜨리면 더 많은 자유로운 움직임이 가능해지지만, 여전히 고개는 엉덩이와 등을 중심으로 연결돼 있어야 합니다. 시선을 위로 올리고 도도한 눈빛으로, 이렇게 하면 상체가 더 편안해지고 서로 압박감이 줄어들게 될 거예요.

헤드 액션은 춤의 아름다움을 높이고 연결을 강화하는 중요한 요소입니다. 정통적인 방식에서는 남성이나 여성이 춤을 출 때, 일반적으로 15도에서 30도 정도 머리를 들고 정면을 응시하게 됩니다. 이런 헤드 포지션은 춤이나 퍼포먼스를 할 때 자세와 태도를 강화하는 데 도움이 되며, 이 포지션은 자신감을 나타냅니다. 또 다른 방법은 여성이 몸의 정렬과 자세를 유지하면서 목을 살짝 기울이고 상체를 약간 뒤로 기울이면, 남성과의 연결을 유지하면서 우아함을 강조할 수 있습니다. 약 23도 정도로 헤드를 기울이는 것은 우아하고 섬세한 움직임을 나타내며, 춤이나 퍼포먼스에서 여성의 우아함과 포인트를 강조하는 데 도움이 됩니다. 이러한 헤드 포지션은 남성과의 연결과 공연의 흐름을 유지하면서 자연스럽고 아름다운 모습을 만들어냅니다. (단, 헤드 사용은 선택)

초보 운전자들만의 공통점은 운전하면서 스쳐 가는 풍경이나 자연의 소리가 오로지 운전에만 신경이 집중되어 눈과 귀에 안 들어온다는 것입니다. 댄스에서도 마찬가지입니다. 경력이 얼마 안 된 남성이나 여성은 오로지 파트너에게만 신경이 집중되어 있습니다. 여성은 남성의 리드/사인에만 신경이 집중되어 있고 남성은 숙달되지 않은 스텝을 밟으면서 음악에 맞춰 리드해야지, 여성의 움직임을 살펴야지 다른데 신경을 쓸 수가 없습니다. 오로지 신경이 여성에게만 가 있지만, 어느 정도 경력이 있는 남성이나 여성은 다른 남성이나 여성을 찾듯 사방팔방 두리번거리면서 춤을 추는 경향이 있습니다. 이런 행동은 비매너로 상대 파트너가 상당히 기분 나쁠 수가 있습니다.

춤추는 동안에는 상대에게 너무 집중되거나 지나치게 주시하는 것보다는 적당한 미소와 시선을 주는 것이 좋습니다. 이렇게 하면 파트너와의 상호작용이 자연스러워지고, 댄스의 즐거움을 함께 공유할 수 있답니다. 상대에게 부담을 주지 않으면서도 적절한 시선과 미소는 댄스 퍼포먼스를 더욱 매력적으로 만들어줄 거예요!.

Head Action(헤드 액션)

여성 헤드 방향 참고(왈츠)

가) Natural Turn(123 456): Lady's head left

나) 4~6 of Reverse Turn(456): Lady's head left

다) Reverse Turn(123 456): Lady's head left

라) Whisk(123): Step 2 - 1/4 Turn (Body Turn less), Step 3 in PP - Lady's head right

마) Chasse from PP(12&3): Step 1 in PP - Lady's head right, Step 2 – 1/8, Step 3 - 1/8 Body Turn less - Lady's head left, Step 4 - Lady's head right

바) 1-3 Natural Turn(123): Lady's head left

사) Open Impetus(123): Step 1, 2 - Lady's head left, Step 3 in PP - Lady's head right

아) Weave from PP(123 456): Step 1, 2, 3 - left, 5, 6 - right

자) Chasse from PP(12&3): Step 1 - right, Step 2(1/8), Step 3(1/8) - left

차) Outside Change ended in PP(123): Step 3 - right

타) Chasse From PP(12&3): Step 1 - right, Step 2(1/8), Step 3(1/8) - left

파) Back Whisk(123): Step 3 - right

하) Weave from PP(123 456): 5, 6 - left, Step 123 - right

홀드 종류

커들 홀드(cuddle hold)

남성은 여성의 뒤에 서서 양팔로 여성을 감싸고 있는 모습을 말합니다.

정상 홀드(正常hold)

Closed facing position(클로즈드 페이싱 포지션(홀드)라고도 한다.

왼손 오른손 hold(원 핸드 홀드, One Hand Hold)

리더가 왼손으로 팔로우 오른손을 그립한 자세

오른손 왼손 hold(원 핸드홀드, One Hand Hold)

리더가 팔로우 왼손을 오른손으로 그립한 자세

노 홀드(no hold)

서로의 손을 잡지 않고 서 있는 자세

더블 홀드(double hold)
양쪽 손을 잡은 자세

투 핸드홀드(two hand hold)
이 자세는 남성과 여성이 서로 마주 보며 약간의 거리를 두고 양손으로 서로의 손을 잡는 모습. 더블 홀드라고도 한다.

핸드셰이크 홀드(Handshake Hold)
남성의 오른손으로 여자의 오른손을 잡는 방법

크로스 홀드(crossed Hold)
파트너와 양쪽 손을 교차해서 잡은 자세

백 홀드 포지션(back hold)
리더와 팔로우가 서로의 등을 마주하고 있는 상태에서 양손을 맞잡는 자세.

크로스 백 홀드(Cross back hold)
리더와 팔로우가 같은 방향을 향해 서로 양손을 뒤로하여 크로스해서 그립한 자세.
보스 핸드 포지션(Both Hand hold)

보스 핸드 홀드(Both Hand hold)
"Both Hand Hold"는 두 손으로 잡는 자세를 나타냅니다. 여기서 "Both"는 양쪽을 나타내고, "Hand Hold"는 손을 잡는 것을 의미합니다.

예를 들어, 볼룸 댄스에서 "Both Hand Hold"는 커플이 서로를 향해 서면서 양손으로 손을 잡고 춤추는 기본적인 자세입니다. 이는 더블 홀드나 투 핸드 홀드로도 불리기도 합

클로즈드 홀드(closed hold)
신체를 밀착한 상태에서 남녀가 서로 바라보는 자세.

싱글 핸드 홀드(Single Hand hold)
여성의 오른손(또는 왼손)을 남성의 왼손(또는 오른손)으로 잡는 손잡이 방식입니다. 즉, 남성 한쪽 손으로 여성 한쪽 손을 잡는 방식.

볼룸 홀드(ballroom hold)
"볼룸 홀드(Ballroom Hold)"는 볼룸 댄스에서 사용되는 홀드를 말함.

상반된 위치: 춤추는 커플은 서로를 향하지 않고 상반된 방향으로 서 있습니다. 남성은 왼쪽 측면을 살짝 향하고 여성은 오른쪽 측면을 향합니다.

상체 연결: 남성은 왼쪽 손을 상대방의 오른쪽 손으로 잡고 오른쪽 손은 여성의 등을 가볍게 안으

면서 서로의 상체가 연결됩니다.

상체 간 거리: 두 파트너의 상체는 서로에게 가깝게 유지되며, 이는 댄스 동작을 부드럽게 이끌어내는 데 도움을 줍니다.

하반신 독립성: 두 파트너는 하반신을 독립적으로 움직일 수 있도록 유연성을 유지하며 춤춥니다.

볼룸 홀드는 각각의 볼룸 댄스에 따라 세부적인 차이가 있을 수 있지만, 이 기본적인 특징들은 볼룸 댄스에서의 파트너 간 연결과 조화를 나타냅니다.

크러시 댄스 홀드(crush dance hold)

볼룸 홀드(ballroom hold)와 같은 의미.

클로즈 엠브레이스(Close Embrace)

"클로즈 엠브레이스(Close Embrace)"는 댄스에서 파트너들이 서로에게 가까이 몸을 붙이고 춤추는 자세를 나타냅니다. 이는 특히 아르헨티나 탱고(Argentine Tango)와 같은 댄스 스타일에서 흔히 사용되는 용어입니다.

체중 이동

춤에서 체중 이동과 균형은 기본이며 중요한 요소입니다. 균형 없이는 춤을 출 수 없으며, 체중 이동 없이도 좋은 균형을 유지하는 댄서는 효과적인 춤을 보여주기 어렵습니다. 체중의 이동은 춤의 흐름을 조절하고 다양한 움직임을 가능케 하며, 균형을 유지하는 핵심적인 역할을 합니다.

댄스에서의 체중 이동은 신체의 중심을 변화시키고, 이를 통해 다리와 발을 이용하여 몸을 우아하게 움직이는 것을 의미합니다. 체중 이동은 춤의 감정과 의도를 표현하고, 움직임을 자연스럽게 만듭니다. 이는 기술적으로 발을 이용해 몸의 중심을 옮겨가며 움직임을 조절하는 것으로 구체화 됩니다. 춤을 출 때 체중의 변화와 이동은 춤의 각 움직임에서 섬세한 조정이 필요합니다. 춤추는 동안 발의 위치, 몸의 균형, 그리고 움직임의 맥락에 맞게 체중을 전달하고 변화시키는 것이 중요합니다. 이는 춤을 보다 효과적으로 표현하고 다양한 춤 기술을 완벽하게 수행하는 데 기여합니다. 정확하고 조절된 체중 이동이 춤의 아름다움과 표현력을 높이며, 이를 통해 춤을 효과적으로 표현하는 기술적인 측면을 갖추는 것이 중요합니다.

1. **발의 위치와 체중 분배:** 댄스 동작 중에는 발의 위치와 체중을 적절히 조절하는 것이 중요합니다. 체중을 전적으로 하나의 발에 싣지 않고 양발을 골고루 사용하여 안정감을 유지하세요. 움직임에 따라 체중을 전달하면서 발을 자연스럽게 교차하거나 이동시키는 것이 일반적입니다.
2. **스텝과 체중 이동:** 스텝을 밟을 때마다 체중 이동을 해야 합니다. 일반적으로 스텝을 내딛을 때 해당 발로 체중을 옮기고, 이후 다음 움직임에 따라 체중을 다시 전달합니다. 이렇게 하면 움직임이 부드럽고 자연스러워집니다.
3. **프레임과 리드:** 댄스 중에 파트너와의 커뮤니케이션을 위해 체중 이동을 사용합니다. 특히 리드하는 측에서는 체중 이동을 통해 파트너에게 움직임을 안내하고 이끌어야 합니다.

4. **코어와 근육 사용**: 몸의 코어 근육을 활용하여 체중 이동을 조절합니다. 코어를 강화하고 사용함으로써 움직임을 안정화하고 균형을 잡을 수 있습니다.

5. **연습과 익숙함**: 체중 이동은 연습을 통해 익숙해져야 합니다. 자신의 체중을 효과적으로 조절하고 이동하는 데에는 시간과 경험이 필요합니다.

댄스에서 체중 이동은 움직임의 흐름과 파트너와의 연결을 조절하는 데 큰 역할을 합니다. 이를 연습하고 향상시키면서 댄스의 표현력과 운동성을 더욱 향상시킬 수 있습니다.

등 근육의 효율적 움직임: 댄스에서 핵심적 표현의 핵심

1. 등 근육이란?

등 근육은 상체의 중심에 위치하여 몸을 안정시키고 지탱하는 중요한 부분입니다. 등 주변에는 외인근육과 내재근육이 있으며 외인근육은 표면에 가깝게 위치하고 주로 크고 강한 근육으로, 보통 운동과 관련된 동작을 수행하거나 몸을 움직이는 데 주로 기능합니다. 등을 둘러싸고 있는 외인근육들은 등의 형태를 구성하고 등의 움직임과 안정성을 제공하는 역할을 합니다.

한편 내재근육은 주로 안정성과 균형을 유지하는 데 사용됩니다. 주로 자세를 유지하고 척추를 지지하는 등의 기능을 하며, 일상생활에서 자연스럽게 사용되지만, 운동과는 직접적으로 연관되지 않는 경우가 많습니다. 이 두 가지 유형의 근육은 등 주변에 서로 협력하여 몸의 안정성과 기능을 제공하고, 운동이나 일상 활동을 수행하는 데 필요한 다양한 기능을 담당합니다.

2. "등 근육의 마법: 신체의 지주(支柱), 춤의 조화"

등 근육은 인체에서 중요한 부분 중 하나로, 상체의 지탱과 안정성을 담당합니다. 등 근육들은 등의 뒷면을 형성하고, 척추를 지탱하여 상체의 움직임과 안정성을 제공하는 중요한 기능을 수행합니다. 이 근육들은 몸의 균형을 이루며, 자세를 유지하고 척추를 지탱하여 일상적인 움직임에 필수적인 역할을 합니다.

A. **척추 지지와 안정성**: 등 근육은 척추를 지지하고 안정성을 제공하여 몸의 자세를 유지하고 움직임을 조절합니다. 특히 넓은 등 근육은 척추 주변을 감싸고 지지하여 척추를 보호하고 균형을 유지하는 역할을 합니다. 이 근육들은 등의 안정성을 높이고 척추를 지탱하여 일상적인 활동 중에도 몸의 균형을 유지하는데 중요한 역할을 합니다. 이를 통해 척추에 부담을 덜어주고, 자세를 지탱하여 척추를 보호하는 역할을 합니다.

B. **상체 움직임:** 등 근육은 상체의 움직임과 기능을 조절하는 데 핵심적인 역할을 합니다. 어깨를 움직이고, 팔을 들거나 내리는 등 상체의 동작을 조절하는 데 필요한 근육들이 있죠. 외인근육은 어깨와 팔을 지지하고 움직임을 제어하여 다양한 동작을 수행할 수 있도록 도와줍니다. 이 근육들은 상체의 움직임을 조율하고 다양한 동작을 가능하게 하여 일상적인 활동부터 운동까지 다양한 움직임을 지원하는 중요한 역할을 합니다. 이를 통해 상체의 움직임을 조절하고 다양한 동작을 수행할 수 있도록 도와줍니다.

C. **균형과 자세 조절:** 등 근육은 몸의 균형을 유지하고 자세를 조절하는 데 매우 중요한 역할을 합니다. 등의 근육들이 강화되면 몸의 안정성이 향상되며, 다양한 자세를 취하거나 움직임을 조절하는 데 도움이 됩니다. 이 근육들은 몸의 중심을 유지하고 몸을 지탱하여 일상적인 활동이나 운동을 할 때 균형을 유지하는 데 필수적입니다. 등 근육들의 강화는 몸의 안정성을 향상시켜 자세를 유지하는 데 도움이 되며, 이를 통해 다양한 자세와 움직임을 조절하는 데 도움이 됩니다.

D. **일상생활에서의 기능:** 등 근육은 일상생활에서도 매우 중요한 기능을 합니다. 등 근육이 강화되면 일상적인 활동에서의 효율성이 증가하고, 등의 근력이 발달하면 몸의 피로도를 감소시키며 다양한 동작을 수행하는 데 도움을 줍니다. 일상생활에서 등 근육의 강화는 들어 올리기, 내리기, 물건을 옮기는 등의 활동을 보다 효율적으로 수행할 수 있도록 도와주며, 몸의 균형을 유지하고 피로를 줄여줍니다. 이는 일상적인 활동을 수월하게 하고 몸의 기능을 향상시켜 일상생활의 질을 향상시키는 데 도움이 됩니다.

등 근육의 역할은 몸의 중심에 위치하여 몸 전체의 안정성과 균형을 유지하는 데 중요합니다. 이 근육들을 적절히 강화하고 유연성을 유지함으로써 다양한 활동을 수행하고 몸의 건강을 유지하는 데 도움을 줄 수 있습니다. 또한, 올바른 자세와 근력 훈련을 통해 등 근육을 건강하게 유지함으로써 척추 건강을 지키는 데에도 중요한 역할을 합니다.

3. 댄스에서의 등 근육 사용법

등 근육은 자세를 유지하고 움직임을 조절하는 데 매우 중요한 역할을 합니다. 등 근육을 올바르게 활용하면 댄스 동작을 보다 강렬하고 효과적으로 수행할 수 있고 등의 근육들은 몸의 안정성과 균형을 유지하는 데 도움을 주며, 댄스 동작을 더욱 정확하고 강렬하게 만들어 줍니다. 댄스에서 등 근육을 적절히 활용하면 몸의 자세를 더욱 우아하게 유지하고 움직임을 조절하여 춤을 보다 효과적으로 표현할 수 있습니다.

A. **자세의 안정성을 위한 등 근육 활용:** 댄스에서는 등의 근육을 사용하여 자세를 바르게 유지하고 척추를 일직선으로 유지하는 것이 중요합니다. 또한, 등의 근육들을 적절하게 강화하고 활용하여

안정성을 유지하는 것 또한 중요합니다.

B. **움직임의 유연성을 향상시키기 위한 등 근육 활용:** 등 근육을 활용하여 움직임의 유연성을 향상시킬 수 있습니다. 다양한 춤 동작 중에서 등의 근육을 사용하여 팔을 뒤로 뻗는 동작이나 등을 들어 올리는 등의 동작을 수행할 때 등 근육을 활용하여 유연하고 자유로운 움직임을 만들어 냅니다.

C. **움직임의 힘을 주는 등 근육 활용:** 등 근육을 사용하여 움직임에 힘을 주는 것도 중요합니다. 댄스에서 등의 근육은 팔의 움직임을 강화하고 지지하는 데 중요한 역할을 합니다. 어깨를 올리거나 회전하는 동작에서 등의 근육을 적절하게 활용하여 움직임에 힘과 강도를 더해줍니다.

D. **자연스런 움직임을 위한 등 근육 조절:** 등 근육을 사용하여 움직임을 자연스럽게 조절하는 것이 중요합니다. 등의 근육을 적절히 사용하여 자연스럽게 동작을 이어나가고 움직임을 부드럽게 만들어줍니다.

등의 움직임을 정확하고 효과적으로 전달하기 위해서는 안정된 어깨가 매우 중요합니다. 댄스에서 등은 움직임을 조절하고 자세를 유지하는 데 큰 영향을 미치며 특히 흔들림 없는 어깨는 등 근육이 강화되고 안정된 상태에서 유지될 때 나타납니다. 등 근육이 충분히 강화되어 안정성을 제공하면, 어깨의 안정성과 흔들림 없는 움직임이 연결됩니다. 등의 움직임은 어깨를 통해 전달되며, 근육이 안정되고 강화되면 움직임이 부드럽고, 일관되며, 결과적으로 어깨도 안정적으로 움직입니다.

이는 댄스 퍼포먼스에서 감정과 움직임을 미세하게 전달하는 데 도움을 줄 뿐만 아니라, 자세와 자연스러운 움직임에도 큰 영향을 미칩니다. 등의 근육이 충분히 강화되고 유연해지면, 어깨가 불안정한 움직임 없이 움직일 수 있어 댄스 동작을 정확하고 섬세하게 표현하는 데 도움을 줍니다.

등과 어깨, 그리고 팔 사이의 연결은 춤을 추거나 움직임을 통제하는 데 매우 중요합니다. 이들의 연결은 댄스 퍼포먼스에서 안정성과 리드를 결정하는 핵심적인 부분입니다. 팔의 힘과 연결된 프레임은 팔과 어깨를 통해 등 근육들로 연결되는데, 이는 안정성을 유지하면서도 댄스 동작을 원활히 수행하기 위한 핵심적인 역할을 합니다. 팔꿈치까지는 힘을 주고, 손까지는 힘을 빼는 것은 세밀한 컨트롤과 안정성을 제공합니다. 고-수준의 피겨 댄스에서는 이러한 연결이 매우 중요하며, 자연스러운 동작을 유지하면서도 프레임을 유지하는 것이 필수적입니다. 이는 댄스를 더욱 효과적으로 이끌며, 파트너에게 편안함을 줍니다.

여성을 리드 할 때 등과 어깨를 너무 높게 들면 자세와 움직임에 부정적인 영향을 미칠 수 있으며 몸의 균형이 무너지고 동작이 덜 유연해 보일 수 있습니다. 이런 문제를 해결하려면 광배근을 키우고 위아래의 움직임을 더 강조하는 것이 중요합니다. 광배근이 발달하면 어깨의 움직임을 안정시키고 조절하는 데 사용되는데 이를 통해 어깨가 지나치게 높아지지 않고, 팔의 동작을 자연스럽게 조절할 수 있습니다. 이는 댄스 중 어깨에 걸리는 불필요한 긴장을 줄여주고 안정된 자세를 유지하는 데 도움이 되고 또한, 광배근을 활용하면 어깨를 높이지 않으면서도 움직임을 더 자유롭게 만들 수 있습니다. 이 근육을 올바르게 활용하면 팔을 옆으로 뻗거나 수직으로 올릴 때 어깨에 가해지는 압력을 줄여줄 수 있으며 이렇게 하면 광배근이 어깨의 움직임을 지원하면서도 올바른 자세를 유지하는 데 도움이 됩니다. 댄스에서 광배근의 역할은 댄서의 자세와 움직임에 직접적인 영향을 미치는 겁니다. 이 근육을 올바르게 활용하면 어깨의 불필요한 높이기를 막고, 자연스러운 동작을 가능케 해줍니다. 그러므로 광배근을 적절히 활용하여 어깨를 안정시키고 올바른 자세를 유지하는 것이 댄스 동작을 보다 효과적으로 수행하는 데 도움이 될 겁니다.

등의 근육을 적절하게 활용하기 위해서는 체조나 스트레칭과 같은 등의 근육을 강화하고 유연성을 향상시키는 운동이 도움이 될 수 있습니다. 또한, 자세한 댄스 트레이닝과 근력 훈련을 통해 등 근육을 올바르게 활용하는 방법을 익히는 것이 중요합니다. 이를 통해 댄스 동작을 보다 효과적으로 수행할 수 있고, 건강한 등 근육을 유지할 수 있습니다.

블루스 호흡법

호흡은 댄서들의 자세와 균형감각을 조절하는 데도 중요한 역할을 한다. 호흡은 댄서들이 움직임을 조절하고, 서로의 움직임을 이끌어-내는 데 큰 영향을 미치기 때문이다. 따라서, 호흡을 함께 맞추고, 서로의 호흡을 이끌어-내는 것이 중요하다. 커플 댄스에서 호흡을 함께 맞추는 것은 서로의 움직임을 조율하는 데 큰 역할을 하고 호흡을 함께 맞추면 서로의 움직임이 자연스럽게 조화를 이루게 되며, 댄서들이 서로에게 더욱-더 적극적으로 호응할 수 있게 된다.

호흡을 함께 맞추는 방법은 매우 간단하다. 먼저, 파트너의 호흡을 듣고, 그에 맞게 호흡을 조절한다. 호흡을 조절할 때에는, 서로의 호흡을 끊기지 않도록 조절하며, 자연스러운 호흡을 유지하는 것이 중요하다.

리듬과 박자에 따른 호흡

리듬과 박자에 맞춰 호흡하는 것은 댄스나 음악 활동을 향상시키는 데 중요합니다. 각종 템포와 리듬에 따라 호흡을 조절하는 방법을 자세히 알아보겠습니다.

1. **느린 리듬**: 느린 음악이나 리듬에서는 깊게 들이마십니다. 이렇게 하면 호흡을 느리게 조절하여 몸을 편안하게 유지할 수 있습니다. 호흡을 깊게 하고 나서 천천히 내쉬는 것이 좋습니다. 몸의 움직임에 맞춰 호흡을 조절해보세요.
2. **빠른 리듬**: 빠른 템포에서는 더 짧고 경쾌한 호흡이 필요합니다. 짧은 호흡을 유지하며 몸을

활발하게 움직이는 것이 좋습니다. 음악의 박자에 맞춰 호흡을 조절하면서, 특히 강한 비트나 강조된 부분에 호흡을 맞추세요.

3. **가변적인 리듬**: 음악이 가끔씩 변하는 경우에는 호흡을 조절하는 데 조금 더 유연성이 필요합니다. 음악의 변화에 맞춰 호흡 패턴을 조정하세요. 다양한 호흡 패턴을 연습하여 음악의 다양한 부분에 대응할 수 있는 능력을 키워보세요.

호흡 통제 및 연습

호흡을 통제하는 연습이 중요합니다. 음악에 맞게 호흡을 조절하고, 각종 템포와 리듬에 맞춰 연습을 통해 호흡을 개선하세요. 자연스럽게 호흡을 조절하는 데 익숙해지려면 댄스나 음악에 매료되어 있을 때 자신의 호흡을 인식하고 조절하는 연습을 해보세요.

호흡은 댄스나 음악 활동에서 중요한 부분입니다. 연습과 음악에 집중하면서 호흡을 조절하면 몸과 음악 간의 조화를 느낄 수 있을 것입니다. 호흡을 자유롭고 자연스럽게 조절하는 데에 익숙해지면 댄스가 더욱 즐거워질 것입니다.

블루스 기본 패턴

학원마다 레슨 방식이 다르겠지만 기본 패턴은 같습니다.

블루스는 forward walk, Backward walk, Turn, Chasse To Left, Chasse To Right, Diagonally Forward walk, Diagonally Backward walk으로 이루어진 댄스로 약간의 무릎 Up, Down의 바운스(bounce) 액션으로 이루어진 댄스로 Up, Down으로 이루어진 연속 동작입니다.

〈남성&여성〉 forward walk, Diagonally Forward walk

리듬	풋 워크
S, S	BF, BF
Q, Q, Q, Q	BF, BF, BF, BF
S, Q, Q	BF, BF, BF
Q, Q, S	BF, BF, BF
Q, Q, S, &	BF, BF, BF, BF
Q, &, Q, Q, &, Q	BF, BF, BF, BF, BF, BF

〈남성&여성〉 Backward walk, Diagonally Backward walk

리듬	풋 워크
S, S	HF, HF
Q, Q, Q, Q	HF, HF, HF, HF
S, Q, Q	HF, HF, HF
Q, Q, S	HF, HF, HF, HF

Q, &, Q, S	HF, HF, HF, HF
Q, &, Q, Q, &, Q	HF, HF, HF, HF, HF, HF

〈남성&여성〉 Chasse To Left, Chasse To Right

명칭	리듬	풋 워크
Chasse To Left	Q, &, Q	WF, WF, WF
Chasse To Right	Q, &, Q	WF, WF, WF

구식(舊式) 풋 워크

명칭	풋 워크
forward walk, Diagonally Forward walk	WF
Backward walk, Diagonally Backward walk	WF

블루스를 출 때 원칙

명칭	의미
HAND HOLDS(핸드 홀드)	남성과 여성이 서로 마주 서서 손을 맞잡는 것
POISE(포이즈)	몸가짐, 자세, 태도
ARM POSITIONS(암 포지션)	팔 위치
FORWARD WALKS TURNING (포워드 워 터닝)	전진 스텝을 하면서 앞으로 회전을 하는 것을 말함.
ALIGNMENT(얼라인먼트)	정렬선
AMOUNTS OF (어마운트스 어브)	회전량

발의 진행 방향

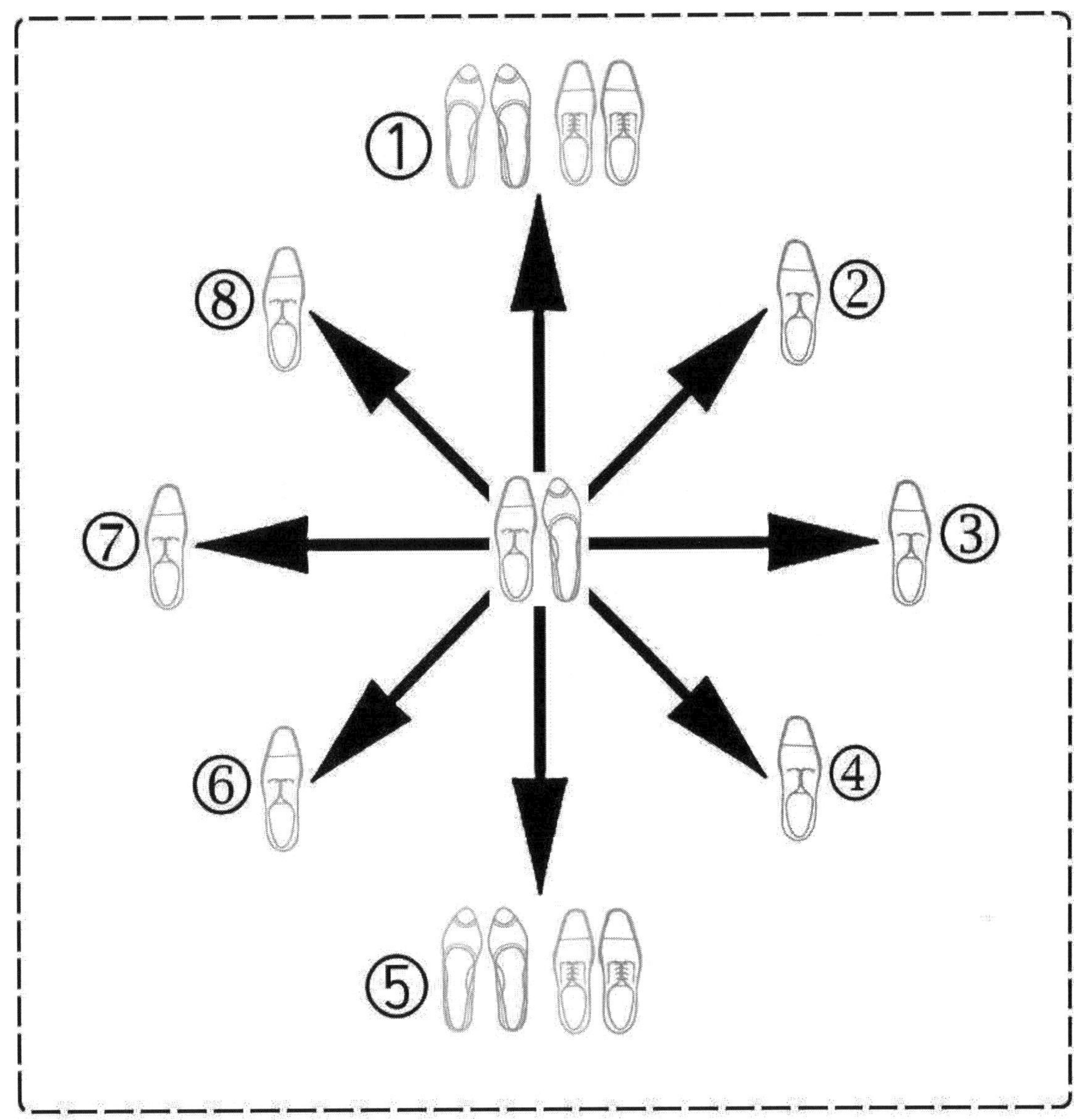

발의 진행 방향

번호	walk
1번	Forward walk
2번	Diagonally Forward walk(Right)
3번	Side To Right
4번	Diagonally Backward walk(Right)
5번	Backward walk
6번	Diagonally Backward walk(Leftt)
7번	Side To Leftt
8번	Diagonally Forward walk(Leftt)

블루스 기본 걸음걸이

라틴 댄스 기본 걸음걸이	
포워드 워크 (forward walk)	앞으로 나아가는 워크
백워드 워크	뒤로 후퇴하는 워크
첵드 포워드 워크 (Checked Forward Walk)	전진할 때 저지하는 것
포워드 워크 터닝 (forward walk turning)	전진하여 히프와 다른 부위의 움직임에 방해하지 않으면서 점진적으로 회전하는 것
딜레이드 워크 (delayed walk)	체중 없이 발을 원하는 위치에 놓은 후 체중을 천천히 옮기는 것

블루스 워킹(Walking)

블루스 워킹은 블루스 음악의 리듬과 호흡을 따라 발을 걸으면서 춤을 추는 기법 중 하나입니다. 이 워킹은 블루스 음악의 특징적인 4분의 4박자를 따라 발을 움직여 음악에 맞춰 움직이는 것을 중점으로 합니다. 주로 1-2-3-4와 같은 박자에 따라 왼발(여성은 오른발)을 먼저 내딛고 오른발(여성은 왼발)을 따라서 내딛는 것이 일반적이며 음악의 감정과 흐름에 맞게 움직임을 표현하는 것도 중요합니다.

블루스 음악은 감정적인 분위기를 담고 있어 춤을 추며 그 감정을 표현하는 것이 중요한데, 그것을 워킹으로도 표현할 수 있습니다. 블루스는 종종 슬로우하고 감성적인 템포를 가지고 연주되는 특징이 있습니다. 블루스 워킹을 할 때에는 음악의 슬로우한 템포에 맞춰 호흡을 조절하고 발을 내딛는 것을 서서히 하면서, 음악의 리듬에 맞춰 나가는 것이 중요합니다. 발을 내딛을 때에는 서서히, 부드럽게 움직이는 것이 좋습니다. 발의 중심을 지면에 구렁이가 담 넘어가듯이 조심스럽고 부드럽게 발을 내딛으면서 음악의 리듬에 맞춰 나아가면 음악과 어우러져 더욱 자연스럽고 감성적으로 느껴질 수 있습니다. 또한, 호흡을 조절하면서 발을 움직이는 것은 춤의 흐름을 조절하고 음악의 감정과 어우러지게 하는 데 도움이 됩니다.

음악과 호흡, 발의 움직임을 조화롭게 조절하면 블루스를 더욱 효과적으로 즐길 수 있을 것이며 춤의 특성과 음악의 흐름을 결합하여 춤을 즐기고 표현하는데 도움이 됩니다. 음악의 박자를 읽고, 리듬에 따라 움직이며 감정을 담아 워킹을 하면 블루스의 매력을 느낄 수 있을 것입니다.

풋 워크란?

풋 워크는 춤에서 발의 위치와 움직임을 상세하게 기술하는 개념입니다. 이 용어는 춤 동작에서 발의 다양한 부분을 특정 순서로 표현하여 특정 스텝이나 동작 중 발이 어떻게 떨어지는지를 설명합니다. 풋 워크는 각 부분별로 힐(H), 토(T), 힐토(HT), 토힐(TH), 토힐토(THT), 힐토힐(HTH) 등의 순서를 사용하여 발이 마루에 닿는 위치를 나타냅니다.

이 용어는 단순히 발의 위치를 나타내는 것이 아니라, 특정한 춤의 스텝이나 동작과 연관하여 사용됩니다. 각각의 풋 워크 패턴은 춤의 특정 부분을 나타내며, 발의 움직임을 상세하게 설명합니다. 예를 들어, 힐(H)은 발의 뒷부분이 마루에 닿는 것을 나타내고, 토(T)는 발의 앞부분이 마루에 닿는 것을 의미합니다. 이러한 풋 워크 패턴은 춤을 출 때 발의 위치와 움직임을 정확하게 기술하여 춤의 감정과 특성을 보다 세밀하게 표현하는 데 도움을 주고 춤의 특성과 스타일에 따라 다양하게 사용되며, 춤의 다양한 동작과 연관하여 발의 위치를 설명하는데 쓰입니다. 춤을 출 때 발의 움직임을 정확하게 기록하고 설명하여 춤의 느낌과 표현을 보다 명확하게 전달하는 데 사용됩니다.

플리에(Plie)

"플리에(Plie)"는 다리를 굽히는 동작을 가리키며 주로 댄스 기초 동작 중 하나로 여겨지며, 다양한 형태와 스타일로 실행될 수 있습니다. 다리를 굽히는 것뿐만 아니라 몸의 균형을 유지하고 운동의 효과를 극대화하기 위해 근육을 사용하는 것이 중요합니다.

1. **발 위치:** 발이 몸과 땅 사이의 연결고리 역할을 합니다. 발끝을 바닥에 살짝 누르는 것은 몸과 땅 사이의 연결을 강화해줍니다. 이렇게 함으로써 몸의 안정성을 유지하고, 춤이나 운동 중 균형을 유지하는 데 도움이 됩니다.
2. **상체 자세:** 머리와 어깨를 일직선으로 유지하고 등과 복부 근육을 활용하여 몸의 균형을 조절하는 것이 중요합니다. 이는 몸의 안정성과 포이즈를 유지하는 데 큰 역할을 하며 올바른 상체 자세는 운동 중 몸을 지탱하고, 포이즈를 유지하는 데 도움이 됩니다.
3. **균형감:** 몸의 무게 중심을 유지하고, 양발에 무게를 고르게 분산시키는 것이 중요합니다. 이를 위해서는 코를 중심으로 바라보는 것이 도움이 됩니다. 이렇게 함으로써 몸의 균형을 유지하고 안정적으로 움직일 수 있습니다.
4. **우아한 동작:** 부드럽고 자연스러운 움직임은 우아하고 자신감 있게 보이도록 도와줍니다. 몸의 각 부분을 조절하여 우아하게 움직이는 것은 포이즈를 유지하고, 안정적으로 움직이는 데 큰 도움이 됩니다. 우아한 동작은 춤이나 운동에서 자신감을 나타내며, 몸을 효과적으로 제어할 수 있도록 돕습니다.

이러한 요소들을 조합하여 몸을 안정적으로 유지하고, 우아하고 자신감 있게 움직이는 것은 춤이나 운동에서 중요한 기술과 표현력을 발휘하는 데 도움이 됩니다. 올바른 자세와 움직임은 몸의 건강을 유지하는 데도 중요합니다.

블루스 기본 걸음

포워드 워크 (forward walk): 포워드 워크는 춤이나 운동에서 매우 중요한 움직임입니다. 이 동작은 주로 전진하는 동작으로, 발을 전방으로 이동시켜 몸을 이동시키는 것을 나타냅니다. 다양한 춤 스타일이나 운동 유형에서 사용되며, 전반적인 움직임에서 중요한 부분입니다.

포워드 워크는 춤의 흐름과 운동량을 형성하는 데 큰 영향을 미칩니다. 이를 통해 춤은 더 다채롭고 다이내믹한 모습을 보이며, 공간을 효과적으로 활용하여 다양한 패턴과 움직임을 표현하는 데 도움을 줍니다. 발레, 라틴 댄스, 사교댄스, 스윙 댄스 등 다양한 춤에서 사용되며, 각 춤의 특성에 따라 다르게 표현됩니다. 이 동작은 주로 발의 위치와 몸의 중심 조절을 통해 이루어집니다. 발을 전방으로 움직이면서 몸의 중심과 움직임 방향을 일치시키는 것이 중요합니다. 이를 통해 춤은 자연스럽고 우아하게 연출됩니다. 또한, 각 춤의 특성에 따라 포워드 워크는 다양하게 표현됩니다. 발의 움직임을 강조하는 춤도 있고, 전체적인 몸의 이동을 중시하는 춤도 있습니다. 따라서 각 춤의 특성과 스타일에 맞게 포워드 워크가 조화롭게 사용되며, 해당 춤의 특징과 스타일을 부각시킵니다.

포워드 워크는 춤을 풍부하고 다이내믹하게 만들어주는 핵심 요소 중 하나입니다. 그만큼 춤이나 운동에서 이 동작을 익히고 연습하는 것은 중요합니다. 이를 통해 춤을 더욱 멋지고 표현력 있게 표현할 수 있을 겁니다.

포워드 워크

LF(왼쪽 발)를 앞으로 전진하는 방법에 대한 설명입니다. 기술은 RF(오른쪽 발)에도 동일하게 적용됩니다.

1. 먼저, 발을 모아서 똑바로 서고, 몸의 무게를 오른발(FR)에 올려서 발 중심으로 균형을 잡습니다.

2. 다음으로, 왼쪽 다리(L)를 엉덩이에서 앞으로 뻗어 나갑니다. 먼저 발의 앞부분이 바닥에 닿고, 뒤꿈치는 가볍게 바닥을 스쳐 지나가며 발가락은 들어올려야 합니다. 왼쪽 뒤꿈치가 오른발(R) 발가락을 지나치면, 오른쪽 뒤꿈치는 바닥에서 떨어지고 몸의 무게가 오른발 앞으로 옮겨집니다.

3. 발을 최대한 내밀 때, 몸의 무게는 왼발 뒤꿈치와 오른발 앞발 중간에 골고루 분산됩니다. 왼쪽 무릎은 직선으로 펴지고, 오른쪽 무릎은 약간 굽히게 됩니다.

4. 몸의 무게가 왼발로 옮겨지면, 오른발이 앞으로 움직이기 시작합니다. 발가락이 먼저 바닥에 닿고, 바닥을 가볍게 스쳐서 앞으로 이동합니다.

5. 왼발 발가락은 천천히 바닥에 내려가며 두 발이 만나고, 몸의 무게가 완전히 왼발로 옮겨집니다.

백워드 워크: 백워드 워크는 댄스나 운동에서 후진하는 동작을 나타내며, 몸을 후방으로 움직이는 것을 의미합니다. 이는 포워드 워크의 반대 개념으로서, 다양한 춤 스타일이나 운동에서 활용되어 공간을 후진하거나 특정한 움직임을 형성하는 데 사용됩니다.

왼발을 사용하는 경우에도 동일한 기술을 적용합니다.

1. 먼저, 양발을 함께 모아서 서고, 몸의 무게를 왼발에 실은 채로 약간 앞으로 기울어진 자세를 취합니다.
2. 그 다음, 엉덩이 관절을 중심으로 오른쪽 다리를 뒤로 빼는 동작으로 시작합니다. 발 앞부분을 가볍게 바닥에 댄 후 발끝을 바닥에 살짝 닿게 합니다. 오른쪽 발의 발끝이 왼쪽 발의 발꿈치를 지나가는 순간, 왼쪽 발의 발끝은 바닥에서 조금씩 떨어지면서 몸의 무게를 오른쪽 발 앞부분으로 옮기기 시작합니다.
3. 걸음이 가장 멀리 나갔을 때, 몸의 무게는 오른쪽 발의 앞부분과 왼쪽 발의 뒷부분 사이에 균등하게 분산됩니다. 오른쪽 무릎은 약간 굽혀지고, 왼쪽 무릎은 직선으로 유지됩니다.
4. 그 다음으로, 왼쪽 발이 뒤로 움직이기 시작합니다. 발뒤꿈치를 바닥에 댄 후 발 앞부분이 바닥을 가볍게 닿게 합니다.
5. 왼발이 오른쪽 발 쪽으로 후진하면서, 오른쪽 발의 발꿈치는 천천히 그리고 제어되게 내려갑니다.
6. 마지막으로, 오른쪽 발로 무게를 완전히 옮기면, 왼쪽 발은 거의 오른쪽 발에 무게가 없는 상태로 가까이 모이게 됩니다.

포워드 워크 터닝(forward walk turning)

forward walk turning은 전진하는 동작을 유지하면서 몸을 회전시키는 것을 의미합니다. 이 기술은 주로 춤에서 활용되며, 전진하는 동작과 함께 몸을 회전시켜 춤의 연속성과 흐름을 유지하고 이어가는 데 사용됩니다. 터닝은 춤의 다양한 스텝이나 루틴에서 빼놓을 수 없는 요소 중 하나입니다. forward walk turning은 춤의 흐름을 유지하면서 회전하는 것을 목적으로 하는데, 이를 통해 춤이 더욱 다이내믹하고 아름답게 표현됩니다. 이 동작을 수행하기 위해서는 발의 움직임과 몸의 회전을 조화롭게 이어야 합니다.

보통은 발을 전진하면서 몸을 회전시키는데, 이는 춤의 스타일에 따라 다르게 적용됩니다. 특정한 춤의 스텝이나 패턴에서 사용되며, 파트너와의 조화를 이루는 데도 활용될 수 있습니다. 또한, forward walk turning은 춤의 다양한 스타일에서 즐겨 사용되며, 댄서가 공간을 이동하면서 회전하는 것을 강조하는 경우에 많이 사용됩니다. 이 기술을 통해 춤은 다양한 움직임과 모션을 표현하며, 댄서의 기술과 표현력을 높일 수 있습니다. 발의 움직임과 몸의 회전을 조화롭게 조절하는 연습을 통해 포워드 워크 터닝을 더욱 자연스럽고 아름답게 표현할 수 있습니다. 이를 통해 춤의 연출력과 매력을 높일 수 있고, 춤을 통해 감정과 이야기를 더욱 잘 전달할 수 있게 될 겁니다.

블루스 워킹 연습

블루스에서의 워킹은 걸음걸이를 리드하고 상대와의 상호작용을 중시하는 것이 중요합니다.

가. 자연스러운 걸음걸이 리드: 워킹은 단순히 걷는 것 이상으로, 상대를 리드하고 표현의 주체가 되는 과정입니다. 단순히 블루스 워킹 연습이 아니라, 마치 큰 항아리를 안고 있다는 상상을 통해 스텝을 연습을 하면, 연습하는 과정에서 무게 이동, 몸의 밸런스, 상대와의 연결 등을 이해하기 쉽습니다. 이러한 연습은 블루스에서의 워킹이 더욱 자연스럽고 음악과 조화를 이루며, 상대와의 상호작용을 쉽게 터득할 수 있습니다.

나. 기본 스텝 연습: 블루스의 워킹은 기본적인 스텝과 움직임을 통해 슬로우하고 자연스러운 움직임을 강조합니다. 이를 위해 기본 스텝 연습이 매우 중요한데요, 전진, 후진, 사이드 스텝, 방향 전환과 같은 다양한 스텝을 반복적으로 연습하면서 워킹의 기초를 확실히 다지게 됩니다.

1. **각 스텝에서의 체중 이동과 바디 중심 잡기:** 기본 스텝을 연습하는 과정에서는 각 스텝에서의 체중 이동을 익히고, 이를 통해 바디의 중심을 잡는 것이 중요합니다. 이는 걸음에 있어서 몸의 밸런스를 잡고 움직임을 안정적으로 만들어줍니다. 체중을 옮기는 연습과 함께 바디 중심을 유지하는 법을 연습합니다.

2. **발의 위치와 몸의 움직임에 집중:** 각 스텝에서 발의 위치와 몸의 움직임에 집중하는 것도 중요합니다. 발의 각도, 힐과 발볼의 강조, 몸통의 움직임과 회전 등을 익히면서, 각각의 스텝이나 이동에 필요한 움직임들을 자세히 살펴봅니다.

3. **음악에 맞춰 움직이는 훈련 강조:** 블루스는 음악과의 조화가 중요하므로, 연습 과정에서 음악에 맞춰 움직임을 연습하는 것이 필요합니다. 각 스텝이나 이동의 템포와 음악의 비트를 일치시키는 연습을 통해 자연스럽고 매끄러운 움직임을 만들어냅니다.

4. **상상력을 자극하는 연습:** 또한, 각 스텝의 움직임을 연습하면서 상상력을 자극하는 것도 중요합니다. 상대와의 상호작용, 상상 속의 물건을 든듯한 무게감을 느끼며 표현력을 키워가는 연습을 합니다. 기본 스텝 연습을 통해 슬로우하고 자연스러운 워킹을 숙달하는 것은 블루스에서의 춤을 더욱 매력적으로 만들어주며, 상대와의 유기적인 움직임을 가능하게 합니다. 이는 춤을 추는 데 있어서 핵심적인 요소 중 하나입니다.

다. 힐과 볼의 강조: 힐과 볼의 강조는 블루스에서의 워킹을 더욱 풍부하게 만들어주는 중요한 요소 중 하나입니다. 특히 전진과 후진의 순간에 힐과 볼에 주의를 기울이면서 걸음걸이를 연습하는 것은 블루스 춤에서의 감각적이고 매끄러운 움직임을 만들어내는데 큰 도움이 됩니다.

1. **힐과 볼의 강조로 걸음걸이의 변화 파악**: 전진하는 순간에는 힐을 강조하고, 후진하는 순간에는 볼을 강조하여 걸음걸이의 변화를 명확하게 파악합니다. 이는 블루스에서의 특유의 슬로우하고 감각적인 움직임을 만들어내는 데 중요한 역할을 합니다.

2. **체중의 이동과 발의 각도 변화 명확하게 익히기**: 힐과 볼의 강조를 통해 체중의 이동과 발의 각도 변화를 명확하게 익힙니다. 걷는 과정에서 어떻게 힐과 볼을 놓는지를 정확하게 이해하면서, 체중의 변화와 발의 각도 조절을 자연스럽게 익히는 것이 중요합니다.

3. **기본적인 걸음걸이와 리드 방법 숙지**: 힐과 볼의 강조를 통한 연습을 통해 기본적인 걸음걸이와 리드 방법을 숙지합니다. 상대를 안고 슬로우하게 움직이는 순간에도 힐과 볼의 강조가 유기적으로 표현되면서, 음악에 맞춰서 흘러가는 움직임을 연출할 수 있게 됩니다.

힐과 볼의 강조를 통한 블루스 워킹 연습은 걸음걸이의 섬세한 변화와 무게 이동을 익히면서 춤을 풍부하고 감각적으로 만들어내는데 큰 도움이 됩니다. 이는 블루스에서 특유의 감성을 표현하는데 필수적인 요소 중 하나입니다.

센터 밸런스란?

센터 밸런스는 댄스나 운동에서 매우 중요한 개념입니다. 이는 몸의 중심을 안정적으로 유지하고 그 균형을 조절하는 능력을 가리킵니다. 댄스에서 센터 밸런스는 몸의 중심을 유지하고 그것을 기반으로 움직임을 조절함으로써 운동의 안정성과 정확성을 높이는 데 중요한 역할을 합니다. 센터 밸런스는 주로 골반이나 몸의 중심축을 기준으로 합니다. 몸의 중심을 잘 유지하면서 움직이는 것은 다양한 춤 스타일에서 필수적인 요소 중 하나이며 이를 통해 댄서는 몸의 안정성을 유지하고, 자유롭고 자연스러운 움직임을 만들어냅니다.

센터 밸런스는 무게를 어떻게 옮기느냐에 따라 달라집니다. 정확한 포지션과 균형 조절은 춤을 출 때 필수적입니다. 무브먼트를 할 때마다 센터 밸런스를 유지하면서 자연스럽게 움직이는 것이 중요하며 춤을 출 때의 자신감과 연결되어 있습니다. 몸의 중심을 제어하고 균형을 잘 유지할수록 춤을 출 때 자신감 있고 안정된 모습을 보일 수 있습니다. 이는 춤을 출 때 자연스럽고 매력적인 퍼포먼스로 이어집니다.

센터 밸런스와 풋 워크와의 관계

춤에서의 센터 밸런스와 풋 워크는 서로가 연결되어 있어서 아름다운 움직임과 균형을 유지하는 데 중요한 역할을 합니다.

1. 센터 밸런스는 춤을 출 때 몸의 중심을 유지하고 균형을 조절하는 개념입니다. 춤을 출 때 몸

의 센터를 통제함으로써 움직임을 안정적으로 만들어주며, 이는 풋 워크와 조화롭게 연결됩니다. 몸의 센터를 유지함으로써 댄서는 움직임의 안정성과 우아함을 유지할 수 있습니다.

2. 풋 워크는 발을 움직이는 기술로, 센터 밸런스를 유지하는 데 중요한 부분입니다. 정확한 풋 포지션과 움직임은 센터 밸런스를 유지하고, 춤을 출 때 균형을 잡는 데 도움을 줍니다. 발의 위치와 움직임은 전반적인 센터 밸런스를 조절하는 핵심적인 역할을 합니다.

3. 춤을 출 때 센터 밸런스와 풋 워크는 서로 보완적으로 작용합니다. 몸의 센터를 잘 조절하고 정확한 풋 워크를 통해 움직임을 안정시키면서, 우아하고 자연스러운 춤을 완성할 수 있습니다.

둘 사이의 조화로운 조절은 춤의 흐름과 운동량을 더욱 아름답게 만들어줍니다. 이를 통해 춤은 자신감 있게 표현되고, 댄서의 기술과 표현력을 더욱 높일 수 있어요.

댄스 홀드에서 여성이 안정적인 밸런스를 유지하는 비결

여성이 댄스 홀드에서 밸런스를 잡는 것은 춤을 출 때 몸의 안정성과 연결성을 유지하는 것과 관련이 있습니다. 여성이 댄스를 출 때 밸런스를 잘 유지하기 위해서 몇 가지 중요한 점들이 있습니다.

1. **코어 근육 강화**: 복부와 허리 근육을 강화하여 몸의 중심을 유지하고, 안정성을 높이세요. 코어 근육을 강화하면 홀드 동안 몸을 더욱 안정시킬 수 있습니다.

2. **중심축 유지**: 몸의 중심을 잘 파악하고, 그 중심축을 지탱할 수 있는 자세를 취하세요. 이는 팔과 상반된 측면의 근육을 사용하여 몸을 평형 있게 유지하는 것을 의미합니다.

3. **팔과 상체의 위치**: 팔은 파트너와의 연결을 유지하면서 너무 강하게 압박하지 않는 것이 좋습니다. 안정적인 홀드를 위해 자신의 팔과 상체의 위치를 조절하고, 팔은 너무 높이 올리거나 떨어뜨리지 않도록 유의하세요.

4. **시선과 포커싱**: 동작 중에는 시선의 방향도 중요합니다. 안정적인 밸런스를 유지하기 위해 고정된 지점을 응시하고, 몸의 안정성을 유지하는 데 도움이 됩니다.

5. **연습과 경험**: 댄스를 연습하고 경험을 쌓음으로써 홀드에서의 밸런스를 점차 향상시킬 수 있습니다.

여성이 홀드에서 밸런스를 유지하는 것은 연습과 자신의 몸을 이해하는 것이 중요합니다. 안정적이고 자연스러운 홀드를 유지하면서 밸런스를 향상시키는 데 주의를 기울이세요. 이를 통해 댄스에서 보다 안정적이고 우아한 모습을 연출할 수 있습니다.

Wind, Winding, and Winding Up(윈드, 와인딩, 그리고 와인딩 업)

이는 특정 동작을 시작하기 전에 몸의 회전을 조절하고 강화하는 과정으로, 춤의 동작을 보다 강력하고 정확하게 만들어줍니다.

"윈드(Wind)"는 회전 동작을 위해 발목을 춤의 회전 방향으로 조금씩 움직이는 것을 의미합니다. 발목부터 시작하여 체중과 에너지를 상체로 전달하는 과정을 포함하고 있습니다. 이는 몸 전체에 회전 동작의 에너지를 전달하고, 동작의 시작을 준비하는 역할을 합니다.

"와인딩(Winding)"은 발목부터 시작된 회전을 몸의 상체로 연결하는 프로세스입니다. 이는 발에서 시작된 회전을 상체로 효율적으로 전달하는 과정으로, 회전을 강조하고 더 큰 움직임의 범위를 제공합니다.

"와인딩 업(Winding Up)"은 회전 동작의 시작을 준비하는 데 사용됩니다. 이는 회전하는 동작을 시작하기 전에 몸을 준비하고 힘을 모으는 과정입니다. 상체를 돌려 회전 동작을 더 강화하고, 몸이 미리 회전 동작의 방향을 나타내는 역할을 합니다.

이러한 과정들은 춤의 기술적인 면에서 중요한 요소로, 춤의 동작을 더 강력하게 만들어주며, 회전 동작의 정확성과 에너지를 제공합니다. 춤을 출 때, 몸을 이러한 과정을 통해 준비하고 향상시키는 것은 춤의 품질과 표현력을 향상시키는 데에 도움이 됩니다.

블루스를 출 때 지켜야 할 원칙

블루스는 감정과 연기적 요소가 강하게 반영되는 댄스로, 기술적인 요소뿐만 아니라 춤의 의미와 감성을 춤으로 표현하는 것이 중요하다. 따라서 블루스 댄스를 출 때 다음과 같은 원칙을 따르는 것이 좋습니다.

1. **리드 팔:** 블루스 댄스에서 팔은 상대 댄서와의 신뢰와 연결감을 전달하는 데 중요한 역할을 합니다. 리드 팔을 통해 댄서들은 서로를 이끄는 힘과 안전한 연결을 느낄 수 있습니다. 이는 춤의 흐름과 움직임을 조절하고, 상호작용을 즐기며 춤을 출 때 필요한 요소입니다.
2. **댄서 간 거리:** 블루스의 느린 분위기와 음악의 흐름을 고려하여 댄서 간의 거리를 유지하는 것이 중요합니다. 적절한 거리를 유지함으로써 춤의 운동 범위와 연결성을 유지하며, 서로의 움직임에 대한 자유로움과 조화를 창출합니다.
3. **음악 감상:** 블루스는 음악의 감성을 춤과 결합시켜 표현하는 춤입니다. 따라서 음악의 리듬과 감성을 읽고 이해하는 것이 중요합니다. 음악을 느끼고 춤과 어우러지는 감정과 움직임을 조화롭게 표현하는 데 필요한 요소 중 하나입니다.
4. **연습:** 블루스 댄스는 기술적인 면과 감성적인 표현력이 모두 중요합니다. 부드럽고 자연스러운 움직임을 위해서 충분한 연습이 필요합니다. 기술적인 요소를 강화하고 음악과 함께 춤을 즐겁고 자유롭게 표현하기 위해 꾸준한 연습이 필요합니다.
5. **표정과 감정:** 블루스는 감성적인 댄스로, 표정과 감정이 춤의 완성도에 영향을 미칩니다. 춤을 출 때 표정과 감정을 표현함으로써 댄스의 감정과 느낌을 전달할 수 있습니다. 이는 춤을 더욱 완벽

하게 표현하고, 관객에게 감동을 전달하는 데 도움이 됩니다.

이러한 요소들은 블루스 댄스를 완성도 있게 표현하는 데 있어 중요한 부분입니다. 감성과 기술적인 요소를 조화롭게 융합하여 춤을 즐기고, 표현하는 데 필요한 핵심적인 요소들입니다.

그레이스풀한 턴, 여성 리드법

무용이나 댄스에서 파트너를 오른쪽 또는 왼쪽으로 회전시키는 기술 중 하나로 이는 파트너의 손을 오른손이나 왼손으로 잡고, 원하는 방향으로 천천히 회전시켜줍니다.

여성을 회전시켜주는 방법은 다양하지만, 기본으로 한 손 리드법, 양손 리드법, 한 손 크로스 리드법, 양손 크로스 리드법, 커트 후 여성 솔로 턴 리드법, 여성 솔로 턴 리드법이 있습니다. 남성은 여성 실력 및 나이에 따라 리드법을 조절해야 하며, 같은 회전 동작이라도 하수냐, 중수냐, 고수냐에 따라 여성이 느껴지는 리드 맛이 다 다르게 느껴집니다.

댄스에서 여성을 회전시키는 방법은 매우 다양하며, 그 기술은 음악, 춤의 스타일, 파트너와의 호흡 등 여러 가지 요소에 따라 다를 수 있습니다. 기본적인 회전 기술에는 몇 가지 주요한 방법이 있습니다.

첫 번째로, 남성은 오른손이나 왼손을 사용하여 여성을 회전시키는 방법이 있습니다. 이 방법은 보통 한 손을 사용하여 여성의 손을 잡고 회전을 이끌어내는 방식입니다. 이때 여성과의 손 연결을 통해 서로의 움직임을 읽고 호응함으로써 자연스러운 회전을 이룰 수 있습니다.

두 번째로, 양손을 사용하여 여성을 회전시키는 방법도 있습니다. 이 방법은 양손을 이용하여 여성의 손을 잡고 회전을 이끌어내는 기술로, 보다 안정적이고 균형을 잡기 쉬운 방법 중 하나입니다.

그리고 여성을 회전시키면서 손을 놓아주는 방법과 손을 끝까지 놓지 않는 방법도 있습니다.

여성을 회전시킬 때 피겨 동작에 따라 다양한 방법이 쓰일 수 있습니다. 예를 들어, 양손을 사용한 여성 회전 기술은 풋 포지션(발의 위치)과 핸드 홀드 포지션(손의 위치)에 따라 다양한 방식으로 실행될 수 있습니다. 또한, 여성의 팔을 여성 목에 위치하면 목을 감는 것이며, 여성 배 쪽으로 위치하면 배를 감는다는 신호로 보면 됩니다. 여성 머리 위로 올리면 이 또한 선을 여성 머리 위로 올려 여성을 회전시킨다는 신호입니다. 이러한 여성 회전 기술은 댄스의 동작과 음악에 맞춰 적절히 사용되며, 파트너와의 소통과 호응을 통해 자연스럽게 이뤄집니다. 댄스의 스타일과 요구사항에 따라 다양한 회전 기술이 쓰일 수 있으며, 춤의 흐름과 연출에 따라 적절한 방법을 선택하는 것이 중요합니다.

블루스 회전(턴)

모든 커플 댄스는 95% 이상 주로 여성이 회전(턴)을 합니다. 남성 회전은 드물며 남성 회전(턴) 스텝을 레슨해주는 학원도 있지만 그렇지 않은 학원도 많이 있습니다.

Spins and Turns

가. 좋은 회전을 위한 요소:

바른 자세와 올바른 서기가 먼저입니다.

1.복부와 허리: 복부를 안으로 당기고, 복부 근육을 높이 들어야 합니다. 이는 척추를 지지하고 안정감을 유지하는 데 도움이 됩니다. 허리를 펴고 굽히지 않도록 해야 해요.

2.가슴과 상반신: 흉골을 올려야 하지만, 가슴 근육을 바닥 쪽으로 당기는 것이 중요합니다. 몸을 떠밀지 않는 것이 몸의 균형을 유지하는 데 도움이 됩니다.

3.머리와 어깨: 머리를 일직선으로 척추와 유지하고, 시선은 곧게 앞을 향해야 합니다. 어깨는 내리고, 몸을 구부리거나 굽히지 않아야 해요.

4.하체 근육: 허벅지를 꽉 조여야 하며, 엉덩이 근육과 중심부를 강화하여 몸을 안정시켜야 합니다. 특히 빠른 회전을 할 때 이러한 근육들이 중요한 역할을 합니다.

나. 발의 부분을 이해하기:

1.회전 시 발을 어떤 부분에 중점을 두는지 이해하는 것이 중요합니다. 발끝이나 발바닥을 사용하여 회전할 수 있고, 발을 함께 돌리거나 따로 돌릴 수도 있습니다.

2.발을 어느 부분에 중점을 두느냐에 따라 회전의 안정성과 균형을 조절할 수 있습니다. 발끝이나 발의 평면 부분을 사용하거나 발을 함께 돌려서 회전할 때 발의 위치를 고려해야 합니다.

다. 팔 움직임:

1.오른쪽으로 회전할 때 왼팔을 좌측으로 돌립니다. 그러나 회전을 돕기 위해 팔을 강제로 사용하는 것은 회전을 방해할 수 있습니다.

2.회전 중에는 팔을 몸에 가깝게 끌어안아 회전 속도를 높입니다.

라. 머리의 시선 고정:

1.빠르고 정확한 회전을 위해서는 머리의 시선 고정이 중요합니다. 눈을 집중할 작은 지점을 선택하여 몸의 균형을 유지하고 회전의 안정성을 높이는 데 도움이 됩니다.

2.머리를 최대한 오랫동안 고정시키고, 몸을 좌측이나 우측으로 회전시키면서 머리를 고정된 지점을 찾으려 노력합니다.

이러한 기술적 요소들을 통해 몸의 안정성을 유지하면서 더욱 정확하고 안정된 회전을 할 수 있습니다. 머리가 회전을 시작하기 직전에 먼저 움직이며, 회전이 끝나고 난 후에도 가장 마지막에 도착합니다. 이는 몸의 안정성을 유지하고 균형을 잃지 않도록 하는 데 도움이 됩니다.

마. 몸을 어떻게 움직여야 하는지:

상반신을 어떻게 움직여야 하는지에 대한 지침이에요. 상체의 굽힘을 방지하고, 복부를 당기며 중앙 근육을 사용하여 몸을 안정시켜야 합니다. 자세와 균형을 유지하는 데 중요한 요소입니다.

바. 회전 중 몸의 세 부분:

회전 동안에는 머리, 상체, 엉덩이의 세 부분이 따로 움직입니다. 이 세 부분은 동시에 회전하지 않으며, 각각 순차적으로 움직여야 합니다.

옵션 1 (빠른 회전):

빠른 회전을 위해 상체부터 회전을 시작합니다. 반대쪽 어깨를 닫는다고 생각하면서 시작하여 머리와 엉덩이는 반대편 어깨와 엉덩이를 닫으면서 회전을 마무리합니다.

예를 들어 오른쪽으로 회전할 때, 왼쪽 어깨를 닫으면서 시작하여 머리와 엉덩이는 반대편의 오른쪽 어깨와 엉덩이를 닫으면서 회전을 완성합니다.

옵션 2 (느린 스위블):

느린 스위블을 위해 엉덩이를 발 앞쪽으로 더 이동시켜 엉덩이를 스트레칭, 엉덩이와 머리를 먼저 회전시킨 후 상체를 회전시킵니다.

사. 회전을 멈추는 방법:

회전을 멈출 때, 몸 전체를 완전히 정지시키는 것이 아니라 발을 멈추고 몸을 멈춥니다. 이때 팔은 몸에 가깝게 유지하다가 회전을 멈출 때 팔을 늘려 몸의 균형을 잡습니다.

이렇게 몸을 움직이고 회전하는 방법들을 이해하고 실천하면 더 나은 회전 기술을 개발할 수 있습니다.

Three-step-turn:

오른쪽 발을 옆으로 내딛고 직각으로 선 다리에 몸무게를 옮깁니다. 왼쪽 발을 오른쪽 발에 가깝게 모아 회전을 시작합니다. 그 후 다시 오른쪽 발을 옆으로 내딛습니다. 너무 큰 보폭으로 발을 내딛지 않도록 주의하세요. 회전 시 서 있는 발에 몸무게를 완전히 옮기지 않으면 균형을 잃을 수 있습니다.

가. 머리의 시선 고정:

머리의 시선은 앞으로나 몸이 이동하는 방향을 따라서 고정할 수 있습니다.

나, 한 발로의 완전한 회전:

1. 한 발로 왼쪽이나 오른쪽으로 완전한 회전을 하는 것입니다. 시작할 때 몸의 자세를 올바르게 유지하고 어깨를 회전하는 선과 평행하게 유지해야 합니다.

2. 체중을 한 발로 옮기며, 다른 발을 옆으로 향하도록 놓아야 합니다. 복부를 수축하고 팔은 반대 방향으로 돌려 회전을 준비해야 합니다.

3. 회전 중에는 머리를 회전하는 방향이나 앞쪽을 바라보며 어깨를 먼저 돌리고 발의 볼로 회전해야 합니다. 다리는 펴진 채로 유지되어야 하지만 무릎은 너무 곧게 펴있지 않아야 합니다.

다. 회전을 멈추는 방법:

회전을 멈출 때는 어깨가 엉덩이보다 먼저 멈춰야 합니다. 이렇게 하면 어깨와 엉덩이 사이에 긴장이 생겨 몸이 균형을 잡을 수 있습니다.

라. 상체의 움직임:

너무 과도하게 상체를 휘둘러 속도를 내지 않도록 주의하세요. 이렇게 하면 몸의 균형을 잃을 수 있습니다. 충분한 힘을 가하지 않아도 완전한 회전을 할 수 있습니다.

이렇게 다양한 기술적인 부분들을 주의하여 연습하면 더 나은 회전 기술을 개발할 수 있을 겁니다.

Turning and Spotting(터닝 앤 스팟팅)

스폿팅은 춤을 추는 동안 몸의 회전과 머리의 독립적인 움직임을 조화롭게 조절하여 균형을 유지하고 어지러움을 최소화하는 고급 기술입니다. 이 기술은 주로 춤을 추는 과정에서 눈을 일정한 고정된 지점에 위치시킴으로써, 몸의 회전 속도와 머리의 반대 방향 회전을 조정하여 안정성을 유지하는 데 활용됩니다.

스폿팅을 통해 시선을 고정시키는 방법이 다양한데요. 머리와 눈을 특정 지점에 고정시켜 회전 중에도 시선을 고수함으로써 몸의 움직임을 제어하고 안정성을 유지합니다. 이것은 머리를 빠르게 돌려 시선을 고정된 지점에 두는 방식으로 이루어지며, 이를 통해 춤추는 동안의 어지러움을 최소화하고 제어력을 높일 수 있습니다. 그림이나 표식과 같은 시각적 지점에 집중하는 것도 일반적인 방법 중 하나입니다. 또한, 춤을 추는 다른 사람의 위치를 스폿팅으로 활용하여 그 위치에 눈을 고정시킴으로써 회전과 동작을 안정적으로 유지할 수 있습니다. 스폿팅은 춤을 추는 데 필수적인 고급 기술로, 몸의 움직임을 제어하고 균형을 유지하는 데 도움을 줍니다. 함께 춤을 추는 파트너와의 조화로운 움직임을 위해 꾸준한 훈련과 노력이 필요하며 어지러움 없이 몸을 회전시키고 안정적으로 움직이기 위해 스폿팅 기술을 연습하고 향상시키는 것이 중요합니다.

안정적인 춤을 위한 스폿팅 기술 연마

스폿팅은 춤을 추는 동안 안정감과 균형을 유지하기 위해 시선을 특정한 지점에 고정하는 기술입니다. 제자리에서 천천히 회전하며 먼 거리의 물체를 스폿으로 선택합니다. 이를 위해 일부 댄서들은 검은 테이프나 메모지를 사용하여 시선을 고정하는 지점을 나타내기도 합니다.

손을 허리나 어깨에 놓고 시선을 선택한 곳에 고정한 후 오른쪽으로 천천히 회전을 시작합니다. 머리를 고정하고 선택한 스폿을 가능한 오랫동안 응시합니다. 몸을 계속해서 회전하며, 머리를 돌려야 할 때 빠르게 시선을 선택한 스폿으로 돌린뒤 다시 고정합니다.

이 과정에서 눈은 회전하는 동안 선택한 스폿을 계속해서 보게 됩니다. 다시 한번 스폿에 시선을 고정한 후 몸이 머리를 따라오도록 합니다. 눈이 회전을 이끄는 역할을 하며, 마지막으로 원래의 시작 위치로 돌아와 회전을 완료합니다.

스폿팅이 올바르게 이루어졌다면, 안정적이고 균형 잡힌 느낌을 받을 수 있어야 합니다. 그러나 여전히 어지러움을 느낀다면 스폿팅에서 타이밍과 눈의 초점이 중요하다는 점을 기억하세요. 특히 머리를 돌리기 전에 충분한 시간 동안 스폿을 보는 것이 핵심입니다. 이런 스폿팅 기술을 연습하면서 어지러움을 최소화해 보세요.

기본 스텝(Basic Step)

블루스에서 남성의 기본스텝(여상은 반대) 후진 2박, 전진 2박, 그리고 전진 6박은 기본이자 핵심적인 요소 중 하나입니다. 이 스텝은 간결하면서도 블루스의 매력을 느낄 수 있는 기술적 요소를 포함하고 있어요. 춤을 추는 동안 전진과 후진의 움직임은 블루스 음악과 함께 음악의 박자에 맞춰 이루어집니다.

쿼터 턴(Quarter Turn)

Quarter Turn은 기본적으로 왼쪽으로 90도 돌면서 왼발을 전진하고, 동시에 오른발을 왼쪽으로 이동시키는 스텝입니다. 이 움직임은 춤에서 특정 방향으로 몸을 돌리는 데 사용되며, 스텝의 간단한 움직임으로 왼쪽으로 회전하면서 발을 놓고 방향을 변경하는 것이 특징입니다.

샤세(Chasse)

Chasse는 춤에서 사용되는 한 종류의 스텝으로, 좌우, 전후로 빠르게 중심을 이동하면서 스텝을 밟는 움직임을 말합니다. 이는 주로 댄스나 춤에서 사용되는 움직임으로, 한 번의 스텝을 2박 2보로 나누어 좌우나 전후로 발을 번갈아 가며 벌리고 붙이는 동작을 반복합니다. 이러한 움직임은 전체적으로 댄서의 중심을 유지하면서 발을 빠르게 이동시키는 것을 특징으로 합니다. 샤세는 빠른 움직임으로 리듬을 살려 춤을 즐기는 데 활용됩니다.

Forward Right Chasse, Forward Left Chasse, Backward Right Chasse, Backward Left Chasse, Forward Right Turning Chasse, Forward Left Turning Chasse 등

리버스턴(Reverse Turn)

Reverse Turn은 블루스에서 사용되는 다양한 회전 동작 중 하나로, 여성을 135도 방향으로 돌리는 스텝입니다. 이 스텝은 마무리 스텝으로, 여성을 특정 각도로 회전시키기 위해 사용됩니다. 이는 춤의 플로어 크래프트에서 빈번히 사용되며, 퍼포먼스에 다양한 변화와 동작을 더 할 수 있는 중요한 기술 중 하나입니다. 이 회전하는 동작은 여성의 움직임과 팔, 몸의 위치를 조절하여 특정 각도로 회전할 수 있게 합니다. 이를 통해 춤의 흐름과 변화를 만들어내는 데 활용됩니다.

내추럴턴(Natural Turn)

Natural Turn은 여성을 남성의 오른쪽으로, 135도 회전하는 스텝으로 남성의 리드에 따라 45도, 90도, 135도 등 회전도 가능하고 여성은 남성의 안에서 안전하고 자유롭게 움직이며, 그 과정에서 댄스의 흐름과 협업이 강조됩니다. 이러한 동작은 우아하고 자연스러운 움직임을 통해 파트너의 움직임에 따라 몸을 회전시키고, 그 과정에서 파트너와의 조화로운 움직임을 연출합니다.

지그재그(Zigzag)

Zigzag로 번갈아 가며 이동하는 동작을 말합니다. 댄서가 일정한 패턴을 따라 전진하거나 이동하는 동안에, 번갈아 가며 좌우로 방향을 바꾸며 이동하는 것을 의미합니다. 이는 무용이나 춤에서 특정한 패턴을 형성하거나 공간을 활용하여 다양한 모션을 만들어내는 데 사용됩니다.

스핀 턴(Spin Turn)

Spin Turn은 여성을 우측으로 돌리는 스텝으로 여성을 한 방향으로 회전시키는 기술입니다. 좌측으로도 회전도 가능하지만 좌측 회전 기술을 사용하는 남성은 드물어요.

백 쓰리스텝(Back Three-Step)

이 스텝은 측면으로 이동하면서 후진하는 것으로, 보통은 몸의 방향을 좌우로 틀어가면서 걸음을 뒤로 물러나는 움직임을 말합니다. 이는 춤에서 다양한 패턴을 만들어내고 공간을 다양하게 활용하는 데 도움을 주는 기술 중 하나이며 주로 Back Three-Step 후 마무리(리버스 턴) 스텝을 합니다.

프롬나드 샤세(Promenade Chasse)

Promenade Chasse에서 전진하는 동안 세 번의 걸음을 의미하며, 이를 통해 댄서들은 함께 움직이고 서로 연결되어 춤을 춥니다. 이는 파트너들 간에 조화롭고 연결된 움직임을 만들어내는데 사용될 수 있습니다.

링크(Link)

일련의 움직임이 끝날 때 마무리하는 스텝을 가리킵니다.

회전 메커니즘 Roll

이동 중인 상대를 허리나 목을 감아놓고 풀어주는 동작은 댄스에서 텐션과 움직임의 표현입니다. 이 기술은 댄서들 사이에서 상호작용을 나타내고, 텐션을 제어하는 방법 중 하나로 활용됩니다. 일반적으로, 오른손이나 왼손을 사용하여 여성의 허리나 목을 감고, 이동 중에 풀어주는 것이 일반적인 사교댄스 기술입니다. 이렇게 행하는 것은 다음 움직임을 준비하거나 텐션을 완화하는 신호로도 작용할 수 있습니다.

이 기술은 여성의 몸과의 연결고리를 유지하면서 상호작용하는 중요한 수단입니다. 허리나 목을 감아놓고 푸는 동안에도 춤의 흐름을 유지하고, 텐션을 조절하여 자연스럽고 아름다운 움직임을 만들어냅니다. 이런 기술은 상대와의 관계를 나타내는 중요한 방법 중 하나로, 연습과 경험을 통해 더욱 섬세하고 예술적인 움직임으로 발전시킬 수 있습니다.

론데(Ronde)

"Ronde"는 발을 원을 그리듯이 돌리는 움직임을 의미합니다. 주로 발을 원을 그리듯이 앞으로 혹은 옆으로 회전시키는 동작을 말하고 우아함과 스타일을 부각시키며, 발의 움직임을 강조하는 데 사용됩니다.

해머락(Hammerlock)

'해머락'이라는 이름의 동작은 레슬링에서 비롯됐지만, 댄스에서는 매우 창의적으로 변형되어 사용됩니다. 이 동작은 레슬링에서는 상대를 몸을 굽히고 어깨 뒤로 잡아당기는 기술이었지만, 사교댄스에서는 여자가 남자의 팔을 사용해 어깨 뒤로 손을 올리는 형태로 변화된 사교댄스 기술 중 하나입니다. 이 동작은 여성이 남성의 손을 따라 잡아당기거나 움직임의 방향을 바꾸거나 서로 돌아가는 등의 다양한 표현이 가능합니다. 이러한 변형들은 춤의 맥락과 의도에 따라 다양하게 조합되며, 새로운 창의적인 댄스 움직임으로 진화할 수 있습니다.

스위블(Swivel)

스위블(Swivel)은 발을 중심으로 몸을 회전하거나 도는 동작을 의미합니다. 이 동작은 주로 한쪽 발의 앞꿈치를 중심으로 몸을 회전시키는 것이 특징입니다. 댄서는 보통 특정한 스텝을 따라가는 동안 한 발을 앞꿈치를 중심으로 몸을 회전시키거나, 특정한 움직임을 완성하는 데 사용됩니다.

스위블은 춤의 특정 부분에서 발의 움직임과 몸의 회전을 조화롭게 연결하여 사용됩니다. 예를 들어, 블루스나 스윙 댄스에서 스위블은 일반적으로 두 발로 스텝을 따라가면서 한 발의 앞-꿈치를 중심으로 몸을 회전시키는 움직임을 말합니다. 이는 춤의 흐름과 감성을 더욱 부각시키고, 특정한 스텝을 더욱 다채롭게 만들어줍니다. 스위블은 댄서의 기술과 연습을 요구하는 움직임입니다. 발의 정확한 위치와 몸의 균형을 유지하며, 적절한 타이밍과 흐름 속에서 회전하는 것이 중요합니다. 이는 춤의 특정 부분에서 움직임을 더욱 풍성하고 표현력 있게 만들어줍니다.

스위블은 춤의 특정한 순간에서 발을 중심으로 몸을 회전시키는 동작으로, 춤의 다양한 요소들을 조화롭게 연결하여 춤을 더욱 풍부하고 아름답게 만들어주는 중요한 기술 중 하나입니다.

Swivel Walk(스위블 워크)

"Swivel Walk(스위블 워크)"는 한쪽 발의 앞꿈치를 중심으로 회전하면서 걷는 동작을 의미합니다. 이것은 주로 한 발의 앞꿈치를 중심으로 회전하면서 전체 몸을 향하고 있는 방향으로 걷는 동작을 가리킵니다.

Swivel Kick(스위블 킥)

"Swivel Kick(스위블 킥)"은 한 발의 앞꿈치를 중심으로 회전하면서 차는 동작을 의미합니다. 이것은 일반적으로 댄서가 한쪽 발의 앞꿈치를 중심으로 몸을 회전시키면서 다리를 들어 차는 동작을 나타냅니다.

우아한 회전 기술: 던지기

남성은 왼손을 이용하여 여성을 오른쪽으로 회전시키거나, 여성을 남성의 앞으로 끌어당기며 회전을 도와주는 기술입니다. 이 기술은 정확한 타이밍과 부드러운 움직임을 요구하며, 춤의 템포나 스타일에 따라 다양하게 변형될 수 있습니다. 이 기술은 춤의 템포에 맞춰 신속한 회전을 전달하고, 순간적인 골반 움직임과 팔의 조화를 필요로 합니다. 이 기술은 춤의 빠른 리듬에 맞춰 상대를 던져 회전시키는데, 이를 위해서는 손과 팔의 힘을 조절하여 정확한 템포와 회전을 만들어내야 합니다. 이 기술은 정확한 타이밍과 신속한 반응이 필수적이며, 다양한 음악 스타일에 맞춰 적응할 수 있도록 변형될 수 있습니다.

풋 롤링(Foot Rolling)

풋 롤링은 발을 전방이나 측면으로 굴리는 동작을 의미합니다. 이 기술은 댄스 동작의 자연스러움과 부드러움을 강조하는 데 사용되며, 댄서의 발 움직임을 더 다양하고 풍부하게 만들어줍니다. 댄스에서 풋 롤링은 발의 힐(H), 발가락(T), 또는 발의 측면(Inside/Outside)을 사용하여 발을 전진하거나 측면으로 움직이는 등 다양한 방법으로 표현됩니다. 또한, 이 기술은 춤의 특정한 스텝이나 움직임에서 발의 위치를 더욱 다채롭게 만들어줍니다.

풋 롤링은 댄서가 음악에 맞게 발을 조작하고 동작을 수행하는 데 도움이 되며, 춤의 표현력과 다양성을 높여줍니다. 발의 움직임을 제어하고 조절하는 데 중요한 역할을 합니다. 각 댄스 스타일이나 특정한 춤에서 풋 롤링은 그 특성과 특징에 따라 다르게 사용됩니다. 왈츠(Waltz)나 탱고(Tango)와 같은 볼룸 댄스에서는 우아하고 부드러운 풋 롤링이 강조되고, 지르박 및 라틴 댄스에서는 다이내믹하고 강렬한 풋 롤링이 사용될 수 있습니다.

그러나 풋 롤링은 댄서의 개별적인 스타일과 표현력에 따라 다르게 사용되고 해석됩니다. 이 기술은 댄서의 연습과 경험을 통해 완벽해지며, 다양한 춤의 동작과 스텝에서 발을 다양하게 활용할 수 있도록 도와줍니다. 이러한 방법으로 풋 로링은 댄스의 표현력과 다양성을 높이는 데 중요한 역할을 하며, 발의 다양한 움직임을 통해 춤을 더욱 풍부하게 만들어줍니다.

리니어 모션(Linear Motion)

리니어 모션은 댄스 및 운동에서 사용되는 용어 중 하나로, 직선상의 움직임을 의미합니다. 이것은 댄서가 직선을 따라 움직이거나, 특정한 방향으로 직선적인 동작을 하는 것을 의미합니다. 이러한 모션은 특정 춤의 스텝이나 동작에서 사용되며, 댄서의 우아함과 표현력을 높여 줍니다.

1. 리니어 모션은 댄서가 일정한 방향으로 직선적인 동작을 할 때 발생하며, 일반적으로 전진, 후진, 좌우로의 직선적인 이동 등을 포함합니다. 이는 댄서가 춤을 추거나 운동할 때 특정 방향으로 직선을 따라 움직이는 것을 의미합니다.
2. 리니어 모션은 춤에서 보폭을 크게 하는 기술 중 하나입니다. 춤 스텝 중 한 지점에서 다른 지점으로의 이동을 증가시키는 것으로, 이 기술은 다양한 춤 동작을 수행하고 공간을 효과적으로 활용할 수 있도록 도와줍니다.
3. 리니어 모션을 적용할 때는 발의 중심을 힐 쪽으로 옮기고 다리를 굽히는 것이 중요합니다. 이동 가능한 위치에 다다르면, 바디와 센터를 더 멀리 이동시킬 수 있습니다. 이러한 움직임에서는 뒤쪽 발의 볼을 밀어주면 앞쪽 발이 더 멀리 이동하게 되고, 앞쪽 발의 힐을 이용하면 뒤로 더 멀리

이동할 수 있습니다.

4. 푸싱은 리니어 모션에서 균형을 유지하며 더 큰 스텝을 밟을 수 있도록 해주는 기술입니다. 센터 밸런스를 유지하면서 스텐딩 풋을 이용하여 무빙 풋을 멀리 이동시키는 것이 중요한데요. 이를 통해 파트너와의 협업이 더 원활해지고, 춤을 조화롭게 즐길 수 있게 도와줍니다. 정확한 푸싱 기술은 리니어 모션에서 균형과 스텝의 크기를 동시에 조절하는 핵심적인 역할을 합니다.

5. 리니어 모션은 댄서들의 몸의 선을 강조하고, 스텝 간의 공간을 효과적으로 활용하는 데 중요한 역할을 합니다. 이를 통해 댄서는 서로 다른 포지션과 방향으로 이동하면서도 공간을 효율적으로 활용하고 춤의 다양한 동작을 보여줄 수 있습니다.

6. 리니어 모션은 댄서의 움직임과 발의 포지션, 그리고 춤의 흐름을 결정짓는 중요한 요소 중 하나입니다. 이를 통해 댄서는 직선적인 움직임을 통해 더 다이내믹하고 효과적으로 춤을 표현할 수 있습니다.

블루스 기술은 350가지 이상이다.

블루스는 다양한 기술과 동작으로 이루어진 춤의 한 형태로, 수많은 기술이 있어요. 이는 레슨이나 훈련을 통해 개별적으로 학습하고 연습해야 하는 것들이죠. 글이나 설명으로 다루기 어려운 복잡하고 세부적인 기술들도 있습니다. 블루스는 끝없는 발전과 창의성이 있는 춤으로, 새로운 기술들이 지속적으로 생겨나고 있을 거라고 생각돼요. 기본기를 다지고 창의적인 움직임을 발전시키며 자신만의 스타일을 만들어나가는 것이 중요하겠죠. 필자가 레슨용으로 만든 기술만 해도 350개가 넘습니다.

Collect(콜렉트)

"Collect(콜렉트)"는 춤에서 다음 걸음을 밟기 전에, 자유 다리의 무릎과/또는 발을 몸의 아래로 끌어당겨 서 있는 발과 가깝게 모으는 동작을 의미합니다. 이는 무게 블록들이 다음 걸음을 밟을 준비가 되도록 몸의 중심을 정렬하는 것을 돕습니다. 이동하는 동작에서 무게의 전환이나 균형을 맞추는 데 도움이 되는 기술 중 하나입니다.

즉, 다리나 발을 끌어당겨 서 있는 다리의 옆에 모으는 과정을 말합니다.

Compression(컴프레션)

"Compression(컴프레션)"은 춤에서 지지 다리의 무릎을 굽힘으로써 몸의 센터를 낮추는 과정을 가리킵니다. 이는 다음 움직임이나 피규어를 적절히 시작하기 위한 준비 단계로써 사용됩니다.

일반적으로 춤에서, 컴프레션은 피규어나 움직임을 시작하거나 중심을 잡고 에너지를 미리 축적하는 데에 사용됩니다. 지지 다리의 무릎을 굽힘으로써 몸의 센터를 낮추면, 다음 움직임을 더 효과적으로 시작할 수 있게 되며, 무게의 변화와 움직임을 더 매끄럽게 수행할 수 있도록 도와줍니다. 이는 춤에서 다음 스텝이나 움직임을 준비할 때 사용되며, 좀 더 탄력 있고 효과적인 움직임을 가능케 합니다.

리드와 팔로우

조작과 리드는 자동차, 리모컨, 그리고 댄스에서 공통된 요소입니다. 남성이 커플 댄스에서 리드하는 역할을 맡게 되면 여성은 그 움직임을 의도적으로 따라가게 되죠. 이는 운전과도 닮아있습니다. 운전은 이론을 배우는 것만으로 충분하지 않고, 실전 경험이 필요하듯이, 댄스도 이론을 터득하는 것 외에 꾸준한 연습과 경험이 중요해요. 특히 리드하는 데 익숙하지 않은 초보자에게는, 실제로 상대를 이끄는 것은 매우 어려운 과제일 수 있어요. 하지만 레슨을 통해 이론을 익히고, 그것을 실전에서 연습하며 익숙해지는 과정을 거치면 리드에 대한 자신감을 키울 수 있죠. 요컨대, 리드하는 것은 이론뿐만 아니라 실제 경험과 꾸준한 연습으로 이뤄져야 합니다.

정확한 리드와 자유로운 춤을 위해 꾸준한 연습과 레슨을 통해 스텝을 완벽히 소화하고 자신만의 것으로 만들어야 해요. 여성들이 고수들과 춤을 추면 그들의 실력과 영향을 받아 자연스럽게 실력이 향상되기도 합니다. 하지만 이런 수준에 도달하기 위해서는 구구단을 외우면서도 TV를 보며 스텝을 연습하고, 계속해서 연습해야 합니다. 특히나, 리드하는 남성의 불안정한 움직임, 망설임, 자신감 부족은 여성에게 전달되어 춤의 흐름을 끊을 수 있어요. 따라서, 자신 있는 스텝을 중심으로 확실한 리드와 신호를 보내는 것이 중요합니다. 그리고, 힘으로만 리드한다고 해서 항상 효과적인 것은 아닙니다. 정확하고 확실한 스텝과 올바른 리드/사인으로 여성은 보다 자연스럽게 춤을 따라갈 수 있게 됩니다. 이는 리드하는 측과 춤을 추는 상대 모두에게 더 즐거운 경험을 선사하게 되어요.

확실히 춤을 추는 과정에서 힘의 조절과 상호 간에 응답하는 것은 매우 중요합니다. 특히 커플 댄스에서는 남성과 여성이 서로를 이해하고 조절하는 것이 필요해요. 힘의 조절은 리드와 팔의 움직임에 영향을 미치며, 서로의 신호를 받아들이고 적절하게 반응하는 것이 중요합니다.

춤을 대충 배워도 된다고 생각하는 것은 잘못된 생각이에요. 여성도 춤을 잘 추기 위해서는 자신의 스텝과 방향을 확실히 익혀야 합니다.

댄스는 서로의 움직임과 의사소통에 기반을 두고 있어요. 따라서 서로가 상호작용하고 조절하는 것이 중요하며, 이를 통해 보다 원활하고 아름다운 춤을 추게 됩니다.

리드 (Lead)

리드는 댄스에서 이끄는 역할을 합니다. 주로 남성 댄서들이 이를 담당하며, 리드의 임무는 댄스의 리듬과 움직임을 주도하는 것입니다.

팔로우 (Follow)

팔로우는 댄스에서 따르는 역할을 맡습니다. 이는 대부분 여성 댄서들이 수행하며, 폴로우의 임무는 리드의 동작을 따라가는 것입니다. 폴로우는 리드의 리듬과 움직임을 따라가며, 댄스의 방향과 움직임을 예측하여 춤을 이어나갑니다. 리드가 주도하는 대로 팔로우가 따라가기 때문에, 두 역할 모두 서로의 움직임을 잘 파악하고 원활한 소통을 해야 춤이 원활하게 이뤄집니다. 이렇게 함께 조율되면 춤이 조화롭고 자연스러운 모습을 보여줄 수 있어요.

블루스 악센트

블루스는 슬로우 댄스 중 하나로, 노래의 리듬과 감정을 반영하면서 춤을 추는 동안 음악과 함께 흐르는 움직임을 강조하는 것을 말하고, 리듬이 천천히 흐르기 때문에, 악센트가 더욱 중요한 역할을 한다. 악센트는 춤의 동작을 더욱 생동감 있게 만들어주고, 춤의 감정을 더욱 깊게 전달할 수 있도록 도와준다. 악센트는 대개 음악의 강한 비트를 따르게 된다. 이때, 강한 비트를 따르는 동작은 보통 강조하여 춤의 움직임을 돋보이게 한다.

하지만, 블루스는 강한 비트만을 따르는 것이 아니라, 음악의 감정을 반영하는 부드러운 움직임도 매우 중요하며 강한 비트를 따르는 동작과 부드러운 움직임을 조화롭게 결합하여 춤의 감정을 표현해야 한다. 따라서, 음악과 춤을 하나로 묶어주는 매우 중요한 요소이다. 악센트를 제대로 파악하고, 그것에 맞게 춤의 움직임을 조절함으로써 춤의 감정과 파워를 높일 수 있다.

Tension(텐션)

"파인 다이닝(Fine dining)은 기다림의 미학, 댄스는 손맛의 미학"

블루스에서 텐션을 주는 방법은 다양하지만, 주로 다음과 같은 방법으로 텐션을 표현한다.

1. **리드와 팔로우의 바디 무브먼트:** 리드와 팔로우가 서로 바디 무브먼트를 통해 텐션을 주고받는다. 이때 리드는 팔로우를 끌어당기거나 밀어내며 텐션을 주고, 팔로우는 리드의 동작에 따라 몸을 흔들거나 회전하는 등의 움직임으로 텐션을 표현한다.

2. **핸드:** 리드가 핸드를 통해 팔로우에게 텐션을 주기도 한다. 이때 리드는 손목이나 팔의 굴곡을 이용하여 텐션을 조절한다.

3. **음악의 리듬과 텐션 조절:** 음악의 리듬과 텐션을 조절하는 것도 중요하다. 음악의 리듬과 텐션을 적절히 활용하면 댄스의 텐션을 더욱 강조할 수 있다.

4. **아웃-풋 라인:** 리드와 팔로우가 아웃-풋 라인을 유지하는 것이 중요합니다. 아웃-풋 라인은 상

체의 중심을 유지하면서 댄스를 출 때 발생하는 텐션을 조절하는 역할을 한다. 이를 통해 텐션을 보다 강조할 수 있다.

텐션은 상대 파트너와의 접촉을 통해 전달되는 긴장 상태와 팽팽함을 의미하는 단어입니다. 춤이나 댄스에서는 상대의 힘이 전달되는 신체 부위로부터 느껴지는 긴장감을 의미하며, 서로가 손끝에 약간의 힘을 주고 받을 때의 장력과 탄력을 말합니다. 남성이 액션을 취하면 여성은 반사적으로 리액션을 보이게 됩니다. 이런 텐션은 대부분의 커플 댄스에 존재하며, 댄스에서 텐션의 원리는 비슷하지만 그것이 어떻게 느껴지는지는 각자마다 다릅니다. 이러한 텐션은 댄스에서 중요한 요소 중 하나로, 이것이 없다면 춤을 춘다는 느낌이 들지 않을 수도 있습니다.

춤추는 이유는 여러 가지가 있겠지만, 텐션은 그중에서도 중요한 이유 중 하나입니다. 부드러우면서도 끈적거리며 자석처럼 서로를 끌어당기는 그런 감칠맛이 춤의 매력이자 댄스의 묘미입니다. 텐션을 구사할 때에는 여성의 힘과 장력에 알맞은 반응을 보여주어야 합니다. 많은 남성들은 이것을 제대로 이해하지 못하는데, 너무 많은 힘을 주면 완력, 즉 폭력이 되기도 합니다.

대-다수의 여성은 부드러우면서도 가볍고 강한 느낌을 선호합니다. 그래서 남성은 각각의 여성의 선호에 맞춰 적절한 텐션을 주어야 합니다. 이때 텐션이 적절하게 전달되면 일체감을 느끼며 환상적으로 보일 수 있습니다. 따라서, 힘을 줄지라도 여성이 거부감을 느끼지 않도록 적절하게 사용해야 합니다.

{웹스터 의학 사전}은 인체의 긴장도에 대하여 다음과 같이 정의를 내린다. "조직의 정상적인 긴장 상태로서 이 덕분에 인체는 자극에 반응하여 적절하게 움직일 수 있다."

"파인 다이닝(Fine dining)은 기다림의 미학, 댄스는 손맛의 미학"

Tension의 역할

텐션(Tension)은 댄스에서 매우 중요한 개념으로, 춤의 퀄리티와 효과에 큰 영향을 미치는 주요한 요소 중 하나입니다. 춤을 출 때 텐션을 조절함으로써 춤의 다이내믹한 면을 부각시키고, 파트너와 연결성을 강화하여 춤사위를 더욱 생동감 있게 만듭니다.

1. 감정적 표현과 연결

댄스에서 텐션은 감정을 표현하고 파트너와의 연결을 형성하는 핵심적인 요소 중 하나입니다. 춤은 순수한 움직임을 넘어서 감정을 전달하는 예술입니다. 춤을 출 때 적절한 텐션을 가지고 감정을 몸으로 전달함으로써, 파트너에게 더욱 강한 메시지를 전달하고 공감대를 형성합니다. 각각의 움직임은 텐션을 통해 에너지와 감정을 담아내어 상대에게 감정적으로 다가갈 수 있습니다. 이는 댄스를 통해 더욱 풍부한 감정을 나눌 수 있는 연결을 형성하는 데 큰 역할을 합니다.

2. 다이내믹한 퍼포먼스 제공

텐션은 춤의 다이내믹한 면을 부각시키는 데 큰 영향을 미칩니다. 올바르게 조절된 텐션은 각각의 움직임에 힘과 에너지를 부여하여 춤을 더욱 생동감 있게 만듭니다. 춤에서 텐션을 조절하면 각각의 동작이 더욱 확고하고 힘이 있게 표현됩니다.

3. 연결과 흐름의 유지

텐션은 파트너와의 상호작용을 통해 춤의 연결을 증진시키는 데 도움을 줍니다. 올바른 텐션을 유지하면 각각의 동작이 파트너와의 상호작용에서 원활하게 연결되며, 이는 춤의 흐름을 끊김 없이 유지하는 데 기여합니다. 또한 춤에서 텐션을 조절하는 것은 춤의 움직임을 더욱 효과적으로 보이게 하고, 파트너와의 조화를 높일 수 있습니다.

텐션의 조절은 춤의 흐름을 유연하게 만들어주어, 파트너와의 연결을 강화하고 춤의 연속성을 보장합니다. 이는 춤의 퀄리티와 매력을 높이는 데 중요한 역할을 합니다. 춤에서의 텐션은 파트너와의 연결성을 강조하며, 함께 춤추는 두 사람 사이의 유기적인 연결을 도와줍니다. 이는 댄스를 보다 의미 있는 경험으로 만들어주는 데 큰 도움을 줍니다.

텐션은 댄스에서 감정적 표현, 다이내믹한 퍼포먼스, 그리고 연결과 흐름을 유지하는 데 핵심적인 역할을 합니다. 이러한 요소들이 조화롭게 작용하여 춤의 질을 높이고, 관객에게 더욱 감동적이고 인상적인 댄스 경험을 선사합니다.

텐션 주는 방법

여성과 남성 간의 힘 사용량 차이는 실제로 개인마다 다르며, 이로 인해 힘의 조절은 상당히 중요합니다. 여성과 남성은 각자의 체력과 힘을 고려하여 움직임을 조절해야 합니다.

이론적으로는 A 여성이 50정도의 힘을 주면, 남성도 50정도를 주는 것이 적절하다고 할 수 있지만, 현실에서는 이것이 쉽지 않습니다. 힘의 조절은 실전에서 더 복잡한 일입니다. 때로는 여성의 50정도 힘을 주는데 남성은 70~80 이상의 힘을 준다면 이것이 완력이자 폭력입니다. 힘의 조절은 단순한 지식이나 이론으로만 습득되는 것이 아니며 실제 경험과 지속적인 연습이 필요합니다. 여성이나 남성, 누구나 자신의 체력과 힘을 인식하고, 상대방과의 조화로운 연출을 위해 노력해야 합니다. 이는 연습과 경험을 통해 점차 향상됩니다. 힘의 조절은 자신의 감각과 파트너와의 조화로운 움직임을 만들어내기 위한 과정입니다. 힘을 조절하는 것은 서로에게 큰 영향을 미치므로, 상황에 맞게 적절히 조절하는 것이 중요합니다. 이를 위해서는 계속된 연습과 지속적인 경험이 필요하며, 상호간의 이해와 협력이 중요합니다.

사람마다 손맛(텐션)이 다른 이유

사람마다 손의 텐션은 유전자뿐만 아니라 타고난 체격, 힘, 성향, 성격 등과도 연관이 있습니다. 이러한 다양한 요인들로 인해 손의 텐션은 다양하게 형성됩니다. 악수나 포옹, 가벼운 스킨십과 같은 접촉은 때로는 따뜻한 감정을 전달하기도 하지만, 다른 상황에서는 불편함을 느낄 수도 있습니다. 마찬가지로, 텐션도 상황과 관계된 감정을 전달하거나 불쾌한 느낌을 줄 수 있습니다.

손의 텐션은 종종 그 사람의 성격과 댄스 능력을 엿볼 수 있는 지표로 여겨집니다. 텐션은 댄스에서 매우 중요한데, 춤을 출 때 텐션을 조절함으로써 감정과 표현을 전달하며 또한 춤의 퀄리티와 스타일을 나타내기도 합니다. 따라서, 텐션에 대한 이해와 조절은 춤을 추는 데 필수적입니다.

또한, 각 사람마다 텐션을 받아들이는 방식과 느끼는 정도가 다를 수 있습니다. 어떤 사람은 강한 텐션을 선호할 수도 있고, 다른 사람은 부드러운 텐션을 선호할 수도 있습니다. 이러한 차이는 각자의 성향과 경험에 따라 형성됩니다. 손의 텐션은 각자의 유전적 특성과 다양한 개인적 특징에 의해 형성되며, 상황에 따라 다양한 감정을 전달할 수 있습니다. 댄스에서 텐션은 감정과 능력을 나타내는 중요한 요소이며, 이를 이해하고 조절하는 것은 춤을 추는 데 있어 핵심적입니다.

리드 법

커플 댄스에서의 리드는 춤을 더욱 아름답고 조화롭게 만들어가는 핵심적인 역할을 맡습니다. 남성이 여성을 안내하고 움직임을 주도함으로써, 파트너들 간의 연결과 협업을 이끌어냅니다. 리드는 댄스를 완성시키는 핵심적인 조정자이며, 이를 통해 춤은 단순한 움직임을 넘어서서 특별한 의미와 아름다움을 표현하게 됩니다. 댄스에서 텐션과 리드는 상호 보완적인 개념으로, 서로가 한 몸처럼 연결되어 움직임을 조율하고 통제하는 데 중요한 역할을 합니다. 특히 Jive와 같은 빠른 템포의 춤에서는 물리적인 힘과 움직임을 통해 여성을 리드하는 것이 일반적입니다. 이러한 Physical 리드 방식은 춤의 템포와 스타일을 결정하고, 여성에게 방향과 움직임을 전달하는 데 중점을 둡니다.

리드는 단순히 움직임을 지시하는 것 이상으로, 상호 간의 의사소통과 연습을 통해 성장하고 발전하는 개념입니다. 파트너들 간에 신뢰를 구축하고 서로를 이해하는 과정을 거쳐 춤은 더욱 매끄럽고 조화로워집니다. 서로의 의도를 읽고 이해하는 능력은 춤을 함께 창조하는 데 중요한 역할을 합니다. 더불어, 리드는 춤의 흐름과 연결성을 유지하는데 집중합니다. 파트너와의 조화롭고 매끄러운 움직임은 서로를 존중하고 의사소통하는 과정에서 탄생합니다. 이것이 리드의 주요 목적 중 하나이며, 춤을 통해 감정과 이야기를 전달하는 예술적인 경험을 만들어냅니다.

커플 댄스에서 리드는 춤을 더욱 풍요롭게 만들어가는 데 핵심적인 역할을 하며, 이를 통해 춤은 단순한 움직임 이상의 의미를 지니게 됩니다. 이는 상호간의 연결과 협업을 통해 춤을 창조하는 데 있어서 극도로 중요하고 필수적인 개념입니다.

체중 이동을 활용하는 리드법은 커플 댄스에서 일반적으로 사용되는 효과적인 방법 중 하나입니다. 여기서 주된 포인트는 춤을 추는 동안 체중을 옮기거나 조절하여 파트너에게 움직임을 안내하는 것입니다. 이 기술은 주로 리드하는 사람이 움직임을 주도하고, 그에 따라 상대방이 반응하도록 설계되어 있습니다. 체중의 이동과 변화를 통해 춤의 흐름을 조절하고, 댄서들 간의 흐름을 동기화시키는 데 사용됩니다. 특히 Jive와 같은 빠른 템포의 춤에서, 움직임과 전환을 스무스하게 만들기 위해 체중 이동은 매우 중요한 역할을 합니다. 이를 통해 더 자연스러운 리드와 텐션을 만들어내고, 파트너와의 원활한 협업을 가능하게 합니다. 커플 댄스에서는 다양한 리드법을 활용하지만, 체중 이동 리드법은 특히 춤의 리듬과 움직임을 안정적으로 조절할 수 있는 장점이 있습니다. 이는 댄스를 더욱 효과적으로 이끌어내고, 파트너와의 연결을 높여주는 데 도움이 됩니다.

리드하는 방식은 정말로 춤의 퀄리티와 연결성에 영향을 미치는 중요한 부분 중 하나입니다. 손으로만 리드하는 것과 체중 이동 및 팔을 이용하는 방식 사이에는 큰 차이가 있습니다. 리드하는 사람이 손을 통해서만 이끄는 것이 아니라, 팔과 체중을 적절히 활용하여 파트너에게 움직임을 안내한다면, 춤의 흐름과 움직임은 더욱 자연스러워지고 효과적일 수 있습니다. 이를 통해 과도한 힘이나 불편함을 줄이고, 보다 우아하면서도 연속성 있는 춤을 이끌어낼 수 있습니다. 또한, 손목 스냅과 같은 기술은 손으로만 리드하는 것을 보완하는 데 도움을 줄 수 있습니다. 이 기술을 익히면, 리드하는 능력을 높여주고 파트너와의 커넥션을 강화하는 데 도움을 줄 수 있습니다.

리드하는 방식은 춤의 장르나 스타일에 따라 다양하게 변할 수 있습니다. 블루스나 트로트, 모던 계열에서 사용되는 가슴이나 골반 리드법은 특정한 춤의 특성과 연출에 따라 활용되는 것으로, 각각의 스타일에 적합한 리드 기법을 익히는 것이 중요합니다.

댄스의 지휘자: 리드와 리더

리드를 하는 행위는 춤 속에서 파트너의 동작을 주도하고 연결하는 주체입니다. 이는 그룹의 지휘관과 같은 역할을 하며, 리딩(Leading)이라 불립니다. 이를 이끄는 주체를 리더라고 하며 춤에서 리더(Leader)는 템포와 흐름을 조절합니다. 일반적으로 리딩은 몸의 움직임과 자세, 그리고 손짓을 통해 이루어지며, 텐션과 춤의 흐름을 제어합니다. 이러한 리딩은 춤의 모션과 감정을 효과적으로 전달하고, 아름다운 춤을 만들어냅니다. 이는 춤에서 리딩이 갖는 중요성을 강조하며, 춤의 연결과 흐름을 위한 필수적인 역할임을 보여줍니다.

서로의 몸과 마음을 균형 있게 맞추며, 함께 춤을 출 때 하나로 어우러지는 아름다운 순간을 만들어냅니다. 이는 리드의 조정과 함께 서로의 표현력과 연결성을 높이는 데 큰 역할을 합니다.

리드의 포인트

1.의도를 분명히: 몸을 통해 전달하는 정확한 리드의 의도는 춤의 흐름을 결정짓게 됩니다.

2.유연성과 조절: 리드하는 사람은 상대방의 반응에 맞춰 유연하게 움직임을 조절합니다. 어떤 흐름이든, 상호간에 조화로운 움직임으로 전환할 준비가 되어 있어야 합니다.

3.소통과 피드백: 춤을 추는 과정에서 지속적인 소통과 피드백이 중요합니다. 상대방의 반응을 지켜보고 그에 따라 유연하게 대처하는 것이 필요합니다.

4.연습과 경험의 중요성: 리드는 연습과 경험을 통해 늘어납니다. 서로 다른 상황에서의 경험이 리드의 능력을 키우고 발전시킵니다.

5.마음의 연결과 이해: 리드는 몸으로만 하는 것이 아니라, 마음의 연결을 이루는 것입니다. 상대방과의 이해와 공감을 통해 서로를 더 잘 이해하고 표현할 수 있습니다.

6.상대를 위한 안내: 리드는 춤을 추는 모든 이들에게 함께 하는 경험을 만들어주는 것입니다. 상대를 위한 안내와 배려가 리드의 중요한 역할입니다.

리드는 댄스의 중심에 서 있는 존재로서, 단순히 춤을 이끄는 것 이상으로, 함께 하는 이들과의 상호작용과 소통을 통해 춤을 만들어내는 과정에서 큰 의미를 지닙니다. 이는 상호 간에 연결을 형성하고 풍요로운 경험을 만들어내며, 댄스를 통해 서로를 이해하고 공유하는 아름다운 여정이 되어 갑니다.

리드가 고려해야 할 점

댄스에서 중요한 것은 상호작용과 조화입니다. 리드하는 쪽은 힘을 사용하여 강제적으로 이끄는 것이 아니라, 부드럽고 자연스럽게 안내하는 것이 중요합니다. 예를 들어, 밀거나 강제적으로 잡아당기는 것보다는 부드럽게 연결되어 움직이고, 파트너의 움직임을 읽으며 상호작용하는 것이 좋습니다. 또한, 과도한 힘을 사용하여 파트너를 회전시키려고 하는 것도 피해야 합니다. 파트너가 편안하지 않다면 강압적인 리드는 춤의 자연스러운 흐름을 방해하고 서로 간의 연결을 끊을 수 있습니다.

서로의 움직임을 읽고 이해하며, 과도한 힘을 피하고 부드럽게 연결하여 자연스러운 춤의 흐름을 만들어가는 것이 좋습니다. 리드하는 쪽은 파트너에게 방향과 안내를 제공하지만, 동시에 파트너가 자유롭게 표현하고 반응할 수 있는 공간을 제공해야 합니다. 과도한 리드는 춤의 아름다움을 훼손할 뿐만 아니라, 파트너의 개성과 창의성을 억누를 수 있습니다.

여성이 주의해야 할 점

춤에서는 서로의 조화와 밸런스를 유지하는 것이 중요합니다. 여성이 주도적으로 움직이거나 갑작스럽게 동작하는 경우 그리고 너무 과한 액션은 춤의 흐름이 깨질 수 있고, 남성의 리드나 춤의 조화를 방해할 수 있습니다.

특히 발을 미리 움직이는 행동은 남성의 리드를 방해하거나 춤의 흐름을 끊을 수 있습니다. 춤에서는 서로의 움직임을 읽고 조화롭게 반응하여 춤의 흐름을 만들어가야 합니다. 갑작스러운 동작이나 서로의 움직임을 끊는 행동은 춤의 아름다움을 해치게 될 수 있어요. 서로를 존중하고 조화롭게 춤을 이끌어 나가는 것이 중요합니다.

텐션과 리드

법률적 언어로만 사람을 표현 못 하듯 의학적 언어, 사람의 언어 등 다양한 언어가 있어야 사람을 어느 정도 표현이 가능할 것이다. 그럼 댄스의 언어는 무엇일까? 다양한 요소가 있겠지만 그중에서도 텐션과 리드가 댄스의 언어가 아닐까요?

텐션과 리드는 순망치한(脣亡齒寒) 관계라 할 수 있다. 핸들만으로 자동차를 운행할 수 없고 엑셀, 브레이크만으로도 운행할 수 없듯이 댄스 또한 마찬가지이다. 핸들을 리드 즉 가는 방향을 제시해주고 액셀, 브레이크는 텐션으로 비유할 수 있다. 커플 댄스에서 텐션과 리드는 꼭 필요한 요소이며 텐션과 리드가 없는 댄스는 댄스가 아니라고 말할 수 있다. 커플 댄스에서는 텐션과 리드는 상호 관계로 실과 바늘 같은 관계이다.

텐션의 중요성 및 댄서들이 갖춰야 하는 요소

1.텐션은 춤의 에너지를 증폭시킨다.
2.자신의 몸을 긴장시키고 풀어주는 것으로 텐션을 조절한다.
3.텐션은 춤의 감정과 느낌을 전달하는데 중요한 역할을 한다.
4.자신의 몸을 완전히 통제하고 방향을 바꿀 수 있는 능력을 가지고 있어야 한다.
5.춤의 리듬과 비트에 맞춰 텐션을 조절하면 보다 효과적인 춤이 가능하다.
6.텐션을 적절히 다루면 춤의 동작이 더욱 정확하고 강렬해진다.
7.자신의 몸을 능숙하게 다루는 기술을 연마하여 텐션을 조절할 수 있어야 한다.
8.춤을 출 때 텐션은 자연스럽게 발생하는 것이 아니라, 연습과 노력으로 개발되는 능력이다.
9.텐션을 다루는 기술은 다양한 춤 스타일에 모두 적용될 수 있다.
10.텐션을 다루는 것 외에도 호흡과 근력을 강화하여 더욱 효과적인 춤을 출 수 있어야 한다.
11.텐션은 춤의 미적 가치를 높이는 중요한 요소 중 하나이다.
12.춤을 출 때 텐션을 유지하는 것은 체력과 민첩성을 향상시키는 데도 도움이 된다.
13.춤을 출 때 텐션을 조절하는 것은 춤사위의 표현력을 향상시키는 데 큰 도움이 된다.

14.텐션을 조절하는 것은 춤의 흐름과 느낌을 조절하는 데 중요한 역할을 한다.

15.텐션을 다루는 것은 댄서의 자신감과 연기력을 향상시키는 데도 도움이 된다.

16.춤을 출 때 텐션을 적절하게 다루면 근육 부상을 예방할 수 있다.

17.텐션을 조절하는 것은 댄서의 자세와 균형감각을 개선하는 데도 도움이 된다.

18.텐션을 다루는 기술은 춤을 더욱 화려하고 멋지게 보이게 만들어 준다.

19.춤을 출 때 텐션을 조절하는 것은 자신의 몸을 더욱 민감하게 인식하게 만들어 준다.

20.텐션은 춤의 스피드와 힘을 결정하는데 큰 역할을 한다.

21.춤을 출 때 텐션을 다루는 것은 적극적으로 움직일 수 있는 능력을 개발하는 데 도움이 된다.

22.텐션은 춤의 강도와 깊이를 조절하는 데 중요한 역할을 한다.

23.댄서들은 자신의 몸을 잘 다루어 텐션을 조절할 수 있어야 다양한 춤 스타일을 출 수 있다.

24.텐션을 다루는 것은 댄서의 능력을 평가하는 기준 중 하나이다.

25.텐션을 다루는 기술은 댄서의 자유로운 표현력을 향상시키는 데 큰 역할을 한다.

26.텐션을 조절하는 것은 춤의 흐름과 느낌을 자연스럽게 유지하는 데 중요한 역할을 하다.

텐션을 주는 다양한 방법

1. **근육의 긴장을 느끼기:** 춤을 출 때 근육의 긴장을 느끼고 이를 유지하는 것이 텐션을 주는 기술 중 하나이다. 이는 운동 전에 스트레칭과 워밍업을 통해 근육을 준비하는 것이 중요하다.

2. **호흡을 조절하기:** 춤을 출 때 호흡을 조절하여 텐션을 주는 방법도 있다. 깊게 숨을 들이고 내쉬면서 몸의 긴장을 높이는 것이 효과적이다.

3. **적절한 자세 유지하기:** 춤을 출 때 적절한 자세를 유지하면 텐션을 주는 것이 쉬워진다. 허리를 일직선으로 유지하고 어깨를 내린 상태에서 춤을 출 경우 몸이 자연스럽게 긴장된다.

4. **춤의 특성에 맞게 텐션을 다르게 주기:** 춤의 특성에 따라 텐션을 다르게 주는 것이 효과적일 수 있다. 예를 들어 빠른 리듬의 춤을 출 때는 긴장을 높이고, 부드러운 춤을 출 때는 부드럽고 유연한 텐션을 주는 것이 적합하다.

5. **연습과 경험을 통해 개선하기:** 춤을 출 때 텐션을 주는 것은 기술적인 면에서 높은 수준을 요구한다. 따라서 연습과 경험을 통해 점차 개선하며 자신의 춤 스타일에 맞는 텐션을 찾아나가는 것이 중요하다.

6. **스트레칭과 마사지를 통해 근육을 유연하게 유지하기:** 춤을 출 때 근육의 유연성은 매우 중요하다. 근육을 유연하게 유지하기 위해서는 춤을 출 때 이전에 스트레칭과 마사지를 통해 근육을 유연하게 유지하는 것이 필요하다.

7. **음악과 함께 춤의 리듬을 따라가기:** 춤을 출 때 음악의 리듬을 따라가면서 춤을 출 경우, 자연스럽게 텐션을 조절하게 된다. 따라서 음악과 함께 춤의 리듬을 따라가는 것은 춤을 더욱 자연스럽고 매끄럽게 출 수 있도록 도와주며, 텐션을 더욱 효과적으로 주는 데 도움이 된다.

8. **무대 연출과 상황에 맞게 텐션을 조절하기:** 무대 연출이나 상황에 따라 텐션을 조절하는 것도 중요하다. 예를 들어 무대에서 대담하고 파워풀한 이미지를 전달하기 위해서는 강하고 격렬한 텐션을 주는 것이 적합하며 반면, 로맨틱하고 부드러운 이미지를 전달하기 위해서는 부드럽고 유연한 텐션을 주는 것이 좋다.

9. **표현력을 키워 텐션을 높이기:** 춤에서 텐션을 높이기 위해서는 자신의 표현력을 키워야 한다. 춤을 출 때 감정을 잘 표현하고, 몸으로 이야기를 전달하는 것이 텐션을 더욱 효과적으로 주는 데 도움이 된다.

10. **자신의 스타일과 매치되는 텐션을 찾기:** 자신의 스타일과 매치되는 텐션을 찾는 것이 중요하다. 댄서들은 자신만의 독특한 스타일을 가지고 있으며, 이에 맞는 텐션을 찾아 춤을 출 경우 더욱 효과적으로 텐션을 주고, 자신만의 개성을 더욱 강조할 수 있다.

리드와 타이밍

1. **음악적 비트와 연결된 리드:** 춤을 추면서 음악의 비트와 함께 움직이는 것은 매우 중요합니다. 리더는 음악의 비트를 인식하고, 그 비트에 맞춰 파트너를 안내합니다. 예를 들어, 왈츠처럼 천천히 이끌 때는 음악의 조금 더 느린 비트에 맞춰 움직이고, 빠른 춤에서는 음악의 빠른 비트에 맞춰 템포를 증가시킵니다. 이것이 리드의 타이밍이며, 음악과 춤이 조화롭게 어우러질 때 가장 아름다운 춤이 펼쳐집니다.

2. **리드와 팔로우의 경험:** 댄서들은 연습과 경험을 통해 타이밍을 향상시킵니다. 경험이 많은 댄서는 음악적 비트를 파악하고 이해하는 데 능숙하며, 이를 통해 파트너를 안정적으로 이끌어갈 수 있습니다. 하지만 초보자는 타이밍을 더 많이 연습하고, 다양한 음악에 맞춰 춤을 추며 타이밍을 익히는 데 노력해야 합니다. 연습은 타이밍을 정확히 익히는 가장 좋은 방법 중 하나입니다.

3. **춤의 종류와 템포:** 리드의 타이밍은 춤의 종류와 템포에 따라 달라집니다. 슬로우 댄스와 같은 천천히 흐르는 춤에서는 타이밍이 더 여유롭고 부드러워야 하지만, 빠른 템포의 춤에서는 빠른 리드와 팔로우의 리액션이 필요합니다. 따라서 리드는 춤의 스타일과 템포에 맞춰 움직임을 조절하고, 이를 통해 파트너와 함께 완벽한 타이밍을 유지할 수 있어야 합니다.

4. **리더의 표현과 의도:** 리더는 춤을 통해 자신의 의도를 표현하고, 이를 음악의 흐름과 함께 전달해야 합니다. 이는 타이밍뿐 아니라, 음악에 맞춰 어떤 움직임을 이끌어내는지에 대한 이해도 필요합니다. 이를 통해 리드는 파트너에게 춤의 방향과 표현을 명확히 전달하면서도 음악적인 템포와 비트를 고려해야 합니다.

5. **파트너와의 연결과 신뢰:** 타이밍 뿐만 아니라 파트너와의 연결과 신뢰에도 중요한 영향을 미칩니다. 정확한 타이밍을 유지하면 파트너는 리더를 믿고 따라갈 수 있습니다. 이는 춤의 안정성과 아름다움을 더해줍니다. 따라서 리더는 정확한 타이밍으로 파트너와의 연결을 강화하는 데 초점을 맞추어야 합니다.

춤은 음악과의 조화로 탄생하며, 리더의 타이밍은 이 조화를 유지하고 파트너와의 연결을 강화하는 데 큰 역할을 합니다. 경험과 연습을 통해 음악적인 타이밍을 익히고, 파트너와의 신뢰를 쌓아가는 것이 중요합니다. 이를 통해 댄스는 더욱 아름다워지고 흥미로워질 것입니다.

유연한 파트너십: 여성을 위한 맞춤형 텐션과 리드의 필요성

여성마다 리드 및 텐션을 다르게 조절하는 이유는 각각의 여성이 다르게 반응하고 움직이기 때문입니다. 이러한 차이를 고려하여 리더는 다양한 여성과의 댄스 경험을 향상시키고, 파트너와의 연결을 보다 유연하게 조절할 수 있습니다.

1. **여성의 신체적 체격**: 각각의 여성은 키, 체중, 근육량 등에서 신체적인 차이를 보입니다. 이러한 차이는 리드와 텐션을 다르게 받아들이게 만들 수 있습니다. 근력 및 근육량이 많은 여성은 강한 텐션을 원할 수 있고, 그에 반대로 부드럽고 섬세한 리드를 선호하는 경우도 있습니다.
2. **댄스 실력 및 경험**: 각각의 여성은 댄스에 대한 실력과 경험이 다릅니다. 댄스에 익숙한 여성은 리드의 신호를 더 잘 이해하고 반응할 수 있습니다. 반면에 경험이 적은 경우에는 더 부드러우면서 강한 리드와 명확한 텐션을 통해 댄스를 즐길 수 있습니다.
3. **여성의 나이**: 나이 또한 댄스에 영향을 미칩니다. 어린 여성은 유연하고 활기찬 움직임을 선호할 수 있으며, 나이가 들수록 부드러운 텐션과 느긋한 리드를 원할 수 있습니다. 나이에 따라 신체적인 특성과 움직임의 선호도가 변할 수 있습니다.
4. **현장 경험 부족**: 어떤 여성들은 현장에서 춤을 춰보지 않았거나 특정한 스타일에 덜 익숙할 수 있습니다. 리더는 여성의 경험 부족을 고려하여 부드럽게 리드하고 새로운 스타일에 대한 이해를 도울 수 있습니다.
5. **습득한 춤에 따라**: 여성이 습득한 춤이나 스타일에 따라서도 리드와 텐션을 조절해야 합니다. 어떤 춤은 더 강한 텐션과 활력적인 리드를 요구하고, 다른 춤은 부드럽고 섬세한 움직임을 선호할 수 있습니다.

이러한 이유들로 여성마다 리드와 텐션을 다르게 조절하는 것은 각각의 댄서와의 상호작용을 더욱 풍부하게 만들어 줄 뿐만 아니라, 파트너들이 댄스를 보다 편안하게 즐길 수 있도록 도와줍니다. 따라서 리더는 상황과 상대방의 특성을 고려하여 적절한 리드와 텐션을 제공하는 것이 중요합니다.

리드법 및 피겨

1. Weight Change(웨이트 체인저즈)

"웨이트 체인지(Weight Change)"는 댄스에서 매우 중요한 테크닉 중 하나로, 남성이 여성을 리드하는 데 사용되는 기술입니다. 이 기술은 남성이 자신의 체중을 정확하게 옮겨 여성에게 움직임의 방향과 템포를 알리는 데 중요한 역할을 합니다. 남성이 체중을 옮기는 방향과 정도를 조절함으로써 여성에게 특정 동작을 시사하며, 이는 파트너들 간의 의사소통과 협력을 강화합니다.

리더가 잘 리드하기 위해서는 강한 프레임을 유지해야 하지만, 너무 딱딱하면 상대방이 따라가기 어려워질 수 있고 프레임이 너무 약하면, 상대방은 힘들게 따라오려고 애쓰면서도 어려움을 겪을 수 있습니다.

여성은 남성의 체중 변화를 느끼고 그에 맞게 움직이며, 춤의 흐름을 형성합니다. 이를 통해 파트너 간의 조화로운 움직임이 만들어지며, 댄스의 흐름과 연결성을 유지합니다. 웨이트 체인지는 댄서들이 서로의 동작을 읽고 해석하는 데 사용되며, 함께 춤을 추는 과정에서 파트너 간의 신뢰와 협력을 촉진합니다. 정확하고 의도적인 체중 변화는 댄스의 자연스러운 흐름과 조화를 이루는 데 중요한 역할을 합니다.

2.Physicall(피지컬)

Physicall은 Weight Change와는 약간 다르며, 이것은 남성이 여성의 손을 잡은 상태에서 압력(텐션)을 통해 그녀의 움직임을 새로운 방향으로 이끄는 것을 말합니다. 이 압력(텐션)은 팔에서 나오는 것이 아니라 광배근과 몸의 측면을 활용하여 남성의 등으로부터 전달돼야 합니다. 피지컬 리드는 주로 춤이나 특정 활동에서 사용되며, 이는 손과 팔의 움직임을 통해 파트너에게 힌트를 주고, 움직임을 조절하는 데 사용됩니다. 이 기술은 손과 손목의 힘과 압력을 조절하여 파트너의 움직임을 조절하고, 원하는 동작을 시도하는 데 사용됩니다.

물리적 리드는 다양한 춤 스타일에서 사용됩니다. 왈츠(Waltz)에서는 윙(Wing)이나 위브(Weave)를 상상할 수 있습니다. 또한, 기본적인 Whisk의 첫 번째 단계에서도 여성이 오른발을 돌리고 옆으로 물러나지 않고 뒤로 물러날 수 있도록 하는 데 물리적 리드가 사용됩니다. 아메리칸 스무스 댄스(American Smooth Dance)에서도 이러한 리드가 빈번하게 사용되며, 연결된 손이 회전을 통해 여성을 새로운 방향으로 안내합니다. 물론 라틴 댄스에서도 빈번하게 사용되며, Jive의 American Spin은 좋은 예시입니다.

이 기술은 상대방의 몸을 간접적으로 이끄는 데 사용되며, 특히 물리적인 접촉을 통해 파트너에게 움직임을 안내하고 통제하는 데 중요합니다. 댄스나 특정한 활동에서 파트너들 간의 의사 소통과 연결을 강조하며, 파트너들 사이의 조화로운 협업과 소통을 이루는 데 사용됩니다.

3. Shaping(쉐이핑)

댄스에서의 "쉐이핑"은 주로 리더가 퍼포먼스나 춤을 이끄는 동안 상대방의 신체나 움직임을 조정하는 기술을 가리킵니다. 이는 주로 상대방의 몸이나 팔을 조금씩 움직여서 특정한 춤 스텝이나 움직임을 만들어내는 것을 의미합니다. 예를 들어, 리더가 특정 동작을 만들고자 할 때, 상대방의 팔이나 상체를 조정하여 움직임을 형성하고 방향을 지시합니다. 이는 리더가 파트너의 움직임을 조절하여 춤의 흐름을 만들거나 특정한 움직임을 연출하는 데 사용됩니다. 여성의 회전은 이러한 리드의 간단한 예시 중 하나입니다. 남성이 팔을 올려 들면서 움직이면, 여성은 팔 아래로 움직이도록 신호를 받게 됩니다. 만약 그가 팔을 얼굴 위로 들면, 그녀는 오른쪽으로 돌도록 안내를 받고, 반대로 팔을 왼쪽으로 움직이면 여성은 왼쪽으로 회전하도록 리드받을 수 있습니다.

초보자들은 고품격 스웨이를 만들려 하지만, 그렇게 하면 어색하고 부자연스러워 보일 수 있습니다. 스웨이는 에너지의 적절한 적용과 직접적인 연결이 필요합니다. 이러한 리드는 다양한 춤 스타일에서 사용되며, 간단한 동작부터 시각적으로 강렬한 스타일까지 모두 다룹니다. 이를 통해 춤을 처음 접하는 사람들도 움직임을 구성하는 방법에 대한 이해가 필요합니다. 그러나 단순히 한 방향으로만 기울이는 것이 아니라 상호적인 움직임이 필요합니다. 스웨이와 같은 움직임은 서로의 움직임에 반응하고 연결되어야 하며, 서로의 움직임이 조화롭게 어우러져야 합니다. 따라서 이러한 리드는 파트너 간의 조화와 상호작용을 강조하는 데 사용됩니다.

4. Visual(비쥬얼)

시각적 리드는 보통 고급 피규어에서 사용되며, 파트너들이 서로 직접적인 접촉 없이 움직이는 상황에서 발생합니다. "비쥬얼"은 댄스에서, 파트너 간에 손을 잡지 않고 상대방의 움직임을 시각적으로 인식하고 이를 따라가는 리드 방식을 말합니다. 이는 주로 시선과 시각적 신호를 통해 상대방의 움직임을 파악하고, 그것에 맞춰 따라가는 기술을 의미합니다. 여성은 남성의 움직임을 주의 깊게 관찰하고 그에 따라야 합니다.

여성은 남성의 움직임을 지연시켜 스핀 같은 동작을 완료할 때까지 기다린 후에 이어나가기도 합니다. 이는 상당히 도전적이며 정밀한 조정이 필요한 기술적인 측면이 강조됩니다. 연습을 통해 이러한 리드를 연마하기 위해서는 남성과 여성이 서로 떨어져서 춤을 시작하고, 여성이 그에 맞춰 따라가는 방식으로 훈련할 수 있습니다. 파트너들 간에 손을 잡지 않고 춤을 추거나 움직일 때, 한쪽 파트너가 시선과 시각적으로 인식한 상대방의 움직임을 따라가는 것이 비쥬얼 리드의 핵심입니다. 이는 상대방의 동작을 관찰하고, 시각적 신호를 통해 그에 맞춰 움직임을 따라가는 것을 의미합니다. 비쥬얼은 눈으로 상대방을 보고 상대방의 동작을 읽고 이해하여 따라가는 것으로, 상호 간의 시각적 의사 소통을 강조합니다.

5.foot(풋)

춤에서 발로 파트너를 리드하는 상태를 가리킵니다. 이는 주로 발과 다리를 사용하여 파트너에게 움직임을 안내하고 통제하는 방식으로, 발을 통해 움직임의 방향과 강도를 전달하는 기술입니다. 발의 위치, 압력, 그리고 움직임의 강도를 조절하여 파트너에게 신호를 전달합니다. 이는 바닥과 발 간의 압력 변화나 이동을 통해 파트너에게 움직임의 방향이나 동작을 알리는데 사용됩니다. 또한, 발의 움직임과 위치를 변경함으로써 파트너에게 다양한 신호를 전달하고, 움직임을 조절하는 데 활용됩니다.

6.beckon(베컨)

"베컨"은 댄스나 특정 상황에서, 손짓이나 몸의 움직임으로 파트너에게 특정 동작을 유도하거나 안내하는 방법을 가리킵니다. 이 기술은 댄스나 특정 상황에서 파트너들 간 의사소통과 연결을 강조하며, 손짓이나 몸의 움직임을 통해 상대방과의 동작을 안내하고 의사소통하는 데 사용됩니다.

7.Chest(체스트)

"체스트"는 댄스에서 주로 상체의 움직임과 가슴 부분을 이용하여 파트너에게 움직임을 전달하고 안내하는 기술입니다.

리더는 자신의 가슴 부분을 사용하여 상대방에게 특정한 동작을 안내하고, 춤의 특정 부분을 연출하거나 스텝을 이끌어내는 데 사용됩니다. 상체의 움직임이 파트너에게 전달되어 함께 춤을 추거나 연주할 때 사용되며, 리더와 팔로우 간의 움직임을 조화롭게 만들어줍니다. 이를 통해 댄스 파트너들은 서로의 움직임을 읽고 연결되어 자연스러운 춤을 만들어냅니다.

8.Pelvis(펠버스)

"펠비스" 리드는 리더가 자신의 골반 부분을 사용하여 파트너에게 움직임을 안내하거나 조절하는 기술을 의미합니다. 이는 주로 골반의 움직임과 방향성을 이용하여 춤의 움직임을 조정하는 방식입니다. 골반의 움직임이 파트너에게 전달되어 특정한 스텝이나 움직임을 연출하거나 이끌어-냅니다. 골반의 방향과 움직임이 춤의 흐름을 결정하며, 파트너들 간의 움직임을 조화롭게 만들어줍니다. 이를 통해 댄스 파트너들은 서로의 움직임을 읽고 연결되어 자연스러운 춤을 만들어내며, 골반 리드는 이를 조율하는 데 중요한 역할을 합니다.

피겨 용어

1. 베이식 피겨(basic figure)

"basic figure"는 댄스의 각 종목에서 공통적으로 사용되는 표준화된 기초적인 움직임이나 피규어를 가리킵니다. 이들은 해당 춤의 기본 기술과 움직임을 익히기 위한 기초를 제공하며, 새로운 춤을 배우거나 연습할 때 사용됩니다. 각 댄스 종목마다 고유한 베이식 피겨가 있으며, 이는 그 종목의 특징과 스타일을 반영합니다. 예를 들어, 왈츠의 베이식 피겨는 기본 스텝과 회전, 상호 작용하는 동작들로 구성될 수 있습니다. 라틴 댄스의 경우, 자이브, 삼바, 차차차, 룸바와 같은 각각의 댄스마다 특정한 베이식 피겨들이 존재합니다. 이러한 베이식 피겨들은 초보자들에게 기초 테크닉을 가르치는 데 사용되며, 댄스를 공부하거나 연습하는 동안 특정한 움직임이나 기술을 연습하는 데에도 활용됩니다. 또한, 댄스 경기나 대회에서도 베이식 피겨는 기본적인 움직임이나 스텝들을 평가하는 데에 사용될 수 있습니다.

2.스탠더드 배리에이션(standard variation)

스탠더드 댄스의 배리에이션은 베이식 피겨를 기반으로 하되, 해당 춤의 특성과 스타일에 맞게 변형되고 표준화된 것을 의미합니다. 이러한 배리에이션은 표준 댄스에서 베이식 피겨를 발전시켜 더 복잡하고 다양한 움직임을 포함하며, 전문적인 댄서들이 춤의 기술적인 수준을 높이고 경쟁에서 더 높은 점수를 받기 위해 사용됩니다. 예를 들어, 스탠더드 댄스에서 왈츠의 베이식 피겨 중 하나인 기본 스텝은 빠르고 우아한 회전과 함께 춤을 구성하는 기본적인 움직임입니다. 이를 스탠더드 배리에이션으로 발전시킨다면, 다양한 턴이나 스핀을 포함하여 보다 복잡하고 기술적으로 요구되는 움직임으로 변형될 수 있습니다. 또한, 왈츠나 폭스트롯과 같은 스탠더드 댄스의 다른 종목들도 각각의 베이식 피겨를 기반으로 한 다양한 배리에이션을 갖고 있습니다. 이러한 배리에이션은 춤의 스타일과 리듬에 맞게 피겨를 조합하거나 확장하여 고급 수준의 기술과 창의성을 보여줍니다.

스탠더드 댄스의 배리에이션은 댄서들의 표현력과 기술력을 향상시키는 데 사용되며, 대회나 공연에서 더욱 풍부하고 복잡한 춤의 모습을 보여줄 수 있도록 도와줍니다. 이러한 배리에이션은 다양한 댄서들에게 도전적이고 창의적인 춤의 경험을 제공합니다.

3. 네임드 배리에이션(named variation)

"named variation"은 특정 댄스 피겨나 스텝의 변형을 말합니다. 이는 해당 춤의 기본적인 피겨나 스텝을 기반으로 하되, 특정한 댄서나 댄스 커플에 의해 고안되거나 개발된 고유한 움직임이나 피겨를 지칭합니다. 이러한 네임드 배리에이션들은 특정 댄서나 코치, 댄스 그룹, 또는 커플에 의해 만들어지며 그들의 창의력과 개성을 반영합니다. 이들은 종종 해당 춤의 특정한 스타일이나 특징을 강조하거나, 댄서들의 고유한 스타일을 부각시키기 위해 사용됩니다. 예를 들어, 스탠더드 댄스에서 "Whisk"라는 베이식 피겨가 있습니다. 이 베이식 피겨를 기반으로 한 다양한 네임드 배리에이션들이 존재할 수 있습니다. 예를 들어, 댄서나 코치가 특별히 개발한 "Smith Whisk"나 "Jones Whisk"와 같은 네임드 배리에이션은 특정한 댄서나 그룹의 개성을 나타내는 움직임일 수 있습니다. 네임드 배리에이션은 해당 춤의 표준화된 피겨나 스텝을 베이스로 하지만, 그들만의 독특한 스타일과 특성을 반영하여 고유한 이름으로 부르며, 종종 그들만의 기술적인 요소나 창의적인 움직임을 가지고 있습니다. 이러한 네임드 배리에이션들은 댄스 커뮤니티에서 특정 댄서나 그룹의 유명세를 높이거나 그들의 스타일을 특색 있게 만드는 데 사용될 수 있습니다.

4. 포퓰러 배리에이션(popular variation)

"popular variation"은 해당 춤의 기본 피겨나 스텝을 기반으로 하되, 대중적이고 널리 사용되며 많은 댄서들이 알고 사용하는 특정한 댄스 움직임을 지칭합니다. 이러한 배리에이션들은 특정한 춤의 특징이나 스타일을 반영하면서도, 많은 댄서들이 인정하고 사용하는 표준적인 움직임이 될 수 있습니다.

포퓰러 배리에이션은 기본적인 피겨나 스텝을 변형하거나 발전시켜서 해당 춤의 특성을 강조하고 댄서들이 더 다양하고 풍부한 춤을 추기 위해 사용됩니다. 이는 주로 대중적인 댄스 수업이나 연습에서 흔하게 사용되며, 댄스 대회에서도 널리 인정받고 사용되는 움직임일 수 있습니다. 예를 들어, 차차(Cha-Cha)에서 "Cuban Breaks"는 포퓰러한 배리에이션 중 하나입니다. 이는 차차의 기본적인 스텝을 변형하여 특정한 차차차의 특징을 강조하고 댄서들이 자주 사용하는 움직임으로, 많은 댄서들이 이를 익히고 사용합니다. 포퓰러 배리에이션은 댄스의 표준화된 요소들을 바탕으로 하면서도, 댄서들의 창의성과 스타일을 표현하고 발전시키기 위해 사용되며, 새로운 춤을 익히거나 연습하는 데 유용한 요소로 자리 잡고 있습니다. 이러한 배리에이션들은 댄스 커뮤니티에서 많은 댄서들 사이에 공유되고 표준화되어 널리 사용되고 있습니다.

5.시즌 배리에이션(season variation)

"season variation"은 특정한 계절이나 시기에 따라 댄스에서 유행하는 특정한 배리에이션을 가리킵니다. 이는 계절적인 변화나 특정 시간대에 맞게 댄스의 스타일이나 움직임이 변형되거나 인기를 얻는 경우를 의미합니다. 댄스 커뮤니티에서는 특정 계절이나 특정한 시간대에 따라 특정한 댄스 배리에이션이 유행할 수 있습니다. 예를 들어, 여름이 도래하면 라틴 댄스나 스윙댄스가 더 경쾌하고 경쾌한 움직임이나 에너지가 더해지는 배리에이션들이 인기를 끌 수 있습니다. 또는 특정 춤의 대회 시즌에 맞추어 특정한 배리에이션들이 인기를 얻을 수도 있습니다.

이러한 시즌 배리에이션은 특정 시기에 댄스 커뮤니티에서 유행하는 트렌드나 스타일을 반영합니다. 댄서들이 특정 시기에 맞추어 더 특별하고 독특한 춤을 추거나 경쟁에 참여하기 위해 시즌 배리에이션을 학습하고 연습으로 댄스의 다양성을 더욱 풍부하게 만들고, 댄스 커뮤니티 내에서 흥미로운 변화를 가져올 수 있습니다.

여성이 싫어하는 8가지 리드 방법

나쁜 리드는 춤 파트너에게 불편함을 주거나 연결을 방해할 수 있어요.

1. **과도한 힘과 압박**: 파트너를 강제로 이끄는 듯한 과도한 힘과 압박은 상대방에게 불편함을 줄 수 있습니다.

2. **불명확한 신호**: 모호하거나 부정확한 동작이나 신호를 주면 파트너는 춤을 따라가기 어려워합니다. 명확한 리드가 필요합니다.

3. **자만심과 오만함**: 자만심을 드러내거나 오만한 태도를 취하면 상대방과의 협력과 연결이 어려워집니다. 서로의 경험과 능력을 존중해야 합니다.

4. **리스펙트(존견, 존중) 부족**: 파트너를 존중하지 않거나 그들의 능력을 고려하지 않으면 상대방은 춤을 즐기기 어려워합니다.

5. **타이밍 무시**: 음악의 타이밍을 무시하고 춤을 추면 파트너는 혼란스러워질 수 있습니다. 음악과의 조화를 유지해야 합니다.

6. **강압적인 동작**: 파트너가 따라가기 어려운 강압적인 동작을 시도하면 상대방에게 불편함을 줄 수 있습니다.

7. **무관심**: 춤을 추는 동안에도 파트너에게 무관심하다면 상호작용과 연결이 떨어질 수 있습니다.

8. **고정된 춤 스타일**: 유연성 없이 자신의 스타일에 고정된 채 춤을 추면 파트너의 취향이나 능력을 고려하지 않는 것일 수 있습니다.

이러한 행동들은 춤을 즐기는데 불편함을 초래할 수 있으므로 주의해야 합니다. 춤을 즐기며 파트너와의 즐거운 경험을 만들기 위해서는 서로의 경험과 존중을 중요시해야 해요.

여성이 잊지 못할 11가지 리드 방법

1. **상호적인 커뮤니케이션**: 리드는 상호작용에서 시작됩니다. 여성과의 소통은 매우 중요합니다. 파트너와의 의사소통을 위해 자연스러운 몸짓과 표정, 간결한 말투 등을 활용하세요.

2. **적절한 힘과 압력**: 파트너에게 편안함을 제공하기 위해 적절한 힘과 압력을 유지하세요. 너무 강하게 누르거나 당기지 않도록 주의하세요.

3. **타이밍과 음악**: 음악의 비트와 타이밍을 잘 파악하여 파트너와 함께 움직이세요. 음악을 느끼고 그에 맞춰 춤을 추는 것이 중요합니다.

4. **카리스마와 자신감**: 자신의 카리스마를 발산하고 자신감 있게 춤을 이끄세요. 자신감은 파트너에게 긍정적인 영향을 미칩니다.

5. **부드럽고 섬세한 움직임**: 부드럽고 자연스러운 움직임으로 여성이 따라가기 쉽도록 도와주세요. 섬세한 움직임이 연결을 강화합니다.

6. **파트너에 대한 존중**: 파트너의 경험과 능력을 존중하세요.

7. **창의성과 다양성:** 다양한 춤 스타일을 활용하여 새로운 동작을 시도하세요. 창의성을 통해 춤을 더욱 다채롭게 만들어보세요.

8. **자연스러운 리드:** 자연스럽고 유연한 리드로 여성이 편안하게 따라갈 수 있도록 도와주세요. 자연스러운 리드는 연결을 강화합니다.

9. **경계 존중:** 여성의 경계를 존중하고 파트너와의 거리를 적절히 유지하세요. 여성의 편안함을 최우선으로 생각해주세요.

10. **유쾌한 분위기:** 춤을 즐기고 미소와 유쾌함을 전달하세요. 함께하는 순간을 행복하게 만들어주세요.

11. **자신의 표현과 유연성:** 자신만의 표현을 보여주며, 상황에 따라 유연하게 대처하세요. 다양한 상황에서 춤을 즐기세요.

여성이 기억에 남을 리드를 위해서는 서로의 연결과 존중, 친밀한 분위기를 조성하며 함께 춤을 즐기는 것이 중요합니다.

블루스 position

포지션	의미(뜻)
Cape(Shadow) position (케이프 포지션)	남성이 여성의 왼쪽 뒤에서 서서, 서로의 방향을 향하는 자세에서 망토처럼 오른손으로 여성의 오른손을, 왼손으로 여성의 왼손을 잡는 자세.
Challenge position (챌린지 포지션)	남성과 여성이 서로를 향해 서 있지만 몸이 접촉되지 않고, 일정한 거리를 유지하면서 서로를 바라보는 것을 의미합니다.
Closed facing position (클로즈드 페이싱 포지션)	남성과 여성이 15센티미터 정도 떨어져 홀드한 자세
Counter Promenade position (카운터프롬나드 포지션)	리더의 상체 왼쪽과 팔로우 상체 오른쪽이 서로 맞닿아 있는 상태에서 그 반대쪽은 열려 있는 자세를 지칭함.
Cuddle position (커들 포지션)	리더와 팔로우가 가깝게 밀착해 있는 자세를 말함. Shadow Position의 한 종류이다.
Double hold (더블 홀드)	파트너와 양손을 모두 잡은 자세
Fall-away position (폴오웨이 포지션)	Promenade Position에서 뒤로 한 발짝씩 움직인 위치
Hammerlock position (해머락 포지션)	여성의 팔을 등 쪽으로 감아서 꺾는 자세
Handshake Hold (핸드셰이크 홀드)	남자의 오른손으로 여자의 오른손을 잡는 자세
Inverted Counter Promenade position	리더의 상체 우측, 팔로우 상체 좌측이 접촉한 상태에서, 그 반대쪽이 V자 형태로 열린 자세

(인버티드 카운터프롬나드 포지션)	
Left Side position (레프트 사이드 포지션)	팔로우는 리더의 왼쪽 측면에 위치해, 리더와 팔로우가 같은 방향을 향하고 있는 자세
Left Side-by-Side position((레프트·사이드·바이·사이드·포지션)	Left Side position(레프트 사이드 포지션)이라고도 함.
Left shadow position (섀도우 포지션)	팔로우가 리더의 왼쪽 약간 앞이나 뒤에 서서 같은 방향을 향하는 자세
open facing position (오픈 페이싱 포지션)	팔로우와 리더가 간격을 두고 떨어져서 마주 보는 자세
Promenade position (프롬나드포지션)	리더의 상체 우측, 팔로우 상체 좌측이 접촉한 상태, 즉, V자형 자세.
Right Side position (라이트 사이드 포지션)	팔로우가 리더의 오른쪽 측면에 위치해, 팔로우와 리더가 같은 방향을 향한 자세.
Right Side-by-Side position (라이트·사이드·바이·사이드)	Right Side position(라이트 사이드 포지션)이라고 함.
Right shadow position (라이트 새도우 포지션)	팔로우가 리더 오른발 앞에서 같은 방향을 바라보고 서 있는 자세
Right Side Wrap position (라이트 사이드 랩 포지션)	팔로우가 리더의 오른쪽 측면에 위치해, 남녀 모두 같은 방향을 향한 자세에서 오른팔로 팔로우 등을 감싸고, 팔로우 가슴 아래쪽에서 오른손으로는 팔로우 왼손을, 왼손으로는 팔로우 오른손을 잡는다. 이때 팔로우 오른팔을 왼팔 위로 교차한 자세.
Tandem position (탬덤 포지션)	여성은 남성 앞에 위치하고 남성은 여성의 뒤를 따라 움직이는 자세를 말함.
Two Hand Hold Open Facing position	파트너와 양손을 모두 잡은 자세
Shadow Position (쉐도우 포지션)	팔로우는 리더의 오른발 앞에 위치하고, 둘은 같은 방향을 향해 서 있는 자세.
Wrap position (랩 포지션)	남성은 여성의 뒤에 약간 왼쪽에 서면서 여성은 양팔을 크로스(교차)시켜 뒤쪽에 있는 남성에게 양손을 내밀어 줍니다. 남성은 이 크로스 상태인 여성의 양팔을 잡은 자세를 취하게 됩니다.

position 약자

포지션	약자
Contra Body Movement Position	CBMP
Counter Promenade Position	CPP
Left Side Position	LSP
Outside Partner	OP
Promenade Position	PP
Right Sid Position	RSP
Tandem Position	TP
Closed Facing Position	CFP

Fall-away Position	FP
Right Side by Side Position	RSSP
Left Side by Side Position	LSSP
Right Shadow Position	RSP
Right Contra Position	RCP
Left Contra Position	LCP

기타 포지션

세미 클로즈드 포지션 (Semi closed position), 세미 오픈 포지션 (semi open position), 클로즈드 페이싱 포지션 (closed facing position), 아웃사이드 파트너 포지션 (Outside Partner Position (Right Side), 팬 포지션 (fan position), 크로스 바디 포지션 (Cross Body Position), 아웃사이드 라이트 포지션 (Outside Right Position, 아웃사이드 레프트 포지션(Outside Left Position), 쇼울더 웨이스트 포지션 (Shoulder-waist Position), 에스코트 포지션 (Escort Position), 헝가리안 턴 포지션 (Hungarian Turn Position), 스퀘어 댄스 스윙 포지션 (Square Dance Swing Position), 버터플라이 포지션 (Butterfly Position), 바소비안나 포지션 (Varsouvienne Position), 멕시칸 홀드 포지션 (Mexican Hold Position), 스케이터즈 포지션 (Skater's position), 어파트 포지션 (apart position), 콘트러리 바디 무브먼트 포지션 (contrary body movement position), 라이트 콘트라 포지션 (right contra position), 레프트·콘트라·포지션 (Left Contra Position), 업라이트 포지션 (Upright position), 플러테이션 포지션 (flirtation position), 커들 포지션 (cuddle position), Aida position, Attitude Line position, Back-to-Back position, Ballerina position, Banjo position, Bolero position, Chair position, Figurehead position, Half Open position, Hammerlock position, Hand Shake position, High Line position, L-Shaped position, Layback position, Layover position, Loose Closed position, Man's Left Varsouvienne position, Man's Varsouvienne position, Nothing Touching position, Sombrero position, Star position, Stork Line position, Tamara position, Tandem position, X-Line position

블루스 포지션 변하

클로즈드(Closed), 아웃사이드(Outside), 프롬나드(Promenade)와 관련된 변환과 이동에 대한 규칙

클로즈드에서 아웃사이드로의 변환은 비교적 자유롭습니다. 클로즈드 포지션에서 아웃사이드로 이동할 때는 상대와의 거리를 늘리고 나갈 수 있습니다. 하지만 아웃사이드에서 클로즈드로 돌아올 때에는 리버스턴(Reverse Turn)이나 스위블(Swivel)과 같은 움직임을 통해서만 가능합니다. 즉, 클로

즈드에서 아웃사이드로 나갈 때는 자유롭게 가능하지만, 다시 클로즈드로 돌아올 때에는 특정한 움직임을 사용해야 합니다.

또한, 프롬나드에서 클로즈드로의 변환도 열고 나갈 수 있지만, 클로즈드로 돌아올 때에는 프롬나드에서 샤세(Chasse)를 통해서만 가능합니다. 이것은 프롬나드에서의 변환은 자유롭지만, 클로즈드로 돌아올 때는 특정한 스텝이나 움직임을 사용해야 한다는 것을 의미합니다. 즉, 포지션을 바꿀 때에는 자유롭게 가능하지만, 원래의 포지션으로 돌아올 때는 특정한 움직임이 필요합니다.

발 포지션

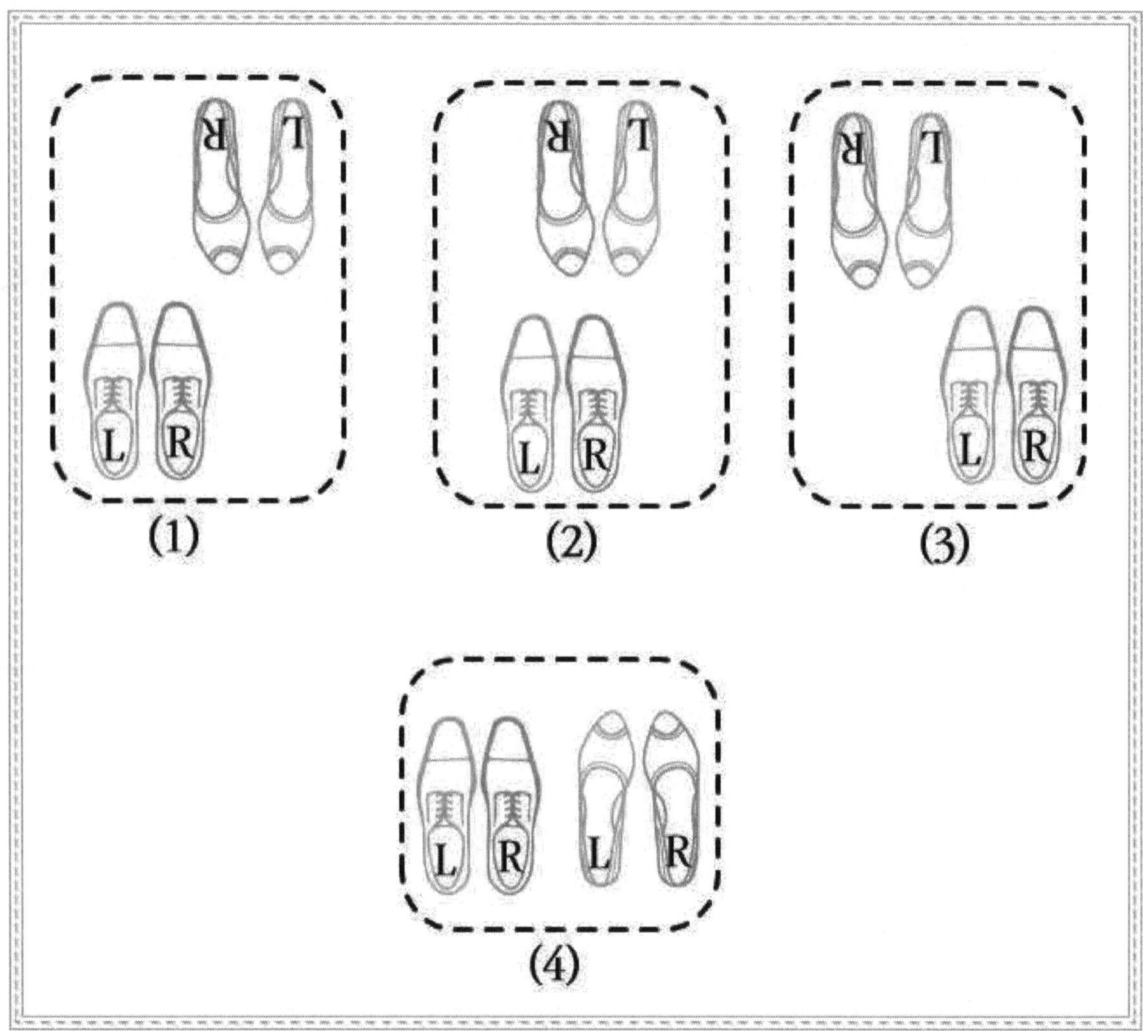

번호	포지션
1	Normal Position
2	Outside Position
3	promenade Position
4	inside Position

핸드 포지션

포지션	의미(뜻)
버티컬 핸드 포지션	손목을 세워 그립. 블루스나 왈츠 등에 사용
룸바 핸드 포지션	룸바, 맘보 등에 사용되는 핸드 포지션
탱고 핸드 포지션	서로의 손을 잡을 때 팔로우의 손목을 굽히고 손바닥을 오른쪽 바깥쪽으로 향하도록 하는 자세입니다.
린디 핸드 포지션	팔로우 오른손 손바닥을 아래로 향하고, 리더 왼손 손바닥은 위로 향한 상태에서 리더와 팔로우는 서로 손바닥끼리 포갠 후 주먹을 살짝 쥔다. 자이브에 사용되는 핸드 포지션
투 핸드 홀드 포지션 (two hand hold position)	투 핸드 홀드 포지션은 지르박이나 포크댄스에서 사용되는 자세 중 하나입니다. 이 자세에서는 리더와 팔로우가 서로 마주 보며 양손을 맞잡는 자세를 취합니다.
크로스 핸드 홀드 포지션 (crossed hold position)	리더와 팔로우가 서로 마주 보며 양손을 교차시켜 연결하는 자세를 취합니다.
샤인 포지션 (Shine Position)	파트너와 정면에서 서로 손은 잡지 않은 상태
투 핸드 조인드 (Two Hands Joined)	여성과 남성이 정면에 서로 바라보면서 양손으로 잡는 방법.
원 핸드 조인드 (One Hand Joined)	남성과 여성이 서로 마주 서서 한쪽 손을 맞잡는 방법
인사이드 핸드 조인드 (Inside Hands Joined)	손 안쪽 결합
스윗핫트 (Swee-theart)	리더는 팔로우 등 뒤 옆에서 팔로우의 한 손이나 두 손을 맞잡는 것.

댄스에서 포지션의 중요성

댄스에서 포지션은 춤을 추는 과정에서 매우 중요한 역할을 합니다.

1. 균형과 안정성: 올바른 포지션은 춤을 추는 동안 균형을 유지하고 안정성을 제공합니다.
2. 연결감과 흐름: 파트너와의 연결을 강화하여 함께 움직이는 흐름을 형성합니다.
3. 체형과 각도 조절: 포지션을 조절하여 댄서들의 체형과 파트너의 움직임에 맞춥니다.
4. 안무의 완성도: 올바른 포지션은 안무의 완성도를 높여주어 춤을 더욱 아름답게 만듭니다.
5. 리드와 텐션 제공: 올바른 포지션은 리드와 텐션을 제공하여 춤을 안내하고 파트너의 안전을 지킵니다.
6. 간격 조절: 포지션을 조정하여 파트너와의 적절한 간격을 유지합니다.
7. 팔과 다리의 위치: 정확한 포지션은 손과 발의 위치를 제어하여 춤을 정확하게 이끕니다.
8. 프레임 유지: 올바른 포지션은 프레임을 유지하여 춤을 안정적으로 이끌어갑니다.
9. 댄스 스타일에 따른 적응: 각각의 댄스 스타일에 맞게 포지션을 조절하여 적절한 안무를 표현

합니다.

10. 대회에서의 중요성: 대회에서는 올바른 포지션은 점수에 영향을 미치는 중요한 요소입니다.

11. 파트너와의 호흡: 올바른 포지션은 파트너와의 호흡을 조율하여 함께 춤을 추도록 돕습니다.

12. 자세의 효과적인 사용: 정확한 자세는 다양한 춤 요소들을 효과적으로 사용할 수 있도록 돕습니다.

13. 파트너와의 연결성: 포지션은 파트너와의 연결성을 높이고 함께 춤을 이끌어갑니다.

14. 최적의 움직임: 올바른 포지션은 최적의 움직임을 가능하게 하여 춤을 자연스럽고 부드럽게 만듭니다.

15. 표현력 강화: 올바른 포지션은 춤의 표현력을 강화하여 춤을 더욱 감각적으로 만듭니다.

이러한 이유들로 인해 포지션은 춤을 추는 과정에서 매우 중요한 역할을 합니다. 춤의 흐름과 연결성을 높이며 안정성과 아름다움을 제공합니다.

Connection(커넥션)

"Connection(커넥션)"은 춤에서 파트너 간의 의사소통 수단으로, 시각적이거나 신체적인 접촉을 통해 이루어지며, 리딩(Leading)과 팔로잉(Following)을 가능케 하는 것입니다. 좋은 커넥션은 다음을 포함합니다:

1. **경청과 응답(Attentiveness and Response)**: 경청과 응답은 댄스 파트너와의 소통과 협업에서 중요한 역할을 합니다. 댄스에서 이것들은 상호작용과 함께 춤을 더욱 흥미롭게 만드는 데 사용됩니다.

경청은 파트너의 움직임, 타이밍, 그리고 의도에 집중하는 것을 의미합니다. 상대의 동작을 주의 깊게 듣고 보면서 파트너가 전달하려는 메시지를 이해하려고 노력하는 것입니다. 이는 춤을 출 때 상대방을 경의로 존중하고 함께 조화롭게 움직일 수 있도록 돕는 중요한 요소입니다.

응답은 이에 대한 적절한 반응을 의미합니다. 파트너의 움직임에 대한 민감한 반응과 함께, 상황에 맞게 적절한 동작이나 표현을 보이는 것을 의미합니다. 파트너의 움직임과 의도에 따라 조정된 자신의 동작을 통해 응답함으로써, 파트너와의 조화로운 춤을 만들어갈 수 있습니다.

경청과 응답은 상호적인 소통을 기반으로 하며, 댄스를 보다 연속적이고 조화롭게 만들어주는 데 중요한 역할을 합니다. 상대를 경청하고 존중하는 태도를 가지고, 상호 간에 응답을 통해 춤을 서로 더욱 풍부하게 만들어가는 것이 핵심이죠.

2. **적절한 신체적 접촉(Adequate Physical Contact)**: 적절한 신체적 접촉은 댄스에서 소통과 연결을 강화하는 데 중요한 역할을 합니다. 이는 댄스 파트너들 간의 신체적인 상호작용을 통해

춤을 원활하게 이끌어-내고 리더와 팔로우 간의 효과적인 의사소통을 가능하게 합니다.

파트너들 간의 적절한 신체 접촉은 서로의 몸을 익히고 이해함으로써 춤을 더욱 자연스럽게 만들어줍니다. 이는 리더가 움직임을 시작하고, 그것을 받아들이며 응답하는 팔로우에게 신호를 보내는 데에도 사용됩니다. 이 접촉은 춤 스타일과 파트너의 편안함에 따라 다양합니다. 일부 춤에서는 손과 손의 접촉만으로 충분하지만, 다른 춤에서는 더 밀접한 신체 접촉이 필요한 경우도 있습니다. 특정 춤 스타일이나 루틴에서는 서로의 몸에 밀착되는 동작이 필요할 수 있습니다.

중요한 점은 이 신체적 접촉이 상대방의 편안함과 존중을 기반으로 이루어져야 한다는 것입니다. 파트너의 편안함을 최우선으로 고려하며, 상호 간에 합의된 수준의 접촉을 유지하는 것이 중요합니다. 이를 통해 춤이 서로의 움직임과 의도를 원활하게 전달하고 받을 수 있도록 돕습니다.

3. 부드러운 리드와 센시티브 팔로우(Smooth Lead and Sensitive Follow): 부드러운 리드와 센시티브한 팔로우는 댄스에서 중요한 개념 중 하나입니다. 리딩하는 쪽은 부드럽고 명확한 지시를 제공하여 파트너와 춤을 이끄는 역할을 합니다. 이는 리더가 움직임을 시작하고, 그것을 명확하게 전달하고자 하는 것을 의미합니다. 부드러운 리드는 댄스 파트너가 따라가기 쉽고 흐름을 끊지 않게 만들어줍니다. 이는 댄스를 보다 자연스럽고 조화롭게 만들어줍니다.

팔로우하는 쪽은 세심하고 정확하게 리더의 지시를 읽고 이해하며, 그에 맞춰 움직이는 역할을 합니다. 세심한 팔로우는 리더의 움직임과 의도를 빠르게 파악하고, 그에 맞춰 조화롭게 반응하는 것을 의미합니다. 정확한 타이밍과 움직임으로 리더의 의도를 잘 받아들이면서, 파트너의 동작과 흐름에 부드럽게 반응합니다. 이러한 부드러운 리드와 세심한 팔로우는 춤의 연속성과 조화를 유지하는 데 중요합니다. 리더와 팔로워 간의 상호작용과 신뢰는 춤의 흐름을 부드럽고 자연스럽게 만들어주며, 서로를 이해하고 존중하는 것이 댄스의 핵심이 됩니다. 이를 통해 춤이 더욱 연결되고 아름답게 표현될 수 있습니다.

4. 적절한 텐션(Tension): 적절한 텐션은 댄스에서 매우 중요한 개념 중 하나입니다. 이는 춤을 출 때 파트너들 간에 필요한 힘과 압력을 적절하게 유지하면서 서로의 균형을 유지하는 것을 의미합니다.

텐션은 춤의 흐름과 연결성을 유지하는 데 큰 역할을 합니다. 이는 춤을 출 때 서로의 몸과 손 사이에 적절한 압력과 긴장을 유지하여 춤의 동작을 조절하는 것을 의미합니다. 파트너들 간에 적절한 텐션을 유지하면 서로를 이끌고 응답하는 것이 더욱 쉬워집니다. 예를 들어, 댄스에서 손을 잡을 때, 서로의 손에 적절한 압력을 느끼면서, 그 압력을 유지함으로써 춤의 움직임과 흐름을 조절할 수 있습니다. 이는 춤의 종류나 스타일에 따라 다르게 적용되며, 텐션의 강도와 방향은 춤을 출 때 매우 중요한 역할을 합니다.

적절한 텐션을 유지함으로써 춤이 더욱 연속적이고 조화롭게 이뤄지며, 서로의 움직임을 조절하고 조화롭게 이끌어 나갈 수 있게 됩니다. 이는 춤의 흐름과 아름다움을 높여주는 중요한 요소 중 하나입니다.

5. 소통과 공유(Communication and Sharing): 소통과 공유는 춤을 출 때 매우 중요한 개념입니다. 이는 댄스 파트너들 간에 움직임과 의도를 명확하게 전달하고 서로의 춤을 즐기며 공유하는 과정을 의미합니다.

댄스는 소통의 한 형태로 볼 수 있습니다. 움직임, 템포, 그리고 감정을 표현하기 위해 몸을 사용하여 상호 작용하는 것이죠. 이를 통해 파트너들은 서로의 의도와 움직임을 이해하고 반응합니다. 리더는 명확하고 부드러운 리드로 의도를 전달하며, 팔로우는 센시티브한 팔로우로 이를 받아들이고 함께 공유합니다. 공유는 춤을 즐기고 경험하는 것을 의미합니다. 서로의 움직임과 의도를 이해하고 공유함으로써 춤을 더욱 풍부하고 유익하게 만들어줍니다. 공동으로 춤을 만들어가고 서로의 표현을 존중하며, 함께 춤을 즐기는 과정이 중요합니다.

이러한 소통과 공유는 춤을 더욱 풍요롭게 만들어주는데, 서로의 움직임과 감정을 이해하고 공유함으로써 연결되고 조화롭게 이어지는 춤을 만들어냅니다. 파트너들 간의 상호작용과 소통은 춤을 더욱 특별하고 의미 있게 만들어줍니다. 커넥션은 춤을 출 때 상호작용과 협업을 위한 중요한 요소이며, 춤의 품질과 표현력을 높이는 데 기여합니다.

블루스 액션

이름	액션(동작과 모양)	사전적 의미(뜻)
Arms Linking	팔짱을 끼거나, 팔끼리 연결	Arm/팔
Across	오른발이 왼발 앞이나 뒤를 가로질러 스텝하거나 왼발이 오른발 앞이나 뒤를 가로질러 스텝 하는 동작을 말함.	건너서, 가로질러
Basic	기본 동작	기초적인, 기본적인, 근본(根本)의
Break	정지하는 동작	브레이크, 제동기, 바퀴 멈추개, 제동, 억제, 정지, 줄이다.
Brush	체중을 실은 발에 체중이 실리지 않은 발이 스치면서 지나가는 동작을 말한다.	솔
Cape	투우용 망토처럼 행하는 동작	망토
Change	바꾸는 동작	바꾸다, 변경하다, 고치다, 갈다
Circular	원을 그리듯이 행하는 동작	원형의, 둥근, 순회하는, 순환적인
Circle	원을 그리듯 행하는 동작	원, 원주
Continuous	지속해서 행하는 동작	계속되는, 지속적인, 계속

		이어지는, 반복된
Compact	최대한 발 폭을 줄여 행하는 동작	빽빽하게 찬, 밀집한
Curved	커브를 주듯 행하는 동작	굽은, 곡선 모양의, 약간 굽은
Curly	소용돌이치듯 돌며 행하는 동작	곱슬곱슬한, 동그랗게 말린
Cross	발을 교차하는 동작	X 표, +기호, 십자
Cuddle	꼭 껴안고 행하는 동작	꼭 껴안다, 부둥키다.
Delayed Walk	체중 이동을 느리게 하는 동작	지연
Double	양손을 잡고 행하는 동작, 연속으로 두 번 행하는 동작	두 배의, 갑절의
Draw	오른발을 왼발에 끌어 붙이거나, 왼발을 오른발에 끌어 붙이는 동작	끌다, 당기다, 끌어당기다, 끌어당겨서 …하다
Drag	발을 질질 끌면서 행하는 동작	끌다, 질질 끌다, 끌어당기다, 끌고 가다
Extension	몸을 최대한 펴주는 동작	연장, 늘임, 연기, 확대, 확장, 넓힘, 진전
Ending	끝내는 동작	결말, 종료, 종국
flirtation	남성과 여성이 매우 가까이 맞닿아 있는 모양을 말한다.	새롱거림, 장난삼아 하는 연애, 번롱, 우롱
Grand	커다란 동작을 행하는 동작	웅대한, 광대한, 장대한
Grand Circle	서로 손을 잡고 원형을 만드는 동작	Circle/원, 원주
Hand to Hand	상대방과 손을 잡고 행하는 동작	손
Hesitation	시간을 끌며 머무르는 동작	주저, 망설임
Link	연결시키는 동작	사슬의 고리, 고리
Left Turn	180° 좌회전	
Left Double Turn	540°좌회전	Double/두배
Left Triple Turn	720° 좌회전	Triple/3배
Left Foot Change	왼발 체인지	
Movement	움직이는 동작	움직임
Moving Foot	움직이고 있는 쪽의 발	
Merengue step	메렝게 스텝	
New York	룸바나 차차차에 사용되는 피겨	
Poise	균형이 잡힌 몸의 자세	균형 잡히게 하다, 평형 되게 하다.
Rock Turn	4박자로 좌회전	
Rock Back	체중을 뒤쪽의 발에 이동하는 것을 말함.	Back/등
Rolling	휘감거나 푸는 동작	구르는, 회전하는
Rotation	회전	회전, 자전
Ronde	원을 그리듯이 발을 돌리는 동작	
Simple	단순한 동작	간단한, 단단한
Rise Double Turn	540° 우회전	
Right Turn	180° 우회전	
Right Triple Turn	720° 우회전	
Right Foot Change	오른쪽 발 체인지	
Simple Spin	단순한 스핀	
Stationary	머무르고 있는	움직이지 않는, 정지된, 멈춰 있는

Spin	한발로 피봇한 후에 다른 발로 계속 해서 도는 동작	돌다, 회전하다, 돌리다,
Spot Turn	그 자리에서의 회전하는 것을 말함.	Spot/반점, 점
Straight Right Double Turn	직선으로 540도 우회전	Straight/ 똑바로 (일직선으로), 곧장, 곧바로
swivel	한발의 앞꿈치로 도는 동작	회전 고리
Swivel Walk	한발의 앞꿈치로 돌면서 걷는 동작	
Supporting Foot	체중을 실은 발	Supporting/버티는, 지지
Twist	양발을 비트는 동작	휘다, 비틀다.
Under Turn	정규회전 보다 작게 회전 하는 동작	Under/아래에, …의 밑에
Under arm turn	남성이 손을 들은 상태에서 여성이 남성 손 밑으로 회전하는 동작/lady's under arm turn이라고도 한다.	
Three Step Turn in place	Three Step으로 회전하는 동작	
Turn	회전하는 동작	돌리다, 회전시키다.
Turning	선회하는 동작	회전, 갈림길
Turning Step	선회, 회전하는 스텝	
Two Step Turn	Two Step으로 턴하는 동작	
Wrap	등으로 남성은 여성의 뒤에서 크로스 상태인 여성의 양팔을 잡고 있는 모양	감싸다, 싸다, 포장하다.
Zig Zag	지그재그 모양으로 동작	Z 자 형의, 톱니 모양의, 번개 모양의, 꾸불꾸불한.

플로어에 적응하는 방법

플로어 크래프트는 춤을 추는 공간에서 다른 커플들과의 조율과 유연한 대처 능력을 요구하는 중요한 기술입니다. 자신이 원하는 위치를 다른 커플이 선점하고 있다면 신속히 다른 위치를 찾는 것이 중요합니다. 예측하기 어려운 상황에서는 빠른 결정과 유연한 대처가 필요하며, 이는 춤을 시작할 때나 위치를 찾을 때 모두 중요합니다. 루틴의 시작이 예상과 다르게 진행될 때, 새로운 위치나 방향에서 춤을 시작하는 등의 유연한 대처가 필요할 수 있습니다. 또한, 리더는 공간을 잘 활용하는 것이 중요합니다. 춤을 추기 위한 자신만의 공간을 차지하는 것과 동시에 다른 댄서들과 공간을 나누는 것이 필요합니다. 춤을 추는 동안에도 다른 춤꾼들과의 상호작용을 고려하며, 움직임에 유연성을 부여하여 충돌을 피할 수 있도록 해야 합니다. 춤을 추는 과정에서 위치를 조정하고, 상황에 따라 민첩하게 대처하는 능력이 필요합니다. 이는 춤을 추는 동안 공간적인 제약을 최소화하고, 댄스를 자유롭게 즐길 수 있게 해줍니다. 춤을 추는 동안 예기치 못한 상황에 대비하기 위해서는 다양한 피겨를 익히는 것이 좋습니다. 이를 통해 예상치 못한 상황에도 유연하게 대처할 수 있으며, 춤을 멋지게 이끌어 나갈 수 있습니다. 피겨를 잘 활용하면 복잡한 상황에서도 유연하게 대처할 수 있습니다.

블루스 잘 추는 사람들의 공통점

본인의 능력과 취향, 성격에 따라 춤을 추겠지만 이왕 돈 투자 시간 투자한 거 남들한테 춤 잘 춘다는 말은 들어야 하지 않겠는가!

긴긴 세월 블루스를 어떻게 어떤 식으로 춤을 춰야 잘 추는지 많은 논의와 의견 표출이 있어 왔으나 아직 구체적인 기준은 없다. 지금까지 춤 가르치는 방식이 학원마다 다르며 또한 지금까지 기본스텝 또한 완벽하게 통일된 적도 없다. 그렇다고 라틴이나, 모던처럼 교재가 있는 것도 아니다. 그러니 춤을 추는 방식조차 명확한 기준이 없고 춤추는 방식이 난립하여 대중성이 점점 떨어져 가고 있다. 라틴이나 모던은 전국팔도 리드법이 통일되어 각 피겨마다 리드법을 익히면 되지만 지르박은 기본스텝은 전국팔도 비슷하나 중·상급부터 피겨가 학원마다 다르므로 스텝 및 각 피겨마다 리드법을 완전하게 공부해야 한다.

여성 3개월이면 남성은 3년이라는 말이 있다. 그만큼 남성이 여성보다 더 어렵다는 이야기다.

하지만 처음 배울 때는 여성이 남성보다 더 빨리 습득을 하지만 어느 정도 세월이 지나면 남성보다 여성이 더 어렵다. 남성은 수많은 기술을 배우지만 자신이 제일 자신 있는 피겨만으로 춤을 추기 때문이다. 늘 같은 피겨만으로 여성과 춤을 추기 때문에 어느 순간 도통의 경지까지 도달한다. 하지만 여성의 경우 춤추는 남성마다 사용하는 기술 및 리드/사인이 다르므로 이 모든 걸 다 받아 내는 건 쉽지가 않다. 그래서 단기적으로 보면 여성이 유리하지만, 장기적으로 보면 남성이 더 유리하다.

대부분 레슨 받는 사람들이 착각하는 것 중 하나가 시간이 흐르면 저절로 고수가 되는 줄 착각을 하고 있다. 진정한 고수는 자신의 스텝뿐만 아니라 상대 파트너의 스텝까지 어느 정도 알아야 하며 최고급 피겨로 멋도 부리고 절제된 스피드와 부드러움 그리고 자신만의 기교로 음악을 갖고 놀 줄 알아야 한다. 상대방의 스텝 하나하나가 손끝에서 느껴야 하며 그다음 피겨를 읽히지 말아야 파트너가 스릴을 느낄 수 있다. 정확한 리드로 모든 동작이 흐트러짐이 없어야 상대 파트너가 가슴이 떨리게 하는 댄스를 구사할 수 있어야 전정한 고수라고 할 수 있다. 또 한 상대 수준에 알맞게 맞춰 리드 할 수 있어야 한다. 남들이 흉내도 배울 수도 없는 그런 고난도의 피겨도 너무 쉽게 구사할 수도 있어야 한다. 무엇보다 블루스 기본 스텝이라도 고수가 구사하면 맛이(느낌, 리듬) 틀리며 같은 스텝이라도 하수냐 고수냐에 따라 맛이 틀리다.

1. **음악에 대한 이해력:** 블루스를 출 때, 음악에 대한 이해력이 매우 중요하다. 블루스 음악은 감정과 느낌이 중요한데, 이를 이해하고 음악에 맞춰 춤을 출 수 있는 능력이 필요하다.
2. **속도 조절 능력:** 블루스 음악은 어느 순간에도 급격한 변화가 일어날 수 있다. 따라서 블루스를 잘 추는 사람들은 음악의 속도와 리듬 변화에 민감하게 대처할 수 있는 능력을 갖추고 있다.

3. **바디 롤링**: 블루스는 섹시하고 감각적인 춤입니다. 바디 롤링과 같은 몸의 움직임을 자연스럽게 할 수 있는 능력이 필요하다.

4. **춤의 흐름 파악**: 블루스는 느린 속도로 추는 춤이지만, 그 안에는 숨겨진 흐름이 있다. 블루스를 잘 추는 사람들은 이 흐름을 파악하고 춤의 흐름에 따라 몸을 움직일 수 있는 능력을 갖추고 있다.

5. **미세한 움직임 제어 능력**: 자신의 움직임뿐만 아니라 여성의 미세한 움직임 또한 컨트롤 할 수 있는 능력이 뛰어나 자유자재로 여성을 리드 할 수 있다.

6. **감정을 표현하는 능력**: 블루스는 감정적인 음악 장르로서, 블루스를 잘 추는 사람들은 자신의 감정을 음악으로 잘 표현할 수 있다. 이를 위해서는 블루스 음악의 느낌과 감정을 이해하고, 그것을 자신만의 감정과 경험으로 연결할 수 있어야 한다.

7. **리듬 감각**: 블루스는 리듬에 큰 중요성을 두는 장르로서, 블루스를 잘 추는 사람들은 리듬 감각이 뛰어나다는 특징이 있다. 따라서 블루스 음악을 들으면서 리듬을 익히고, 그것을 몸으로 익히는 것이 중요하다.

8. **기본적인 기술력**: 블루스를 잘 추는 사람들은 기본적인 춤 기술력이 뛰어나다. 특히, 발의 움직임과 몸의 움직임을 자연스럽게 조합하여 춤을 추는 것이 중요하다.

9. **자신만의 스타일**: 블루스를 잘 추는 사람들은 자신만의 스타일을 가지고 있다. 블루스 음악을 듣고, 그것을 자신만의 스타일로 해석하는 것이 블루스를 잘 추는 비결 중 하나이다.

10. **연습과 경험**: 블루스를 잘 추는 사람들은 많은 연습과 경험을 통해 그 실력을 키워왔다.

댄스 음악 듣는 법

리듬은 기본적으로 음악의 패턴이나 박자를 이해하고 몸으로 그것을 표현하는 것입니다. 음악의 비트를 청각적으로 인식하고 그것을 몸으로 따라 움직이는 것이 리듬을 느끼는 것입니다. 실제로, 리듬을 찾는 것은 귀와 몸을 조화시키는 과정입니다. 춤을 추거나 음악을 들으며 비트에 맞춰 몸을 움직이는 연습을 통해 리듬을 더 잘 느낄 수 있습니다.

리듬을 느끼기 위한 몇 가지 방법이 있습니다. 우선 음악을 듣고 비트를 청각적으로 인식하는 것이 중요합니다. 춤을 추면서 음악의 비트에 맞춰 발을 움직이거나 몸을 흔들어보는 것도 좋은 방법입니다. 여러 장르의 음악을 들으면서 다양한 비트와 리듬을 익히는 것도 도움이 됩니다. 리듬을 찾는 것은 시간과 연습이 필요한 과정입니다. 처음에는 어려움을 겪을 수 있지만, 꾸준한 연습을 통해 점차적으로 느낄 수 있는 능력입니다. 춤이나 음악을 통해 몸이 음악에 맞춰 자연스럽게 움직이며 리듬을 느끼고 향상시킬 수 있을 것입니다.

리듬은 우리가 태어나서부터 경험하는 일상의 일부분입니다. 우리는 어린 시절에 엄마의 심장박동 소리를 듣고 자랐습니다. 시계의 똑딱거리는 소리, 자연의 소리, 사람들의 이야기, 거리의 소음 등 다양한 소리와 박자를 접했죠. 이런 경험들이 우리가 리듬을 느끼는 데에 큰 영향을 받았습니다.

음악도 마찬가지입니다. 다양한 악기와 음악적 요소들이 얽혀서 우리 귀에 전달됩니다. 멜로디, 비트, 악기 소리 등이 모여 우리는 음악을 듣게 됩니다. 이 소리들 사이에서 우리는 음악적인 리듬을 찾아내고 그것에 귀 기울이게 됩니다. 음악은 우리가 일상에서 느끼는 다양한 리듬과 연결되어 우리 안의 감정을 일으키기도 합니다. 때로는 우리의 기분이 음악의 리듬에 따라 변화하기도 하죠.

이런 측면에서 음악은 우리 삶의 일부분으로 자리 잡았고 우리가 경험하는 일상의 리듬과 음악의 리듬은 서로 연결되어 있으며, 그것이 우리가 음악을 통해 공감하고 감정을 나타내는 한 가지 방법이기도 합니다.

음악의 비트를 잡는 능력은 음악의 템포를 이해하고 그에 맞춰 움직이는 것을 배우는 데 중요합니다. 댄스 할 때도 이것이 중요한데요, 특히 파트너댄스에서는 서로가 음악의 흐름에 따라 동작을 함께 맞추기 때문입니다. 이것은 연습과 레슨을 통해 배울 수 있는 스킬입니다. 춤의 타이밍은 파트너와의 호흡과 조화를 이루기 위한 필수적인 부분이죠.

블루스 음악 듣기

블루스 음악은 그 고유한 리듬과 감정으로 사람들을 매료시키는 특별한 장르입니다. 그것은 4/4박자로 구성되어 있으며, 쿵·짝 쿵·짝과 같은 반복되는 리듬을 가지고 있어 댄스하기에 다른 장르의 음악보다 쉽게 접근할 수 있습니다. 이 음악은 누구나 남녀노소 댄스를 즐길 수 있는데요. 필자가 20년 전 댄스를 배울 때 스승이 제시한 조언이 기억에 남습니다. CD를 주면서 집이나 어디서든 댄스 음악을 최대한 많이 듣도록 권유한 것이었죠. 이론적인 학습도 중요하지만, 음악을 많이 듣고 그 안에서 느껴보는 것이 실제로 블루스 음악을 이해하고 춤추는 데에 큰 도움이 됩니다.

무조건 많이 듣고, 음악에 맞춰 기본적인 스텝을 연습하는 것이 중요합니다. 이론은 도움이 되지만 직접 음악에 몸을 맡기고 움직이며 음악의 흐름을 느끼는 게 가장 핵심입니다. 블루스 음악은 자유롭고 감성적인 면이 많아서, 그 안에서 자연스럽게 타악기 소리와 리듬을 느낄 수 있을 겁니다. 자주 블루스 음악을 자주 접해보면 자연스럽게 타악기 소리 및 쿵·짝 쿵·짝, 쿵·작·작 쿵·작·작 소리가 들릴 것입니다.

댄스와 음악의 궁합

음악과 댄스의 궁합은 마치 물과 식물의 관계와도 같죠. 음악은 댄스의 영혼이며, 그 궁합이 춤을 더욱 아름답게 만드는 비결입니다. 오행 식이요법에서처럼 음악과 댄스의 조화는 마치 서로 특별한 요소들을 섞어 맛있는 요리를 만드는 것과 같습니다.

미사 음악이 나오면 기도하고, 자이브 음악에 맞춰 자이브를 출 수 있는 것처럼, 왈츠 음악에는 왈츠의 특별한 우아함을 담을 수 있죠. 각각의 음악 장르와 댄스는 서로의 특성을 존중하며 서로를 보완합니다. 이를 통해 춤사위로 음악의 감정과 흐름을 표현할 수 있습니다.

블루스 역시 이러한 관점에서 중요한 역할을 합니다. 블루스 음악은 감정과 역사, 그리고 그 안에 담긴 깊은 이야기를 표현하는 플랫폼입니다. 그 감정을 춤으로 표현하는 것은 블루스 음악의 본질을 이해하고 그 속에 몸을 담그는 것과도 같아요.

댄스와 음악의 궁합은 마치 서로의 마음을 읽고 서로에게 반응하는 듯한 관계입니다. 음악은 영혼의 분출이며, 댄스는 그 영혼을 시각적으로 보여주는 행위입니다. 둘 사이의 조화와 궁합은 우리가 감정과 감성을 표현하는 방법 중 하나입니다. 이를 통해 우리는 음악과 댄스를 통해 서로의 이야기를 공유하고 소통할 수 있게 되죠.

"음악은 영혼의 분출이다."

리듬에 몸을 맞추는 연습

리듬에 몸을 맞추는 연습은 음악적인 능력을 향상시키는 중요한 요소 중 하나이다. 이를 위해서는 일정한 비트나 패턴에 맞추어 움직이는 것이 필요합니다.

블루스 음악을 자주 접하여 타악기 소리 및 쿵·짝 쿵·짝, 쿵·작·작 쿵·작·작 소리가 들릴 때 블루스 스텝을 음악에 맞춰 연습합니다. 먼저 의자에 앉아 음악에 맞춰 기본 베이식 연습하고 어느 정도 할 수 있게 되었을 때 일어나서 연습합니다. 어느 정도 음악에 맞춰 기본스텝을 찍을 수 있다면 다음 단계로 넘어가도 별 무리가 없을 것입니다.

기본스텝 연습 방법

거울 앞에서 배·허리에 힘을 주면서 머리를 세우고 똑바른 자세를 취한다. 체중은 센터에 유지하면서 어깨와 가슴은 자연스럽게 편안하게 펴주면서 평상시 걷는다. 집에서는 벽에 등을 대고 양발을 가지런하게 모은 후 약간 턱을 당긴 상태를 유지하고 시선은 정면에서 약간 위를 바라보면서 머리나 어깨가 흔들리지 않도록 신경 쓰면서 체중을 스타트하는 발 앞부분 볼에 체중을 싣고 힘은 가슴과 동시에 전진 및 후진을 한다. 진짜 주의해야 할 점은 먼저 가슴이 나가면 안 된다는 것이다. 인위적으로 너무 과하게 오금-질을 하면 안 되며 엉덩이 또한 인위적으로 흔들면 안 된다.

블루스 기본스텝 연습량

"기본이 탄탄해야 다재다능한 기술들을 사용한다."

"기본스텝 연습의 중요성은 아무리 강조해도 지나침이 없다."

"만 가지 킥을 할 수 있는 사람보다 한 가지 킥을 만 번 했던 사람이 더 무섭다."

"독서당(獨書堂) 개가 맹자 왈 한다. : 아무리 어리석은 사람이라도 늘 보고 들은 일은 능히 할 수 있게 된다는 말
"독서 백편 의자통 : 글을 백번 되풀이하여 읽으면 뜻이 저절로 통한다는 말

"일제 강점기 일본 놈들은 쫓아냈는데 잡풀은 쫓아낼 수가 없다." 블루스는 이제 대한민국에서 잡풀과 같은 존재이다.
블루스는 중장년층에 인기 있는 댄스 종목 중 하나이며 우리 대한민국 댄스 학원 중에서도 큰 비중을 차지한다. 그만큼 블루스는 대한민국에서 오랫동안 살아남을 것이고 많은 사람이 블루스를 즐길 것이다.

블루스 기본스텝을 연습량은 개인마다 다를 수 있다. 하지만 보통 블루스 기본스텝을 마스터하기 위해서는 꾸준한 연습이 필요하다.
초보자라면 매일 30분에서 1시간 정도 연습하는 것이 좋다. 먼저 기본스텝을 천천히 연습하고, 익숙해진 후에는 리듬과 속도를 조금씩 높여가며 연습하면 된다.

중급자나 고급자라면 매일 1시간 이상 연습하는 것이 좋다. 블루스 기본스텝에 대한 이해가 높아졌기 때문에 다양한 패턴과 변주를 연습하여 자신만의 스타일을 개발하는 것이 좋다.

어떤 수준이든, 꾸준한 연습이 중요하다. 연습량이 많을수록 발전 속도도 빨라질 것이다. 그러나 연습할 때 지루함을 느끼거나 지치기 시작하면 쉬는 것도 중요하다. 너무 강제적으로 연습하다 보면 오히려 더 피로해지고 진전이 없을 수도 있다. 적당한 휴식과 균형 있는 연습을 지향해보시길….

블루스 루틴 연습량

필자는 일반인들, 교수, 검사, 의사 등 수많은 대한민국의 엘리트들이 댄스를 배우고 중간에 포기하는 분들을 많이 보았다. 뛰어난 능력이 있거나 사회 또는 사회단체에서 지도적 입장에 있는, 소수의 빼어난 사람이라도 댄스를 우습게 볼만한 것은 아니라는 것이다.

골프는 80% 멘탈(정신) 10%(실력) 10%(운), 댄스는 연습량이 95% 이상이라고 말할 수 있다. 우리 인간들은 기억력이 20분 후 70%가 사라진다고 한다. 무조건 레슨 후 복습 또 복습해야 한다. 생선가게에서 일하면 자연스럽게 생선 냄새가 몸에 배듯이 다른 생각을 하면서도 스텝이 저절로 나올 때까지 연습해야 한다. 스텝 하나하나가 자연스럽게 몸에 밸 때까지 연습해야 음악을 갖고 놀게 될 것이

며 여성을 자유자재로 리드 할 수 있을 것이다.

사슴은 신선이 타고 다니는 영물로 천년을 살면 청록이 되고 다시 백 년이 지나면 백록이 되며 다시 오백 년이 지나면 비로소 현록이 된다고 한다. 단시간에 고수가 되기 위해서는 연습과 실전 경험뿐이다.

댄스 이미지 트레이닝

이미지 트레이닝은 실제 행동을 하는 것과 마음속으로 그 행동을 상상하는 것 간의 상당한 유사성을 갖고 있어요. 이것은 뇌가 실제 행동을 할 때와 마찬가지로 뉴럴 회로를 활성화시키고 강화시키는 데 도움이 됩니다. 예를 들어 춤을 추는 것을 상상해 보겠습니다. 음악이 흐를 때, 당신은 마음속으로 춤추는 모습을 생생하게 상상합니다. 이때 몸의 각 부분이 어떻게 움직일지, 각 걸음과 움직임의 정확한 모습을 떠올리면서 그 움직임을 느끼죠. 실제로 춤추는 것과 거의 유사한 과정을 경험하면서 뇌는 이를 연결된 뉴럴 회로로 기억하고 강화시키는 것이죠.

이렇게 상상 속에서 행동을 반복하고 뇌가 그 패턴을 익혀나가면, 그 행동을 실제로 할 때 더욱 능숙하게 실행할 수 있게 됩니다. 이 방법은 실험과 안전한 연습의 공간을 제공하여 실제로 시도하기 어려운 동작들도 안전하게 연습할 수 있도록 도와줍니다.

즉, 이미지 트레이닝은 우리가 원하는 행동을 상상하고 뉴럴 회로를 강화하여 실제 행동 시 더 나은 성과를 이끌어내는 것입니다. 댄스나 다른 활동에서도 이러한 방식을 활용하여 더 나은 성과를 얻을 수 있어요.

춤을 추다 다음 스텝이 생각이 안 나거나 스텝이 엉켰을 때

남성의 경우 가끔 춤을 추다 보면 후행 스텝이 생각이 안 나는 경우가 있다. 이때 너무 긴장할 필요도 없이 기본스텝, 즉 쉬운 스텝을 하면 된다. 초급 정도의 루틴(피겨) 2~3개 정도 하면서 생각할 수 있는 시간을 버는 것이다. 일반적으로 초급은 중급, 상급 루틴(피겨)보다 더 많이 접했기 때문에 생각이 날 확률이 높다.

춤을 추다 보면 파트너가 스텝이 엉킬 때가 있다. 어떤 남성은 그 자리에서 여성을 가르치려고 하는데 여성에 대한 비-매너로 절대 해서는 안 되는 행동 중 하나이다. 필자의 경우, 씩 한번 웃거나 아님 "다시 한번 해볼게요."라고 말을 한다. 최악의 경우 진행하던 스텝을 멈추고 다시 처음부터 춤을 추는 경우도 있다.

10~20년 된 파트너들도 춤을 추다 틀리는 경우도 많이 있는데, 파트너도 아니고 처음 아니면 몇 번 본 사람과 완벽하게 춤을 춘다는 건 있을 수 없다.

루틴 순서로만 춤추는 경우와 루틴 순서 없이 춤을 추는 경우

루틴 순서대로만 춤을 추면 하수, 짜인 순서 없이 자유자재로 춤을 추면 중수, 애드리브 스텝까지 사용하면서 자유자재로 춤을 추면 고수, 스텝을 다시 재조합해서 새로운 피겨를 만들어 춤을 추면 댄스 마스터이다. 루틴 순서 없이 자유자재로 춤을 추기 위해서는 남성은 피나는 노력과 실전 경험이 풍부해야 가능하다. 남성은 어느 정도 루틴 순서를 몸에 익혔다면 학원이나 집에서 순서 없이 춤을 춰 보는 것이다. 처음에는 스텝 생각도 안 나고 스텝도 엉켜 멈추는 경우가 허다할 것이다. 루틴 순서 없이 춤을 추는 요령은 간단하다. 예를 들면 루틴 20번→초급 스텝(2~3개)→29번→초급 스텝(2~3개)→49번…이로 중간-중간에 아주 쉬운 초급 스텝이나 자신 있는 스텝을 끼워 춤을 추면서 어떤 스텝을 사용할지 시간을 버는 것이다. 어느 순간 숙달이 되면 자연스럽게 초급 스텝을 사용하는 횟수는 줄어들 것이다.

학원 선택, 선생님 선택

영화 바람의 전설을 보면 배우 이성재가 조선팔도를 찾아다니면서 댄스를 배운다. 첫 번째 자이브 스승은 지병(持病)으로 죽고, 왈츠 선생은 바닷가에 몸을 던져 자살하고, 퀵스텝 선생은 농부, 차차차는 탄광, 파소도블레 스승은 스님, 탱고 스승은 건설노동자였다. 영화의 내용을 보면 춤 세계의 현실을 보여주는 듯 씁쓸함을 느낀다.

학원과 선생님 선택은 댄스 경험이 있는지 여부, 학습 목적 등에 따라 다르게 결정될 수 있다.

1. 댄스 학원 선택

1.1 위치 선정

댄스 학원을 선택할 때 위치는 매우 중요합니다. 가까운 거리에 위치한 학원을 찾아 집과 출퇴근이 편리하고 교통에 유리한 곳을 고려해야 해요.

1.2 시설과 환경

학원의 시설은 학습 환경을 결정짓는 중요한 요소입니다. 춤을 출 공간의 크기, 댄스 스튜디오의 조명, 음향 시스템 등을 살펴보며 편안하고 적절한 환경인지 확인해야 해요.

1.3 교육 프로그램 다양성

학원의 교육 프로그램 다양성을 살펴보세요. 다양한 장르와 레벨의 댄스 프로그램이 있는지 확인하고, 자신의 관심 분야와 목표에 부합하는 프로그램을 선택해야 해요.

1.4 수업 일정과 시간표

수업 시간표가 자신의 스케줄과 맞는지 확인해야 합니다. 불규칙한 시간표보다는 꾸준하고 일정한 수업 시간이 학습에 도움이 됩니다.

1.5 수업료 및 비용

학원의 수업료와 비용도 고려해야 합니다. 예산과 학원의 수업료가 맞는지, 추가적인 비용이 있는지 등을 확인하고 결정해야 해요.

2. 선생님 선택

2.1 선생님의 경력과 자격증

선생님의 경력과 자격증을 확인해야 합니다. 그들의 댄스 경력, 교육 경험, 자격증 등이 그들의 전문성을 나타내므로 주의깊게 살펴보세요.

2.2 선생님의 가르치는 스타일

각 선생님의 가르치는 스타일은 다를 수 있습니다. 엄격한 기술 중심의 선생님과 창의적이고 자유로운 분위기를 선호하는 선생님 등 다양한 스타일을 살펴보고 자신에게 맞는 선생님을 선택하세요.

2.3 선생님의 수업 방식과 방향성

선생님의 수업 방식과 학습 방향성도 고려해야 합니다. 자신의 목표와 학습 스타일에 부합하는 선생님을 선택하는 것이 중요합니다.

2.4 학생과의 상호작용

선생님과 학생들 간의 상호작용이 중요합니다. 선생님의 소통 능력과 학생들과의 관계가 학습에 긍정적인 영향을 미치는지 확인해보세요.

최종 결정

최종적으로, 댄스 학원과 선생님을 선택할 때는 자신의 목표와 필요를 고려해야 합니다. 학원의 위치, 시설, 프로그램 다양성과 선생님의 경력, 가르치는 스타일 등을 종합적으로 고려하여 최상의 선택을 할 수 있을 거예요. 실제로 학원을 방문하고 수업을 체험해보는 것도 중요한 판단 기준이 될 거예요. 자신에게 가장 맞는 댄스 학원과 선생님을 선택하여 댄스 여정을 즐겁게 떠나보세요!

블루스 댄스 레슨 및 연습 시간

오전 7시~9시:

하루를 맞이하는 시간, 누군가는 열정과 희망을 가슴에 품으며 하루를 시작하지만, 누군가는 심장 질환과 뇌-내출혈로 고통을 받는다. 또한, 자살 및 대부분의 죽음도 이 시간에 발생한다. 이 시간 때는 최악의 시간으로 차분하게 하루를 준비하는 명상으로 시작하면 좋을 것이다. 레슨 및 연습은 잠시 다른 시간 때에…

오전 9시~11시:

9시부터 인체는 통증에 제일 무디어지고 근심 걱정의 수치도 하루 중 제일 많이 낮아진다고 한다. 또한, 뇌의 활동이 높아 민첩함과 예리함도 최고로 이르게 된다. 암기력 또한 다른 시간 때 보다 15%나 더 효율적이므로 이 시간 때에 레슨을 받거나 연습하면 좋다.

정오 12시:

누구든 배고픈 상태에서 일하거나 레슨을 받으면 짜증이 날 것이다.

오후 1~2시:

인체의 컨디션이 다운되는 시간으로 레슨 받는 시간으로 적합하지 않다.

오후 3~4시:

인체 컨디션이 최상의 시간, 운동선수들이 최고로 선호하는 시간으로 레슨 및 연습하기 좋은 시간 때이다.

오후 5시:

혈압 수치가 하루 중 제일 높은 시간 때이다. 그만큼 나도 모르게 짜증이 많이 나는 시간 때에 레슨을 받는다는 것은 댄스 샘과 마찰이 생길 수 있는 시간 때이다.

오후 6시~7시:

이 시간 때에는 다이어트를 원하는 사람들이 레슨을 받으면 좋은 시간 때로 하루 중 먹고 싶은 욕구가 제일 강한 시간 때이기 때문이다.

오후 8시~11시:

인체는 청각 기능도 떨어지고 신진대사가 원활하지 않게 된다. 되도록 집에서 내일을 위해 휴식을 취하길 권한다.

LOD(Line of dance)

'Line of Dance'(LOD)는 공간을 효율적으로 활용하여 춤추는 무용수들이 원활하게 움직일 수 있도록 하는 중요한 개념입니다. LOD는 춤추는 공간에서 춤추는 사람들의 이동 경로를 정의하며, 주로 무용실, 무용홀, 무용 장소 등에서 사용됩니다. 이것은 안전하고 조직적인 춤추는 활동을 가능하게 하고 춤추는 사람들 간의 충돌을 최소화하는 데 도움이 됩니다.

1. LOD는 대부분의 무용장르에서 중요한 역할을 합니다. 특히 라틴 댄스, 볼룸 댄스, 소셜 댄스 등에서 사용됩니다. 각각의 댄스장르에서 LOD는 조금씩 다를 수 있지만, 기본적으로 춤추는 사람들이 반시계 방향으로 움직이는 경로를 따라 이동하도록 설계됩니다. 이는 춤추는 사람들이 충돌 없이 서로를 피하면서 춤을 즐길 수 있게 돕습니다.

2. LOD를 이해하는 것은 춤추는 사람들에게 중요합니다. 춤추는 사람들은 LOD를 따라 이동하면서 춤을 추는데, 이는 춤추는 패턴과 조정에 중요한 영향을 미칩니다. 특히 그룹 댄스나 대규모 이벤트에서는 LOD를 따르는 것이 필수적입니다. 이는 춤추는 사람들이 서로 충돌하지 않고, 자연스럽게 움직이며, 조화롭게 춤을 추도록 도와줍니다.

3. LOD는 안전과 효율성을 높여줍니다. 춤추는 사람들이 LOD를 따르면서 움직이면 갑작스러운 충돌을 피할 수 있습니다. 또한, 춤추는 공간을 최대한 활용하여 무용 활동을 즐길 수 있게 해줍니다. 이는 춤추는 사람들이 더 많은 공간을 확보하고 더 많은 움직임을 할 수 있게 해줍니다.

4. LOD는 무용 수업이나 무용 공연 시에도 중요한 역할을 합니다. 이를 통해 학생들은 조직적이고 체계적인 방식으로 춤추는 기술을 배울 수 있으며, 공연 시에는 관객들에게 보다 조화롭고 아름다운 퍼포먼스를 선사할 수 있습니다.

LOD는 춤추는 사람들이 움직이는 경로를 정의하고 조직하는 데 중요한 개념입니다. 이는 안전성, 조화성, 효율성을 높여주며, 무용 활동에서 핵심적인 역할을 합니다.

LOD (Spot Dances) 아닌 댄스 종목

Cha Cha, Rumba, Jive, Bolero, Swing, Mambo, Salsa, Merengue

LOD (Progressive Dances) 댄스 종목

Waltz, Tango, Viennese Waltz, Foxtrot, Quickstep, Samba, Paso Doble

자이브 LOD

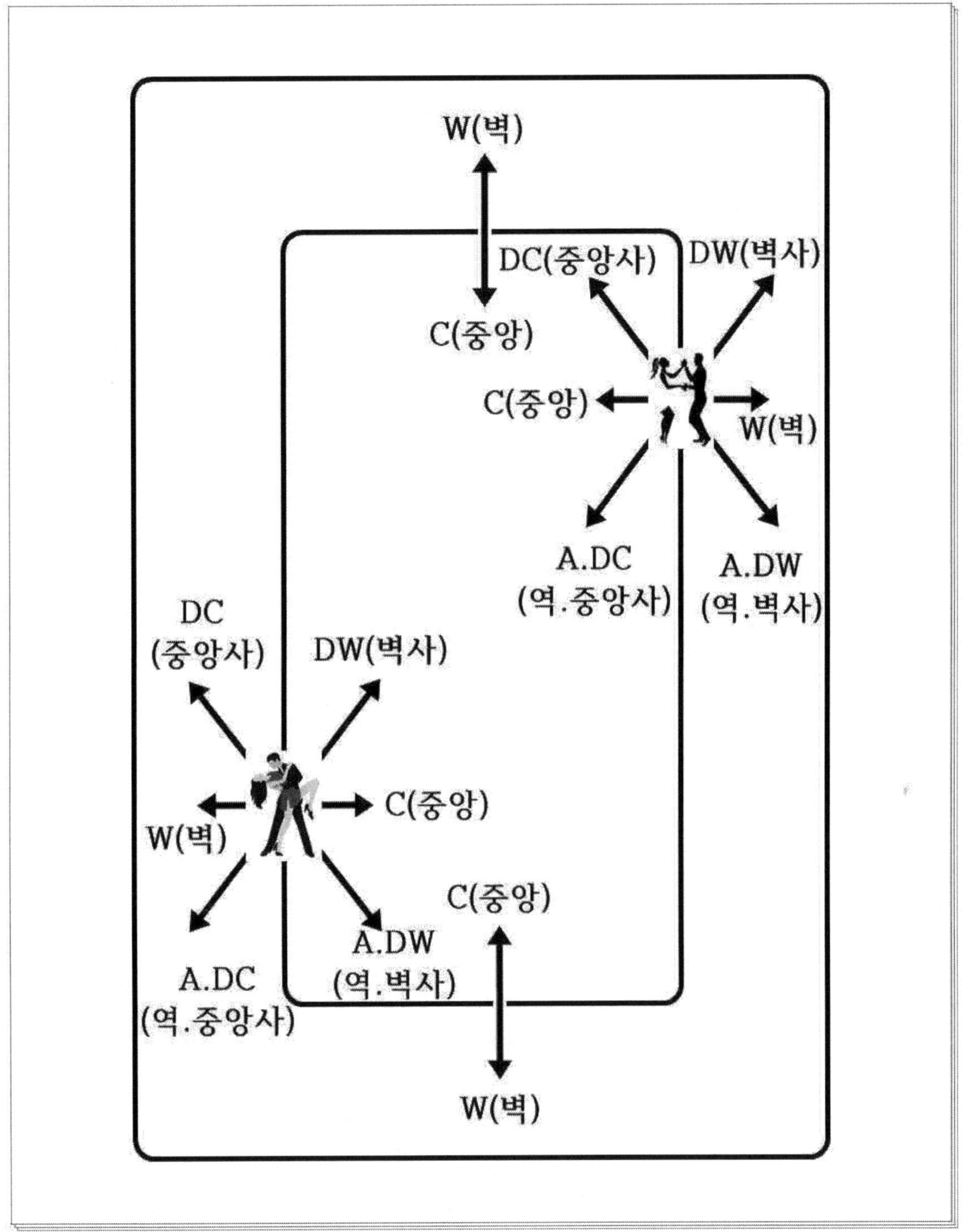
W(벽)
DC(중앙사)
DW(벽사)
C(중앙)
C(중앙)
W(벽)
A.DC
(역.중앙사)
A.DW
(역.벽사)
DC
(중앙사)
DW(벽사)
W(벽)
C(중앙)
C(중앙)
A.DW
(역.벽사)
A.DC
(역.중앙사)
W(벽)

모던 LOD

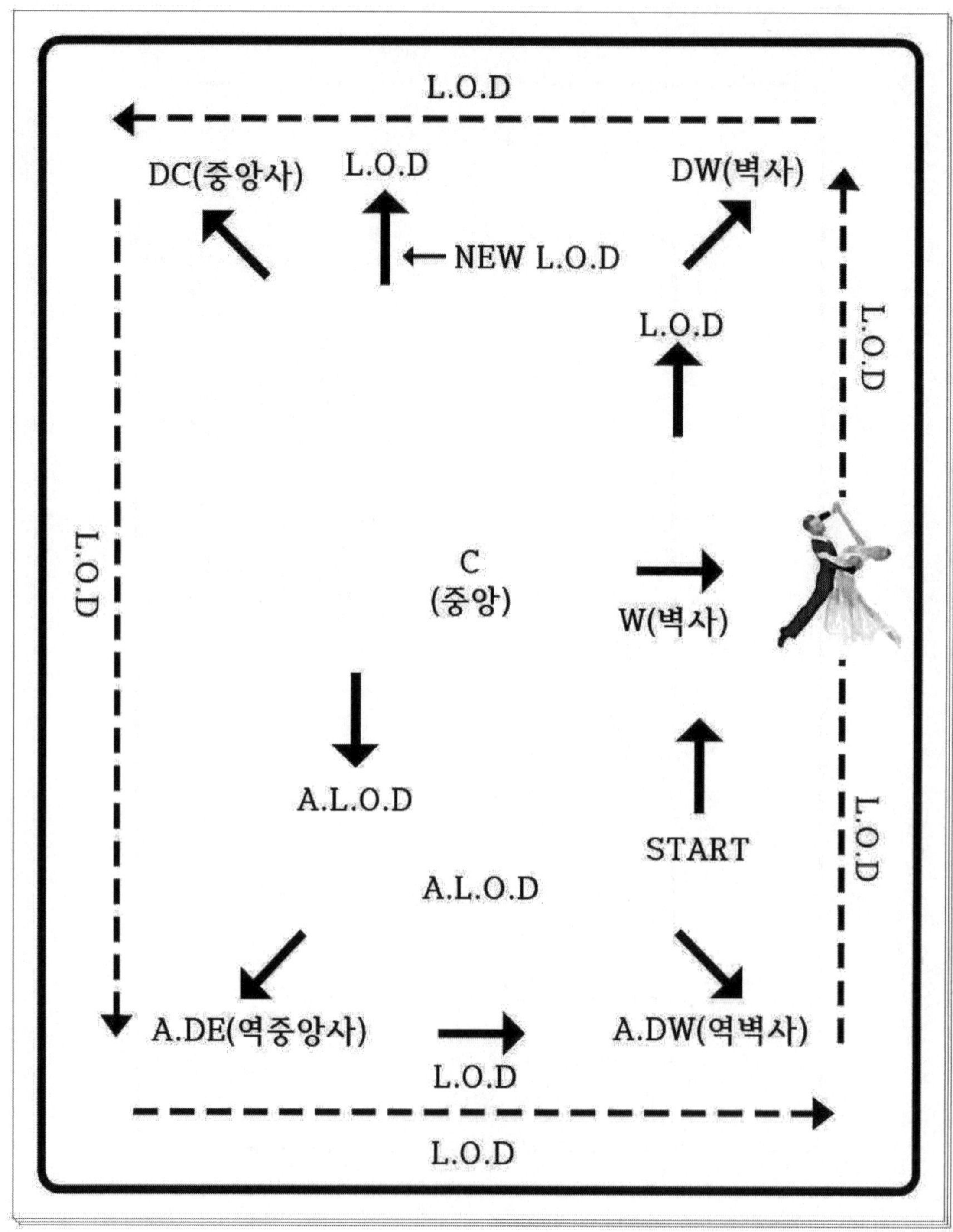
L.O.D
DC(중앙사)
L.O.D
DW(벽사)
NEW L.O.D
L.O.D
L.O.D
L.O.D
C
(중앙)
W(벽사)
A.L.O.D
L.O.D
START
A.L.O.D
A.DE(역중앙사)
A.DW(역벽사)
L.O.D
L.O.D

지르박 LOD

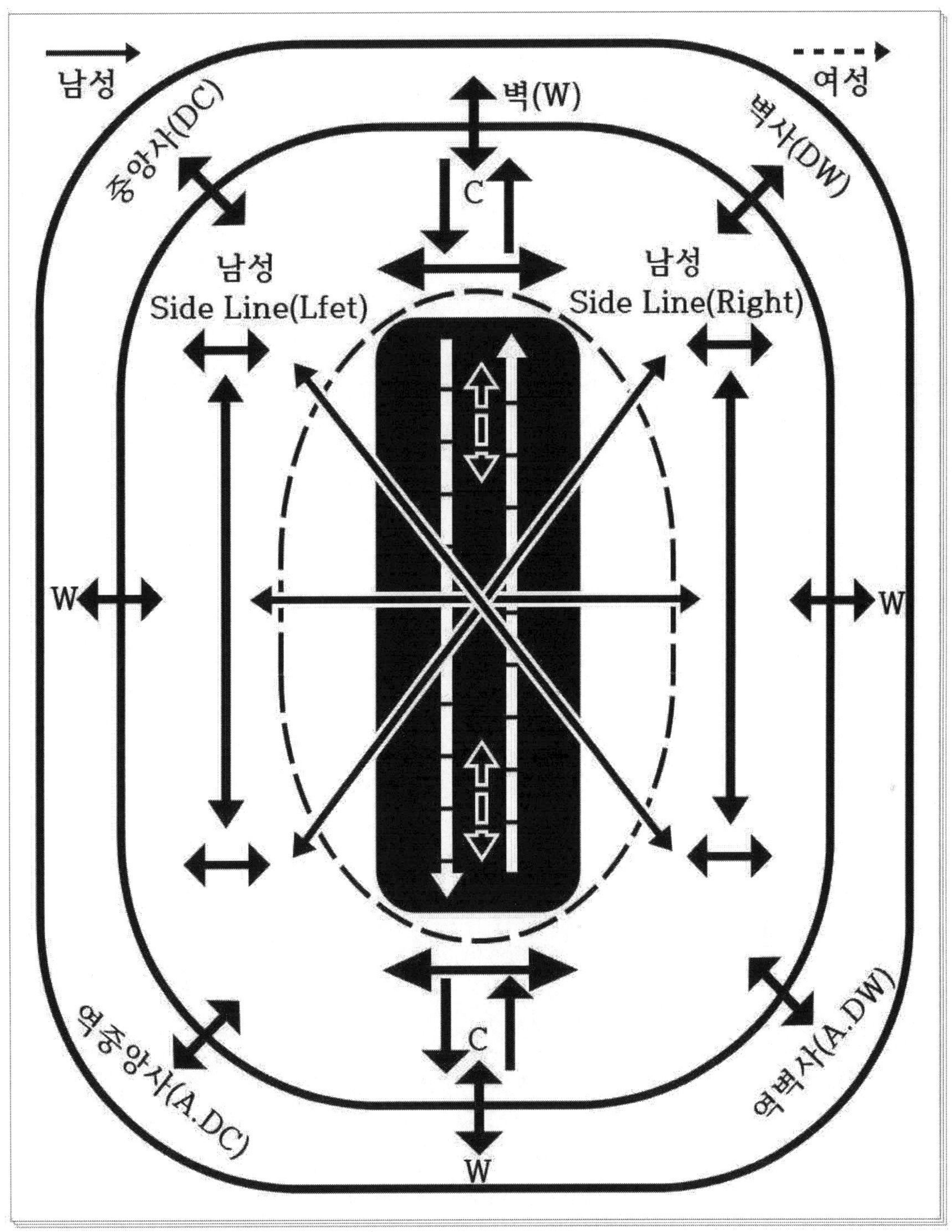
남성
여성
벽(W)
중앙사(DC)
벽사(DW)
C
남성
Side Line(Lfet)
남성
Side Line(Right)
W
W
역중앙사(A.DC)
역벽사(A.DW)
C
W

얼라인먼트(alignment)

플로어(홀)에 대한 몸과 발의 위치

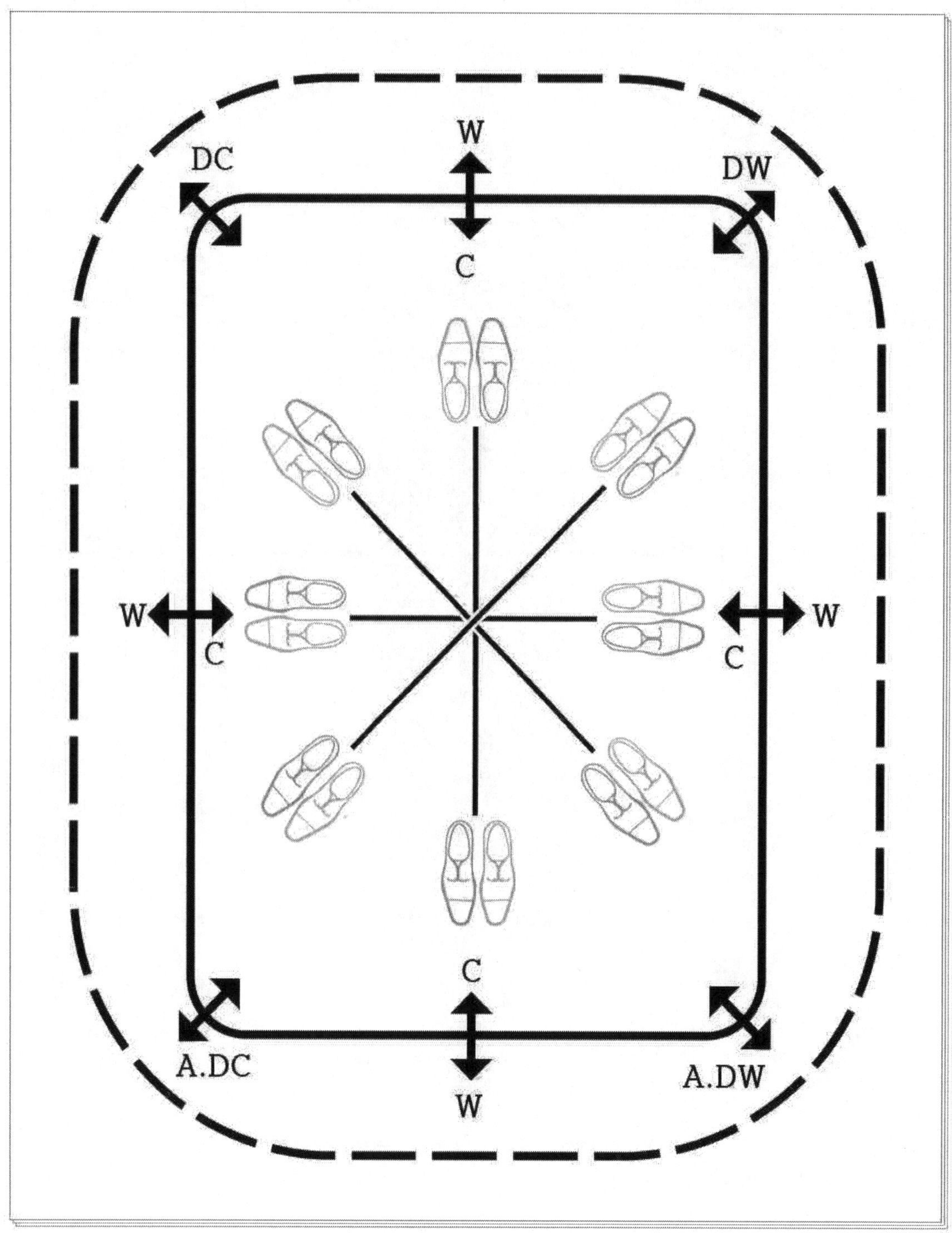

Clockwise(클락와이즈)

"시계 방향(Clockwise)"은 시계 바늘이 따라가는 방향으로 도는 것을 의미합니다.

일반적으로 시계 방향은 오른쪽으로 도는 방향을 나타내며, 시계의 시계 바늘이 따라 움직이는 방향과 같습니다. 이것은 오른쪽으로 회전하는 방향으로 생각할 수 있습니다.

반대로 "반시계 방향(Counter-clockwise)"은 시계 반대 방향으로, 왼쪽으로 도는 방향을 의미합니다. 춤이나 운동에서 움직임의 방향이나 회전을 설명할 때 자주 사용됩니다.

회전량 (Amount of Turn(어마운트 어브 턴))

피겨 스케이팅도 댄스처럼 회전이 많은 스포츠 종목 중 하나로 스핀 동작에 따라 스크래치 스핀, 레이백 스핀, 케치풋 레이백 스핀, 헤어커터 레이백 스핀, 비엘만 스핀 등이 있다. 발레는 회전 방식에 따라 구분하는데 제자리에서 회전하는 것을 삐루에뜨, 랑베르세, 푸에테 앙 투르낭이라 명칭하고 회전하면서 이동하는 것을 즈떼 앙 뚜르낭, 삐케 뚜르, 뚜르 셴네, 빠 드 부레 앙 뚜르앙으로 부르고 도약하면서 공중에서 회전하는 것을 투르 앙 레르라고 부른다. 댄스에서는 각 피겨(figure)의 회전량을 말하며, 회전량의 기준은 발의 위치로 계산되며, 360°를 8등분한 비율로써 표시된다. 회전량은 반드시 숫자로 표기하며 각도로는 표기하지 아니한다.

회전에 관한 용어

원어	회전량	각도
One Eight Turn (원 에잇 턴)	1/8회전	45도
Quarter Turn (쿼터 턴)	1/4회전	90도
Three Eight Turn (쓰리 에잇 턴)	3/8회전	135도
Half Turn (하프 턴)	1/2회전	180도
Five Eight Turn (파이브 에잇 턴)	5/8회전	225도
Three Quarter Turn (쓰리 쿼터 턴)	3/4회전	270도
even Eight Turn (세븐 에잇 턴)	7/8회전	315도
One Turn (원 턴)	1회전	360도
Right Turn	180° 우회전	
Rise Double Turn	540° 우회전	
Right Triple Turn	720° 우회전	
Straight Right Double Turn	직선으로 540도 우회전	

Left Turn	180° 좌회전
Left Double Turn	540° 좌회전
Left Triple Turn	720° 좌회전
Straight Left Double Turn	직선으로 540도 좌회전
1/32 회전	11.25도
1/16회전	22.5도

Amount of Turn-Right

1.1/8턴(45°) 2.1/4턴(90°) 3.3/8턴(135°) 4.1/2턴(180°) 5.5/8턴(225°) 6. 3/4턴(270°) 7.7/8턴(315°) 8.360°

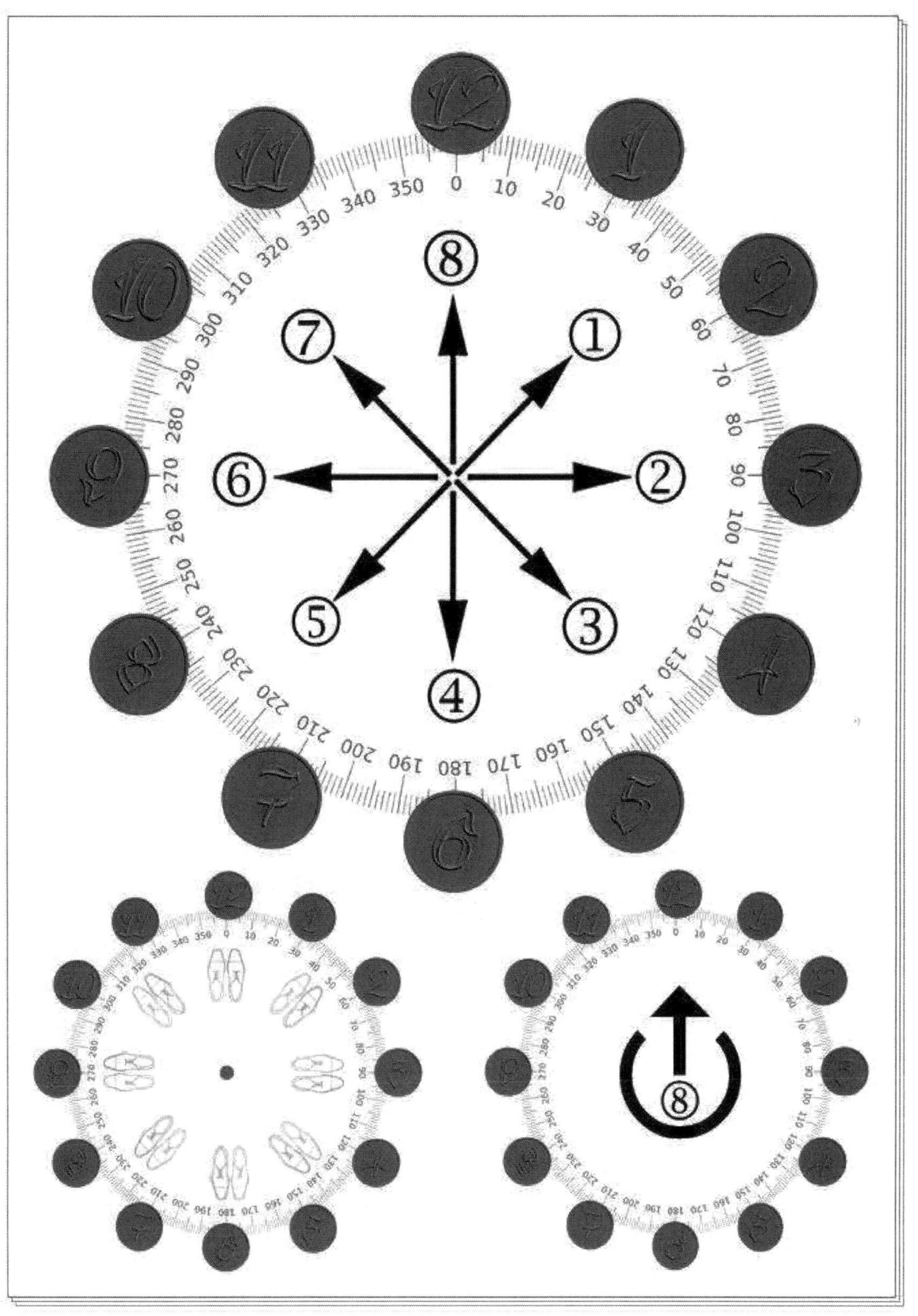

Amount of Turn-Left

1.7/8턴(315°) 2.3/4턴(270°) 3.5/8턴(225°) 4.1/2턴(180°) 5.3/8턴(135°) 6.1/4턴(90°) 7.1/8턴(45°) 8.360°

스텝(Step) 및 발에 대한 약자

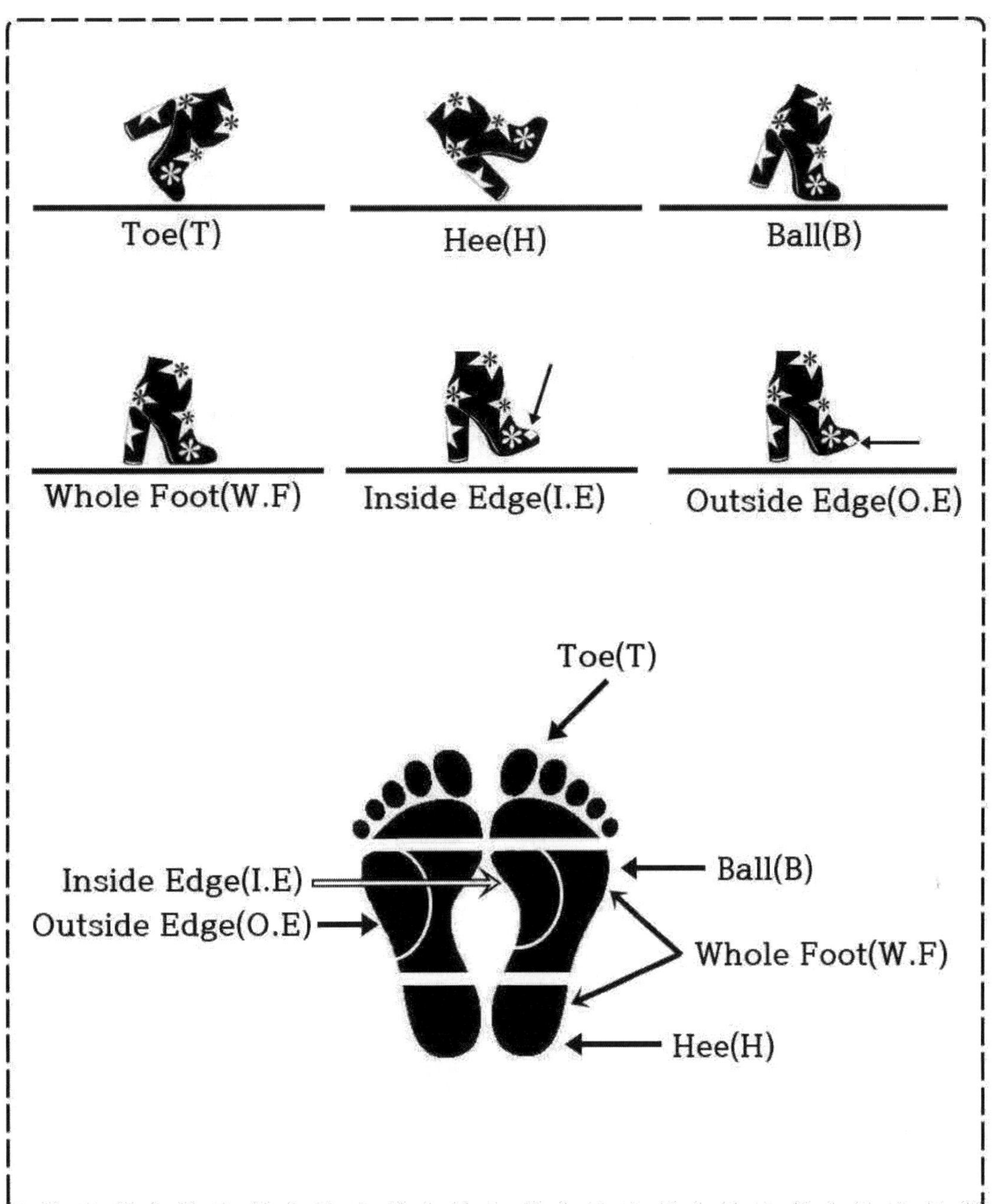

오른발	스텝 설명	왼발	스텝 설명
Right Foot(RF)	오른쪽 발	Left Foot(LF)	왼쪽 발
Right Ball(RB)	오른쪽 앞꿈치	Left Ball(LB)	왼쪽 앞꿈치
Right Hell(RH)	오른쪽 뒤꿈치	Left Hell(LH)	왼쪽 뒤꿈치
Right Toe(RT)	오른쪽 발가락	Left Toe(LT)	왼쪽 발가락
Right Flat	오른쪽 발바닥	Left Flat	왼쪽 발바닥
Right Inside	오른쪽 발바닥 안쪽	Left Inside Edge	왼쪽 발바닥 안쪽 옆면

Edge	옆면		
Right Outside Edge	오른쪽 바깥쪽 가장자리	Left Outside Edge	왼쪽 바깥쪽 가장자리
Right Whole Foot	오른쪽 발바닥전체	Left Whole Foot	왼쪽 발바닥 전체
원어	약자	한글	뜻(의미)
Footwork	Fwk	풋워크	발의 놀림 (발을 쓰는 기술)
No Foot Rise	NFR	노 푸트 라이즈	Heel을 바닥에 붙인 채 상체와 발을 뻗어 일어서는 것
body rise		바디 라이즈	Heel을 바닥에 붙인 채 상체와 발을 뻗어 일어서는 것, No Foot Rise라고도 함
Contrary Body Movement Position	CBMP	콘트러리 바디 무브먼트 포지션	상체를 우회전이나 좌회전하지 않은 상태에서, 한쪽 Foot을 상체의 앞이나 뒤를 가로질러 step한 Position
Foot		풋	발
Toe	T	토우	발가락, 발가락 끝부분
Ball	B	볼	앞굽, 발 앞꿈치
Heel	H	힐	발뒤꿈치
Inside Edge	I.E	인사이드 엣지	발바닥의 안쪽 가장자리 부분
Inside Edge Of Toe	I/E of T	인사이드 엣지 오브 토우	발끝 안쪽 옆면
Outside Edge Of Toe	O/E of T	아웃사이드 엣지 오브 토우	발끝 바깥쪽 옆면
Flat	F	플랫	바닥에 발바닥 전체가 닿음
Ball Flat	BF	볼 플랫	발 앞굽이 바닥에 닿음
Heel Flat	HF	힐 플랫	발뒤꿈치가 바닥에 닿음
Whole Foot	WF	호울 풋	발바닥이(전체) 바닥에 닿음

방향에 관한 용어 및 약호

원어	약자	한글	의미(뜻)
Alignment		얼라이먼트	발이 가리키는 방향
Direction		디렉션	몸의 진행방향
Line of Dance	LOD	라인 오브 댄스	왼쪽 방향, 즉 시계 반대 방향으로 춤의 진행 시키는 선
Against The LOD	ag.LOD	어게인스 더 엘오디	역 LOD

Against	ag	어게인스	등지고
Diagonally	Diag	다이어그널리	사선으로,비스듬히
Diagonally To the Wall Against	A.DW	다이어그널리 투 더 월 어게인스	역 벽사
Diagonally to Center Against	A.DC	다이어그널리 투 센터 어게인스	역중앙사
Wall	W	월	벽
Center	C	센터	중앙
Diagonally to Center	D.C	다이어그널리 투 센터	중앙사
Diagonally to Wall	D.W	다이어그널리 월	벽사
Back	B	백	뒤로
Forward	Fwd	포워드	앞쪽으로
Backward	Bwd	백워드	뒤쪽으로
side		사이드	옆으로
Outside		아웃사이드	바깥쪽으로
Outside partner	Op	아웃사이드 파트너	파트너 바깥으로
Facing	F	페이싱	전방(전진)으로 움직이는 것
Backing	B	백킹	후방(후진)으로 움직이는 것
Pointing	P	포인팅	발과 몸이 다른 방향이 될 때
Left	L	레프트	왼쪽
Right	R	라이트	오른쪽
Natural	Nat	내츄럴	오른쪽으로
Reverse	Rev	리버스	왼쪽으로
Contra		콘트라	반대로
Zig Zag		지그재그	Z자 형태로
Place		플레이스	위치
Backing Against Center	BAC	백킹 어게인스 센터	역 중앙
Facing Against To Wall	FAW	페이싱 어게인스 투 월	역 벽사
Facing To Wall	FW	페이싱 투 월	벽면 방향
spot		스팟	점

블루스 루틴

초급

1번 기본 베이직(전·후진 스텝)

2번 포워드 4 스텝

3번 전진 2 스텝

4번 첵

5번 체크 턴

6번~7번 레프트 샤세 & 라이트 샤세

8번 오픈 9번 프롬나드 샤세 10번 아웃 투웍

11번 내츄럴 위브

12번 솔로 턴(어깨)

13번 리버스턴 인사이드 턴

14번 지그재그 워킹

15번 리버스 턴&체크턴(90°)

16번 180° 체크턴

17번 내츄럴 프롬나드 턴

18번 투웍, 턴

19번 목감기

20번 비하인드 백 여성 솔로 턴

21번 터널 & 남·여 턴

22번 더블 오픈(프롬나드 샤세)

23번 로터이 아웃 사이드 턴(여성)

24번 사이드 샤세 라운드

25번 헤드 플릭

26번 워킹 당겨 오픈

27번 사이드 스텝 오픈

28번 빽 지그재그

29번 백스텝 프롬나드 스텝

30번 홀드, 전진 스텝

31번 등 뒤로 8박 허리 걸이 턴

32번 사이드 지그재그&백스텝

33번 포장&아웃사이드 턴
34번 아웃사이드 턴
35번 로터리 지그재그 스위블
36번 리버스턴(마무리 턴) 갈까 말까
37번 워킹 오픈
38번 프롬나드 쓰리 스텝
39번 역 오픈(프롬나드 샤세)
40번 180도 체크 턴, 트위스트(스위블)
41번 180도 체크 턴, 트위스트(스위블), 턴
42번 프롬나드 쓰리 스텝, 트위스트(스위블)
43번 투웍, 사이드 스텝
44번 리듬 타기
45번 리듬 전·후진 스텝
46번 후진 사이드 스텝(남-왼쪽)
47번 후진 사이드 스텝(L/R)
48번 크로스 스위블(빽 지그재그) 역 오픈
49번 지그재그, 프롬나드 포지션
50번 지그재그 아웃사이드 턴
51번 바운스 사이드 지그재그
52번 지그재그 리버스 턴
53번 반 스핀(네츄럴 턴)
54번 트윙클
55번 지그재그 인사이드턴
56번 백스텝 내츄럴 턴
57번 전진 지그재그
58번 후진 스텝(6스텝)
59번 프롬나드 첵 락
60번 사이드 스텝 지그재그
61번 백 스텝 스위블 역회전
62번 전진 커트
63번 아웃사이드 턴, 인사이드 턴
64번 오픈 프롬나드 샤세 잔발
65번 스탑 콘트라 체크

66번 아웃사이드 턴 응용

67번 리버스 스위블, 트위스트

68번 제자리 리듬 타기

69번 백 링크

70번 프로그레시브 링크

71번 백 스텝, 런닝 브레이크

72번 런닝, 훅 던지기

73번 팽이 연속

74번 오픈 전진 트위스트(스위블)

75번 백 스텝 90도 연속

76번 어깨걸이

77번 전진 트위스트(스위블)

78번 어깨 커트

79번 백 스텝 후 아웃사이드 턴

80번 터널

81번 리버스턴 커트 턴

82번 후진 커트 1

83번 후진 커트, 갈까 말까, 전진 투웍

84번 후진 커트 2

85번 후진 커트 3

86번 오픈 프롬나드 샤세 다이아몬드 스텝

87번 런닝, 훅 던지기(손 머리 위)

88번 후진 커트

89번 전 후진 8박

90번 브레이크

91번 쿼터 턴

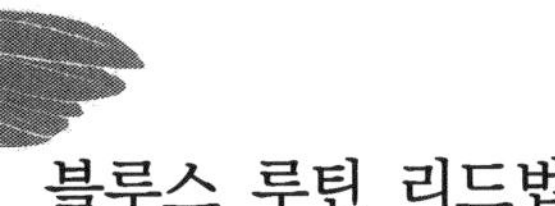

블루스 루틴 리드법

학원마다 홀드하는 방법을 다르게 레슨해준다. 어떤 학원은 배와 명치를 컨텍하는 방식으로 또, 어떤 학원은 배, 명치, 가슴까지 컨택하는 방식으로 레슨해준다. 필자 같은 경우는 여성 파트너와 배 사이에 주먹이 들어갈 정도 떨어져 마주 서는 방법으로 레슨한다.

어떤 방식이 맞다 틀린다고는 할 수는 없지만 처음 한국식 블루스가 창시되어 전국팔도 유행한 당시 선생님들의 레슨 방식은 배 사이에 주먹이 들어갈 정도 떨어져 마주 서는 방식으로 레슨해 주었다. 세월이 지나 수많은 댄스 선생님들이 각자의 방식대로 레슨하다-보니 블루스 홀드 또한 지금까지 전국팔도 통일이 되지 않았다. 악의적으로 배, 가슴, 치부까지 컨텍하는 방식으로 레슨해주는 선생님들도 많이 있다. 이런 선생들은 피해야 할 인간 중 한 부류로 여성은 특히 조심해야 한다. 춤 레슨이 아닌 다른 목적이 있을 수 있다.

정통적인 홀드 방식은 남성은 여성 파트너와 배 사이에 주먹이 들어갈 정도 떨어져 마주 서서 여성의 견갑골(날개 뼈)에 남성의 오른손으로 살짝 가져다 대고 여성의 왼손은 남성의 오른쪽 어깨 살짝 얹고 남성의 왼팔은 "L"자 모양으로 팔꿈치를 90°로 구부려 준 상태에서 왼손으로 여성의 오른손과 그립을 한다. 턱은 당기고 머리는 뒤로 올리고, 그립의 높이는 입 또는 눈높이이며 시선은 정면에서 약간 위를 바라본다. 남성과 여성은 양쪽 손가락을 벌리지 말고 모은 상태를 유지해야 하며, 남성과 여성은 서로 버티는 텐션이 느껴지도록 어깨 및 팔이 견고해야 한다. 춤을 추는 동안 서로의 체중이나 균형을 지켜야 하며, 남성은 여성을 안정적으로 이끌어주어야 한다.

블루스 리드하는 법 공식 3가지

1. **전진:** 남성이 앞으로 걸음을 내디뎌도, 여성은 왼손 엄지의 끝에서부터 왼팔, 오른손의 손바닥에 이르는 움직임을 느끼게 됩니다. 여성은 상체를 유지하고 오른손에 약간의 압력을 유지하면 남성의 움직임과 압력 변화를 느끼고, 그에 맞게 반응하게 되죠. 남성이 오른쪽이나 왼쪽으로 움직이거나 회전할 때, 남성의 프레임도 함께 움직이면서 많은 부분에서 그 움직임을 여성에게 자연스럽게 전달됩니다. 남성이 전진할 때 남성 왼손이 여성 오른손으로 자연스럽게 미는 압력이 전달되기 때문에 남성은 인위적으로 왼손이나 오른손으로 여성을 밀지 말아주세요.

2. **후진:** 남자가 뒤로 걸을 때, 남성 오른팔은 근육을 사용하여 자세를 유지하고, 여자는 그 움직임을 오른팔을 통해 느낍니다. 남자는 여자를 당기지 않고, 그냥 움직이면 여자가 자연스럽게 따라올 거예요. 그리고 남자가 앞으로 나가면, 남성 오른손이 여자의 등에 가해지는 압력이 줄어듭니다. 여자는 상체를 유지하고, 그의 손에 부드러운 압력을 줘서 그 압력 변화를 느끼고 움직이게 될 거예

요. 남자가 좌우로 움직이면, 그의 몸이 움직여서 여러 접촉 지점을 통해 그 움직임이 전달돼요. 손으로 밀거나 당기지 말고, 프레임을 단단하게 유지하고 함께 움직이는 거죠.

3. 회전: 남성분들, 오른쪽으로 움직이고 싶을 때 왼손으로 밀지 말아야 합니다. 그런 밀기는 상체를 어색하게 움직여 자세를 망치게 될 됩니다. 대신, 조금 무릎을 굽히고 하체를 조금 돌려서 그녀에게 회전을 미리 알려주면 더 부드럽고, 균형 있는 자세를 지속적인 유지할 수 있을 겁니다.

1번~4번 피겨는 전국팔도 어느 학원이든 제일 먼저 레슨해주는 기본스텝으로 쉽다면 쉽고 어렵다면 어려운 기본스텝이다. 이 스텝이 중요한 이유는 이 스텝을 어떤 식으로 레슨을 받고 어떤 식으로 여성에게 리드를 하느냐에 따라 춤사위는 크게 달라진다. 잘못된 리드법이 몸에 배면 고치기 힘들 뿐만 아니라 여성들이 불편할 수도 있다.

대부분 남성은 전·후진 스텝을 할 때 양쪽 손으로 인위적으로 여성을 밀고·당기거나 너무 강한 텐션을 주는 경우가 많다. 인위적으로 너무 강한 텐션을 주거나 밀고·당기면 여성은 불편함과 동시에 몸에 큰 부담을 받는다. 텐션이 걸려 있는 상태에서 남성 발이 전·후진하면 자연스럽게 남성 왼손과 오른손도 전·후진하기 때문에 자연스럽게 여성을 리드하게 되니 인위적으로 리드 및 텐션의 강도를 더 줄 필요가 없다.

발을 모으는 스텝에서는 남성은 텐션 및 리드를 멈춰야 한다. 피겨 4번 같은 경우 남성은 100% 체중을 이동하면서 여성을 리드를 해야 한다.

홀드 상태에서 남성과 여성이 동시에 90˚, 180˚, 270˚, 360˚ 회전하는 스텝에서는 텐션이 걸린 상태를 유지하면서 남성은 회전하면 된다. 텐션이 걸린 상태에서 남성이 회전하면 자연스럽게 여성에게 텐션 및 리드가 전달되기 때문이다. 대부분 초보자는 강제로 여성을 손 및 등을 강하게 잡아당기는 경우가 있는데 너무 강한 리드나 텐션은 여성을 불편하게 만든다.

남성은 회전 없이 여성만 남성 정면 앞으로 회전시켜 세우는 스텝에서는 대부분 남성은 팔로만 여성을 잡아당겨 리드를 하는데, 정확한 리드 법은 텐션이 걸린 상태를 유지하면서 상체를 왼쪽으로 틀어주면서 여성을 남성 앞에 세우면 된다. (프롬나드 샤세에서 여성만 회전)

발을 왼쪽이나 오른쪽으로 옆으로 이동시키는 사이드 스텝에서는 전·후진 스텝처럼 텐션이 걸린 상태를 유지하면서 왼발이나 오른발을 옆으로 이동하면 된다. 여성을 더 정확하게 리드를 하고 싶으면 여성을 리드하고자 하는 방향으로 남성 왼손으로 여성의 손을 밀거나 · 당기고 오른손으로 여성의 등을 옆으로 당기거나 · 밀어주면 된다. 여기서 주의해야 할 점은 너무 강한 텐션은 여성이 불쾌감을 가진다.

백 지그재그 스텝은 홀드를 유지하면서 남성은 후진, 여성은 전진하면서 지그재그 하는 스텝으로 이 스텝도 텐션이 걸린 상태를 유지하면서 발만 왼쪽 및 오른쪽으로 45°, 90° 틀어주면 된다. 틀어주는 각도는 남성 리드에 따라 달라질 수 있다.

리버스 턴(마무리 턴) 스텝은 여성이나 남성이 어려워하는 스텝이다. 남성은 홀드를 유하면서 후진 스텝 하는데 이때 남성은 여성의 길을 열어줘야 한다. 열어준 길을 여성이 지나가면 남성은 상체를 왼쪽으로 틀어주면서 여성을 남성 앞에 세워 멈춘다. 여성이 댄스 경험이 없거나 초보라면 텐션의 강도를 높여 리드를 해야 한다.

사이드 지그재그 스텝은 옆으로 지그재그 하는 스텝으로 홀드 상태를 유지하면서 상체를 틀어 여성을 리드를 하면 된다. 여성과 텐션이 걸린 상태라면 상관이 없지만 텐션이 안 걸린 상태라면 양손을 이용해 리드를 해야 한다. 최상의 리드법은 상체 85% 이상, 양손 15% 미만

인사이드 턴, 아웃 사이드 턴, 목감기 같은 스텝은 지르박에서도 사용되는 스텝으로 스텝 방식은 틀이나 리드법은 같다. 블루스 홀드를 풀면서 남성은 왼손이나 오른손으로 여성 오른손을 여성 머리 위로 올려주면 손을 올린 상태에서 여성을 회전시켜주고, 손을 여성 목이나 배 쪽으로 이동시키면 목감기나, 배를 감아 준다. 지르박을 먼저 배운 다음에 블루스를 배우기 때문에 초보자들도 쉽게 터득하는 스텝이다.

트위스트 스텝은 여성을 남성 정면 앞으로 회전시켜 세운 다음에 행하는 스텝으로 남성 양손으로 여성을 오른쪽 왼쪽으로 틀어주면 된다. (선행 스텝/리버스 턴(마무리 턴), 프롬나드 샤세 등)

여성이 초보거나 텐션 사용법을 모르는 여성이라면 약간의 강한 리드와 필요가 필요하다.

블루스 스텝과 피겨는 다양하게 많으며 이에 따라 다양한 텐션 및 리드법이 있다.

1번 기본 베이직(전·후진 스텝) 2번 포워드 4 스텝 3번 전진 2 스텝 4번 첵

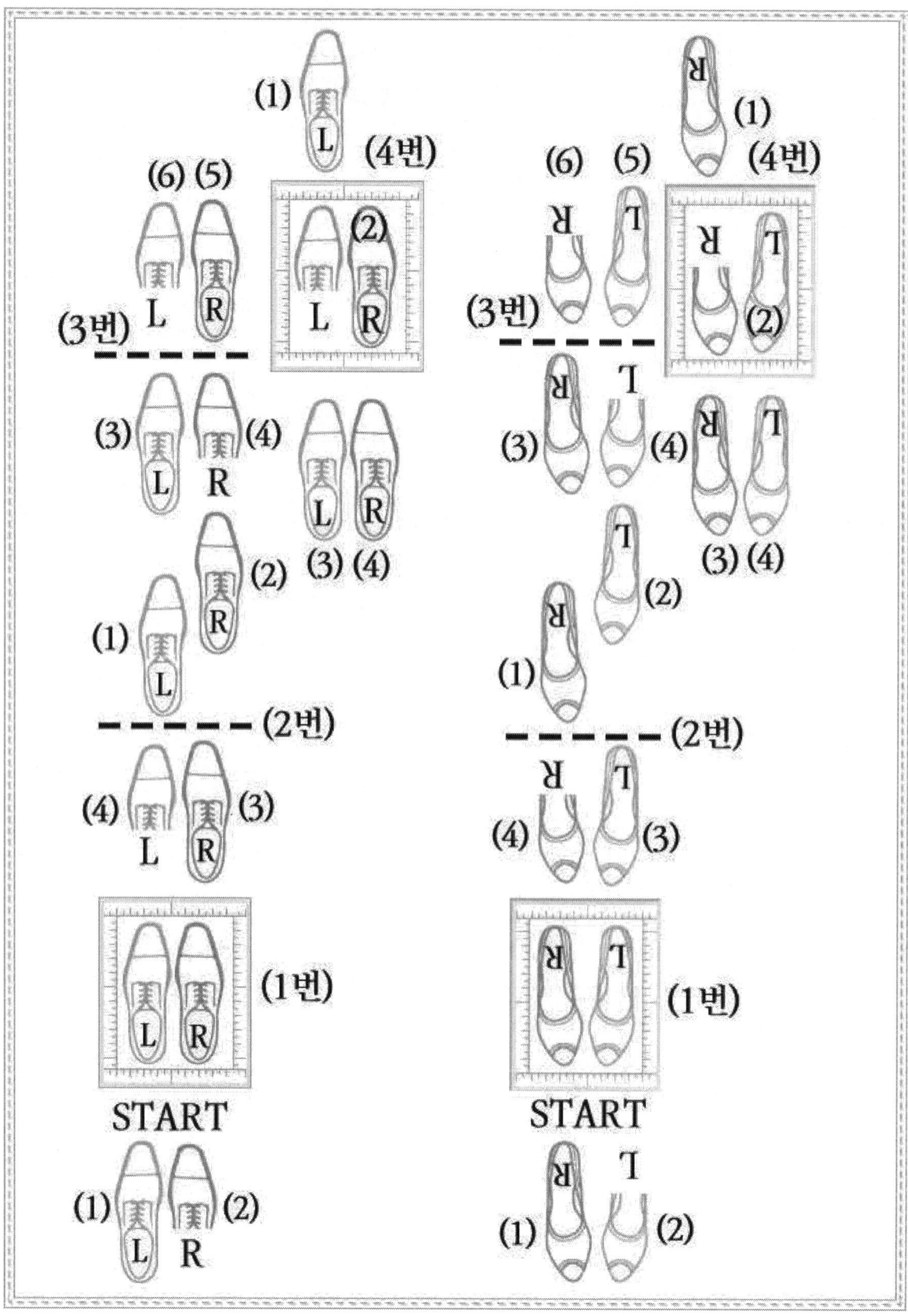

1번 기본 베이식(전·후진 스텝)

〈남성&여성〉

스텝	카운트	리듬	읽을 때	음악 타이밍	핸드 포지션
1보	1	S	슬로우	쿵	Hold
2보	2	&	엔	짝	Hold
3보	3	S	슬로우	쿵	Hold
4보	4	&	엔	짝	Hold

〈남성〉

스텝	핸드	스텝 방식	액션
1보	왼손	놓고	Backward Walk
2보	왼손	찍고	Backward Walk
3보	왼손	놓고	Forward Walk
3보	왼손	찍고	Forward Walk

스텝	풋 포지션	총 회전량
1보	왼발 후진	없음
2보	오른발 후진하면서 왼발 옆에 모으고	
3보	오른발 전진	
4보	왼발 전진하면서 오른발 옆에 모으고	

〈여성〉

스텝	핸드	스텝 방식	액션
1보	오른손	놓고	Forward Walk
2보	오른손	찍고	Forward Walk
3보	오른손	놓고	Backward Walk
4보	오른손	찍고	Backward Walk

스텝	풋 포지션	총 회전량
1보	오른발 전진	없음
2보	왼발 전진하면서 오른발 옆에 모으고	
3보	왼발 후진	
4보	오른발 후진하면서 왼발 옆에 모으고	

1번 피겨는 전국팔도 어느 학원이든 제일 먼저 레슨해주는 기본스텝으로 쉽다면 쉽고 어렵다면 어려운 기본스텝이다. 이 스텝이 중요한 이유는 이 스텝을 어떤 식으로 레슨을 받고 어떤 식으로 여성에게 리드를 하느냐에 따라 춤사위는 크게 달라진다. 잘못된 리드법이 몸에 배면 고치기 힘들 뿐만 아니라 여성들이 불편할 수도 있다.

대부분 남성은 전 · 후진 스텝을 할 때 양쪽 손으로 인위적으로 여성을 밀고·당기거나 너무 강한 텐션을 주는 경우가 많다. 인위적으로 너무 강한 텐션을 주거나 당기면 여성은 불편함과 동시에 몸에 큰 부담을 받는다. 1보에서 텐션이 걸려 있는 상태에서 남성 발이 후진하면 자연스럽게 남성 왼손과 오른손도 후진하기 때문에 자연스럽게 여성을 리드하게 되니 인위적으로 리드 및 텐션의 강도를 더 줄 필요가 없다. 2보에서 남성은 서서히 오른발을 후진하면서 왼발 옆에 모은다. 이때 남성은 그립 된 상태에서 왼손으로 여성 오른손에 살짝 힘을 준다. 4보에서도 서서히 왼발 전진하면서 오른발 옆에 모으고, 이때 남성은 그립 된 상태에서 왼손으로 여성 오른손에 살짝 힘을 준다.

2번 포워드 4 스텝

〈남성&여성〉

스텝	카운트	리듬	읽을 때	음악 타이밍	핸드 포지션
1보	1	Q	퀵	쿵	Hold
2보	2	Q	퀵	짝	Hold
3보	3	S	슬로우	쿵	Hold
4보	4	&	엔	짝	Hold

〈남성〉

스텝	핸드	스텝 방식	액션
1보	왼손	놓고	Forward Walk
2보	왼손	놓고	Forward Walk
3보	왼손	놓고	Forward Walk
4보	왼손	찍고	Forward Walk

스텝	풋 포지션	총 회전량
1보	왼발 전진	없음
2보	오른발 전진	
3보	왼발 전진	
4보	오른발 전진하면서 왼발 옆에 모으고	

〈여성〉

스텝	핸드	스텝 방식	액션
1보	오른손	놓고	Backward Walk
2보	오른손	놓고	Backward Walk
3보	오른손	놓고	Backward Walk
4보	오른손	찍고	Backward Walk

스텝	풋 포지션	총 회전량
1보	오른발 후진	없음
2보	왼발 후진	
3보	오른발 후진	
4보	왼발 후진하면서 오른발 옆에 모으고	

1번 피겨처럼 2번 피겨 또한 전국팔도 어느 학원이든 제일 먼저 레슨해주는 기본스텝으로 쉽다면 쉽고 어렵다면 어려운 기본스텝이다.

대부분 남성은 전진 4 스텝을 할 때 양쪽 손으로 인위적으로 여성을 밀거나 너무 강한 텐션을 주는 경우가 많다. 인위적으로 너무 강한 텐션을 주거나 밀면 여성은 불편함과 동시에 몸에 큰 부담을 받는다. 텐션이 걸려 있는 상태에서 남성 발이 전진하면 자연스럽게 남성 왼손과 오른손도 전진하기 때문에 자연스럽게 여성을 리드하게 되니 인위적으로 리드 및 텐션의 강도를 더 줄 필요가 없다. 4보에서 남성은 서서히 왼발을 전진하면서 오른발 옆에 모으고, 이때 남성은 그립 된 상태에서 왼손으로 여성 오른손에 살짝 힘을 준다.

3번 전진 2 스텝

〈남성&여성〉

스텝	카운트	리듬	읽을 때	음악 타이밍	핸드 포지션
1보	1	S	슬로우	쿵	Hold
2보	2	&	엔	짝	Hold

〈남성〉

스텝	핸드	스텝 방식	액션
1보	왼손	놓고	Forward Walk
2보	왼손	찍고	Forward Walk

스텝	풋 포지션	총 회전량
1보	오른발 전진	없음
2보	왼발 전진하면서 오른발 옆에 모으고	

〈여성〉

스텝	핸드	스텝 방식	액션
1보	오른손	놓고	Backward Walk
2보	오른손	찍고	Backward Walk

스텝	풋 포지션	총 회전량
1보	왼발 후진	없음
2보	오른발 후진하면서 왼발 옆에 모으고	

1번 피겨 3보~4보 리드법과 같음

4번 체

〈남성&여성〉

스텝	카운트	리듬	읽을 때	음악 타이밍	핸드 포지션
1보	1	Q	퀵	쿵	Hold
2보	2	Q	퀵	짝	Hold
3보	3	S	슬로우	쿵	Hold
4보	4	&	엔	짝	Hold

〈남성〉

스텝	핸드	스텝 방식	액션
1보	왼손	놓고	Forward Walk
2보	왼손	놓고	Backward Walk
3보	왼손	놓고	Backward Walk
4보	왼손	찍고	Backward Walk

스텝	풋 포지션	총 회전량
1보	왼발 전진	없음
2보	오른발 약간 후진	
3보	왼발 후진	
4보	오른발 후진하면서 왼발 옆에 모으고	

〈여성〉

스텝	핸드	스텝 방식	액션
1보	오른손	놓고	Backward Walk
2보	오른손	놓고	Forward Walk
3보	오른손	놓고	Forward Walk
4보	오른손	찍고	Forward Walk

스텝	풋 포지션	총 회전량
1보	오른발 후진	없음
2보	왼발 약간 전진	
3보	오른발 전진	
4보	왼발 후진하면서 오른발 옆에 모으고	

남성은 100% 체중을 전·후진 이동하면서 여성을 리드를 해야 한다.

발을 모으는 스텝에서는 남성은 텐션 및 리드를 멈춰야 한다.

5번 체크 턴

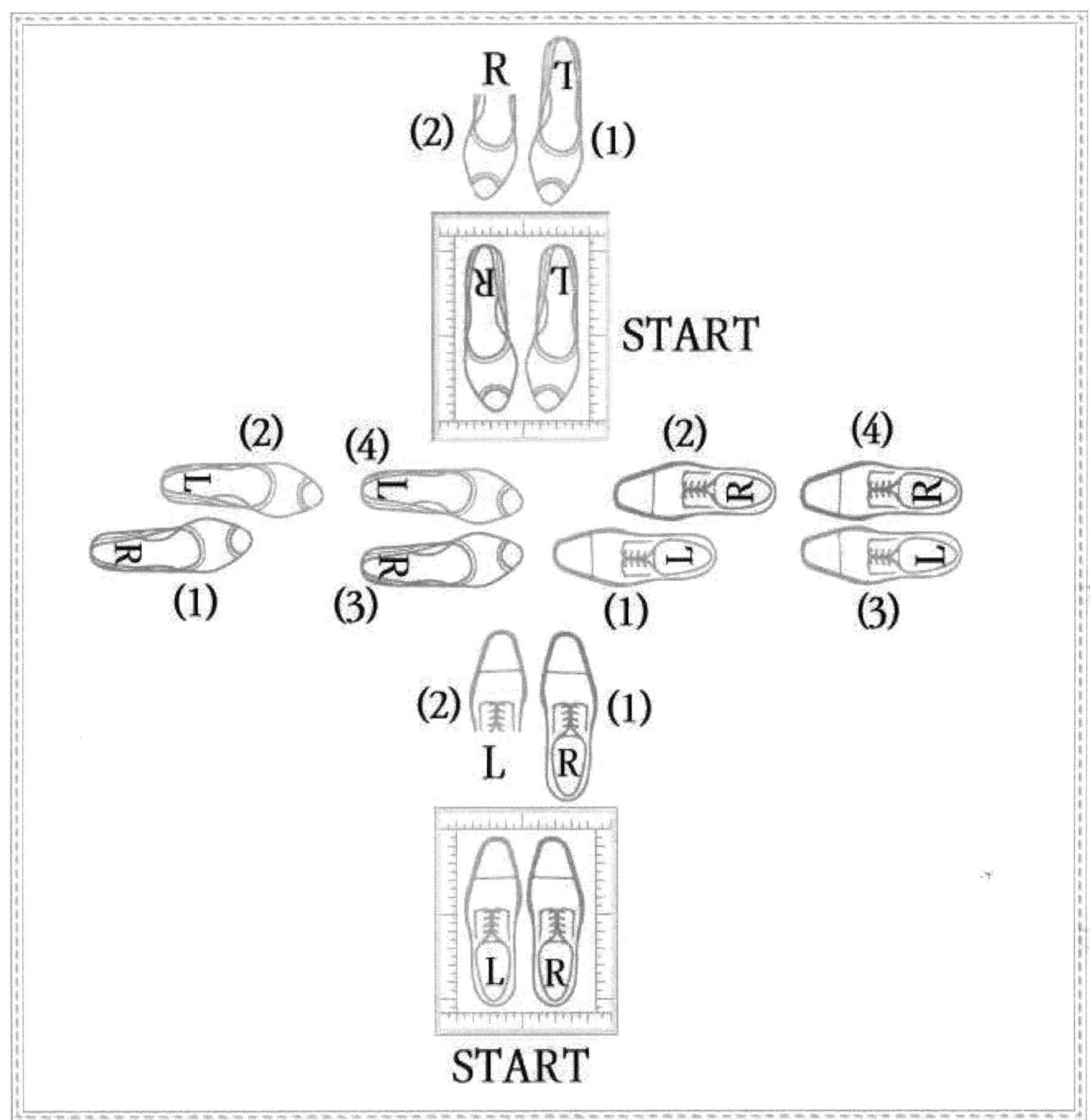

〈남성&여성〉

스텝	카운트	리듬	읽을 때	음악 타이밍	핸드 포지션
1보	1	S	슬로우	쿵	Hold
2보	2	&	엔	짝	Hold
3보	1	Q	퀵	쿵	Hold
4보	2	Q	퀵	짝	Hold
5보	3	S	슬로우	쿵	Hold
6보	4	&	엔	짝	Hold

〈남성〉

스텝	핸드	스텝 방식	액션
1보	왼손	놓고	Forward Walk
2보	왼손	찍고	Forward Walk
3보	왼손	놓고	Turn
4보	왼손	놓고	Backward Walk
5보	왼손	놓고	Backward Walk
6보	왼손	찍고/놓고(선택)	Backward Walk

스텝	풋 포지션	총 회전량
1보	오른발 전진	90°/L
2보	왼발 전지하면서 오른발에 모으고	
3보	왼발 Turn/L	
4보	오른발 후진	
5보	왼발 후진	
6보	오른발 후진하면서 왼발에 모으고	

〈여성〉

스텝	핸드	스텝 방식	액션
1보	오른손	놓고	Backward Walk
2보	오른손	찍고	Backward Walk
3보	오른손	놓고	Turn
4보	오른손	놓고	Forward Walk
5보	오른손	놓고	Forward Walk
6보	오른손	찍고/놓고(선택)	Forward Walk

스텝	풋 포지션	총 회전량
1보	왼발 후진	90°/L
2보	오른발 후진하면서 왼발에 모으고	
3보	오른발 Turn/L	
4보	왼발 전진	
5보	오른발 전진	
6보	왼발 전진하면서 오른발에 모으고	

홀드 상태에서 남성과 여성이 동시에 90° 회전하는 스텝에서는 텐션이 걸린 상태를 유지하면서 남성은 회전하면 된다. 텐션이 걸린 상태에서 남성이 회전하면 자연스럽게 여성에게 텐션 및 리드가 전달되기 때문이다. 대부분 초보자는 강제로 여성을 손 및 등을 강하게 잡아당기는 경우가 있는데 너무 강한 리드나 텐션은 여성을 불편하게 만든다.

6번 레프트 샤세 7번 라이트 샤세

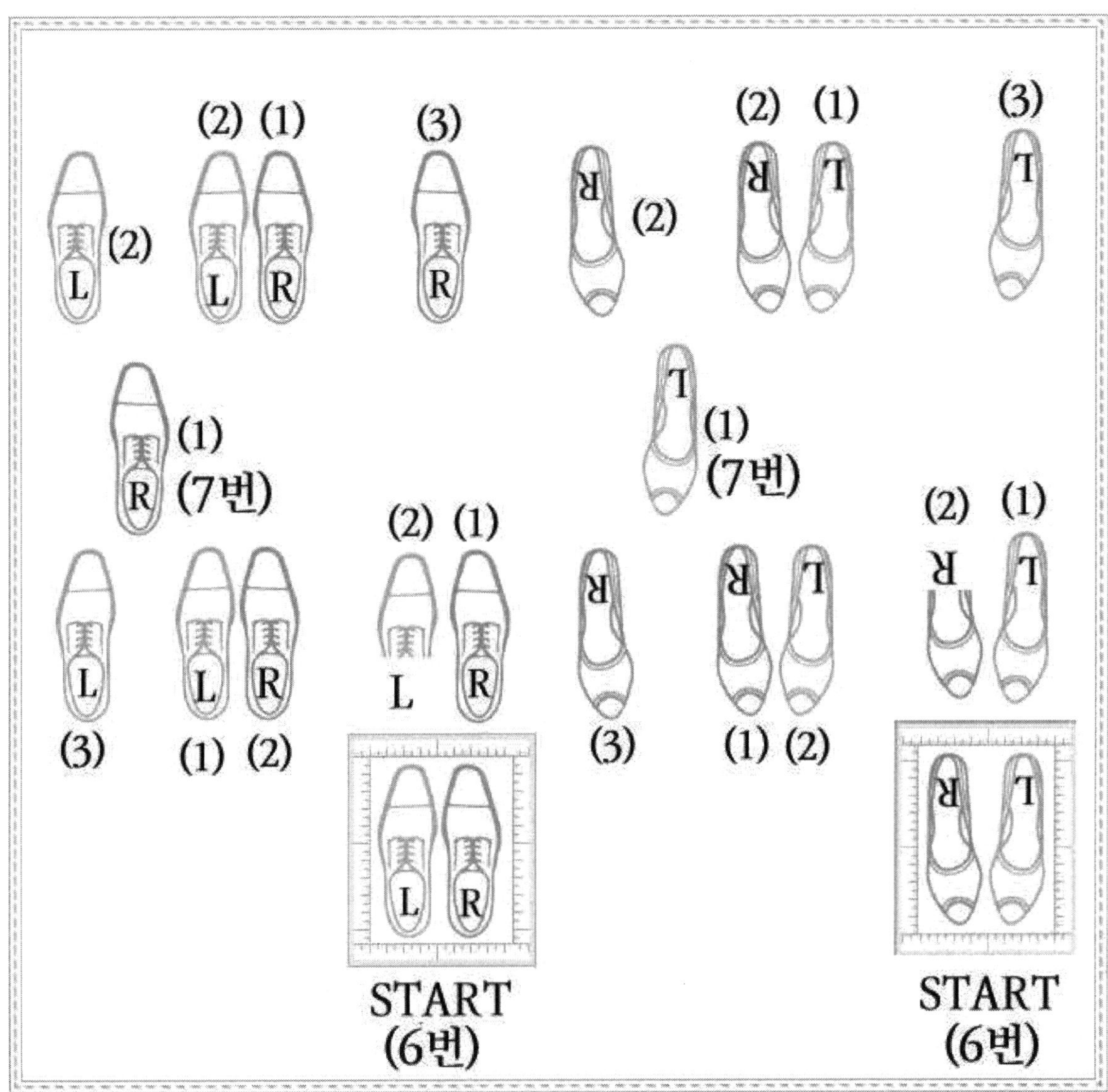

6번 레프트 샤세 7번 라이트 샤세

〈남성&여성〉

스텝	카운트	리듬	읽을 때	음악 타이밍	핸드 포지션
			6번		
1보	1	S	슬로우	쿵	Hold
2보	2	&	엔	짝	Hold
3보	1	Q	퀵	쿵	Hold
4보	2	&	퀵	짝	Hold
5보	3	Q	퀵	쿵	Hold
			7번		
6보	1	Q	퀵	짝	Hold

7보	2	Q	퀵	쿵	Hold
8보	1	Q	퀵	짝	Hold
9보	2	&	엔	쿵	Hold
10보	3	Q	퀵	짝	Hold

〈남성〉

스텝	핸드	스텝 방식	액션
		6번	
1보	왼손	놓고	Forward Walk
2보	왼손	찍고/놓고(선택)	Forward Walk
3보	왼손	놓고	Side Step
4보	왼손	놓고	Side Step
5보	왼손	놓고	Side Step
		7번	
6보	왼손	놓고	Forward Walk
7보	왼손	놓고	Forward Walk
8보	왼손	놓고	Side Step
9보	왼손	놓고	Side Step
10보	왼손	놓고	Side Step

스텝	풋 포지션	총 회전량
	6번	
1보	오른발 전진	없음
2보	왼발 전지하면서 오른발에 모으고	
3보	왼발 옆으로(왼쪽)	
4보	오른발 왼발 옆에 모으고	
5보	왼발 옆으로(왼쪽)	
	7번	
6보	오른발 전진	없음
7보	왼발 전진	
8보	오른발 옆으로(오른쪽)	
9보	왼발 오른발 옆에 모으고	
10보	오른발 옆으로(오른쪽)	

〈여성〉

스텝	핸드	스텝 방식	액션
		6번	
1보	오른손	놓고	Backward Walk
2보	오른손	찍고/놓고(선택)	Backward Walk
3보	오른손	놓고	Side Step
4보	오른손	놓고	Side Step
5보	오른손	놓고	Side Step
		7번	
6보	오른손	놓고	Backward Walk
7보	오른손	놓고	Backward Walk
8보	오른손	놓고	Side Step

9보	오른손	놓고	Side Step
10보	오른손	놓고	Side Step

스텝	풋 포지션	총 회전량
	6번	
1보	왼발 후진	없음
2보	오른발 후진하면서 오른발에 모으고	
3보	오른발 옆으로(오른쪽)	
4보	왼발 오른발 옆에 모으고	
5보	오른발 옆으로(오른쪽)	
	7번	
6보	왼발 후진	없음
7보	오른발 후진	
8보	왼발 옆으로(왼쪽)	
9보	오른발 왼발 옆에 모으고	
10보	왼발 옆으로(왼쪽)	

발을 왼쪽이나 오른쪽으로 옆으로 이동시키는 사이드 스텝에서는 전·후진 스텝처럼 텐션이 걸린 상태를 유지하면서 왼발이나 오른발을 옆으로 이동하면 된다. 여성을 더 정확하게 리드를 하고 싶으면 여성을 리드하고자 하는 방향으로 남성 왼손으로 여성의 손을 당기고 오른손으로 여성의 등을 옆으로 밀어주면 된다. 여기서 주의해야 할 점은 너무 강한 텐션은 여성이 불쾌감을 가진다.

8번 오픈 9번 프롬나드 샤세 10번 아웃 투웍

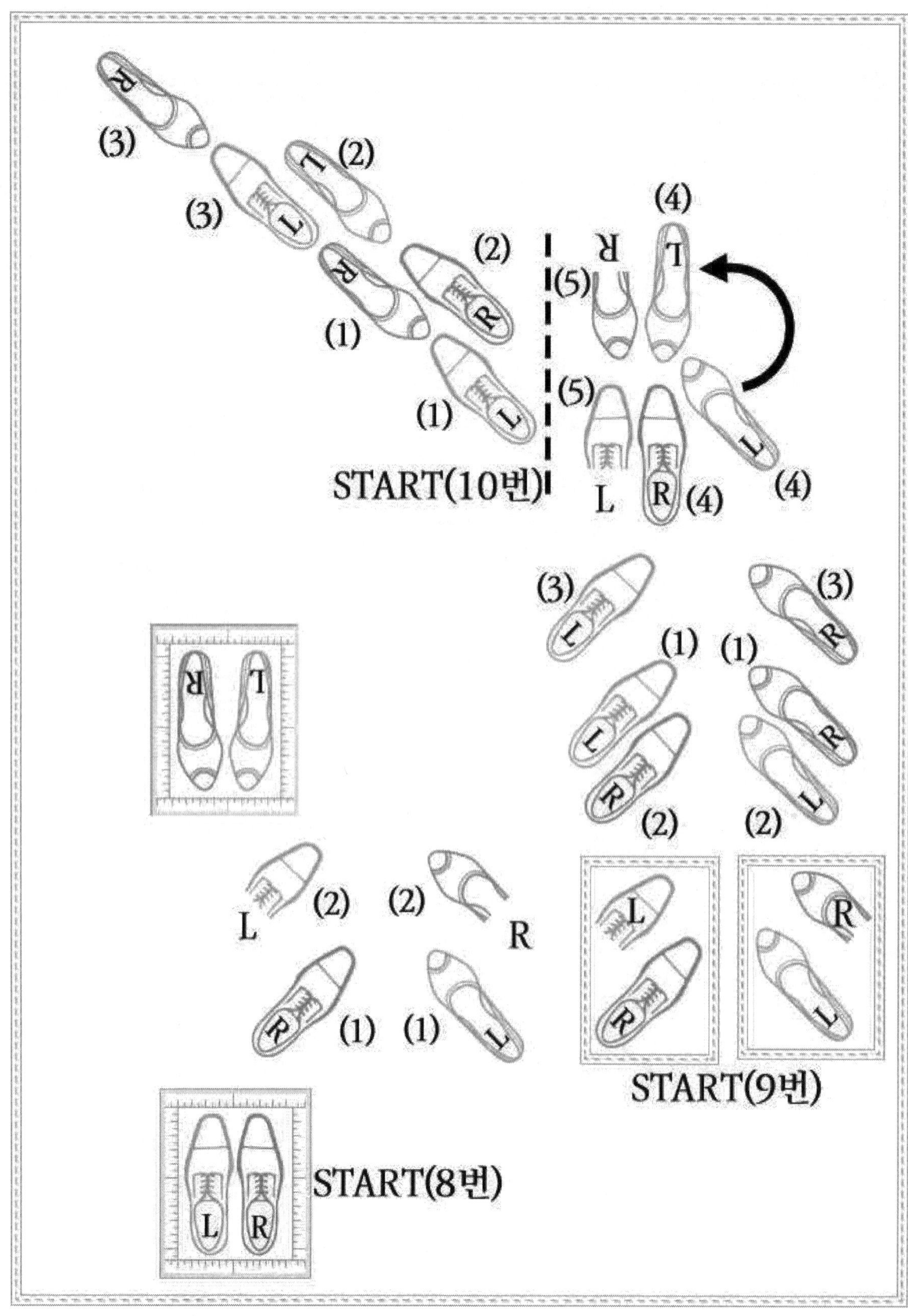

8번 오픈

〈남성&여성〉

스텝	카운트	리듬	읽을 때	음악 타이밍	핸드 포지션
1보	1	S	슬로우	쿵	Hold
2보	2	&	엔	짝	Hold

〈남성〉

스텝	핸드	스텝 방식	액션
1보	왼손	놓고	Forward Walk
2보	왼손	찍고	Forward Walk

스텝	풋 포지션	총 회전량
1보	오른발 전진	없음
2보	왼발 약간 전진	

〈여성〉

스텝	핸드	스텝 방식	액션
1보	오른손	놓고	Turn, Backward Walk
2보	오른손	찍고	Backward Walk

스텝	풋 포지션	총 회전량
1보	왼발 후진, Turn/L	180°/L
2보	오른발 약간 후진	

Closed facing position에서 Promenade position으로 행하는 스텝으로 남성은 후진하면서 그립 된 여성의 오른손을 밀면서 남성의 오른손으로 여성의 견갑골을 당긴다.

전·후진 스텝을 강하게 리드하는 남성들은 이 스텝 또한 강한 리드나 텐션을 주면서 여성을 리드를 하는 경우가 많다. 남성과 여성은 텐션이 걸린 상태에서 자세, 어깨 및 팔의 견고한 상태를 유지하면서 여성을 리드를 하면 자연스럽게 여성에게 텐션 및 리드가 전달되기 때문에 너무 강한 리드 및 텐션을 줄 필요가 없다. 대부분 초보자는 강제로 여성을 손 및 등을 강하게 밀거나 잡아당기는 경우가 있는데 너무 강한 리드나 텐션은 여성을 불편하게 만든다.

9번 프롬나드 샤세

〈남성&여성〉

스텝	카운트	리듬	읽을 때	음악 타이밍	핸드 포지션
1보	1	Q	퀵	쿵	Hold
2보	2	&	엔	짝	Hold
3보	3	Q	퀵	쿵	Hold
4보	4	S	슬로우	짝	Hold
5보	5	&	엔	쿵	Hold

〈남성〉

스텝	핸드	스텝 방식	액션
1보	왼손	놓고	Forward Walk
2보	왼손	놓고	Forward Walk
3보	왼손	놓고	Forward Walk
4보	왼손	놓고	Forward Walk
5보	왼손	찍고	Forward Walk

스텝	풋 포지션	총 회전량
1보	왼발 전진	없음
2보	오른발 약간 전진	
3보	왼발 전진	
4보	오른발 전진	
5보	왼발 오른발 옆에 모으고	

〈여성〉

스텝	핸드	스텝 방식	액션
1보	오른손	놓고	Forward Walk
2보	오른손	놓고	Forward Walk
3보	오른손	놓고	Forward Walk
4보	오른손	놓고	Turn
5보	오른손	찍고	

스텝	풋 포지션	총 회전량
1보	오른발 전진	180°/L
2보	왼발 약간 전진	
3보	오른발 전진	
4보	왼발 Turn/R	
5보	오른발 왼발 옆에 모으고	

Promenade position에서 남성과 여성은 텐션이 걸린 상태에서 자세, 어깨 및 팔의 견고한 상태를 유지하면서 남성은 전진 샤세를 한다. 인위적으로 여성의 손 및 견갑골을 밀면 안 된다. 텐션이

걸린 상태이기 때문에 남성이 전진 샤세를 하면 자연스레 리드가 된다.

여성을 리드를 하면 자연스럽게 여성에게 텐션 및 리드가 전달되기 때문에 너무 강한 리드 및 텐션을 줄 필요가 없다. 대부분 초보자는 강제로 여성을 손 및 등을 강하게 잡아당기는 경우가 있는데 너무 강한 리드나 텐션은 여성을 불편하게 만든다.

4보~5보, Promenade position에서 남성은 회전 없이 여성만 남성 정면 앞으로 회전시켜 세우는 스텝으로 대부분 남성은 팔로만 여성을 잡아당겨 리드를 하는데, 정확한 리드 법은 텐션이 걸린 상태를 유지하면서 상체를 왼쪽으로 틀어주면서 여성을 남성 앞에 세우면 된다.

10번 아웃 투웍

〈남성&여성〉

스텝	카운트	리듬	읽을 때	음악 타이밍	핸드 포지션
1보	1	Q	퀵	쿵	Hold
2보	2	Q	퀵	짝	Hold
3보	3	Q	퀵	쿵	Hold

〈남성〉

스텝	핸드	스텝 방식	액션
1보	왼손	놓고	Diagonally Forward Walk
2보	왼손	놓고	Diagonally Forward Walk
3보	왼손	놓고	Diagonally Forward Walk

스텝	풋 포지션	총 회전량
1보	왼발 전진	45°/L
2보	오른발 전진	
3보	왼발 전진	

〈여성〉

스텝	핸드	스텝 방식	액션
1보	오른손	놓고	Diagonally Backward Walk
2보	오른손	놓고	Diagonally Backward Walk
3보	오른손	놓고	Diagonally Backward Walk

스텝	풋 포지션	총 회전량
1보	오른발 후진	45°/L
2보	왼발 후진	
3보	오른발 후진	

Closed facing position에서 텐션이 걸린 상태에서 자세, 어깨 및 팔의 견고한 상태를 유지하면서 여성의 오른발 선 밖으로 나가 전진하면 된다. 텐션이 걸린 상태이기 때문에 남성이 전진하면 자연스레 여성 손으로 전달되기 때문에 인위적으로 여성을 밀 필요가 없다.

11번 내츄럴 위브

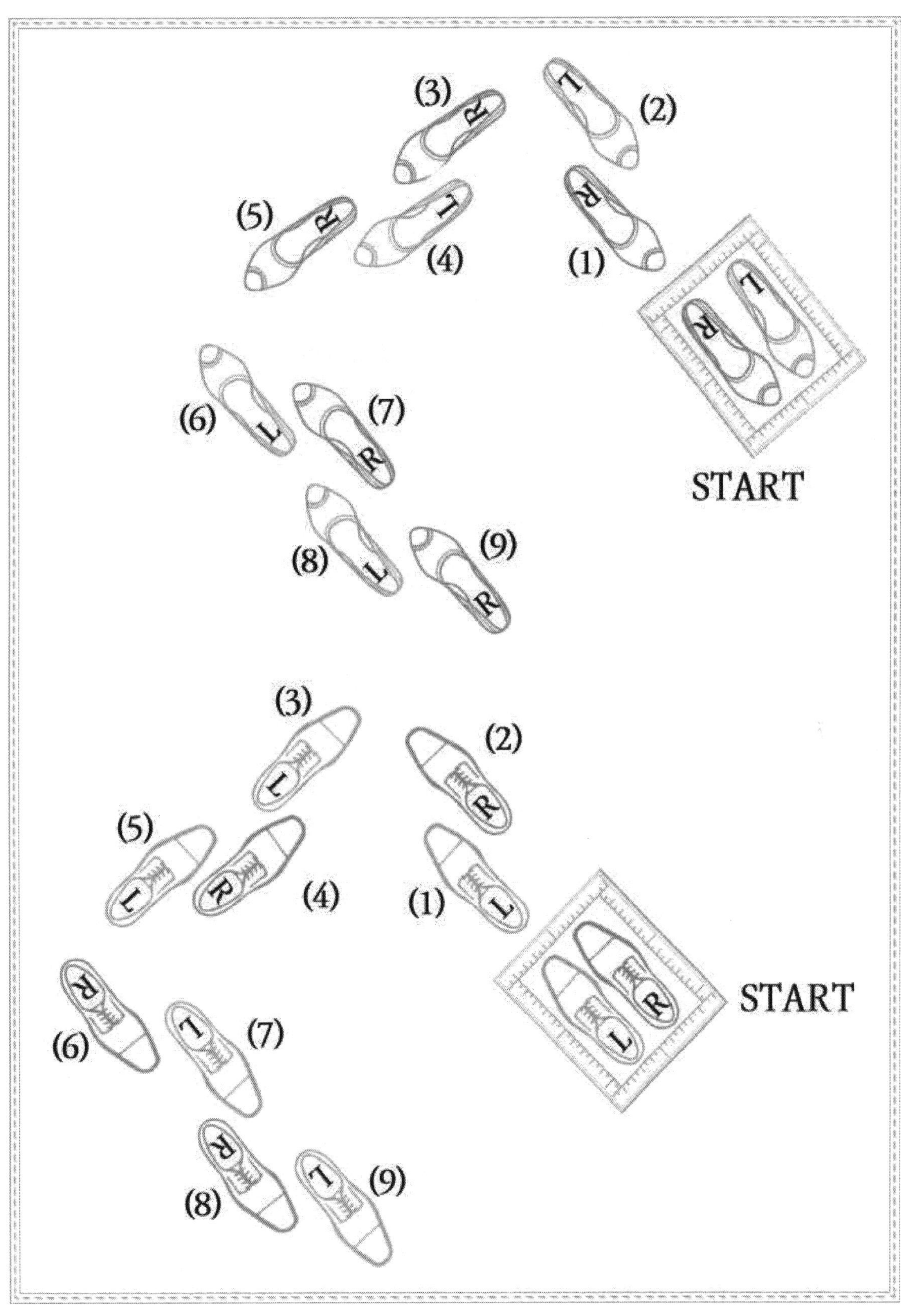

〈남성&여성〉

스텝	카운트	리듬	읽을 때	음악 타이밍	핸드 포지션
1보	1	Q	퀵	쿵	Hold
2보	2	Q	퀵	짝	Hold
3보	3	Q	퀵	쿵	Hold
4보	4	Q	퀵	짝	Hold
5보	5	Q	퀵	쿵	Hold
6보	6	Q	퀵	짝	Hold
7보	7	Q	퀵	쿵	Hold
8보	8	Q	퀵	짝	Hold
9보	9	Q	퀵	쿵	Hold

〈남성〉

스텝	핸드	스텝 방식	액션
1보	왼손	놓고	Forward Walk
2보	왼손	놓고	Forward Walk
3보	왼손	놓고	Turn
4보	왼손	놓고	Backward Walk
5보	왼손	놓고	Backward Walk
6보	왼손	놓고	Turn
7보	왼손	놓고	Forward Walk
8보	왼손	놓고	Forward Walk
9보	왼손	놓고	Forward Walk

스텝	풋 포지션	총 회전량
1보	왼발 전진	180°/R
2보	오른발 전진	
3보	왼발 Turn/R	
4보	오른발 후진	
5보	왼발 후진	
6보	오른발 Turn/R	
7보	왼발 전진	
8보	오른발 전진	
9보	왼발 전진	

〈여성〉

스텝	핸드	스텝 방식	액션
1보	오른손	놓고	Backward Walk
2보	오른손	놓고	Backward Walk
3보	오른손	놓고	Turn
4보	오른손	놓고	Forward Walk
5보	오른손	놓고	Forward Walk
6보	오른손	놓고	Turn
7보	오른손	놓고	Backward Walk

8보	오른발	놓고	Backward Walk
9보	오른발	놓고	Backward Walk

스텝	풋 포지션	총 회전량
1보	오른발 후진	180°/R
2보	왼발 후진	
3보	오른발 Turn/R	
4보	왼발 전진	
5보	오른발 전진	
6보	왼발 Turn/R	
7보	오른발 후진	
8보	왼발 후진	
9보	오른발 후진	

이 스텝은 남성이 전진·후진하면서 45°, 90°, 135°로 회전하는 스텝으로 남성의 의도에 따라 회전량을 다양하게 리드를 할 수 있다.

Closed facing position에서 텐션이 걸린 상태에서 자세, 어깨 및 팔의 견고한 상태를 유지, 여성의 오른발 선 밖으로 나가 전진하면서 의도하고자 하는 회전량으로 회전하면 된다. 텐션이 걸리지 않은 상태에서는 인위적으로 여성을 손으로 회전시켜 줘야 하지만 텐션이 걸린 상태에서는 자연스레 여성에게 리드 및 텐션이 전달된다.

12번 솔로 턴(어깨, 견갑골)

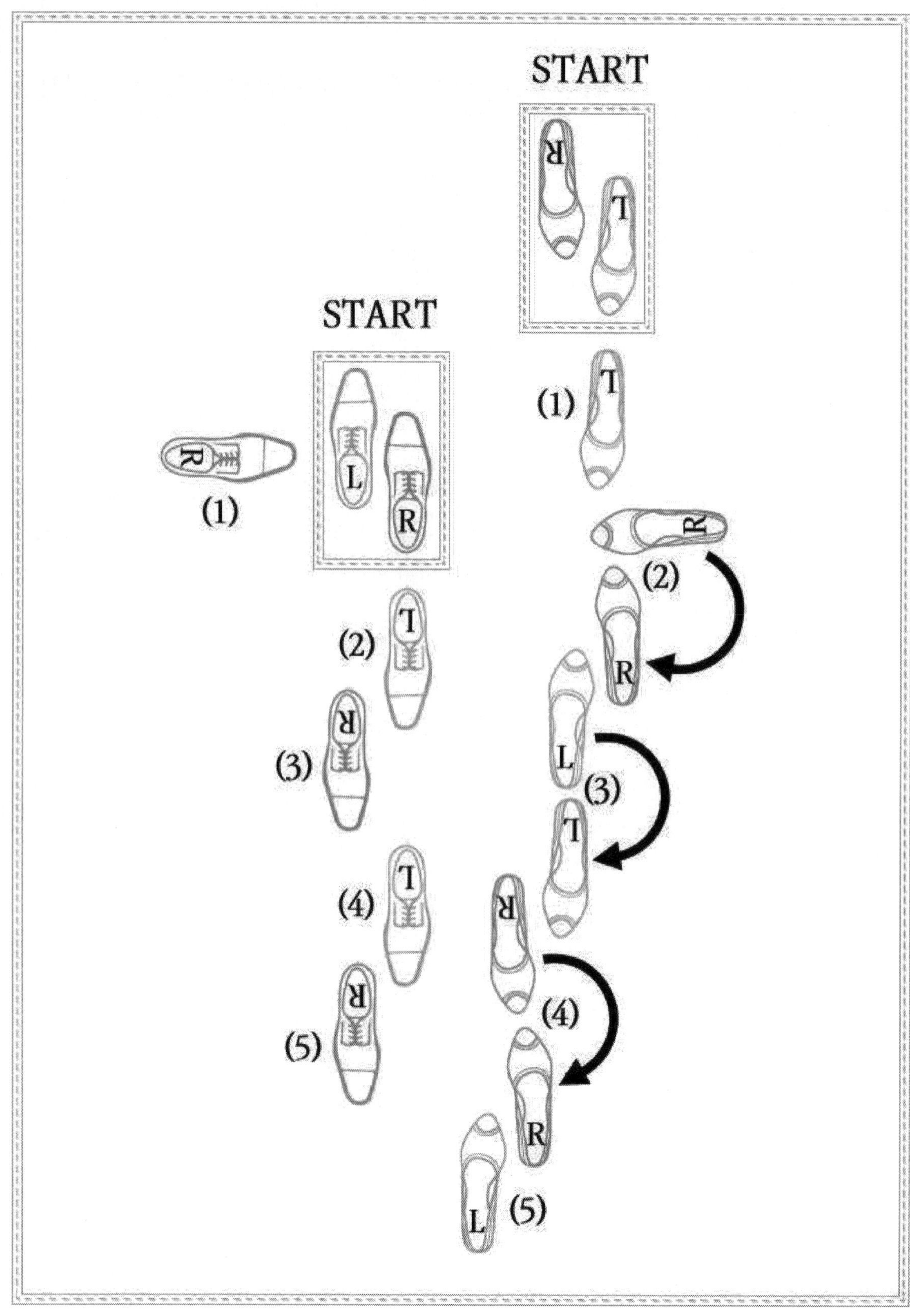

〈남성&여성〉

스텝	카운트	리듬	읽을 때	음악 타이밍	핸드 포지션
1보	1	Q	퀵	쿵	Hold
2보	2	Q	퀵	짝	
3보	3	Q	퀵	쿵	
4보	4	Q	퀵	짝	
5보	5	Q	퀵	쿵	

〈남성〉

스텝	핸드	스텝 방식	액션
1보	왼손	놓고	Turn
2보		놓고	Forward Walk, Turn
3보		놓고	Forward Walk
4보		놓고	Forward Walk
5보		놓고	Forward Walk

스텝	풋 포지션	총 회전량
1보	오른발 Turn/R	180°/R
2보	왼발 Turn/R	
3보	오른발 전진	
4보	왼발 전진	
5보	오른발 전진	

〈여성〉

스텝	핸드	스텝 방식	액션
1보	오른손	놓고	Forward Walk
2보		놓고	Turn
3보		놓고	Turn
4보		놓고	Turn
5보		놓고	Backward Walk

스텝	풋 포지션	총 회전량
1보	왼발 전진	540°/R
2보	오른발 Turn/R	
3보	왼발 Turn/R	
4보	오른발 Turn/R	
5보	오른발 후진	

이 피겨는 여성을 오른쪽으로 회전시켜주면서 남성은 오른쪽으로 회전 후 여성을 쫓아가는 스텝으로 남성은 오른쪽으로 회전하면서 여성 견갑골에 위치한 오른손으로 앞으로 당기면서 그립을 풀어준다.

남성은 여성을 어떤 방향으로 회전시켜줄지 선택해야 한다. 여성이 회전하는데 방해물이 없는지를 확인하고 방해물이 없는 방향으로 여성을 회전시켜 줘야 한다. 남성은 여성을 어떤 방향이든 자유자재로 보내야 실전에서도 접촉사고 없이 춤사위를 계속 진행할 수 있다. 견갑골을 단기면서 리드를 하는 경우도 있지만, 여성 견갑골에 위치한 오른손을 여성 왼쪽 어깨로 이동해 어깨를 당겨 회전시켜줄 수도 있다.

여성의 레벨에 따라 텐션 및 리드를 적절하게 강·약 조절을 해야 한다.

13번 리버스턴 인사이드 턴

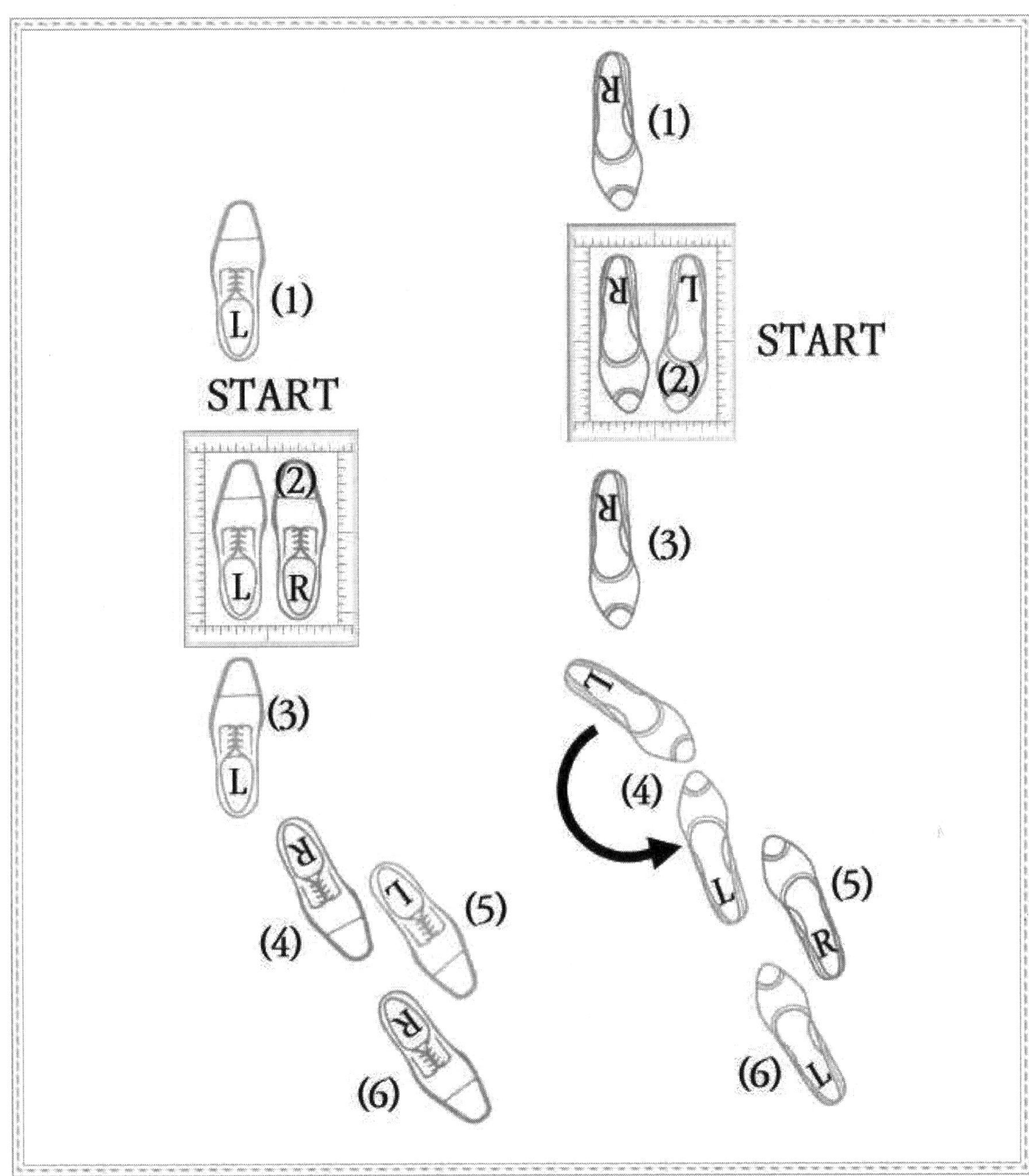

〈남성&여성〉

스텝	카운트	리듬	읽을 때	음악 타이밍	핸드 포지션
1보	1	Q	퀵	쿵	Hold
2보	2	Q	퀵	짝	Hold
3보	3	Q	퀵	쿵	One Hand Joined
4보	4	Q	퀵	짝	One Hand Joined

5보	5	Q	퀵	쿵	One Hand Joined
6보	6	Q	퀵	짝	One Hand Joined

〈남성〉

스텝	핸드	스텝 방식	액션
1보	왼손	놓고	Forward Walk
2보	왼손	놓고	Backward Walk
3보	왼손	놓고	Backward Walk
4보	왼손	놓고	Forward Walk, Turn
5보	왼손	놓고	Forward Walk
6보	왼손	놓고	Forward Walk

스텝	풋 포지션	총 회전량
1보	왼발 전진	180°/R
2보	오른발 약간 후진	
3보	왼발 후진	
4보	오른발 전진 Turn/R	
5보	왼발 전진	
6보	오른발 전진	

〈여성〉

스텝	핸드	스텝 방식	액션
1보	오른손	놓고	Backward Walk
2보	오른손	놓고	Forward Walk
3보	오른손	놓고	Forward Walk
4보	오른손	놓고	Turn
5보	오른손	놓고	Backward Walk
6보	오른손	놓고	Backward Walk

스텝	풋 포지션	총 회전량
1보	오른발 후진	180°/L
2보	왼발 약간 전진	
3보	오른발 전진	
4보	왼발 Turn/L	
5보	오른발 후진	
6보	왼발 후진	

이 피겨는 여성을 왼쪽으로 회전시켜주면서 남성은 여성을 쫓아가는 스텝으로 남성은 그립 된 손을 여성 머리 위로 들어 왼쪽으로 틀어 회전시켜준 다음에 손을 내리면서 여성과 홀드를 한다.

지르박을 먼저 배우고 블루스를 배우기 때문에, 초보라도 여성을 리드하는 데에는 큰 어려움은 없으나 초보자들이 늘 하는 실수로 여성과의 거리를 생각하지도 않고 너무 큰 보폭이나 너무 작은 보폭으로 여성을 쫓아간다는 것이다. 여성이 보폭을 고려해 적절한 보폭으로 여성을 리드하면서 쫓아가야 한다.

12번 피겨처럼 이 피겨 또한 마찬가지로 남성은 여성을 어떤 방향으로 회전시켜줄지 선택해야 한다. 여성이 회전하는데 방해물이 없는지를 확인하고 방해물이 없는 방향으로 여성을 회전시켜 줘야 한다. 남성은 여성을 어떤 방향이든 자유자재로 보내야 실전에서도 접촉사고 없이 춤사위를 계속 진행할 수 있다.

14번 지그재그 워킹

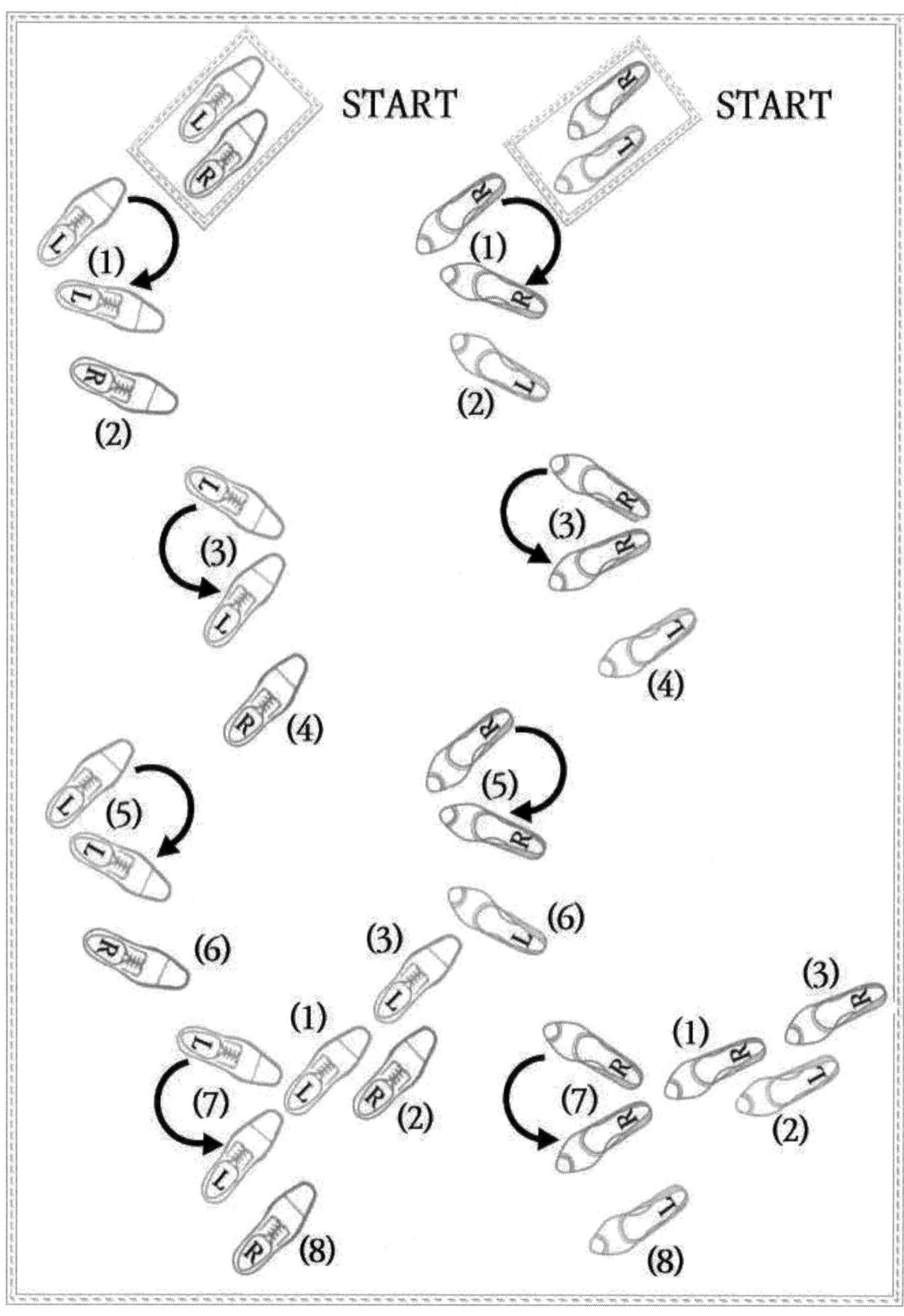
START
START
L
R
L
(1)
L
R
(2)
R
R
(1)
R
L
(2)
L
(3)
L
R
(4)
R
(3)
R
L
(4)
L
(5)
L
R
(6)
R
(5)
R
L
(6)
(3)
(1)
L
(7)
L
L
R
(2)
R
(8)
R
(7)
R
(1)
R
(3)
R
L
(2)
L
(8)

〈남성&여성〉

스텝	카운트	리듬	읽을 때	음악 타이밍	핸드 포지션
1보	1	Q	퀵	쿵	Hold
2보	2	Q	퀵	짝	Hold
3보	3	Q	퀵	쿵	Hold
4보	4	Q	퀵	짝	Hold
5보	5	Q	퀵	쿵	Hold
6보	6	Q	퀵	짝	Hold
7보	7	Q	퀵	짝	Hold
8보	8	Q	퀵	쿵	Hold
9보	9(1)	Q	퀵	짝	Hold
10보	10(2)	Q	퀵	쿵	Hold
11보	11(3)	Q	퀵	짝	Hold

〈남성〉

스텝	핸드	스텝 방식	액션
1보	왼손	놓고	Backward Walk
2보	왼손	놓고	Side Step
3보	왼손	놓고	Forward Walk
4보	왼손	놓고	Side Step
5보	왼손	놓고	Backward Walk
6보	왼손	놓고	Side Step
7보	왼손	놓고	Forward Walk
8보	왼손	놓고	Side Step
9보(1)	왼손	놓고	Forward Walk
10보(2)	왼손	놓고	Forward Walk
11보(3)	왼손	놓고	Forward Walk

스텝	풋 포지션	총 회전량
1보	왼발 후진	90˚/R 90˚/L
2보	오른발 옆으로	
3보	왼발 전진	
4보	오른발 옆으로	
5보	왼발 후진	
6보	오른발 옆으로	
7보	왼발 전진	
8보	오른발 옆으로	
9보(1)	왼발 전진	
10보(2)	오른발 전진	
11보(3)	왼발 전진	

〈여성〉

스텝	핸드	스텝 방식	액션
1보	오른손	놓고	Forward Walk
2보	오른손	놓고	Side Step
3보	오른손	놓고	Backward Walk

4보	오른손	놓고	Side Step
5보	오른손	놓고	Forward Walk
6보	오른손	놓고	Side Step
7보	오른손	놓고	Backward Walk
8보	오른손	놓고	Side Step
9보(1)	오른손	놓고	Backward Walk
10보(2)	오른손	놓고	Backward Walk
11보(3)	오른손	놓고	Backward Walk

스텝	풋 포지션	총 회전량
1보	오른발 전진	90°/R 90°/L
2보	왼발 옆으로	
3보	오른발 후진	
4보	왼발 옆으로	
5보	오른발 전진	
6보	왼발 옆으로	
7보	오른발 후진	
8보	왼발 옆으로	
9보(1)	오른발 후진	
10보(2)	왼발 후진	
11보(3)	오른발 후진	

이 피겨는 Closed facing position을 유지하면서 옆으로 지그재그 하는 피겨로 리드가 어려운 피겨이다. 대부분 남성은 팔을 배 노를 젓듯이 여성을 리드를 하는데 대부분 여성은 이런 리드에 불편함을 느끼며 춤사위 또한 흉하다. 대부분 남성은 본인이 어떤 모습으로 어떤 식으로 여성을 리드하는지 알 수 없다. 그래서 한 번 정도는 핸드폰으로 자신의 춤사위를 찍어 보면 자신의 장단점을 알 수 있을 것이다.

대부분 하수·중수들은 발을 이동하면 체중도 이동해야 하고 상체 또한 발끝이 향하는 쪽으로 향해야 하는데 발과 상체가 따로 논다. 즉 상체는 움직이지 않고 손만 배 노를 젓듯이 여성을 리드를 한다. 손 리드는 최소한으로 여성을 리드를 하는데, 리드하는 방식은 Closed facing position에서 텐션이 걸린 상태를 유지하고 자세, 어깨 및 팔의 견고한 상태에서 스텝 하나하나 체중을 확실하게 이동하고 상체 또한 발끝이 향하는 쪽으로 적절하게 틀어 준다. 텐션이 걸린 상태이기 때문에 남성이 지그재그 스텝을 하면 자연스레 여성 손으로 전달되기 때문에 인위적으로 여성을 밀거나 당길 필요가 없다. 다만 여성이 초보라면 약간의 강한 텐션 및 리드가 필요하다.

여성 또한 스텝 하나하나 체중도 이동해야 하고 상체 또한 발끝이 향하는 쪽으로 향해야 한다.

가끔 잘못된 습관으로 팔을 배 노를 젓듯이 팔을 사용하는 여성도 있다. 이런 잘못된 습관은 남성의 리드를 방해할 뿐만 아니라 남성에게 불편함을 줄 수 있다.

15번 리버스 턴&체크 턴(90°)

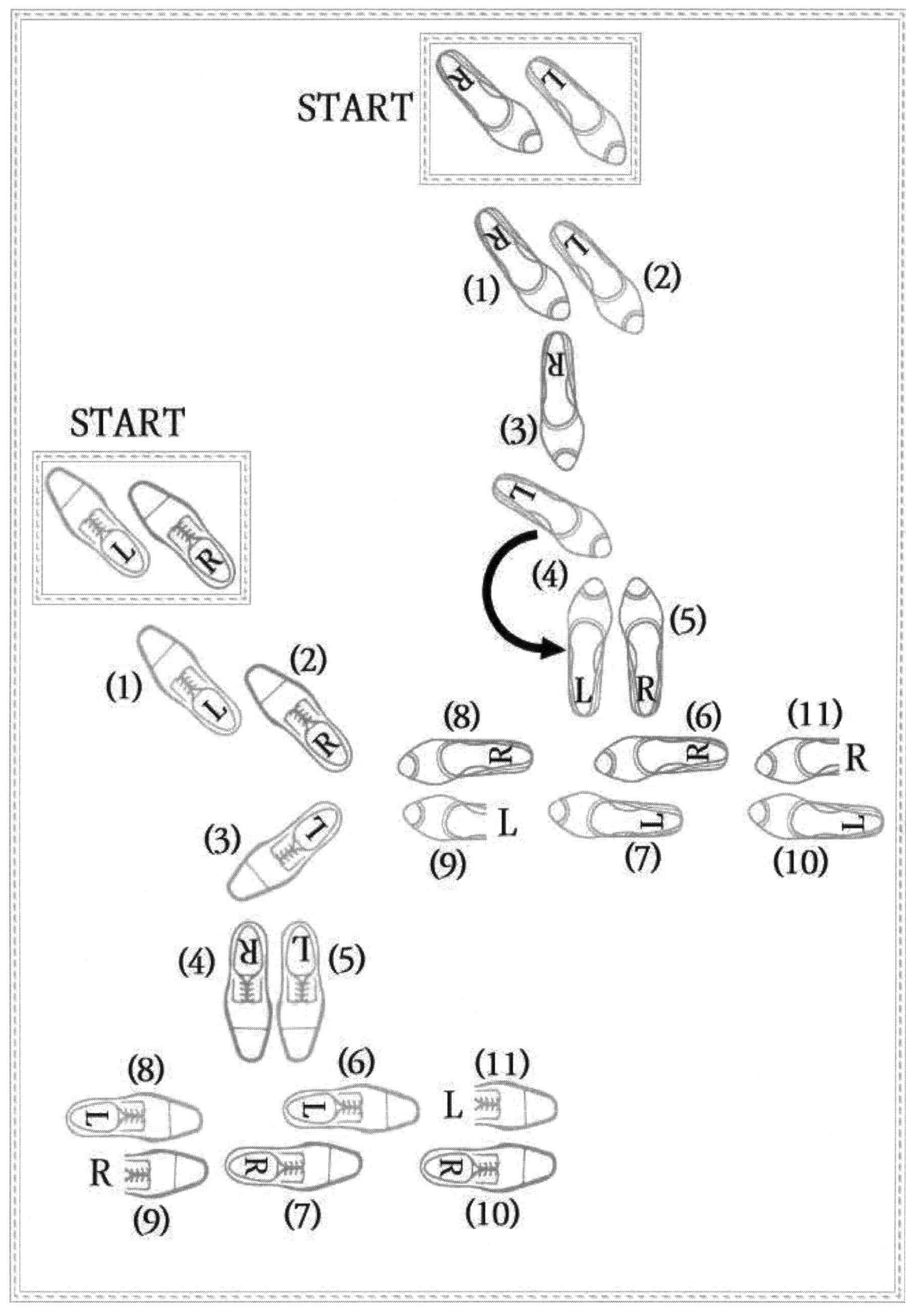

〈남성&여성〉

스텝	카운트	리듬	읽을 때	음악 타이밍	핸드 포지션
1보	1	Q	퀵	쿵	Hold
2보	2	&	엔	짝	Hold
3보	3	Q	퀵	쿵	Hold
4보	4	S	슬로우	짝	Hold
5보	5	&	엔	쿵	Hold
6보	6	Q	퀵	짝	Hold
7보	7	Q	퀵	짝	Hold
8보	8	Q	퀵	쿵	Hold
9보	9	Q	퀵	짝	Hold
10보	10	S	슬로우	쿵	Hold
11보	11	&	엔	짝	Hold

〈남성〉

스텝	핸드	스텝 방식	액션
1보	왼손	놓고	Diagonally Backward Walk
2보	왼손	놓고	Diagonally Backward Walk
3보	왼손	놓고	Turn
4보	왼손	놓고	Turn
5보	왼손	놓고	
6보	왼손	놓고	Turn
7보	왼손	놓고	Backward Walk
8보	왼손	놓고	Backward Walk
9보	왼손	놓고	Backward Walk
10보	왼손	놓고	Forward Walk
11보	왼손	놓고	Forward Walk

스텝	풋 포지션	총 회전량
1보	왼발 사선으로 후진	270°/L
2보	오른발 약간 후진	
3보	왼발 Turn/L	
4보	오른발 Turn/L	
5보	왼발 오른발 옆에 모으고	
6보	왼발 Turn/L	
7보	오른발 후진	
8보	왼발 후진	
9보	오른발 왼발 옆에 모으고	
10보	오른발 전진	
11보	왼발 전진하면서 오른발 옆에 모으고	

〈여성〉

스텝	핸드	스텝 방식	액션
1보	오른손	놓고	Diagonally Forward Walk
2보	오른손	놓고	Diagonally Forward Walk
3보	오른손	놓고	Turn

4보	오른손	놓고	Turn
5보	오른손	놓고	
6보	오른손	놓고	Turn
7보	오른손	놓고	Forward Walk
8보	오른손	놓고	Forward Walk
9보	오른손	놓고	Forward Walk
10보	오른손	놓고	Backward Walk
11보	오른손	놓고	Backward Walk

스텝	풋 포지션	총 회전량
1보	오른발 사선으로 전진	270°/L
2보	왼발 약간 전진	
3보	오른발 Turn/L	
4보	왼발 Turn/L	
5보	오른발 왼발 옆에 모으고	
6보	오른발 Turn/L	
7보	왼발 전진	
8보	오른발 전진	
9보	왼발 전진하면서 오른발 옆에 모으고	
10보	왼발 후진	
11보	오른발 후진하면서 왼발 옆에 모으고	

이 피겨는 Closed facing position을 유지하면서 리버스턴(마무리턴) 후 체크 턴(90°)하는 피겨로 여성이나 남성들이 어려워하는 피겨이다.

여성을 리드해야지, 음악 들어야지, 본인 스텝 밟아야지, 남성은 여성을 리드하는 입장이라 여성보다 3~5배 정도 더 어렵다.

남성은 3보에서 여성이 지나갈 수 있게 확실하게 비켜주면서 4~5보에서 상체를 왼쪽으로 서서히 회전하면서 여성을 남성 앞으로 세운다. 이때 남성과 여성의 발이 동시에 떨어져야 한다. 초보 남성들이 하는 흔한 실수로 여성을 잡아당기거나 너무 강한 텐션으로 리드를 하는데 이런 잘못된 리드로 인해 여성은 중심이 흐트러지거나 발 죽임으로 스텝을 행한다는 것이다. 심한 경우 음악과 스텝이 어긋나는 경우도 있다. 또한, 경력이 얼마 안 된 남성들의 리드하는 모습을 보면 3보부터 여성의 팔을 당겨 4~5보에 팔이 남성 상체 쪽으로 접히는 경우가 많다.

텐션이 걸린 상태를 유지, 어깨 및 팔의 견고한 상태에서 남성이 회전하면 자연스럽게 여성에게 텐션 및 리드가 전달되기 때문에 여성은 저절로 회전하게 된다. 이런 방법으로 팔이 남성 상체 쪽으로 접히는 경우를 방지할 수 있다. 엉큼한 남성들은 의도적으로 팔을 상체 쪽으로 접는 경우가 있다. 이런 분들은 꾼이기 때문에 춤 실력이 어정쩡하거나 사지육신 및 얼굴이 맘에 안 들면 바로 손을 놔야 한다.

홀드 상태에서 남성과 여성이 동시에 90° 회전하는 스텝에서는 텐션이 걸린 상태를 유지하면서 남성은 회전하면 된다. 텐션이 걸린 상태에서 남성이 회전하면 자연스럽게 여성에게 텐션 및 리드가 전달되기 때문이다. 대부분 초보자는 강제로 여성을 손 및 등을 강하게 잡아당기는 경우가 있는데 너무 강한 리드나 텐션은 여성을 불편하게 만든다.

16번 180° 체크턴

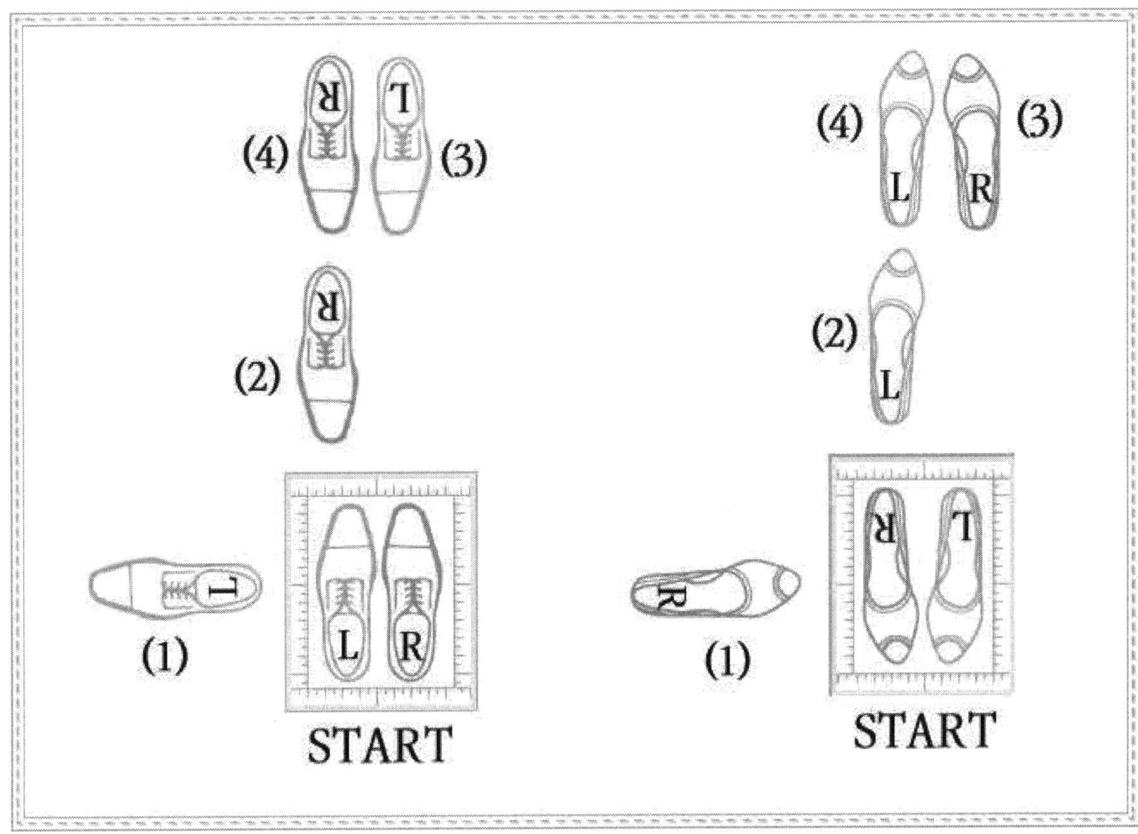

〈남성&여성〉

스텝	카운트	리듬	읽을 때	음악 타이밍	핸드 포지션
1보	1	Q	퀵	쿵	Hold
2보	2	Q	퀵	짝	Hold
3보	3	S	슬로우	쿵	Hold
4보	4	&	엔	짝	Hold

〈남성〉

스텝	핸드	스텝 방식	액션
1보	왼손	놓고	Turn
2보	왼손	놓고	Turn
3보	왼손	놓고	Backward Walk
4보	왼손	찍고/놓고(선택)	Backward Walk

스텝	풋 포지션	총 회전량
1보	왼발 Turn/L	180°/L
2보	오른발 Turn/L	

3보	왼발 후진	
4보	오른발 후진하면서 왼발 옆에 모으고	

〈여성〉

스텝	핸드	스텝 방식	액션
1보	오른손	놓고	Turn
2보	오른손	놓고	Turn
3보	오른손	놓고	Forward Walk
4보	오른손	찍고/놓고(선택)	Forward Walk

스텝	풋 포지션	총 회전량
1보	오른발 Turn/L	180°/L
2보	왼발 Turn/L	
3보	오른발 전진	
4보	왼발 전진하면서 오른발 옆에 모으고	

홀드 상태에서 남성과 여성이 동시에 180° 회전하는 스텝에서는 텐션이 걸린 상태를 유지하면서 남성은 회전하면 된다. 텐션이 걸린 상태에서 남성이 회전하면 자연스럽게 여성에게 텐션 및 리드가 전달되기 때문이다. 대부분 초보자는 강제로 여성을 손 및 등을 강하게 잡아당기는 경우가 있는데 너무 강한 리드나 텐션은 여성을 불편하게 만든다.

체크 턴 45°, 90°, 135°, 180°, 225°, 270°, 360°, 720°……

회전량이 크든, 작든 여성 리드법은 같다. 다만 남성이나 여성의 발 회전량이 틀리다.

17번 내추럴 프롬나드 턴

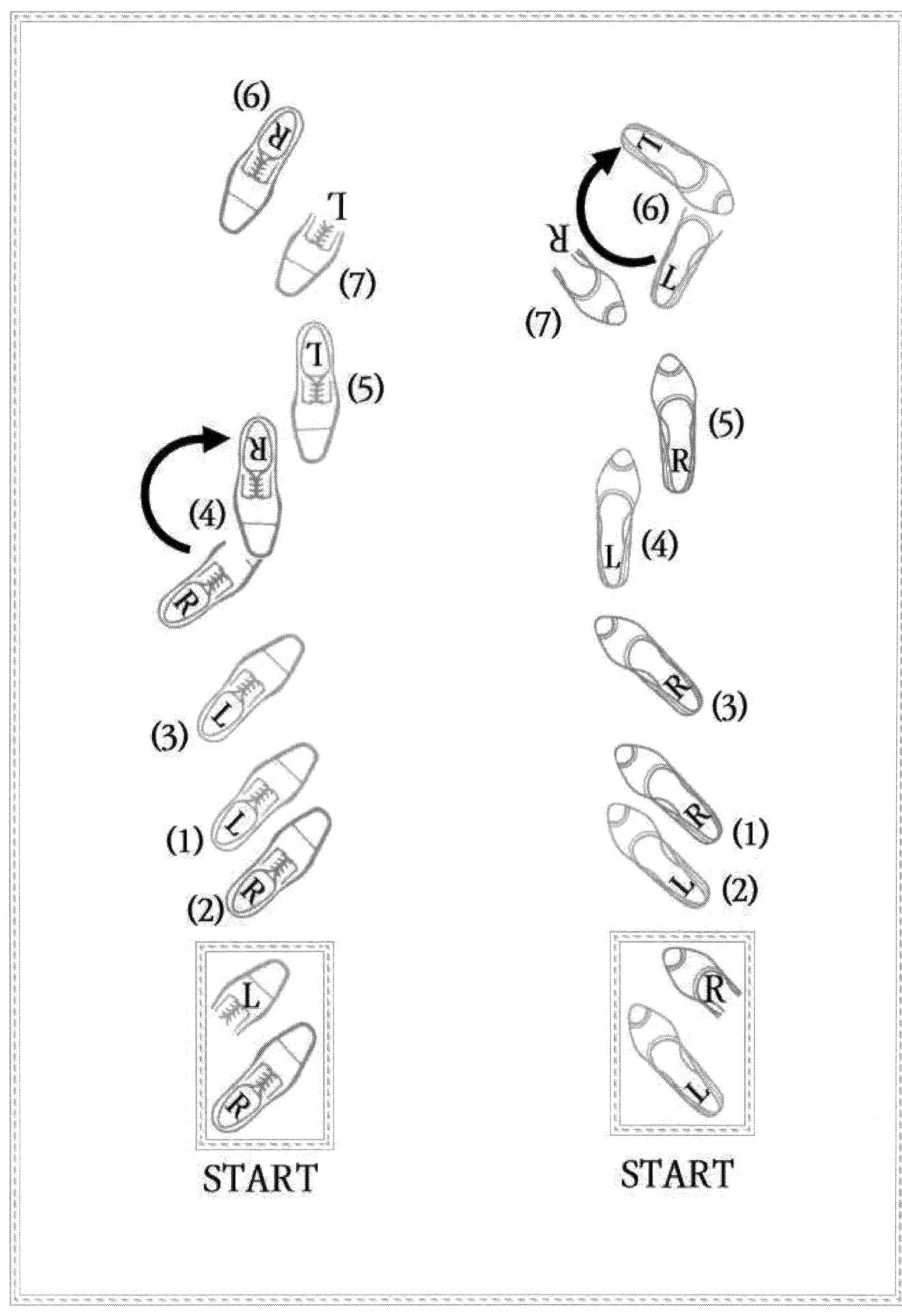

〈남성&여성〉

스텝	카운트	리듬	읽을 때	음악 타이밍	핸드 포지션
1보	1	Q	퀵	쿵	Hold
2보	2	&	엔	짝	Hold
3보	3	Q	퀵	쿵	Hold
4보	4	Q	퀵	짝	Hold
5보	5	Q	퀵	쿵	Hold
6보	6	S	슬로우	짝	Hold
7보	7	&	엔	짝	Hold

〈남성〉

스텝	핸드	스텝 방식	액션
1보	왼손	놓고	Forward Walk
2보	왼손	놓고	Forward Walk
3보	왼손	놓고	Forward Walk
4보	왼손	놓고	Turn
5보	왼손	놓고	Backward Walk
6보	왼손	놓고	Backward Walk
7보	왼손	놓고	Forward Walk

스텝	풋 포지션	총 회전량
1보	왼발 전진	180°/R
2보	오른발 전진	
3보	왼발 전진	
4보	오른발 Turn/R	
5보	왼발 후진	
6보	오른발 후진	
7보	왼발 전진	

〈여성〉

스텝	핸드	스텝 방식	액션
1보	오른팔	놓고	Forward Walk
2보	오른팔	놓고	Forward Walk
3보	오른팔	놓고	Forward Walk
4보	오른팔	놓고	Forward Walk
5보	오른팔	놓고	Forward Walk
6보	오른팔	놓고	Turn
7보	오른팔	놓고	Forward Walk

스텝	풋 포지션	총 회전량
1보	오른발 전진	180°/R
2보	왼발 전진	
3보	오른발 전진	
4보	왼발 전진	
5보	오른발 전진	

6보	오른발 Turn/R	
7보	오른발 전진	

Promenade position에서 전진 샤세를 행한 후 내추럴 턴을 하는 피겨로 현장에서도 인기 있는 피겨 중 하나이다.

남성과 여성은 텐션이 걸린 상태에서 자세, 어깨 및 팔의 견고한 상태를 유지하면서 남성은 전진 샤세를 한다. 인위적으로 여성의 손 및 견갑골을 밀면 안 된다. 텐션이 걸린 상태이기 때문에 남성이 전진 샤세를 하면 자연스레 리드가 된다.

남성은 4보에서 오른발을 여성의 왼발과 오른발 사이에 이동 후 180°/R 회전을 하는데 여기에 주의해야 점은 여성을 너무 손으로 당기거나 여성 다리 사이에 남성의 다리를 너무 깊숙하게 넣지 말아야 한다. 텐션이 걸린 상태이기 여성이 가는 길을 막으면서 열어주면 된다.

18번 2 Walk 턴

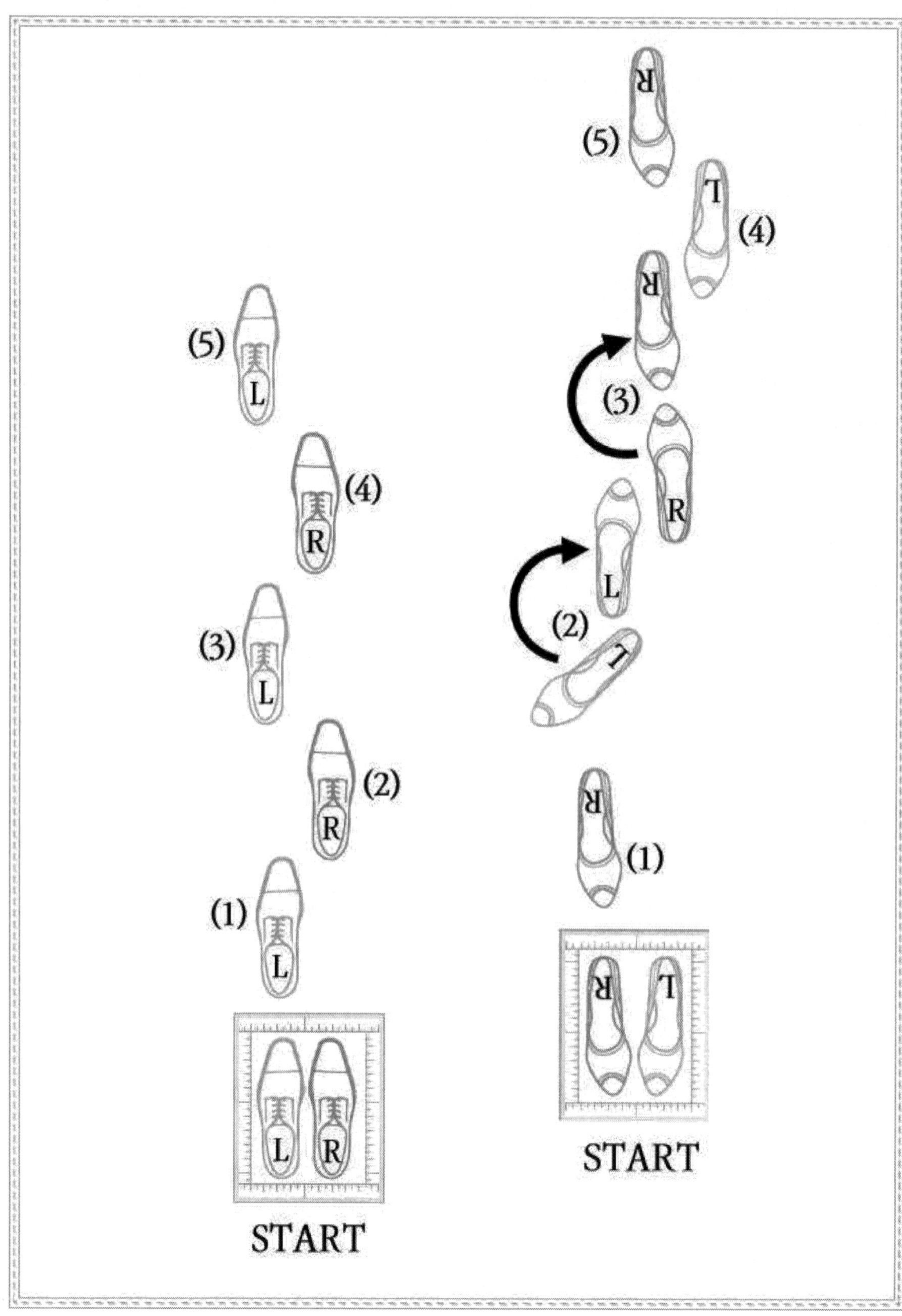

〈남성&여성〉

스텝	카운트	리듬	읽을 때	음악 타이밍	핸드 포지션
1보	1	Q	퀵	쿵	Hold
2보	2	Q	퀵	짝	One Hand Joined
3보	3	Q	퀵	쿵	One Hand Joined
4보	4	Q	퀵	짝	One Hand Joined
5보	5	Q	퀵	쿵	One Hand Joined

〈남성〉

스텝	핸드	스텝 방식	액션
1보	왼손	놓고	Forward Walk
2보	왼손	놓고	Forward Walk
3보	왼손	놓고	Forward Walk
4보	왼손	놓고	Forward Walk
5보	왼손	놓고	Forward Walk

스텝	풋 포지션	총 회전량
1보	왼발 전진	없음
2보	오른발 전진	
3보	왼발 전진	
4보	오른발 전진	
5보	왼발 전진	

〈여성〉

스텝	핸드	스텝 방식	액션
1보	오른팔	놓고	Backward Walk
2보	오른팔	놓고	Turn
3보	오른팔	놓고	Turn
4보	오른팔	놓고	Backward Walk
5보	오른팔	놓고	Backward Walk

스텝	풋 포지션	총 회전량
1보	오른발 후진	360°/R
2보	왼발 Turn/R	
3보	오른발 Turn/R	
4보	왼발 후진	
5보	오른발 후진	

이 피겨는 Closed facing position을 유지하면서 전진 Walk을 하면서 여성을 오른쪽으로 회전시켜주는 피겨로 남성은 회전량이 없다.

전진을 하면서 2보에 여성과 그립 된 손을 여성 머리 위로 올려주면서 3보에 여성을 오른쪽으로 회전시켜준다.

남성의 의도에 따라 360˚, 720˚, 1080˚……등 여성을 회전시켜 줄 수 있다. 가끔 무식하게 여성을 많이 회전시켜주는 남성분도 있지만 대부분 남성은 360˚, 720˚ 정도로만 여성을 회전시켜준다.

남성은 왼손으로만 여성을 회전시켜 줄 수도 있지만 확실하게 여성에게 리드를 전달하고자 할 때는 오른손으로 여성의 견갑골을 앞으로 당기고 밀어주면서 왼손으로 여성 오른손을 약간 더 텐션을 주면서 회전시켜 줄 수도 있다.

19번 목감기

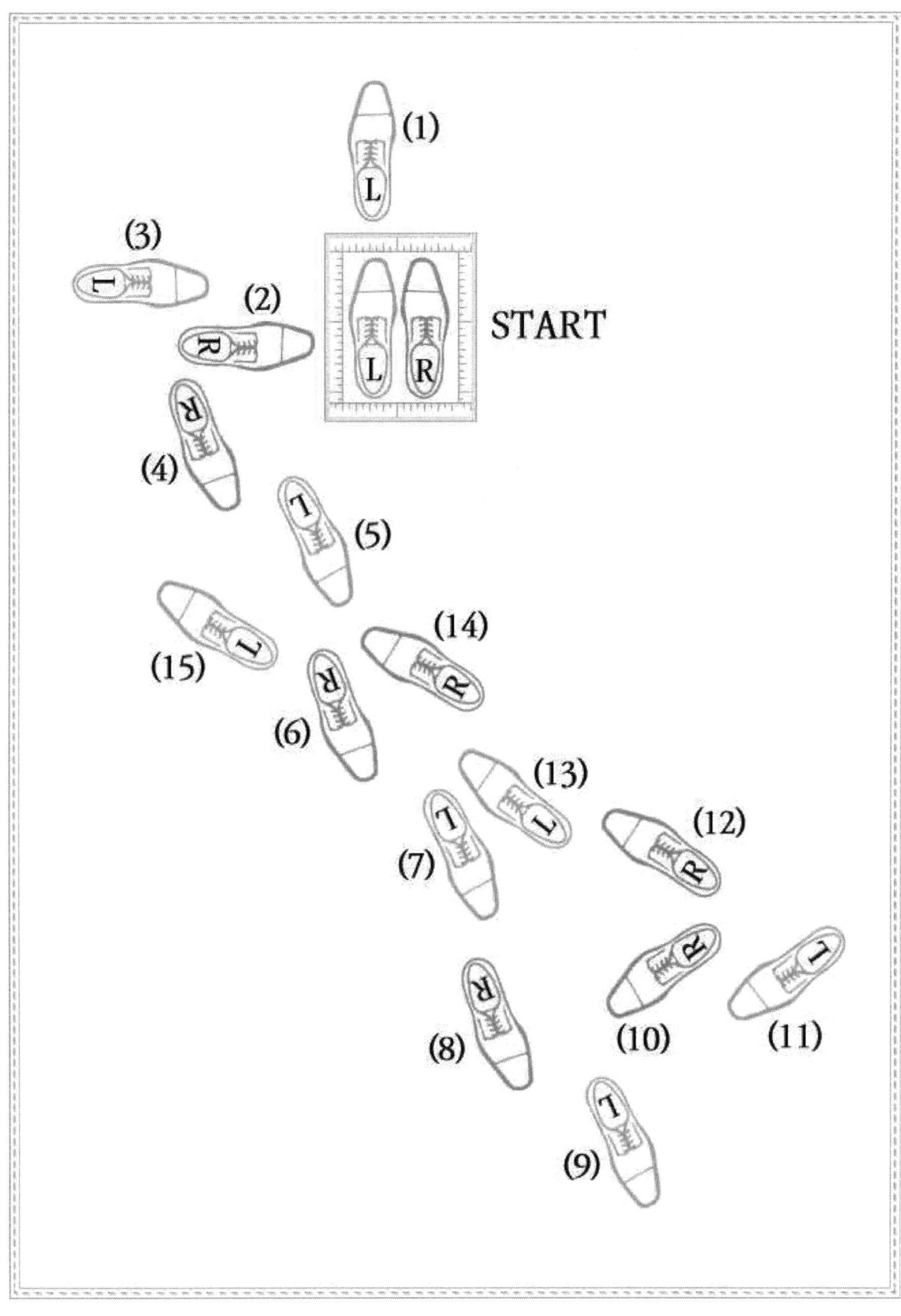

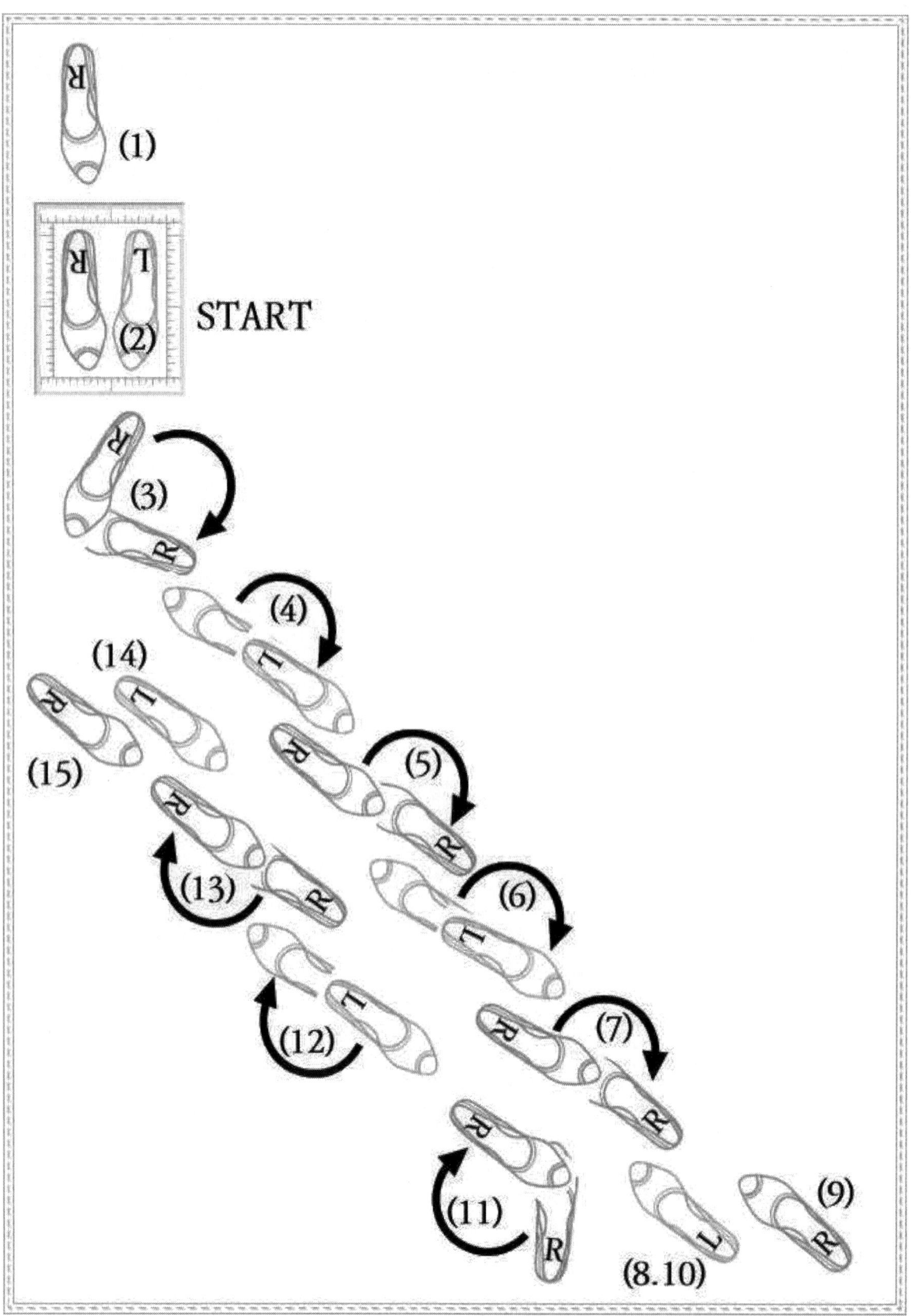
(1)
START
(2)
(3)
(4)
(14)
(15)
(5)
(13)
(6)
(12)
(7)
(11)
(9)
(8.10)

〈남성&여성〉 선행 피겨: 투월

스텝	카운트	리듬	읽을 때	음악 타이밍	핸드 포지션
1보	1	Q	퀵	쿵	Hold
2보	2	Q	퀵	짝	Hold
3보	3	Q	퀵	쿵	One Hand Joined
4보	4	Q	퀵	짝	One Hand Joined
5보	5	Q	퀵	쿵	One Hand Joined
6보	6	Q	퀵	짝	One Hand Joined
7보	7	Q	퀵	짝	One Hand Joined
8보	8	Q	퀵	쿵	One Hand Joined
9보	9	Q	퀵	짝	One Hand Joined
10보	10	Q	퀵	쿵	One Hand Joined
11보	11	Q	퀵	짝	One Hand Joined
12보	12	Q	퀵	쿵	One Hand Joined
13보	13	Q	퀵	짝	One Hand Joined
14보	14	Q	퀵	쿵	One Hand Joined
15보	15	Q	퀵	짝	One Hand Joined

〈남성〉

스텝	핸드	스텝 방식	액션
1보	왼손	놓고	Forward Walk
2보	왼손	놓고	Turn
3보	왼손	놓고	Backward Walk
4보	왼손	놓고	Turn
5보	왼손	놓고	Forward Walk
6보	왼손	놓고	Forward Walk
7보	왼손	놓고	Forward Walk
8보	왼손	놓고	Forward Walk
9보	왼손	놓고	Forward Walk
10보	오른손	놓고	Turn
11보	오른손	놓고	Backward Walk
12보	오른손	놓고	Turn
13보	오른손	놓고	Forward Walk
14보	오른손	놓고	Forward Walk
15보	오른손	놓고	Forward Walk

스텝	풋 포지션	총 회전량
1보	왼발 전진	360˚/R
2보	오른발 Turn/R	
3보	왼발 후진	
4보	오른발 Turn/R	
5보	왼발 전진	
6보	오른발 전진	
7보	왼발 전진	
8보	오른발 전진	
9보	왼발 전진	
10보	오른발 Turn/R	

11보	왼발 후진	
12보	오른발 전진	
13보	왼발 전진	
14보	오른발 전진	
15보	왼발 전진	

〈여성〉

스텝	핸드	스텝 방식	액션
1보	오른손	놓고	Backward Walk
2보	오른손	놓고	Forward Walk
3보	오른손	놓고	Turn
4보	오른손	놓고	Turn
5보	오른손	놓고	Turn
6보	오른손	놓고	Turn
7보	오른손	놓고	Turn
8보	오른손	놓고	Backward Walk
9보	오른손	놓고	Backward Walk
10보	오른손	놓고	Forward Walk
11보	오른손	놓고	Turn
12보	오른손	놓고	Turn
13보	오른손	놓고	Turn
14보	오른손	놓고	Backward Walk
15보	오른손	놓고	Backward Walk

스텝	풋 포지션	총 회전량
1보	오른발 후진	1440°/R
2보	왼발 약간 전진	
3보	오른발 Turn/R	
4보	왼발 Turn/R	
5보	오른발 Turn/R	
6보	왼발 Turn/R	
7보	오른발 Turn/R	
8보	왼발 후진	
9보	오른발 후진	
10보	왼발 약간 전진	
11보	오른발 Turn/R	
12보	왼발 Turn/R	
13보	오른발 Turn/R	
14보	왼발 후진	
15보	오른발 후진	

이 피겨는 그립 된 손을 여성 머리 위로 올려 여성을 오른쪽으로 회전시켜주면서 손을 내려 여성 목을 감아 주고, 남성은 왼손에서 오른손으로 여성 오른손을 바꿔 잡아 머리 위로 올려 오른쪽으로 회전시켜주는 피겨이다.

남성은 견갑골에 위치한 오른손으로 앞으로 당기면서 그립 된 손을 여성 머리 위로 올려주면서 여성을 회전시켜준다. 여성을 회전시켜주는 손을 서서히 내리면서 여성 목 쪽으로 내려 텐션을 주면서 밀어준다. 목감기를 행한 후 남성은 여성 오른손을 잡은 왼손에서 오른손으로 바꿔, 여성 오른손을 잡아 여성 머리 위로 올려 다시금 오른쪽으로 회전시켜준다.

남성은 여성을 어떤 방향으로 회전시켜줄지 선택해야 한다. 여성이 회전하는데 방해물이 없는지를 확인하고 방해물이 없는 방향으로 여성을 회전시켜 줘야 한다. 남성은 여성을 어떤 방향이든 자유자재로 보내야 실전에서도 접촉사고 없이 춤사위를 계속 진행할 수 있다.

20번 비하인드 백 여성 솔로 턴

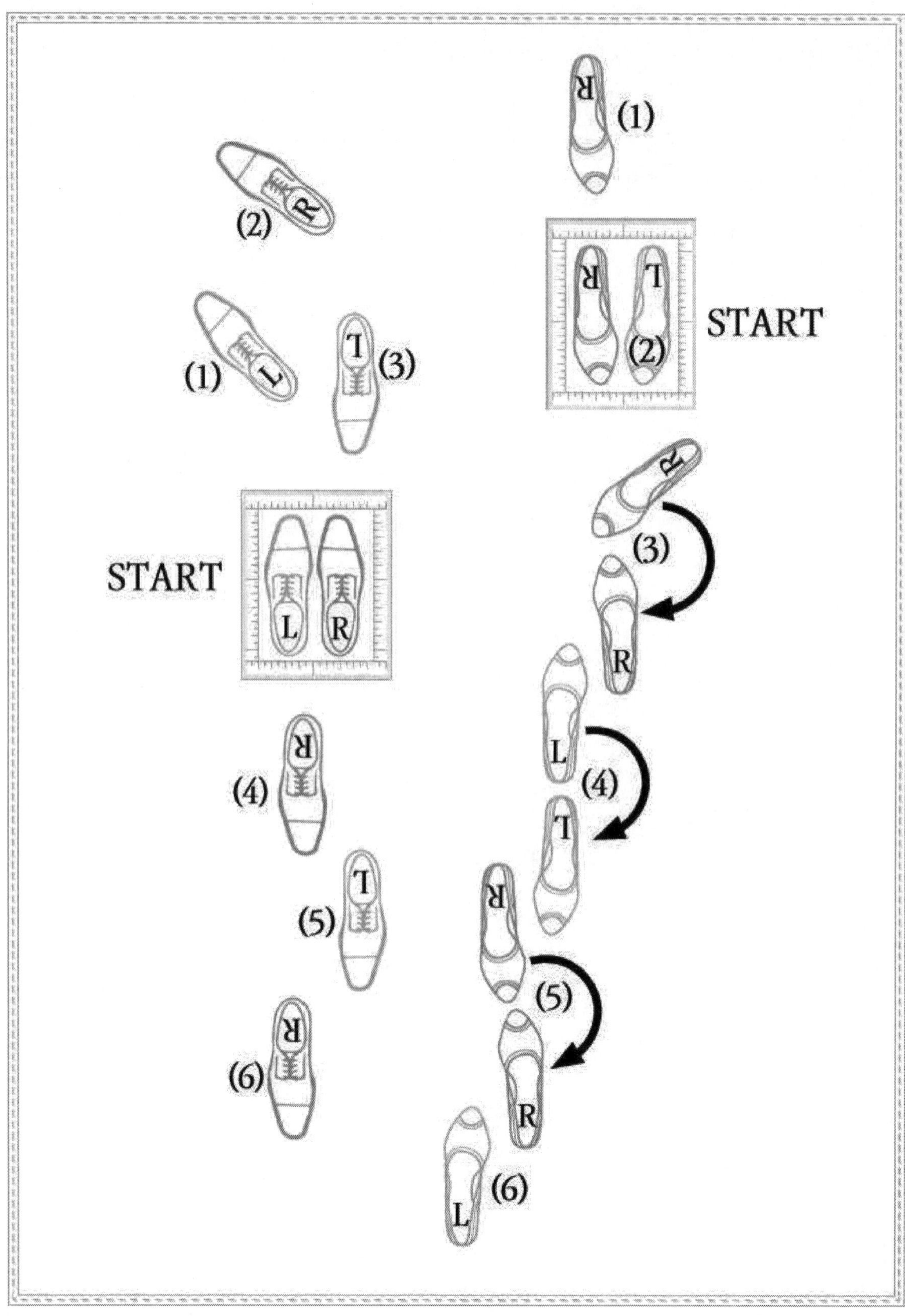

〈남성&여성〉 선행 피겨: 2 Walk

스텝	카운트	리듬	읽을 때	음악 타이밍	핸드 포지션
1보	1	Q	퀵	쿵	One Hand Joined
2보	2	Q	퀵	짝	
3보	3	Q	퀵	쿵	
4보	4	Q	퀵	짝	
5보	5	Q	퀵	쿵	
6보	6	Q	퀵	짝	

〈남성〉

스텝	핸드	스텝 방식	액션
1보	오른손	놓고	Turn
2보		놓고	Side Step
3보		놓고	Turn
4보		놓고	Forward Walk
5보		놓고	Forward Walk
6보		놓고	Forward Walk

스텝	풋 포지션	총 회전량
1보	왼발 Turn/L	180°/L
2보	오른발 왼발 옆으로	
3보	왼발 Turn/L	
4보	오른발 전진	
5보	왼발 전진	
6보	오른발 전진	

〈여성〉

스텝	핸드	스텝 방식	액션
1보	오른손	놓고	Backward Walk
2보		놓고	Forward Walk
3보		놓고	Turn
4보		놓고	Turn
5보		놓고	Turn
6보		놓고	Backward Walk

스텝	풋 포지션	총 회전량
1보	오른발 후진	540°/R
2보	왼발 약간 앞으로	
3보	오른발 Turn/R	
4보	왼발 Turn/R	
5보	오른발 Turn/R	
6보	왼발 후진	

선행 피겨로 2 Walk을 한 후 남성은 왼손에서 오른손으로 여성의 오른손을 잡은 후 여성이 전진

하도록 2보에 앞으로 당긴다. 이때 남성은 왼쪽으로 회전을 하고 동시에 여성의 오른손을 놓아 주면서 왼손으로 3보에 여성 왼쪽 어깨를 잡아 오른쪽으로 회전시켜준다.

21번 터널 & 남·여 턴

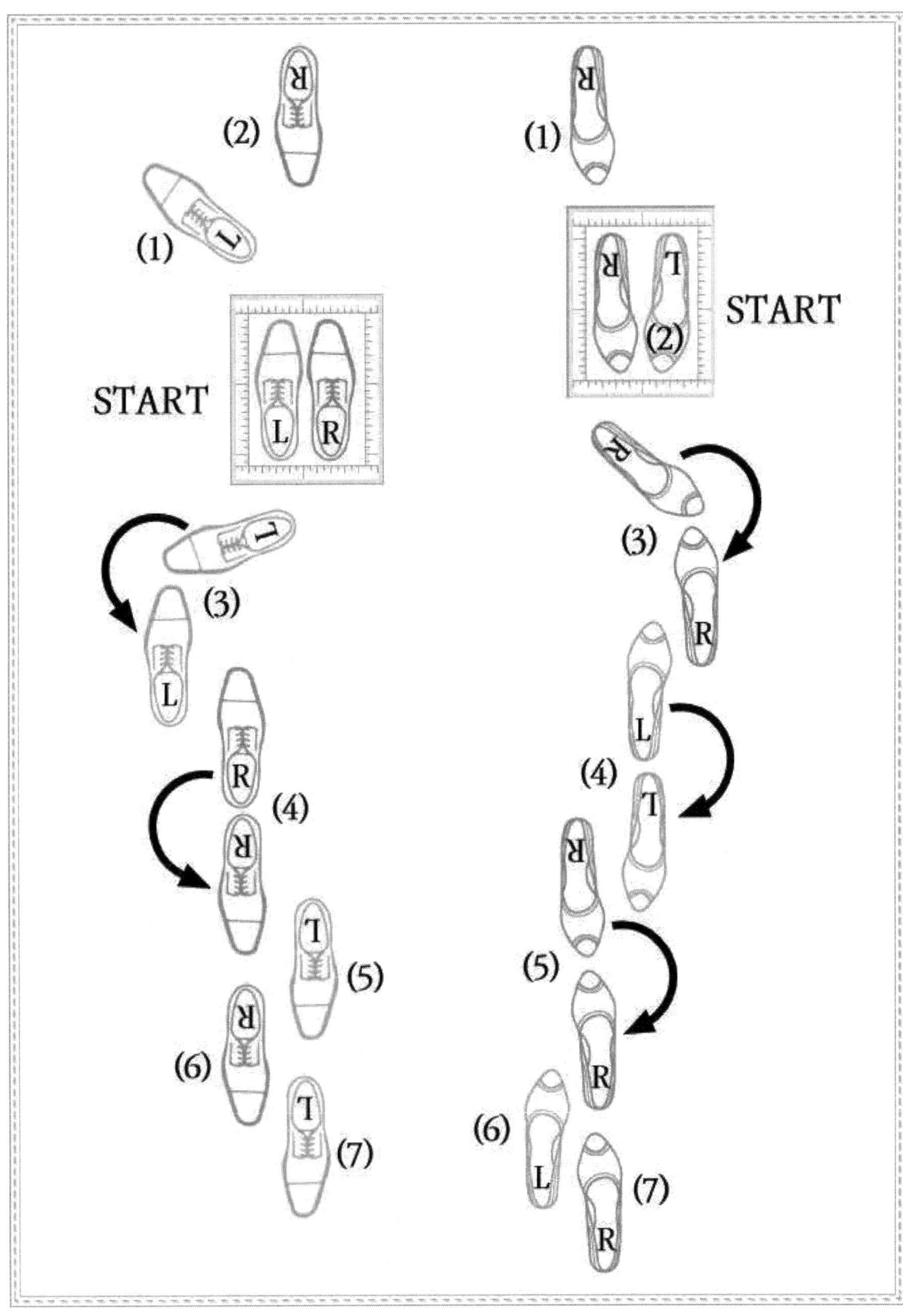

〈남성&여성〉 선행 피겨: 2 Walk

스텝	카운트	리듬	읽을 때	음악 타이밍	핸드 포지션
1보	1	Q	퀵	쿵	One Hand Joined
2보	2	Q	퀵	짝	One Hand Joined
3보	3	Q	퀵	쿵	
4보	4	Q	퀵	짝	
5보	5	Q	퀵	쿵	
6보	6	Q	퀵	짝	
7보	7	Q	퀵	쿵	

〈남성〉

스텝	핸드	스텝 방식	액션
1보	왼손	놓고	Turn
2보	왼손	놓고	Turn
3보		놓고	Turn
4보		놓고	Turn
5보		놓고	Forward Walk
6보		놓고	Forward Walk
7보		놓고	Forward Walk

스텝	풋 포지션	총 회전량
1보	왼발 Turn/L	360°/L
2보	오른발 Turn/L	
3보	왼발 Turn/L	
4보	오른발 Turn/L	
5보	왼발 전진	
6보	오른발 전진	
7보	왼발 전진	

〈여성〉

스텝	핸드	스텝 방식	액션
1보	오른손	놓고	Backward Walk
2보	오른손	놓고	Forward Walk
3보		놓고	Turn
4보		놓고	Turn
5보		놓고	Turn
6보		놓고	Backward Walk
7보		놓고	Backward Walk

스텝	풋 포지션	총 회전량
1보	오른발 후진	540°/R
2보	왼발 약간 앞으로	
3보	오른발 Turn/R	
4보	왼발 Turn/R	
5보	오른발 Turn/R	

6보	왼발 후진	
7보	오른발 후진	

선행 피겨로 2 Walk을 행한 다음에 남성은 터널 후 여성을 오른쪽으로 회전시켜주면서 남성도 회전하는 피겨로 여성을 리드하는데는 별 어려움이 없다.

1~2보에 여성의 오른손을 들어준 상태에서 남성은 팔 아래로 들어간 후, 손을 내리면서 여성을 오른쪽으로 회전시켜준다. 이때 남성은 전진 회전하면서 여성을 쫓아간다.

22번 더블 오픈(프롬나드 샤세)

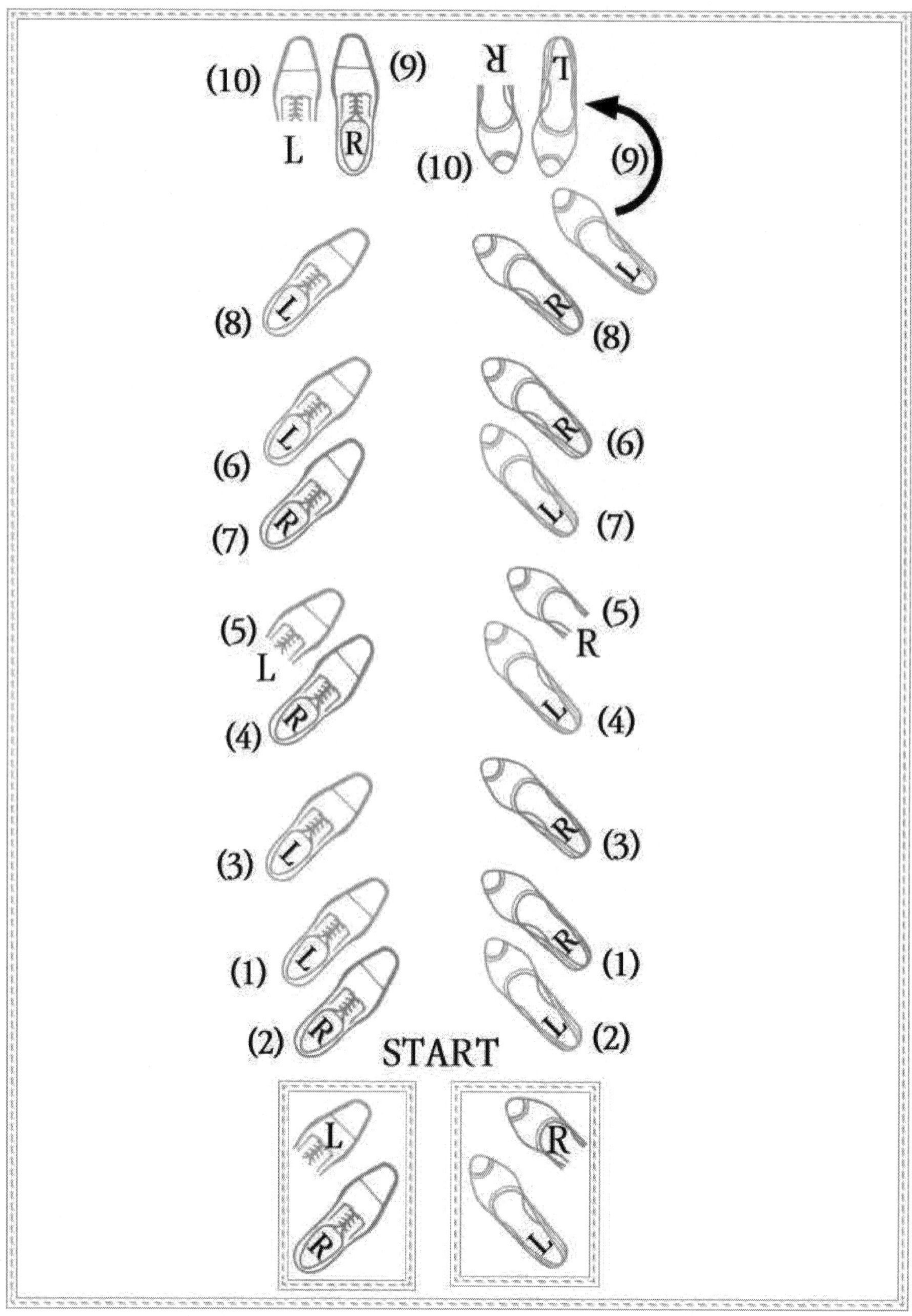

〈남성&여성〉

스텝	카운트	리듬	읽을 때	음악 타이밍	핸드 포지션
1보	1	Q	퀵	쿵	Hold
2보	2	&	엔	짝	Hold
3보	3	Q	퀵	쿵	Hold
4보	4	S	슬로우	짝	Hold
5보	5	&	엔	쿵	Hold
6보	6	Q	퀵	짝	Hold
7보	7	&	엔	짝	Hold
8보	8	Q	퀵	쿵	Hold
9보	9	S	슬로우	짝	Hold
10보	10	&	엔	쿵	Hold

〈남성〉

스텝	핸드	스텝 방식	액션
1보	왼손	놓고	Forward Walk
2보	왼손	놓고	Forward Walk
3보	왼손	놓고	Forward Walk
4보	왼손	놓고	Forward Walk
5보	왼손	찍고	Forward Walk
6보	왼손	놓고	Forward Walk
7보	왼손	놓고	Forward Walk
8보	왼손	놓고	Forward Walk
9보	왼손	놓고	Forward Walk
10보	왼손	찍고	Forward Walk

스텝	풋 포지션	총 회전량
1보	왼발 전진	없음
2보	오른발 전진	
3보	왼발 전진	
4보	오른발 전진	
5보	왼발 전진하면서 오른발 가까이에 모으고	
6보	왼발 전진	
7보	오른발 전진	
8보	왼발 전진	
9보	오른발 전진	
10보	왼발 오른발 옆에 모으고	

〈여성〉

스텝	핸드	스텝 방식	액션
1보	오른손	놓고	Forward Walk
2보	오른손	놓고	Forward Walk
3보	오른손	놓고	Forward Walk
4보	오른손	놓고	Forward Walk
5보	오른손	찍고	Forward Walk
6보	오른손	놓고	Forward Walk

7보	오른손	놓고	Forward Walk
8보	오른손	놓고	Forward Walk
9보	오른손	놓고	Turn
10보	오른손	찍고	

스텝	풋 포지션	총 회전량
1보	오른발 전진	180°/L
2보	왼발 전진	
3보	오른발 전진	
4보	왼발 전진	
5보	오른발 전진하면서 왼발 가까이에 모으고	
6보	오른발 전진	
7보	왼발 전진	
8보	오른발 전진	
9보	왼발 Turn/L	
10보	오른발 왼발 옆에 모으고	

프롬나드 샤세를 2회하는 피겨로 남성과 여성은 텐션이 걸린 상태에서 자세, 어깨 및 팔의 견고한 상태를 유지하면서 남성은 전진 샤세를 한다. 인위적으로 여성의 손 및 견갑골을 밀면 안 된다. 텐션이 걸린 상태이기 때문에 남성이 전진 샤세를 하면 자연스레 리드가 된다.

5보에서 한 박자 멈춤 후 다음 스텝을 행하면 된다.

9보~10보, Promenade position에서 남성은 회전 없이 여성만 남성 정면 앞으로 회전시켜 세우는 스텝으로 대부분 남성은 팔로만 여성을 잡아당겨 리드를 하는데, 정확한 리드 법은 텐션이 걸린 상태를 유지하면서 상체를 왼쪽으로 틀어주면서 여성을 남성 앞에 세우면 된다.

23번 로터리 아웃 사이드 턴(여성)

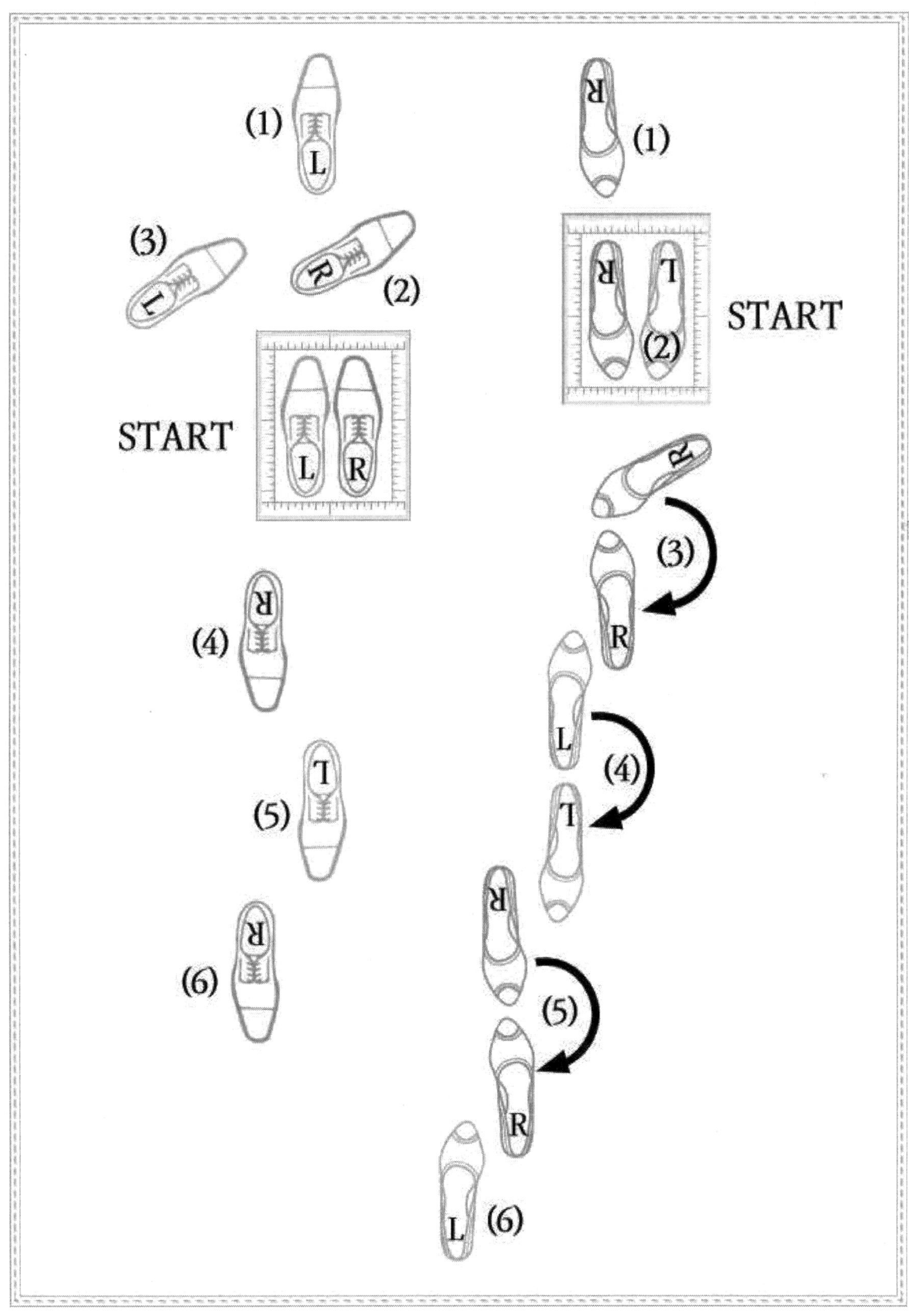

〈남성&여성〉

스텝	카운트	리듬	읽을 때	음악 타이밍	핸드 포지션
선행 피겨: 2 Walk					
1보	1	Q	퀵	쿵	One Hand Joined
2보	2	Q	퀵	짝	One Hand Joined
3보	3	Q	퀵	쿵	
4보	4	Q	퀵	짝	
5보	5	Q	퀵	쿵	
6보	6	Q	퀵	짝	

〈남성〉

스텝	핸드	스텝 방식	액션
1보	왼손	놓고	Forward Walk
2보	왼손	놓고	Turn
3보		놓고	Backward Walk
4보		놓고	Forward Walk, Turn
5보		놓고	Forward Walk
6보		놓고	Forward Walk

스텝	풋 포지션	총 회전량
1보	왼발 전진	180°/L
2보	오른발 Turn/L	
3보	왼발 후진	
4보	오른발 전진, Turn/L	
5보	왼발 전진	
6보	오른발 전진	

〈여성〉

스텝	핸드	스텝 방식	액션
1보	오른손	놓고	Backward Walk
2보	오른손	놓고	Forward Walk
3보		놓고	Turn
4보		놓고	Turn
5보		놓고	Turn
6보		놓고	Backward Walk

스텝	풋 포지션	총 회전량
1보	오른발 후진	540°/R
2보	왼발 약간 앞으로	
3보	오른발 Turn/R	
4보	왼발 Turn/R	
5보	오른발 Turn/R	
6보	왼발 후진	

남성은 3보에 여성을 오른쪽으로 회전시켜주면서 남성은 여성을 쫓아가는 스텝으로 남성은 그립된 손을 여성 머리 위로 들어 오른쪽으로 틀어 회전시켜준 다음에 손을 내리면서 여성과 홀드를 한다.

24번 사이드 샤세 라운드

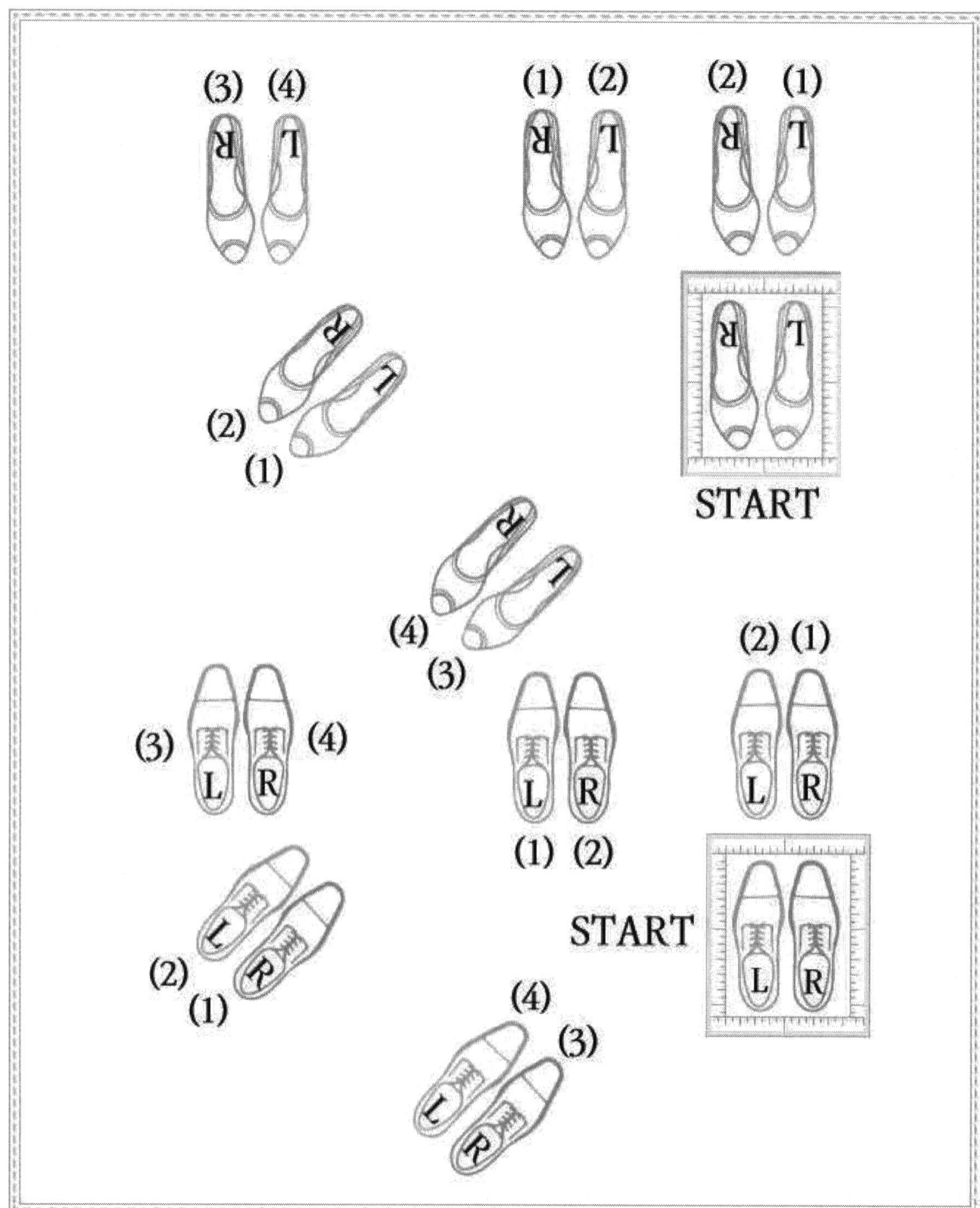

〈남성&여성〉

스텝	카운트	리듬	읽을 때	음악 타이밍	핸드 포지션
1보	1	S	슬로우	쿵	Hold
2보	2	&	엔	짝	Hold

3보	1	Q	퀵	쿵	Hold
4보	2	Q	퀵	짝	Hold
5보	3	S	슬로우	쿵	Hold
6보	4	&	엔	짝	Hold
1보	1	S	퀵	짝	Hold
2보	2	&	퀵	쿵	Hold
3보	3	Q	슬로우	짝	Hold
4보	4	&	엔	쿵	Hold

〈남성〉

스텝	핸드	스텝 방식	액션
1보	왼손	놓고	Forward Walk
2보	왼손	찍고/놓고(선택)	Forward Walk
3보	왼손	놓고	Side Step
4보	왼손	놓고	Side Step
5보	왼손	놓고	Side Step
6보	왼손	놓고	Side Step
1보(7보)	왼손	놓고	Side Step, Turn
2보(8보)	왼손	놓고	Side Step
3보(9보)	왼손	놓고	Side Step
4보(10보)	왼손	놓고	Side Step

스텝	풋 포지션	총 회전량
1보	오른발 전진	없음
2보	왼발 전지하면서 오른발에 모으고	
3보	왼발 옆으로(왼쪽)	
4보	오른발 왼발 옆에 모으고	
5보	왼발 옆으로(왼쪽)	
6보	오른발 왼발 옆에 모으고	
1보(7보)	오른발 Turn/R	45°/R
2보(8보)	왼발 오른발 옆에 모으고	
3보(9보)	오른발 옆으로(오른쪽)	
4보(10보)	왼발 오른발 옆에 모으고	

〈여성〉

스텝	핸드	스텝 방식	액션
1보	오른손	놓고	Backward Walk
2보	오른손	찍고/놓고(선택)	Backward Walk
3보	오른손	놓고	Side Step
4보	오른손	놓고	Side Step
5보	오른손	놓고	Side Step
6보	오른손	놓고	Side Step

1보(7보)	오른손	놓고	Turn
2보(8보)	오른손	놓고	Side Step
3보(9보)	오른손	놓고	Side Step
4보(10보)	오른손	놓고	Side Step

스텝	풋 포지션	총 회전량
1보	왼발 후진	없음
2보	오른발 후진하면서 왼발에 모으고	
3보	오른발 옆으로(오른쪽)	
4보	왼발 오른발 옆에 모으고	
5보	오른발 옆으로(오른쪽)	
6보	왼발 오른발 옆에 모으고	
1보(7보)	왼발 Turn/R	45°/R
2보(8보)	오른발 왼발 옆에 모으고	
3보(9보)	왼발 옆으로(왼쪽)	
4보(10보)	오른발 왼발 옆에 모으고	

발을 왼쪽이나 오른쪽 옆으로 이동시키는 사이드 스텝에서는 전·후진 스텝처럼 텐션이 걸린 상태를 유지하면서 왼발이나 오른발을 옆으로 이동하면 된다. 여성을 더 정확하게 리드를 하고 싶으면 여성을 리드하고자 하는 방향으로 남성 왼손으로 여성의 손을 당기고 오른손으로 여성의 등을 옆으로 밀어주면 된다. 7보에 45°/R 회전을 하면서 왼발이나 오른발을 옆으로 이동하면 된다. 리드하는 방법은 3보~6보랑 같다.

25번 헤드 플릭

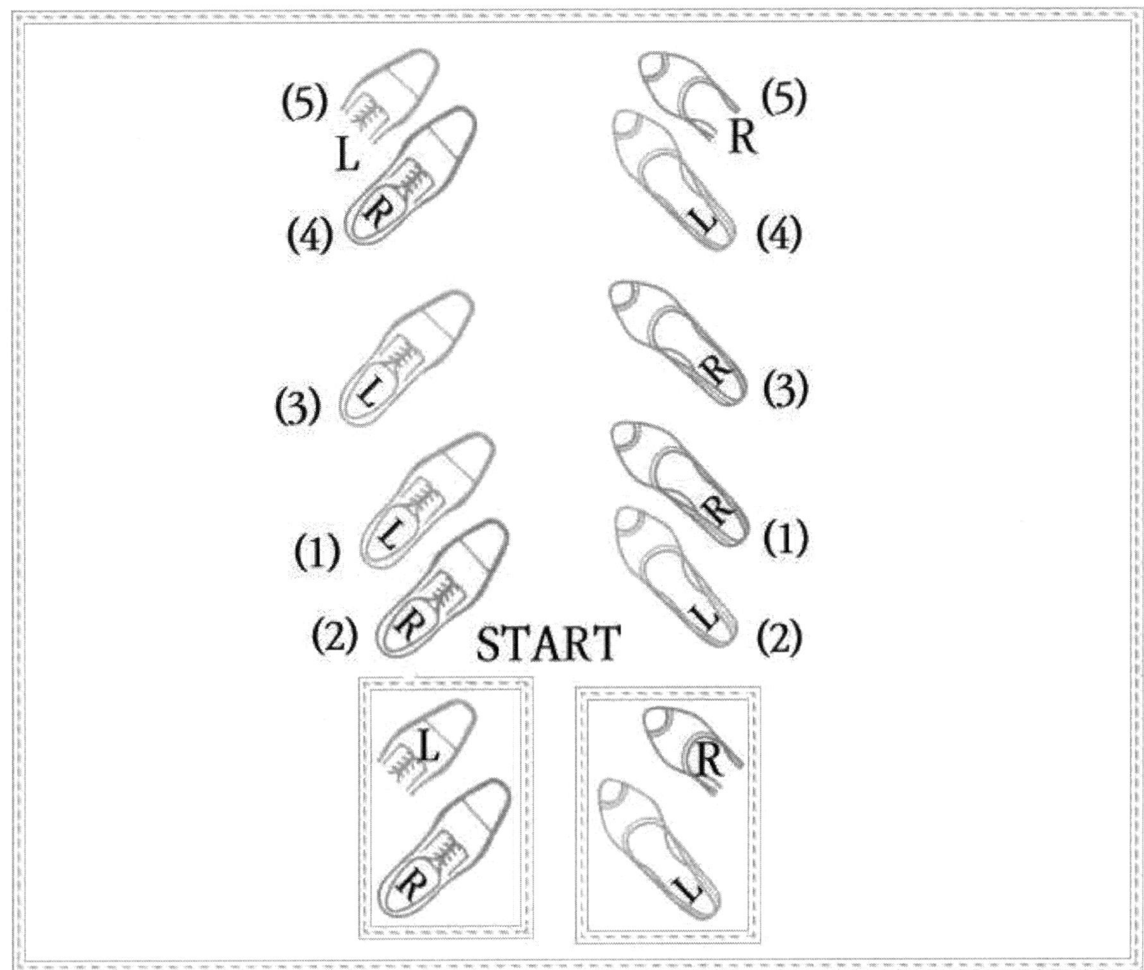

〈남성&여성〉

스텝	카운트	리듬	읽을 때	음악 타이밍	핸드 포지션
1보	1	Q	퀵	쿵	Hold
2보	2	&	엔	짝	Hold
3보	3	Q	퀵	쿵	Hold
4보	4	S	슬로우	짝	Hold
5보	5	&	엔	쿵	Hold

〈남성〉

스텝	핸드	스텝 방식	액션
1보	왼손	놓고	Forward Walk
2보	왼손	놓고	Forward Walk
3보	왼손	놓고	Forward Walk
4보	왼손	놓고	Forward Walk
5보	왼손	찍고	Forward Walk

스텝	풋 포지션	총 회전량
1보	왼발 전진	없음
2보	오른발 전진	
3보	왼발 전진	
4보	오른발 전진(헤드를 오른쪽으로 돌리고)	
5보	왼발 전진(헤드를 왼쪽으로 돌리고)	

〈여성〉

스텝	핸드	스텝 방식	액션
1보	오른손	놓고	Forward Walk
2보	오른손	놓고	Forward Walk
3보	오른손	놓고	Forward Walk
4보	오른손	놓고	Forward Walk
5보	오른손	찍고	Forward Walk

스텝	풋 포지션	총 회전량
1보	오른발 전진	없음
2보	왼발 전진	
3보	오른발 전진	
4보	왼발 전진(헤드를 왼쪽으로 돌리고)	
5보	오른발 전진(헤드를 오른쪽으로 돌리고)	

프롬나드 샤세를 행한 후 헤드 플릭 액션을 하는 피겨로 크게 2가지로 방법으로 행할 수 있다.

1. 4보에 하체는 정면 고정, 남성은 헤드를 135° 오른쪽으로 돌리고, 여성은 헤드를 왼쪽으로 돌린다. 5보에 남성은 헤드를 왼쪽으로 돌리고, 여성은 헤드를 오른쪽으로 돌린다.

2. 4보에 하체는 정면 고정, 상체 및 헤드를 남성은 오른쪽으로 45° 오른쪽으로 돌리고, 여성은 상체 및 헤드를 왼쪽으로 돌린다. 5보에 남성은 상체 및 헤드를 왼쪽으로 돌리고, 여성은 상체 및 헤드를 오른쪽으로 돌린다.

26번 워킹 당겨 오픈

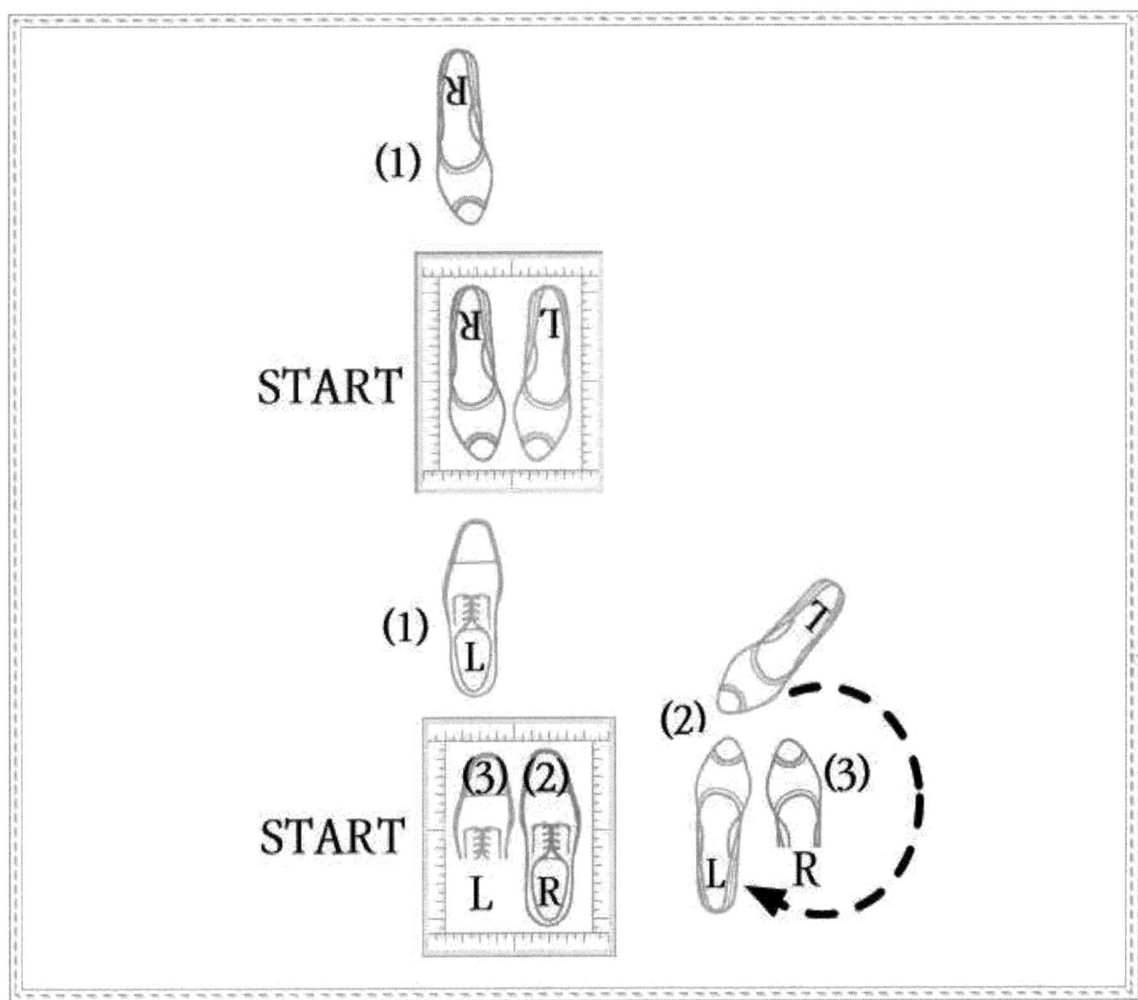

〈남성&여성〉

스텝	카운트	리듬	읽을 때	음악 타이밍	핸드 포지션
1보	1	Q	퀵	쿵	Hold
2보	2	S	슬로우	짝	Hold
3보	3	&	엔	쿵	Hold

〈남성〉

스텝	핸드	스텝 방식	액션
1보	왼손	놓고	Forward Walk
2보	왼손	놓고	Backward Walk
3보	왼손	찍고	Backward Walk

스텝	풋 포지션	총 회전량
1보	왼발 전진	없음

2보	오른발 약간 후진	
3보	왼발 약간 후진	

〈여성〉

스텝	핸드	스텝 방식	액션
1보	오른손	놓고	Backward Walk
2보	오른손	놓고	Turn, Backward Walk
3보	오른손	찍고	

스텝	풋 포지션	총 회전량
1보	오른발 후진	180°/L
2보	왼발 약간 후진, Turn/L	
3보	오른발 후진	

Closed facing position에서 Promenade position으로 행하는 스텝으로 남성은 전진하면서 그립 된 여성의 오른손을 밀면서 남성의 오른손으로 여성의 견갑골을 당긴다.

27번 사이드 스텝 오픈

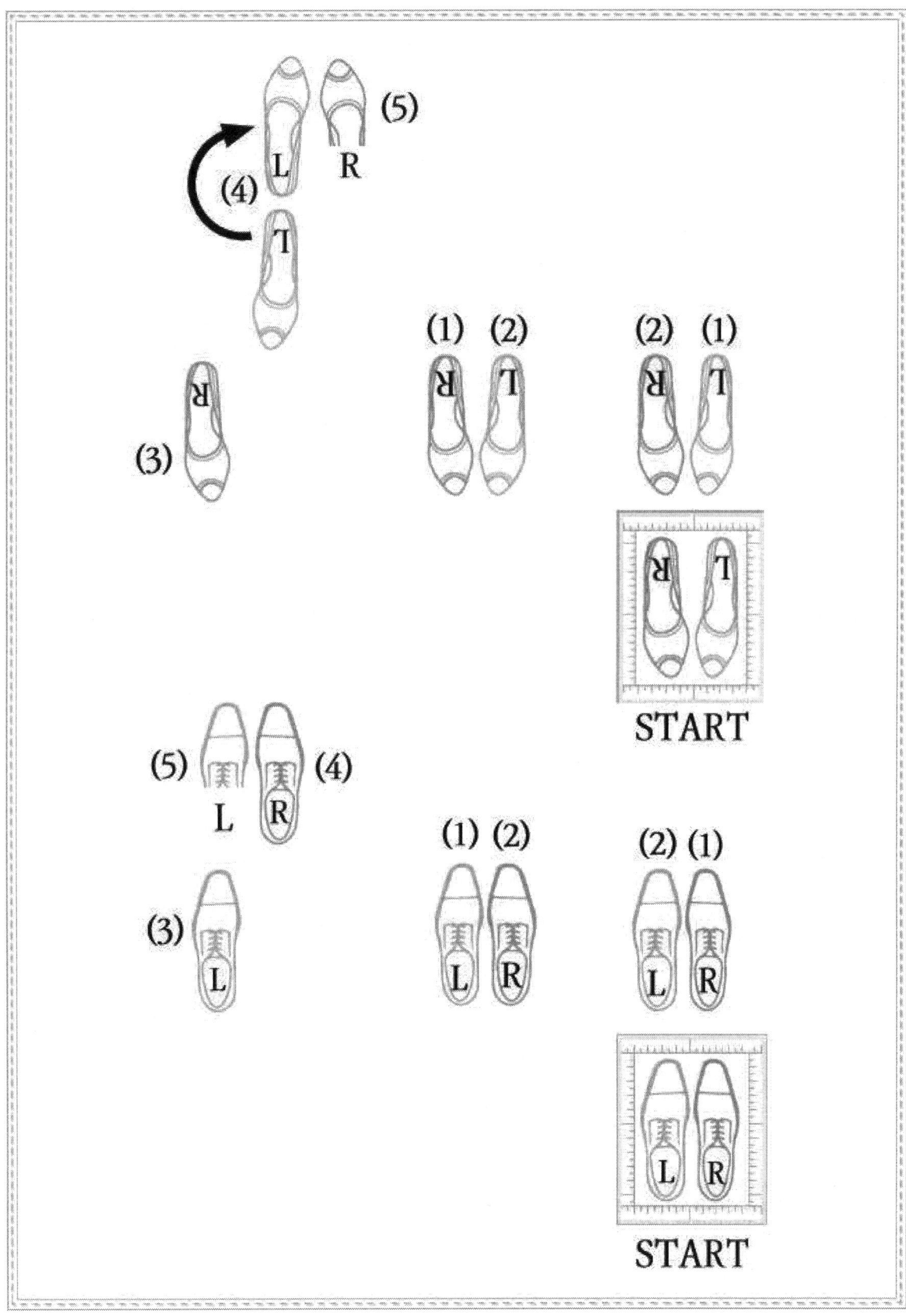

〈남성&여성〉

스텝	카운트	리듬	읽을 때	음악 타이밍	핸드 포지션
1보	1	S	슬로우	쿵	Hold
2보	2	&	엔	짝	Hold
3보	1	Q	퀵	쿵	Hold
4보	2	&	엔	짝	Hold
5보	3	Q	퀵	쿵	Hold
6보	4	S	슬로우	짝	Hold
7보	6	&	엔	쿵	Hold

〈남성〉

스텝	핸드	스텝 방식	액션
1보	왼손	놓고	Forward Walk
2보	왼손	찍고	Forward Walk
3보	왼손	놓고	Side Step
4보	왼손	놓고	Side Step
5보	왼손	놓고	Side Step
6보	왼손	놓고	Forward Walk
7보	왼손	찍고	Forward Walk

스텝	풋 포지션	총 회전량
1보	오른발 전진	없음
2보	왼발 전지하면서 오른발에 모으고	
3보	왼발 옆으로(왼쪽)	
4보	오른발 왼발 옆에 모으고	
5보	왼발 옆으로(왼쪽)	
6보	오른발 전진	
7보	왼발 전진하면서 오른발에 모으고	

〈여성〉

스텝	핸드	스텝 방식	액션
1보	오른발	놓고	Backward Walk
2보	오른발	찍고	Backward Walk
3보	오른발	놓고	Side Step
4보	오른발	놓고	Side Step
5보	오른발	놓고	Side Step
6보	오른발	놓고	Turn, Backward Walk
7보	오른발	찍고	

스텝	풋 포지션	총 회전량
1보	왼발 후진	180°/R
2보	오른발 후진하면서 왼발에 모으고	
3보	오른발 옆으로(오른쪽)	
4보	왼발 오른발 옆에 모으고	

5보	오른발 옆으로(오른쪽)	
6보	왼발 Turn/R	
7보	오른발 왼발에 모으고	

사이드 스텝을 행한 후 남성은 전진하면서 그립 된 여성의 오른손을 밀면서 남성의 오른손으로 여성의 견갑골을 당긴다.

28번 백 지그재그

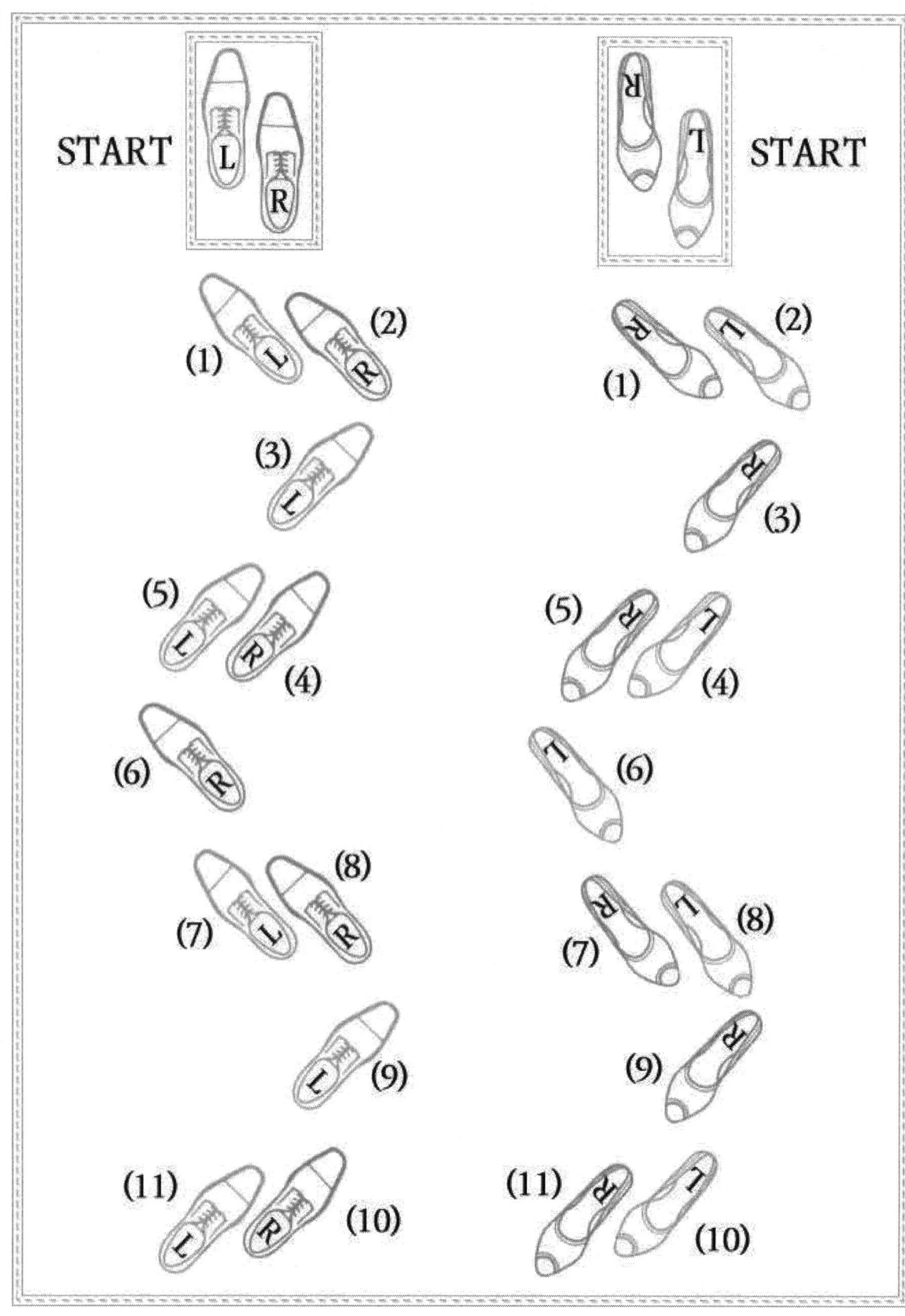

〈남성&여성〉

스텝	카운트	리듬	읽을 때	음악 타이밍	핸드 포지션
1보	1	Q	퀵	쿵	Hold
2보	2	&	엔	짝	Hold
3보	3	Q	퀵	쿵	Hold
4보	4	Q	퀵	짝	Hold
5보	5	&	엔	쿵	Hold
6보	6	Q	퀵	짝	Hold
7보	7	Q	퀵	짝	Hold
8보	8	&	엔	쿵	Hold
9보	9	Q	퀵	짝	Hold
10보	10	Q	퀵	쿵	Hold
11보	11	&	엔	짝	Hold

〈남성〉

스텝	핸드	스텝 방식	액션
1보	왼손	놓고	Diagonally Backward Walk
2보	왼손	놓고	Backward Walk
3보	왼손	놓고	Diagonally Backward Walk
4보	왼손	놓고	Backward Walk
5보	왼손	놓고	Backward Walk
6보	왼손	놓고	Diagonally Backward Walk
7보	왼손	놓고	Backward Walk
8보	왼손	놓고	Backward Walk
9보	왼손	놓고	Diagonally Backward Walk
10보	왼손	놓고	Backward Walk
11보	왼손	놓고	Backward Walk

스텝	풋 포지션	총 회전량
1보	왼발 사선으로 후진, Turn/R	90˚/R 90˚/L
2보	오른발 후진	
3보	왼발 사선으로 후진, Turn/L	
4보	오른발 후진	
5보	왼발 후진	
6보	오른발 사선으로 후진, Turn/R	
7보	왼발 후진	
8보	오른발 후진	
9보	왼발 사선으로 후진, Turn/L	
10보	오른발 후진	
11보	왼발 후진	

〈여성〉

스텝	핸드	스텝 방식	액션
1보	오른손	놓고	Diagonally Forward Walk
2보	오른손	놓고	Forward Walk
3보	오른손	놓고	Diagonally Forward Walk

4보	오른손	놓고	Forward Walk
5보	오른손	놓고	Forward Walk
6보	오른손	놓고	Diagonally Forward Walk
7보	오른손	놓고	Forward Walk
8보	오른손	놓고	Forward Walk
9보	오른손	놓고	Diagonally Forward Walk
10보	오른손	놓고	Forward Walk
11보	오른손	놓고	Forward Walk

스텝	풋 포지션	총 회전량
1보	오른발 사선으로 전진, Turn/L	90°/R 90°/L
2보	왼발 전진	
3보	오른발 사선으로 전진, Turn/R	
4보	왼발 전진	
5보	오른발 전진	
6보	왼발 사선으로 전진, Turn/L	
7보	오른발 전진	
8보	왼발 전진	
9보	오른발 사선으로 전진, Turn/R	
10보	왼발 전진	
11보	오른발 전진	

이 피겨는 Closed facing position을 유지하면서 백 지그재그 하는 피겨로 남성과 여성은 텐션이 걸린 상태에서 자세, 어깨 및 팔의 견고한 상태를 유지하면서 남성은 후진한다.

인위적으로 여성의 손 및 견갑골을 당기면 안 된다. 텐션이 걸린 상태이기 때문에 남성이 후진하면 자연스레 리드가 된다. 여성을 리드를 하면 자연스럽게 여성에게 텐션 및 리드가 전달되기 때문에 너무 강한 리드 및 텐션을 줄 필요가 없다. 대부분 초보자는 강제로 여성을 손 및 등을 강하게 잡아 당기는 경우가 있는데 너무 강한 리드나 텐션은 여성을 불편하게 만든다.

남성은 백 후진을 하면서 이때 몸을 약간 왼쪽, 오른쪽으로 Sway(15°)를 한다.

Backward을 할 때 여성과의 간격을 보면서 발 폭을 조절해야 한다. 남성은 여성의 신장(키)을 고려해서 Sway 액션을 해야 하고, 백 지그재그 회전량은 0°, 15°, 35°, 45°, 60°, 75°, 90°, 105°, 135° 등 남성의 의도에 따라 회전량은 달라질 수 있다.

대부분 남성은 여성과 Closed facing position을 유지하면서 Sway 액션 없이 백 지그재그 하는 경우가 많다. 대부분 학원에서는 Sway를 가르쳐주지 않는다. Sway 액션을 행하면서 백 지그재그를 하는 경우, Sway 액션 없이 백 지그재그를 하는 경우 춤사위가 하늘과 땅 차이이다.

등 근육을 사용해 Sway를 해야 하는데 흉내만 내는 남성은 등 근육이 아닌 어깨, 팔만 사용한다. 잘 못 하면 몸이 찌그러질 수가 있다. 대부분 왈츠를 배운 남성들이 Sway를 많이 한다.

29번 백 스텝 프롬나드 스텝

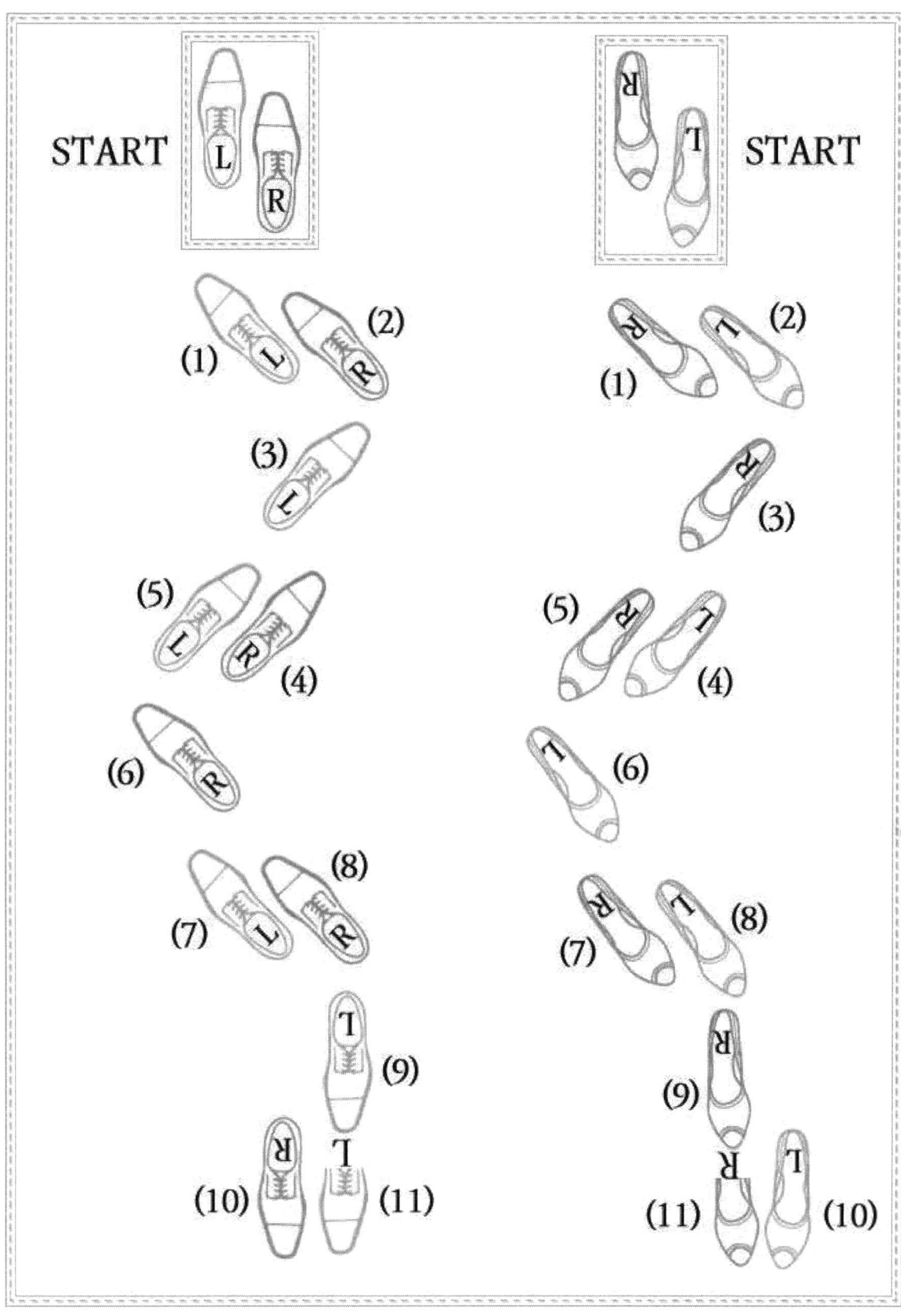

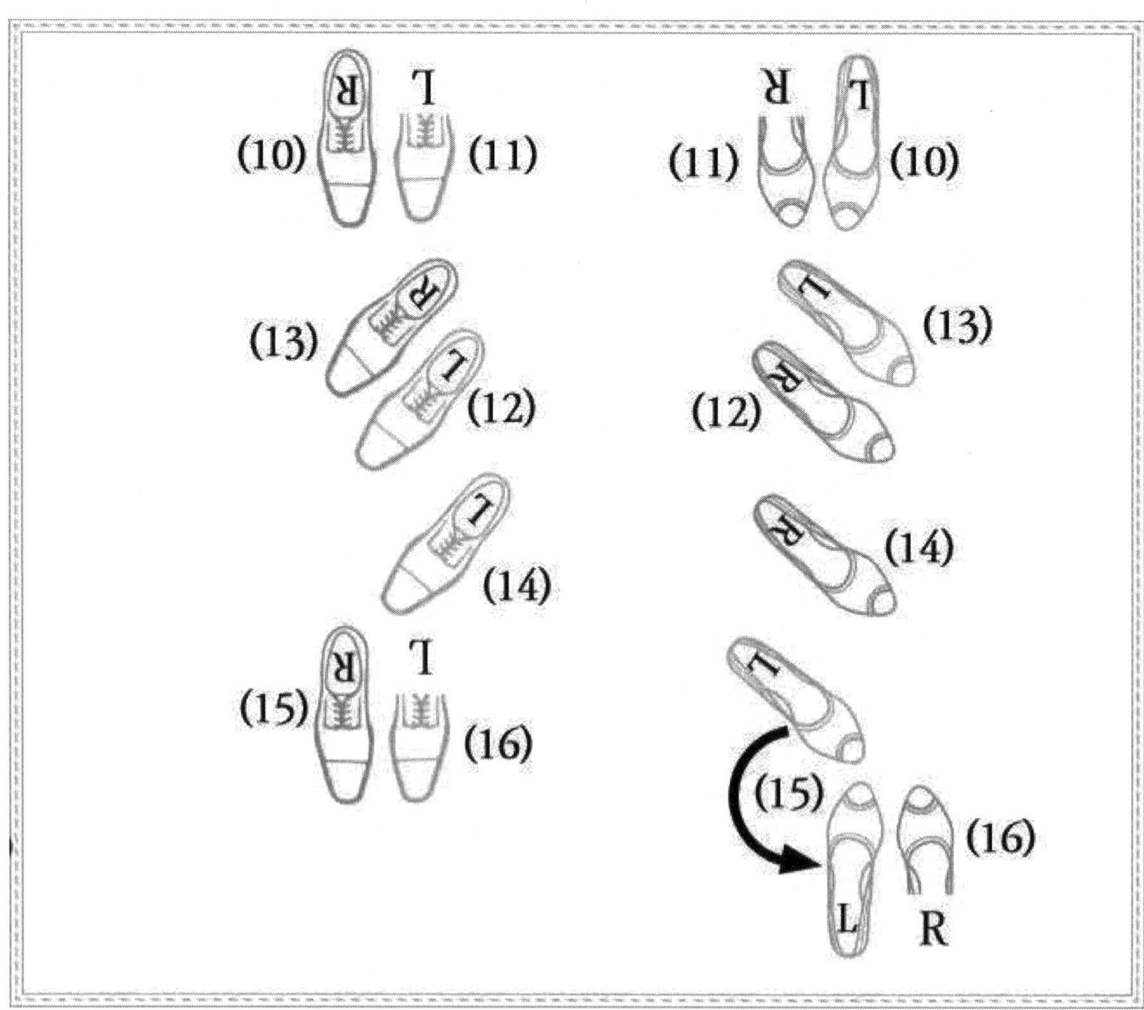

〈남성&여성〉

스텝	카운트	리듬	읽을 때	음악 타이밍	핸드 포지션
1보	1	Q	퀵	쿵	Hold
2보	2	&	엔	짝	Hold
3보	3	Q	퀵	쿵	Hold
4보	4	Q	퀵	짝	Hold
5보	5	&	엔	쿵	Hold
6보	6	Q	퀵	짝	Hold
7보	7	Q	퀵	짝	Hold
8보	8	&	엔	쿵	Hold
9보	9	Q	퀵	짝	Hold
10보	10	S	퀵	쿵	Hold
11보	11	&	엔	짝	Hold
12보	12	Q	퀵	쿵	Hold
13보	13	&	엔	짝	Hold
14보	14	Q	퀵	쿵	Hold
15보	15	S	슬로우	짝	Hold
16보	16	&	엔	쿵	Hold

〈남성〉

스텝	핸드	스텝 방식	액션
1보	왼손	놓고	Diagonally Backward Walk
2보	왼손	놓고	Backward Walk
3보	왼손	놓고	Diagonally Backward Walk
4보	왼손	놓고	Backward Walk
5보	왼손	놓고	Backward Walk
6보	왼손	놓고	Diagonally Backward Walk
7보	왼손	놓고	Backward Walk
8보	왼손	놓고	Backward Walk
9보	왼손	놓고	Turn
10보	왼손	놓고	Forward Walk
11보	왼손	찍고	Forward Walk
12보	왼손	놓고	Forward Walk
13보	왼손	놓고	Forward Walk
14보	왼손	놓고	Forward Walk
15보	왼손	놓고	Forward Walk
16보	왼손	찍고	Forward Walk

스텝	풋 포지션	총 회전량
1보	왼발 사선으로 후진, Turn/R	90°/R 180°/L
2보	오른발 후진	
3보	왼발 사선으로 후진, Turn/R	
4보	오른발 후진	
5보	왼발 후진	
6보	오른발 사선으로 후진, Turn/R	
7보	왼발 후진	
8보	오른발 후진	
9보	왼발 Turn/R	
10보	오른발 전진	
11보	왼발 오른발 옆에 모으고	
12보	왼발 전진	
13보	오른발 전진	
14보	왼발 전진	
15보	오른발 전진	
16보	왼발 오른발 옆에 모으고	

〈여성〉

스텝	핸드	스텝 방식	액션
1보	오른손	놓고	Diagonally Forward Walk
2보	오른손	놓고	Forward Walk
3보	오른손	놓고	Diagonally Forward Walk
4보	오른손	놓고	Forward Walk
5보	오른손	놓고	Forward Walk
6보	오른손	놓고	Diagonally Forward Walk
7보	오른손	놓고	Forward Walk
8보	오른손	놓고	Forward Walk

9보	오른손	놓고	Forward Walk
10보	오른손	놓고	Forward Walk
11보	오른손	찍고	Forward Walk
12보	오른손	놓고	Forward Walk
13보	오른손	놓고	Forward Walk
14보	오른손	놓고	Forward Walk
15보	오른손	놓고	Turn
16보	오른손	찍고	

스텝	풋 포지션	총 회전량
1보	오른발 사선으로 전진, Turn/R	90°/R 180°/L
2보	왼발 전진	
3보	오른발 사선으로 전진, Turn/R	
4보	왼발 전진	
5보	오른발 전진	
6보	왼발 사선으로 전진, Turn/R	
7보	오른발 전진	
8보	왼발 전진	
9보	오른발 전진	
10보	왼발 전진	
11보	오른발 왼발 옆에 모으고	
12보	오른발 전진	
13보	왼발 전진	
14보	오른발 전진	
15보	왼발 Turn/R	
16보	오른발 왼발 옆에 모으고	

Closed facing position 상태에서 남성과 여성은 텐션이 걸린 상태에서 자세, 어깨 및 팔의 견고한 상태를 유지하면서 남성은 8보, 여성은 9보까지 백 지그재그, 남성은 9보에 왼쪽으로 회전 오픈하면서 Promenade position을 만들고 프롬나드 샤세를 하는 피겨이다.

남성은 11보에 여성 레벨에 따라 추가적 리드 및 텐션 없이 오른발을 왼발에 모으거나 그립 된 여성 손에 약간의 텐션을 이용해 여성을 멈추게 하면 된다.

남성은 백 지그재그 스텝을 하면서 여성과의 간격을 맞게 발 폭을 조절하면서 Sway 액션을 행하거나 Sway 액션 없이 스텝을 밟으면 된다. Sway 액션의 적절한 기울기는 15°로 각도가 너무 크면 여성의 불편함을 느낄 수 있으니 여성의 체형에 맞게 Sway 액션을 행해야 한다.

12보에서 Promenade position에서 남성과 여성은 텐션이 걸린 상태에서 자세, 어깨 및 팔의 견고한 상태를 유지하면서 남성은 프로나드 샤세를 한다. 인위적으로 여성의 손 및 견갑골을 밀면 안 된다. 텐션이 걸린 상태이기 때문에 남성이 전진 샤세를 하면 자연스레 리드가 된다.

11보에서 한 박자 멈춤 후 다음 스텝을 행하면 된다.

15보~16보, Promenade position에서 남성은 회전 없이 여성만 남성 정면 앞으로 회전시켜 세우는 스텝으로 대부분 남성은 팔로만 여성을 잡아당겨 리드를 하는데, 정확한 리드 법은 텐션이 걸린 상태를 유지하면서 상체를 왼쪽으로 틀어주면서 여성을 남성 앞에 세우면 된다.

30번 홀드 턴, 전진 스텝

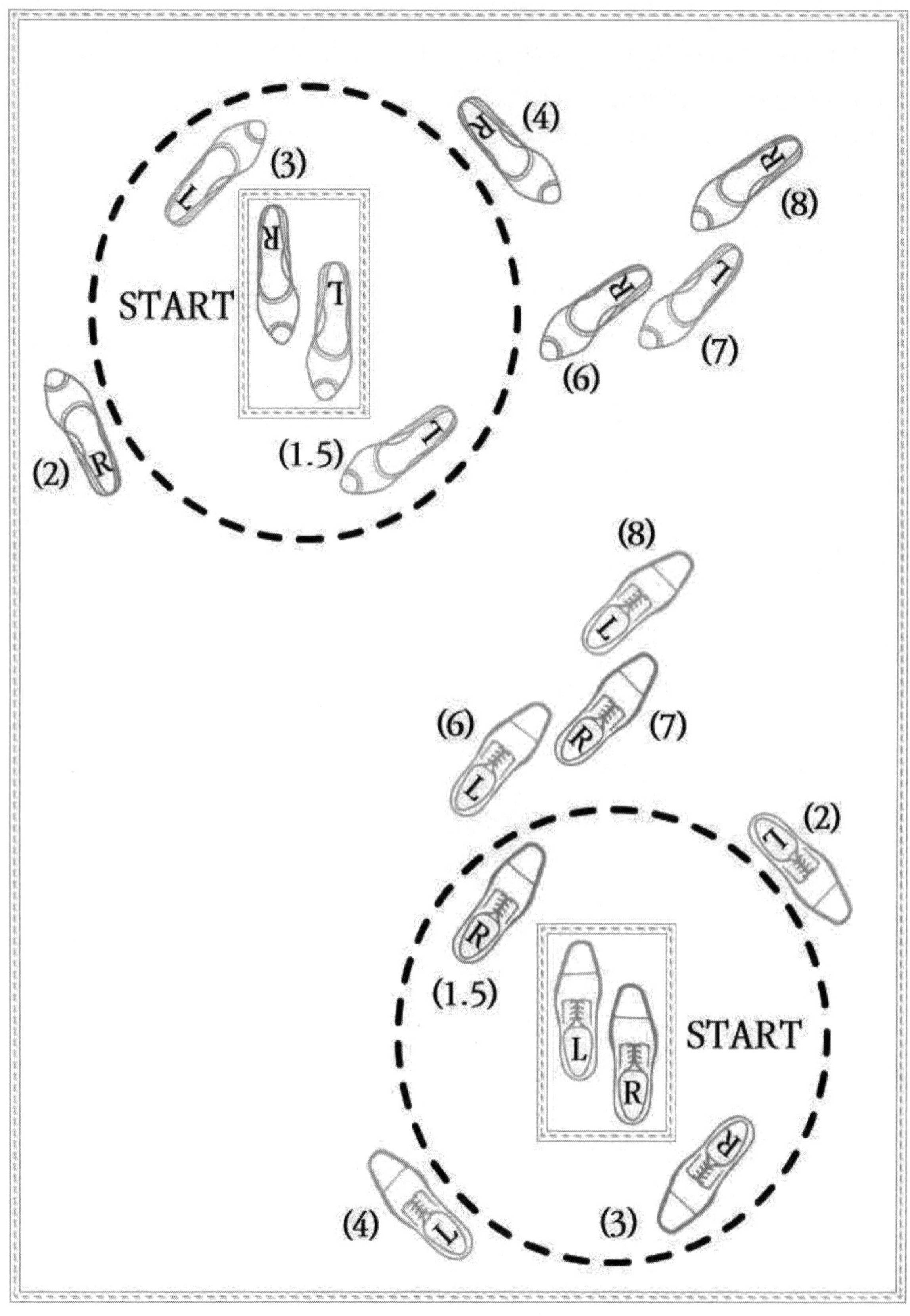

〈남성&여성〉

스텝	카운트	리듬	읽을 때	음악 타이밍	핸드 포지션
1보	1	Q	퀵	쿵	Hold
2보	2	Q	퀵	짝	Hold
3보	3	Q	퀵	쿵	Hold
4보	4	Q	퀵	짝	Hold
5보	5	Q	퀵	쿵	Hold
6보	6	Q	퀵	짝	Hold
7보	7	Q	퀵	짝	Hold
8보	8	Q	퀵	쿵	Hold

〈남성〉

스텝	핸드	스텝 방식	액션
1보	왼손	놓고	Circular
2보	왼손	놓고	Circular
3보	왼손	놓고	Circular
4보	왼손	놓고	Circular
5보	왼손	놓고	Circular
6보	왼손	놓고	Forward Walk
7보	왼손	놓고	Forward Walk
8보	왼손	놓고	Forward Walk

스텝	풋 포지션	총 회전량
1보	오른발 Circular	360°/R
2보	왼발 Circular	
3보	오른발 Circular	
4보	왼발 Circular	
5보	오른발 Circular	
6보	왼발 전진	
7보	오른발 전진	
8보	왼발 전진	

〈여성〉

스텝	핸드	스텝 방식	액션
1보	오른손	놓고	Circular
2보	오른손	놓고	Circular
3보	오른손	놓고	Circular
4보	오른손	놓고	Circular
5보	오른손	놓고	Circular
6보	오른손	놓고	Backward Walk
7보	오른손	놓고	Backward Walk
8보	오른손	놓고	Backward Walk

스텝	풋 포지션	총 회전량
1보	왼발 Circular	

2보	오른발 Circular	360°/R
3보	왼발 Circular	
4보	오른발 Circular	
5보	왼발 Circular	
6보	오른발 후진	
7보	왼발 후진	
8보	오른발 후진	

Closed facing position을 유지하면서 남성과 여성은 Circular, 6보에 남성은 전진, 여성은 후진하는 피겨로 텐션이 걸린 상태라면 추가적인 리드나 텐션을 필요 없지만, 여성의 레벨에 따라 오른손으로 여성의 등을 살짝 당기면서 회전 후 왼손으로 여성 오른손을 살짝 밀면서 전진하면 된다.

회전량 및 방향은 남성 의도에 따라 달라질 수 있다.

31번 등 뒤로 8박 허리 걸이 턴

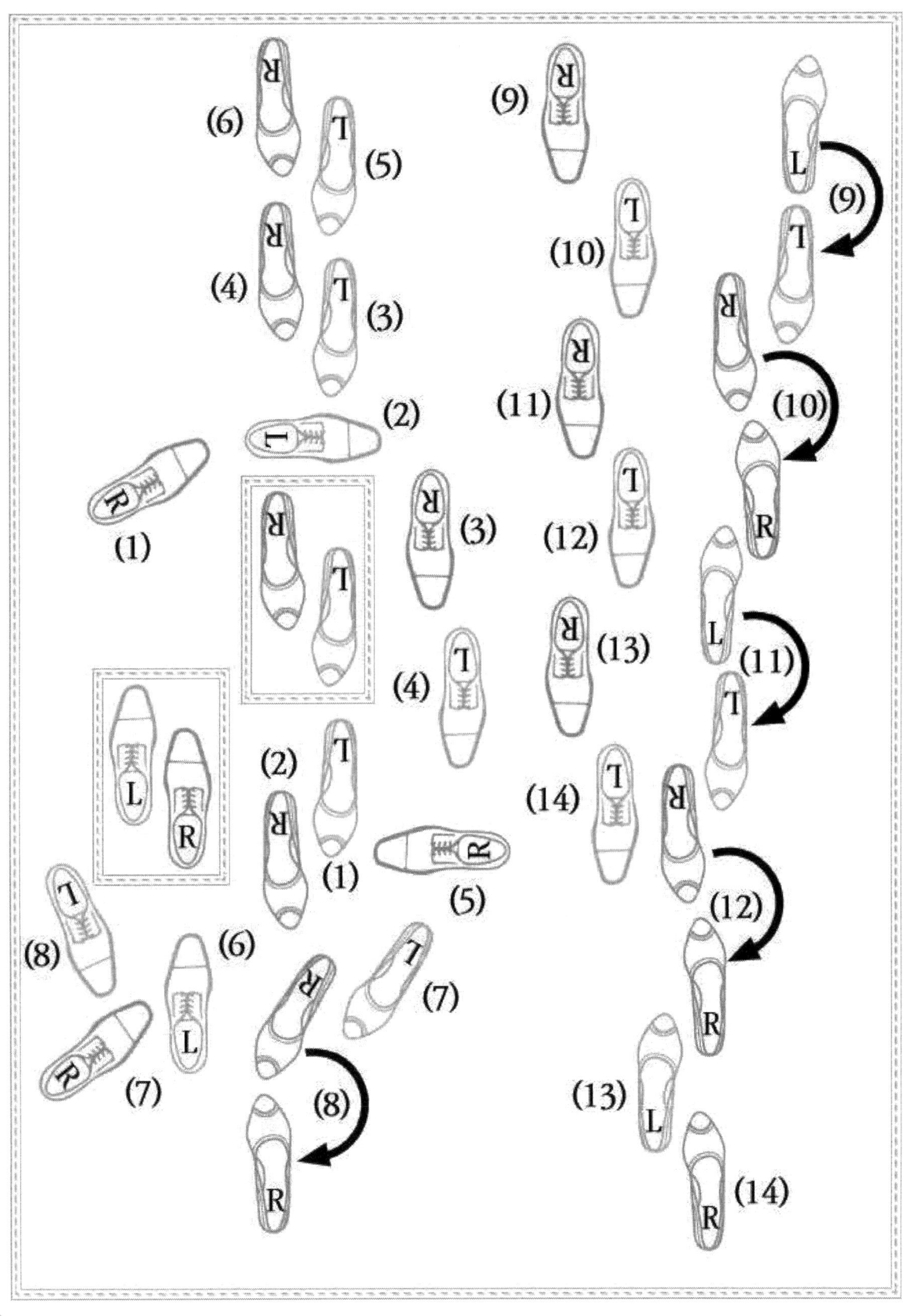

〈남성&여성〉

스텝	카운트	리듬	읽을 때	음악 타이밍	핸드 포지션
1보	1	Q	퀵	쿵	One Hand Joined
2보	2	Q	퀵	짝	One Hand Joined
3보	3	Q	퀵	쿵	One Hand Joined
4보	4	Q	퀵	짝	One Hand Joined
5보	5	Q	퀵	쿵	One Hand Joined
6보	6	Q	퀵	짝	One Hand Joined
7보	7	Q	퀵	짝	One Hand Joined
8보	8	Q	퀵	쿵	One Hand Joined
9보	9	Q	퀵	짝	One Hand Joined
10보	10	Q	퀵	쿵	One Hand Joined
11보	11	Q	퀵	짝	One Hand Joined
12보	12	Q	퀵	쿵	One Hand Joined
13보	13	Q	퀵	짝	One Hand Joined
14보	14	Q	퀵	쿵	One Hand Joined

〈남성〉

스텝	핸드	스텝 방식	액션
1보	오른손	놓고	Turn
2보	오른손	놓고	Turn
3보	오른손	놓고	Turn
4보	오른손	놓고	Forward Walk
5보	오른손	놓고	Turn
6보	오른손	놓고	Turn
7보	오른손	놓고	Turn
8보	오른손	놓고	Turn
9보	오른손	놓고	Forward Walk, Turn
10보	오른손	놓고	Forward Walk
11보	오른손	놓고	Forward Walk
12보	오른손	놓고	Forward Walk
13보	오른손	놓고	Forward Walk
14보	오른손	놓고	Forward Walk

스텝	풋 포지션	총 회전량
1보	오른발 사선으로 전진, Turn/R	180°/R
2보	왼발 Turn/R	
3보	오른발 Turn/R	
4보	왼발 전진	
5보	오른발 Turn/R	
6보	왼발 Turn/R	
7보	오른발 Turn/R	
8보	왼발 Turn/R	
9보	오른발 Turn/R	
10보	왼발 전진	
11보	오른발 전진	
12보	왼발 전진	

| 13보 | 오른발 전진 | |
| 14보 | 왼발 전진 | |

〈여성〉

스텝	핸드	스텝 방식	액션
1보	오른손	놓고	Forward Walk
2보	오른손	놓고	Forward Walk
3보	오른손	놓고	Backward Walk
4보	오른손	놓고	Backward Walk
5보	오른손	놓고	Backward Walk
6보	오른손	놓고	Backward Walk
7보	오른손	놓고	Turn
8보	오른손	놓고	Turn
9보	오른손	놓고	Turn
10보	오른손	놓고	Turn
11보	오른손	놓고	Turn
12보	오른손	놓고	Turn
13보	오른손	놓고	Backward Walk
14보	오른손	놓고	Backward Walk

스텝	풋 포지션	총 회전량
1보	왼발 전진	900°/R
2보	오른발 전진	
3보	왼발 후진	
4보	오른발 후진	
5보	왼발 후진	
6보	오른발 후진	
7보	왼발 사선으로 전진, Turn/R	
8보	오른발 Turn/R	
9보	왼발 Turn/R	
10보	오른발 Turn/R	
11보	왼발 Turn/R	
12보	오른발 Turn/R	
13보	왼발 후진	
14보	오른발 후진	

이 스텝은 지르박에서도 나오는 스텝으로 지르박에서도 이 스텝을 별 어려움 없이 여성을 리드 할 수 있다면 블루스에서도 별 어려움 없이 여성을 리드 할 수 있을 것이다.

여성의 스텝은 전진 스텝을 하면서 허리 걸이, 후진 스텝, 허리 걸이를 풀면서 오른쪽으로 회전, 남성은 여성 등 뒤로 이동하면서 오른손으로 여성 오른손을 허리에 이동시켜주고(허리 걸이), 허리 걸이 상태를 유지해주면서 여성을 후진시킨다. 이때 남성은 여성 정면 앞으로 이동, 여성의 허리 걸이를 풀어주면서 오른쪽으로 회전시켜준다. 리드법은 지르박이랑 같다.

남성은 여성의 보폭에 맞춰 스텝 하나하나 밟아야 하며, 여성 오른손이 너무 허리 위쪽으로 올라가지 않도록 주의해야 한다. 여성 오른손의 적절한 위치는 꼬리뼈에서 5cm~10cm 위쪽이다.

블루스 매니아층 연세를 보면 어깨가 대부분 굳었기 때문에 잘못하면 여성에게 의도치 않은 부상을 안겨 줄 수도 있다.

32번 사이드 지그재그&백 스텝

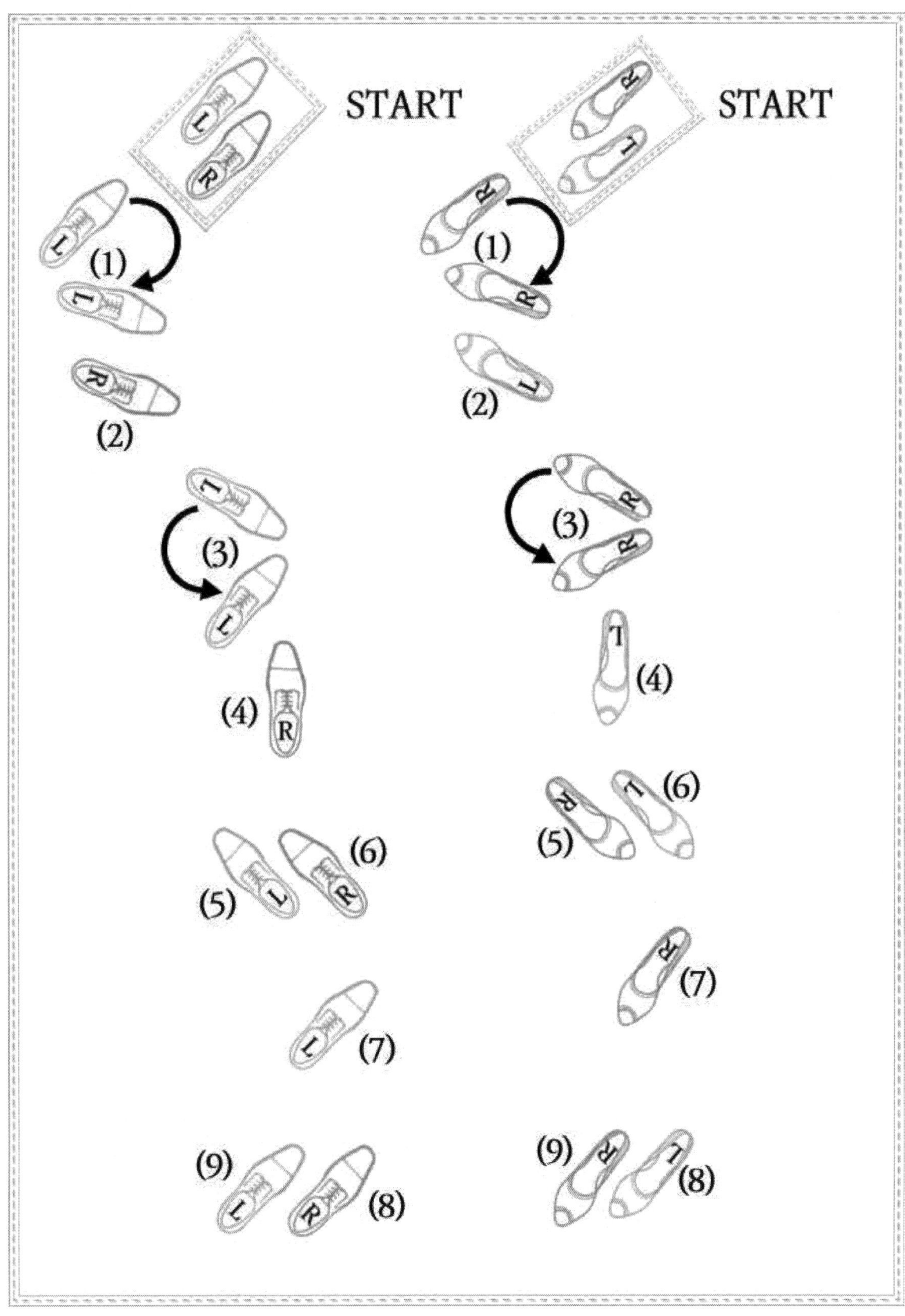

〈남성&여성〉

스텝	카운트	리듬	읽을 때	음악 타이밍	핸드 포지션
1보	1	Q	퀵	쿵	Hold
2보	2	Q	퀵	짝	Hold
3보	3	Q	퀵	쿵	Hold
4보	4	Q	퀵	짝	Hold
5보	5	Q	퀵	쿵	Hold
6보	6	&	엔	짝	Hold
7보	7	Q	퀵	짝	Hold
8보	8	Q	퀵	쿵	Hold
9보	9	&	엔	짝	Hold

〈남성〉

스텝	핸드	스텝 방식	액션
1보	왼손	놓고	Backward Walk
2보	왼손	놓고	Side Step
3보	왼손	놓고	Forward Walk
4보	왼손	놓고	Backward Walk
5보	왼손	놓고	Diagonally Backward Walk
6보	왼손	놓고	Backward Walk
7보	왼손	놓고	Diagonally Backward Walk
8보	왼손	놓고	Backward Walk
9보	왼손	놓고	Backward Walk

스텝	풋 포지션	총 회전량
1보	왼발 후진	90°/R 90°/L
2보	오른발 옆으로	
3보	왼발 전진	
4보	오른발 후진	
5보	왼발 사선으로 후진	
6보	오른발 후진	
7보	왼발 사선으로 후진	
8보	오른발 후진	
9보	왼발 후진	

〈여성〉

스텝	핸드	스텝 방식	액션
1보	오른손	놓고	Forward Walk
2보	오른손	놓고	Side Step
3보	오른손	놓고	Backward Walk
4보	오른손	놓고	Forward Walk
5보	오른손	놓고	Diagonally Forward Walk
6보	오른손	놓고	Forward Walk
7보	오른손	놓고	Diagonally Forward Walk

8보	오른손	놓고	Forward Walk
9보	오른손	놓고	Forward Walk

스텝	풋 포지션	총 회전량
1보	오른발 전진	90˚/R 90˚/L
2보	왼발 옆으로	
3보	오른발 후진	
4보	왼발 전진	
5보	오른발 사선으로 전진	
6보	왼발 전진	
7보	오른발 사선으로 전진	
8보	왼발 전진	
9보	오른발 전진	

사이드 지그재그 스텝에서 백 스텝으로 변환시켜 행하는 피겨로 리드법은 14번과 28번 참고

33번 포장&아웃사이드 턴

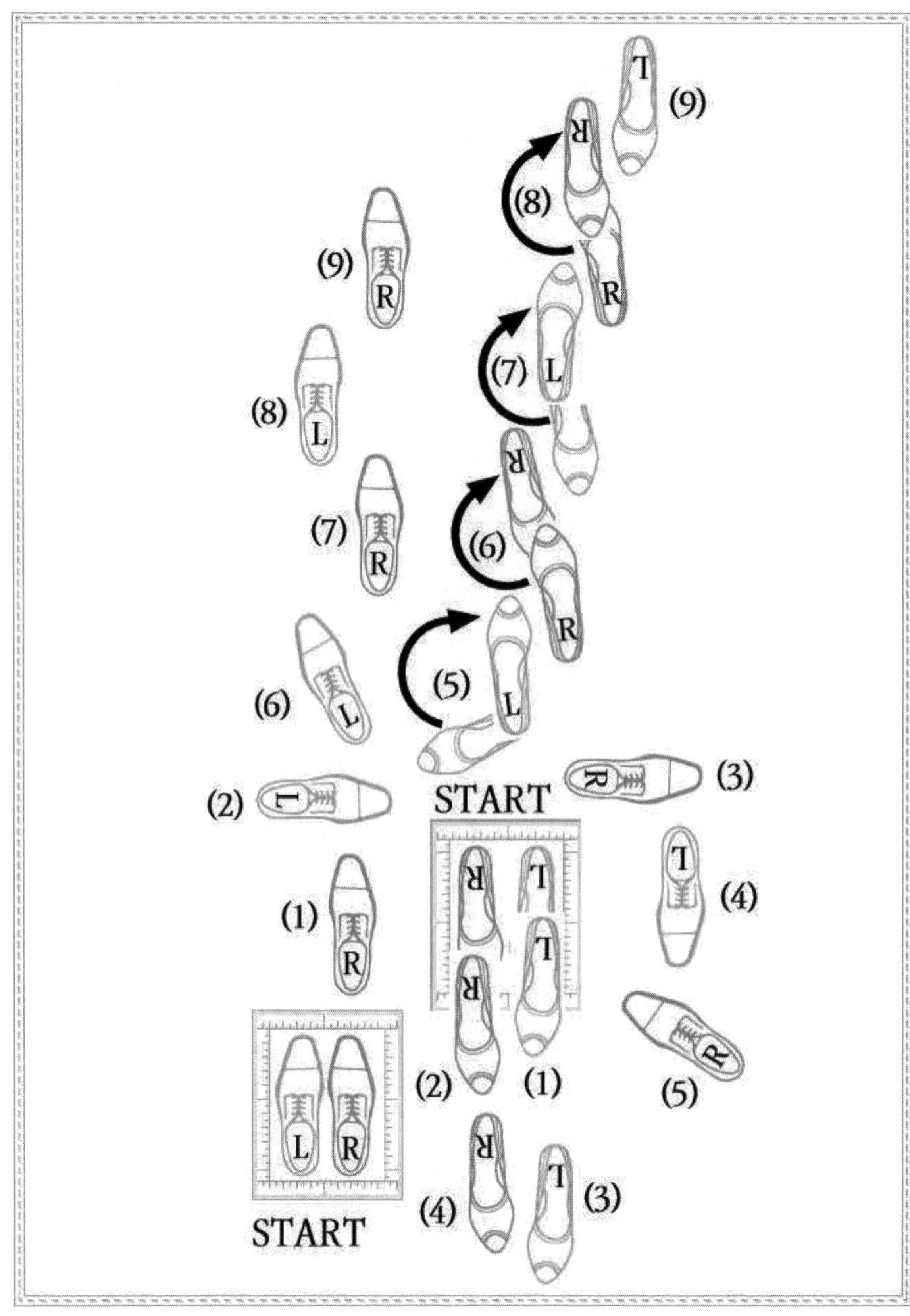

〈남성&여성〉

스텝	카운트	리듬	읽을 때	음악 타이밍	핸드 포지션
1보	1	Q	퀵	쿵	Two Hand Joined
2보	2	Q	퀵	짝	Two Hand Joined
3보	3	Q	퀵	쿵	Two Hand Joined
4보	4	Q	퀵	짝	Two Hand Joined
5보	5	Q	퀵	쿵	Two Hand Joined
6보	6	Q	퀵	짝	Two Hand Joined
7보	7	Q	퀵	짝	One Hand Joined
8보	8	Q	퀵	쿵	One Hand Joined
9보	9	Q	퀵	짝	One Hand Joined

〈남성〉

스텝	핸드	스텝 방식	액션
1보	양손	놓고	Forward Walk
2보	양손	놓고	Turn
3보	양손	놓고	Forward Walk
4보	양손	놓고	Turn
5보	양손	놓고	Turn
6보	양손	놓고	Turn
7보	왼손	놓고	Forward Walk
8보	왼손	놓고	Forward Walk
9보	왼손	놓고	Forward Walk

스텝	풋 포지션	총 회전량
1보	오른발 전진	360°/R
2보	왼발 Turn/R	
3보	오른발 전진	
4보	왼발 Turn/R	
5보	오른발 Turn/R	
6보	왼발 Turn/R	
7보	오른발 전진	
8보	왼발 전진	
9보	오른발 전진	

〈여성〉

스텝	핸드	스텝 방식	액션
1보	양손	놓고	Forward Walk
2보	양손	놓고	Forward Walk
3보	양손	놓고	Forward Walk
4보	양손	놓고	Forward Walk
5보	양손	놓고	Turn
6보	양손	놓고	Turn
7보	오른손	놓고	Turn

8보	오른손	놓고	Turn
9보	오른손	놓고	Backward Walk

스텝	풋 포지션	총 회전량
1보	왼손 전진	720°/R
2보	오른손 전진	
3보	왼손 전진	
4보	오른손 전진	
5보	왼발 Turn/R	
6보	오른발 Turn/R	
7보	왼발 Turn/R	
8보	오른발 Turn/R	
9보	오른발 후진	

이 스텝은 지르박에서도 나오는 스텝으로 지르박에서도 이 스텝을 별 어려움 없이 여성을 리드 할 수 있다면 블루스에서도 별 어려움 없이 여성을 리드 할 수 있을 것이다.

여성 스텝은 전진 스텝 하면서 포장, 후진 스텝 하면서 오른쪽으로 회전, 남성 스텝은 여성 양손을 잡은 상태를 유지, 여성 등 뒤로 이동하면서 포장, 5보에 여성 포장 상태를 풀어주면서 오른쪽으로 회전시켜 준다.

34번 아웃사이드 턴

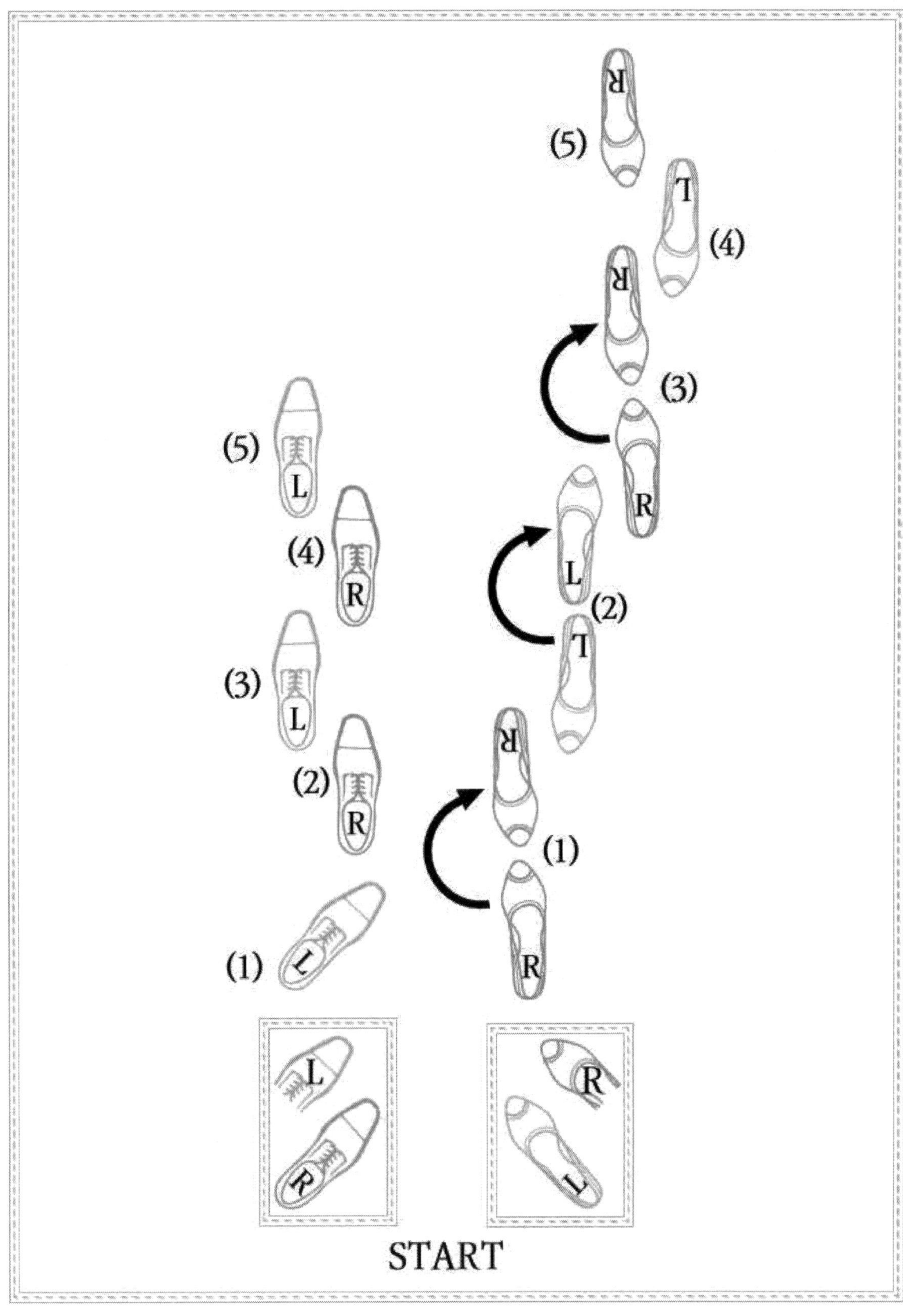

〈남성&여성〉

스텝	카운트	리듬	읽을 때	음악 타이밍	핸드 포지션
1보	1	Q	퀵	쿵	One Hand Joined
2보	2	Q	퀵	짝	One Hand Joined
3보	3	Q	퀵	쿵	One Hand Joined
4보	4	Q	퀵	짝	One Hand Joined
5보	5	Q	퀵	쿵	One Hand Joined

〈남성〉

스텝	핸드	스텝 방식	액션
1보	왼손	놓고	Forward Walk
2보	왼손	놓고	Forward Walk
3보	왼손	놓고	Forward Walk
4보	왼손	놓고	Forward Walk
5보	왼손	놓고	Forward Walk

스텝	풋 포지션	총 회전량
1보	왼발 전진	없음
2보	오른발 전진	
3보	왼발 전진	
4보	오른발 전진	
5보	왼발 전진	

〈여성〉

스텝	핸드	스텝 방식	액션
1보	오른손	놓고	Turn
2보	오른손	놓고	Turn
3보	오른손	놓고	Turn
4보	오른손	놓고	Backward Walk
5보	오른손	놓고	Backward Walk

스텝	풋 포지션	총 회전량
1보	오른발 Turn/R	540°/R
2보	왼발 Turn/R	
3보	오른발 Turn/R	
4보	왼발 후진	
5보	오른발 후진	

Promenade position에서 남성이 여성을 오른쪽으로 회전시켜주는 피겨로 남성의 의도에 따라 여성의 회전량을 조절할 수 있다.

Promenade position에서 프롬나드 샤세 없이 여성을 오른쪽으로 회전시켜 줄 수도 있고 프롬나드 샤세를 1회 행한 후 여성을 오른쪽으로 회전시켜 줄 수도 있다.

남성은 왼손으로 여성 오른손을 머리 위로 올리면서 오른손으로 여성의 등을 앞으로 밀어주면서 여성을 오른쪽으로 회전시켜준다.

블루스보다는 트로트에서 많이 사용되는 스텝으로 남성 초보자들로 쉽게 습득할 수 있다.

35번 로터리 지그재그 스위블

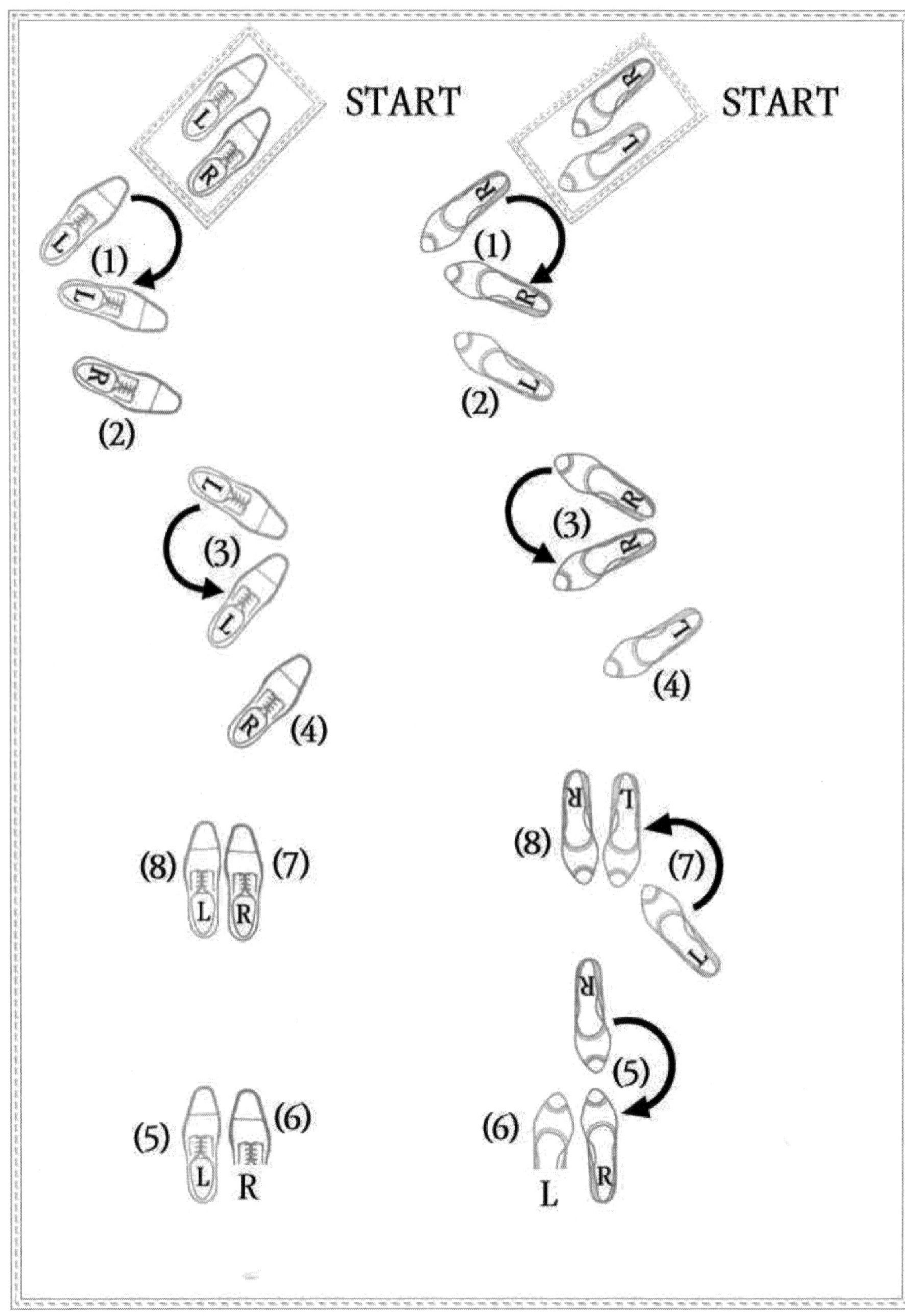

〈남성&여성〉

스텝	카운트	리듬	읽을 때	음악 타이밍	핸드 포지션
1보	1	Q	퀵	쿵	Hold
2보	2	Q	퀵	짝	Hold
3보	3	Q	퀵	쿵	Hold
4보	4	Q	퀵	짝	Hold
5보	5	Q	퀵	쿵	Hold
6보	6	Q	퀵	짝	Hold
7보	7	S	퀵	짝	Hold
8보	8	&	퀵	쿵	Hold

〈남성〉

스텝	핸드	스텝 방식	액션
1보	왼손	놓고	Backward Walk
2보	왼손	놓고	Side Step
3보	왼손	놓고	Forward Walk
4보	왼손	놓고	Side Step
5보	왼손	놓고	Backward Walk
6보	왼손	찍고	Backward Walk
7보	왼손	놓고	Forward Walk
8보	왼손	놓고	Forward Walk

스텝	풋 포지션	총 회전량
1보	왼발 후진	90°/R 90°/L
2보	오른발 옆으로	
3보	왼발 전진	
4보	오른발 옆으로	
5보	왼발 후진	
6보	오른발 왼발 옆에 모으고	
7보	오른발 전진	
8보	왼발 오른발 옆에 모으고	

〈여성〉

스텝	핸드	스텝 방식	액션
1보	오른손	놓고	Forward Walk
2보	오른손	놓고	Side Step
3보	오른손	놓고	Backward Walk
4보	오른손	놓고	Side Step
5보	오른손	놓고	Turn
6보	오른손	찍고	
7보	오른손	놓고	Turn
8보	오른손	놓고	

스텝	풋 포지션	총 회전량

1보	오른발 전진	180°/R 180°/L
2보	왼발 옆으로	
3보	오른발 후진	
4보	왼발 옆으로	
5보	오른발 Turn/R	
6보	오른발 왼발 옆에 모으고	
7보	왼발 Turn/R	
8보	오른발 왼발 옆에 모으고	

남성은 4보까지 지그재그 스텝, 5보에 왼발을 후진하면서 여성 견갑골에 위치한 오른손으로 당기면서 오른쪽으로 180° 회전시켜주고 6보에 오른발을 왼발에 모은다. 7보에 오른발을 전진, 여성 견갑골에 위치한 오른손으로 밀면서 왼쪽으로 180° 회전시켜준다. 8보에 왼발을 오른발에 모은다.

36번 리버스턴(마무리턴) 갈까 말까

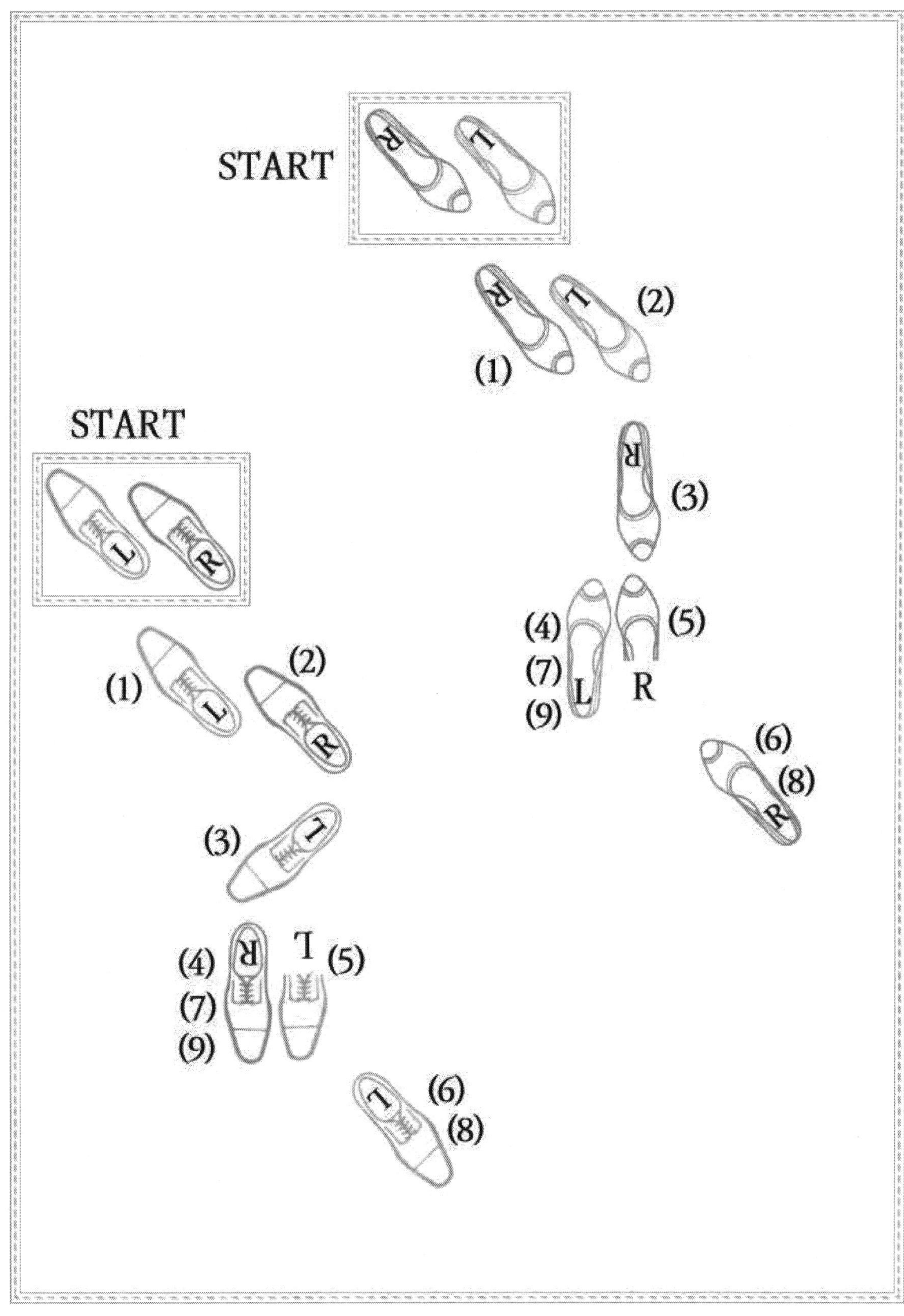

〈남성&여성〉

스텝	카운트	리듬	읽을 때	음악 타이밍	핸드 포지션
1보	1	Q	퀵	쿵	Hold
2보	2	&	엔	짝	Hold
3보	3	Q	퀵	쿵	Hold
4보	4	S	슬로우	짝	Hold
5보	5	&	엔	쿵	Hold
6보	6	Q	퀵	짝	Hold
7보	7	Q	퀵	짝	Hold
8보	8	Q	퀵	쿵	Hold
9보	9	Q	퀵	짝	Hold

〈남성〉

스텝	핸드	스텝 방식	액션
1보	왼손	놓고	Diagonally Backward Walk
2보	왼손	놓고	Backward Walk
3보	왼손	놓고	Turn
4보	왼손	놓고	Turn
5보	왼손	놓고	
6보	왼손	놓고	Forward Walk
7보	왼손	놓고	Backward
8보	왼손	놓고	Forward
9보	왼손	놓고	Backward

스텝	풋 포지션	총 회전량
1보	왼발 사선으로 후진	180°/L
2보	오른발 약간 후진	
3보	왼발 Turn/L	
4보	오른발 Turn/L	
5보	왼발 오른발 옆에 모으고	
6보	왼발 전진	
7보	체중 이동/RF	
8보	체중 이동/LF	
9보	체중 이동/RF	

〈여성〉

스텝	핸드	스텝 방식	액션
1보	오른손	놓고	Diagonally Forward Walk
2보	오른손	놓고	Forward Walk
3보	오른손	놓고	Turn
4보	오른손	놓고	Turn
5보	오른손	놓고	
6보	오른손	놓고	Backward Walk
7보	오른손	놓고	Forward

8보	오른손	놓고	Backward
9보	오른손	놓고	Forward

스텝	풋 포지션	총 회전량
1보	오른발 사선으로 전진	180°/L
2보	왼발 약간 전진	
3보	오른발 Turn/L	
4보	왼발 Turn/L	
5보	오른발 왼발 옆에 모으고	
6보	오른발 후진	
7보	체중 이동/LF	
8보	체중 이동/RF	
9보	체중 이동.LF	

Closed facing position을 유지하면서 리버스턴(마무리턴), 왼발 전진 후 체중만 오른발 왼발 갔다 왔다 하는 피겨이다.

37번 워킹 오픈

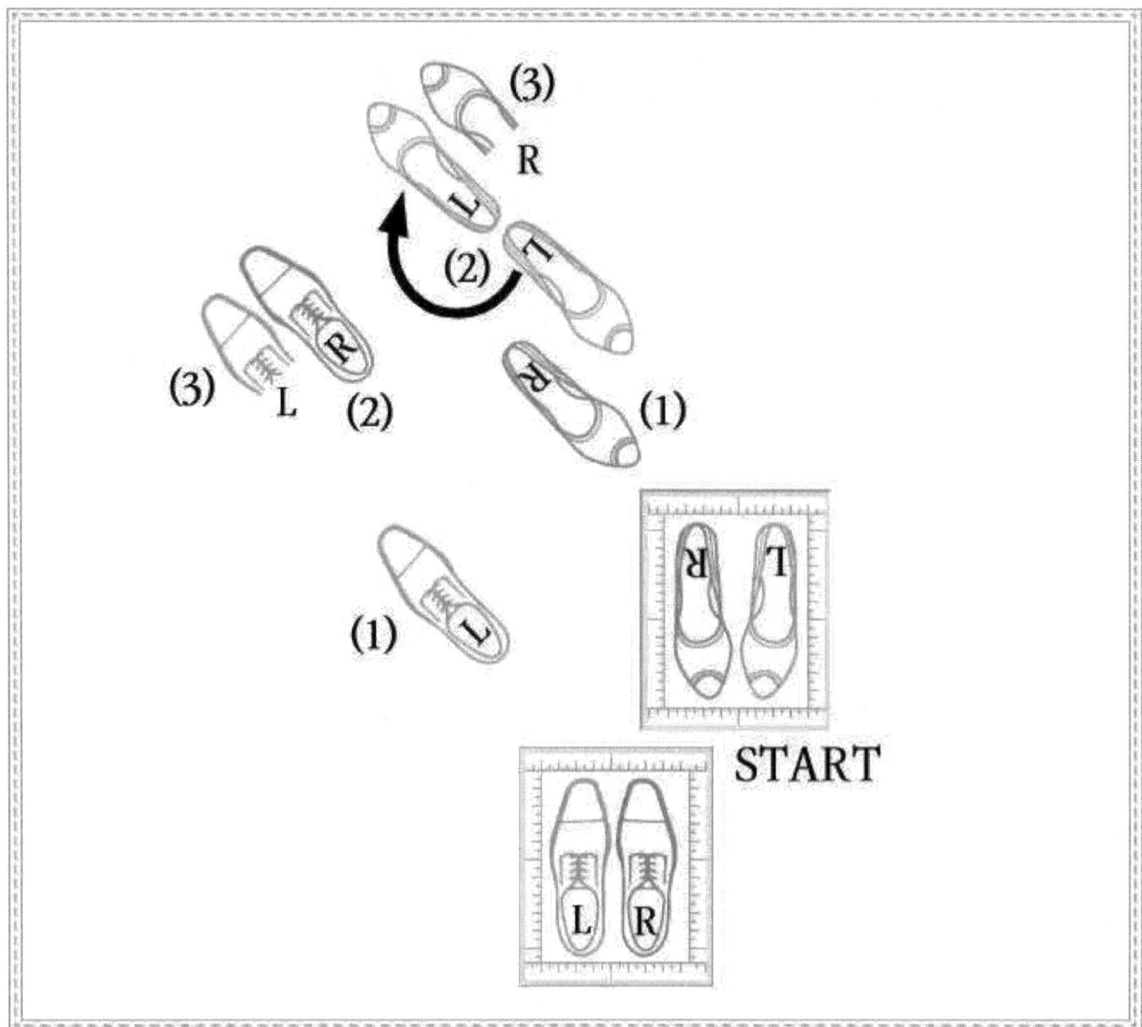

〈남성&여성〉

스텝	카운트	리듬	읽을 때	음악 타이밍	핸드 포지션
1보	1	Q	퀵	쿵	Hold
2보	2	S	슬로우	짝	Hold
3보	3	&	엔	쿵	Hold

〈남성〉

스텝	핸드	스텝 방식	액션
1보	왼손	놓고	Forward Walk
2보	왼손	놓고	Forward Walk
3보	왼손	찍고	Forward Walk

스텝	풋 포지션	총 회전량

1보	왼발 전진	없음
2보	오른발 전진	
3보	왼발 전진하면서 오른발 옆에 모으고	

〈여성〉

스텝	핸드	스텝 방식	액션
1보	오른손	놓고	Backward Walk
2보	오른손	놓고	Turn
3보	오른손	찍고	

스텝	풋 포지션	총 회전량
1보	오른발 후진	180˚/R
2보	왼발 Turn/R	
3보	오른발 왼발 옆에 모으고	

남성은 전진하면서 그립 된 여성의 오른손을 밀면서 남성의 오른손으로 여성의 견갑골을 당긴다.

38번 프롬나드 쓰리 스텝

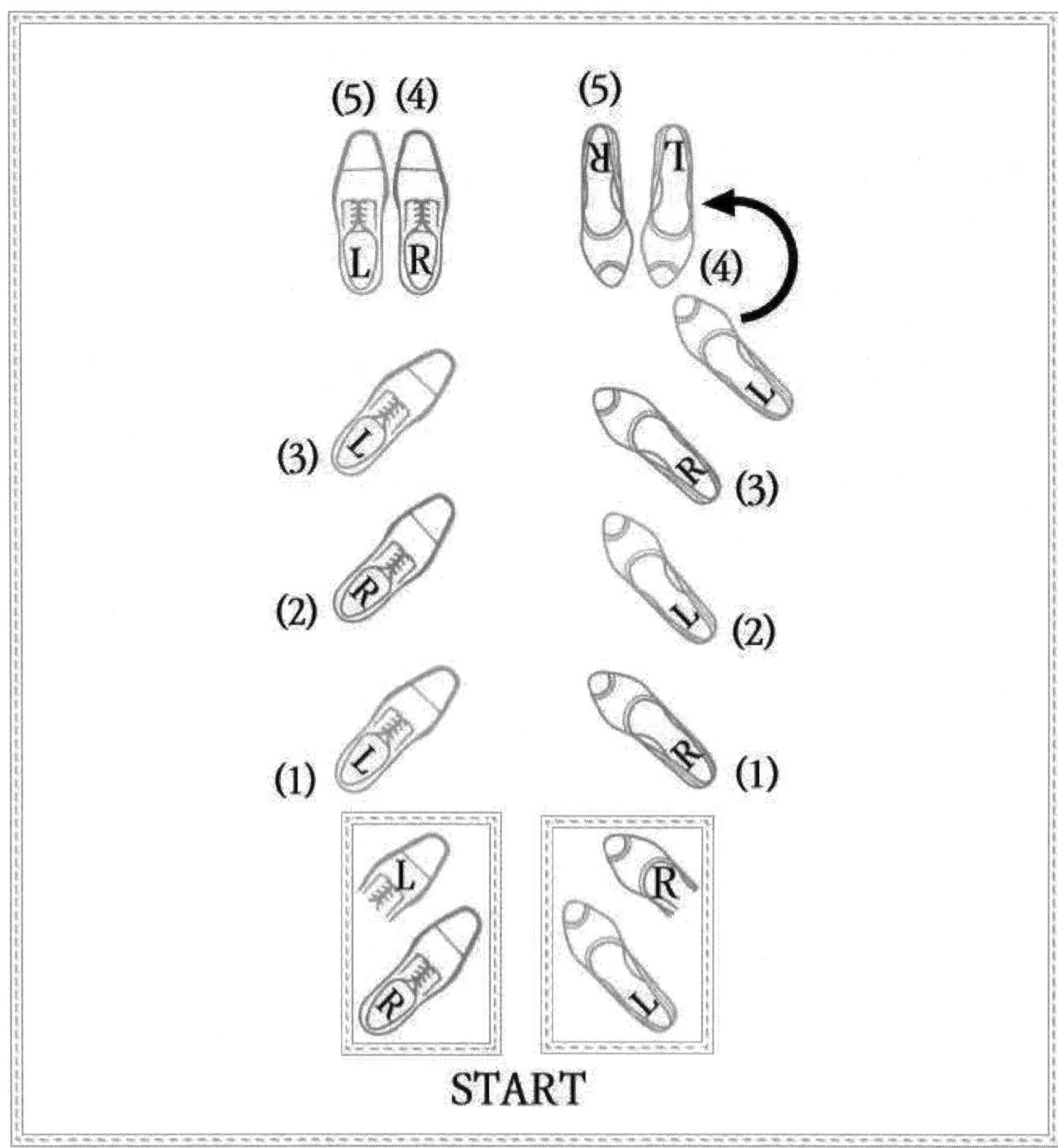

〈남성&여성〉

스텝	카운트	리듬	읽을 때	음악 타이밍	핸드 포지션
1보	1	Q	퀵	쿵	Hold
2보	2	Q	퀵	짝	Hold
3보	3	Q	퀵	쿵	Hold
4보	4	S	슬로우	짝	Hold
5보	5	&	엔	쿵	Hold

〈남성〉

스텝	핸드	스텝 방식	액션
1보	왼손	놓고	Forward Walk
2보	왼손	놓고	Forward Walk
3보	왼손	놓고	Forward Walk
4보	왼손	놓고	Forward Walk
5보	왼손	찍고	Forward Walk

스텝	풋 포지션	총 회전량
1보	왼발 전진	없음
2보	오른발 전진	
3보	왼발 전진	
4보	오른발 전진	
5보	왼발 전진하면서 오른발 옆에 모으고	

〈여성〉

스텝	핸드	스텝 방식	액션
1보	오른손	놓고	Forward Walk
2보	오른손	놓고	Forward Walk
3보	오른손	놓고	Forward Walk
4보	오른손	놓고	Turn
5보	오른손	찍고	

스텝	풋 포지션	총 회전량
1보	오른발 전진	180°/L
2보	왼발 전진	
3보	오른발 전진	
4보	왼발 Turn/L	
5보	오른발 전진	

프롬나드 샤세에서는 남성과 여성은 텐션이 걸린 상태에서 자세, 어깨 및 팔의 견고한 상태를 유지하면서 남성은 전진 샤세 스텝을 하지만, 프롬나드 쓰리 스텝에서는 남성 오른손으로 인위적으로 여성 견갑골을 약간 강하게 앞으로 밀면서 쓰리 스텝을 해야 한다.

이 피겨는 초보자 남성들이 사용하기에는 좀 리드가 까다로운 스텝으로 초보자들이 꺼리는 피겨이다. 10년 전만 해도 현장에서 많이 사용되는 스텝 중 하나였는데 지금은 보기 힘든 스텝이다.

보통, 이 피겨는 초보 남성들은 Promenade position에서 행하지만, 고수들은 백 지그재그를 행한 후 Promenade position을 만들어 행한다.

의외로 여성들이 좋아하는 스텝이다.

4보~5보, Promenade position에서 남성은 회전 없이 여성만 남성 정면 앞으로 회전시켜 세우는 스텝으로 대부분 남성은 팔로만 여성을 잡아당겨 리드를 하는데, 정확한 리드 법은 텐션이 걸린 상태를 유지하면서 상체를 왼쪽으로 틀어주면서 여성을 남성 앞에 세우면 된다.

39번 역 오픈(프롬나드 샤세)

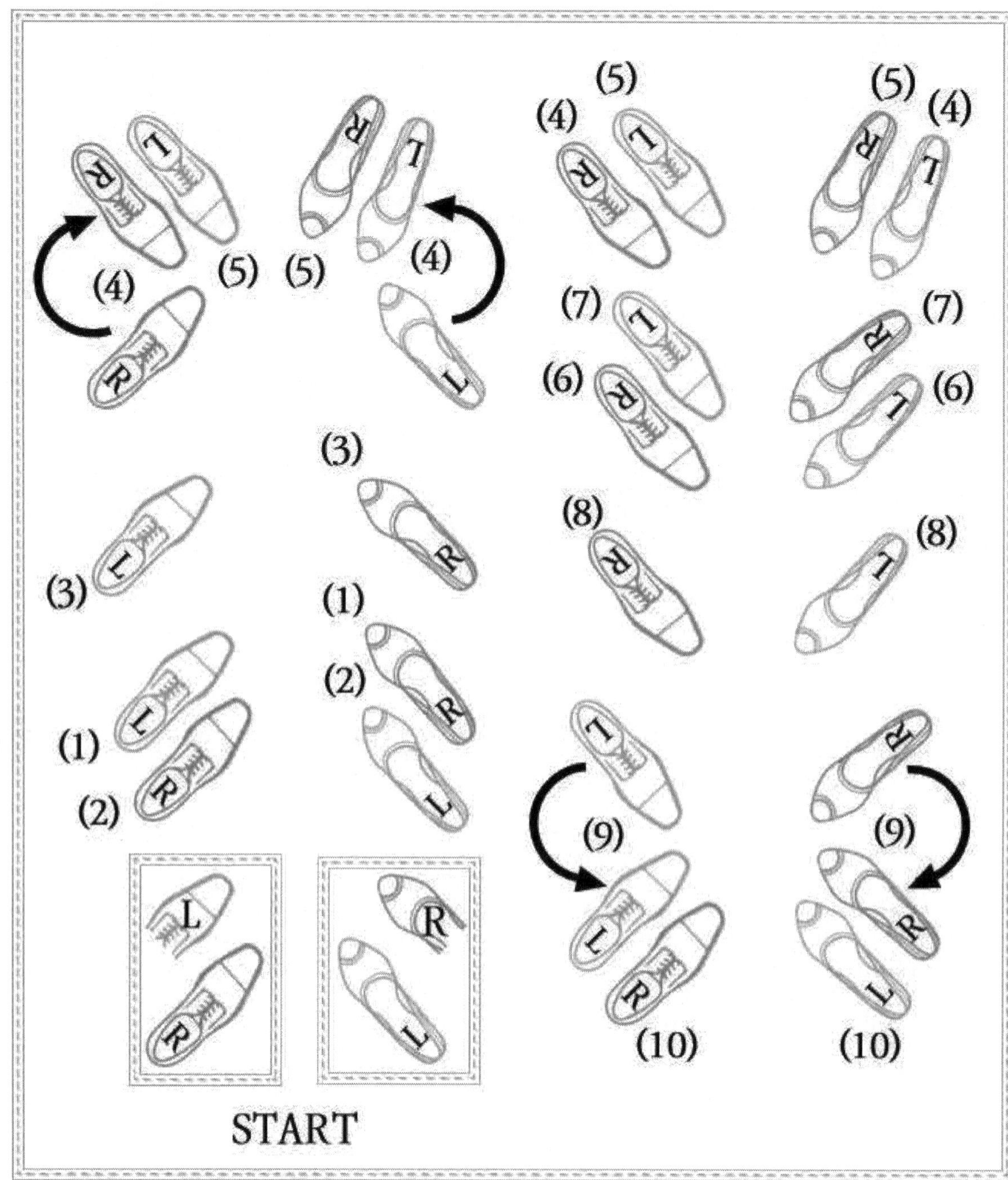

〈남성&여성〉

스텝	카운트	리듬	읽을 때	음악 타이밍	핸드 포지션
1보	1	Q	퀵	쿵	Hold
2보	2	&	엔	짝	Hold
3보	3	Q	퀵	쿵	Hold
4보	4	S	슬로우	짝	Hold
5보	5	&	엔	쿵	Hold

6보	6	Q	퀵	짝	Hold
7보	7	&	엔	짝	Hold
8보	8	Q	퀵	쿵	Hold
9보	9	S	슬로우	짝	Hold
10보	10	&	엔	쿵	Hold

〈남성〉

스텝	핸드	스텝 방식	액션
1보	왼손	놓고	Forward Walk
2보	왼손	놓고	Forward Walk
3보	왼손	놓고	Forward Walk
4보	왼손	놓고	Turn
5보	왼손	놓고	
6보	오른손	놓고	Forward Walk
7보	오른손	놓고	Forward Walk
8보	오른손	놓고	Forward Walk
9보	오른손	놓고	Turn
10보	오른손	놓고	

스텝	풋 포지션	총 회전량
1보	왼발 전진	180˚/R 180˚/L
2보	오른발 전진	
3보	왼발 전진	
4보	오른발 Turn/R	
5보	왼발 오른발 옆에 모으고	
6보	오른발 전진	
7보	왼발 전진	
8보	오른발 전진	
9보	왼발 Turn/L	
10보	오른발 왼발 옆에 모으고	

〈여성〉

스텝	핸드	스텝 방식	액션
1보	오른손	놓고	Forward Walk
2보	오른손	놓고	Forward Walk
3보	오른손	놓고	Forward Walk
4보	오른손	놓고	Turn
5보	오른손	놓고	
6보	왼손	놓고	Forward Walk
7보	왼손	놓고	Forward Walk
8보	왼손	놓고	Forward Walk
9보	왼손	놓고	Turn
10보	왼손	놓고	

스텝	풋 포지션	총 회전량

1보	오른발 전진	
2보	왼발 전진	
3보	오른발 전진	
4보	왼발 Turn/L	
5보	오른발 왼발 옆에 모으고	180°/R
6보	왼발 전진	180°/L
7보	오른발 전진	
8보	왼발 전진	
9보	오른발 Turn/R	
10보	왼발 오른발 옆에 모으고	

Promenade position에서 프롬나드 전진 샤세, 역 오픈, 프롬나드 전진 샤세를 하는 피겨로 4보~5보에 남성은 R/180° 회전하면서 왼손으로 여성의 오른손을 남성 허리 쪽으로 이동, 남성 오른손으로 여성 왼손을 그립을 유지하면서 프롬나드 샤세를 하면 된다,

9보~10보에서 남성은 오른손을 여성 견갑골로 이동 왼손으로 여성 왼손을 잡는다.

40번 180° 체크 턴, 트위스트(스위블)

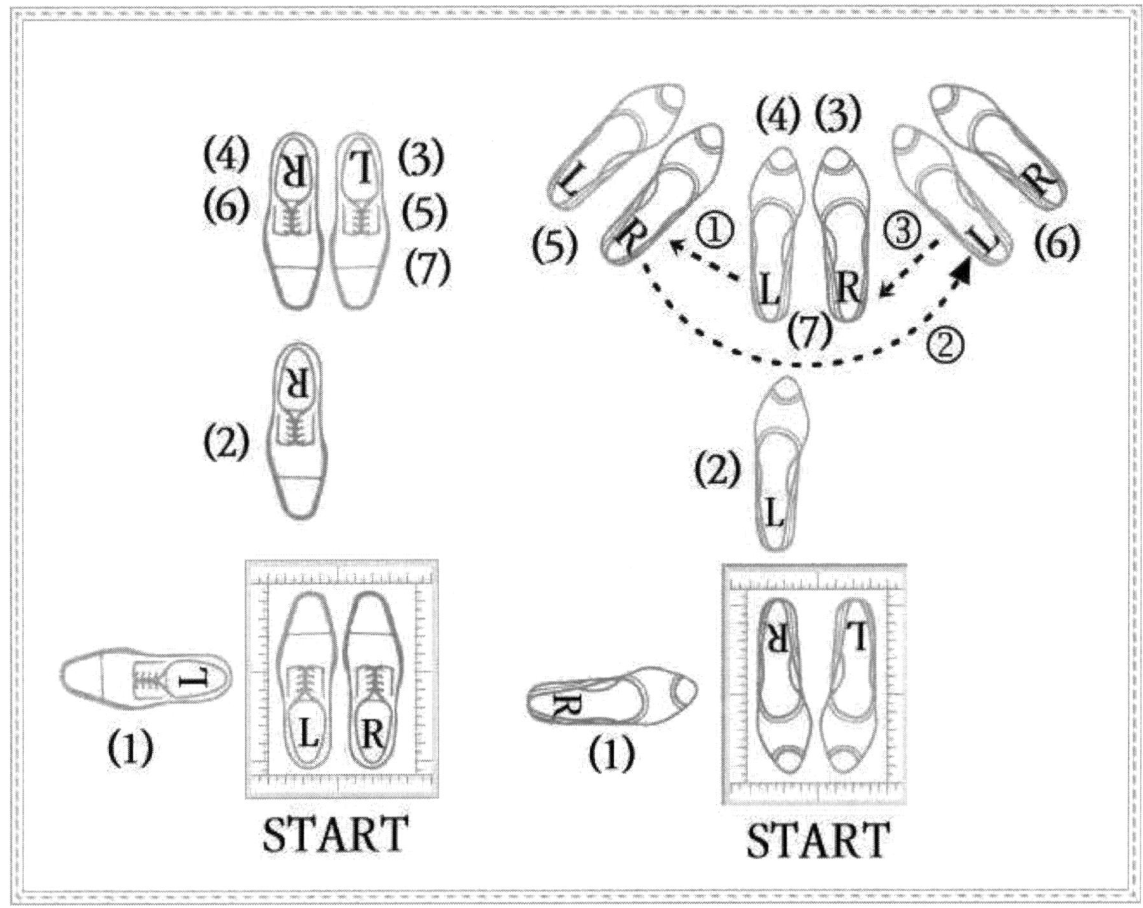

〈남성&여성〉

스텝	카운트	리듬	읽을 때	음악 타이밍	핸드 포지션
1보	1	Q	퀵	쿵	Hold
2보	2	Q	퀵	짝	Hold
3보	3	S	슬로우	쿵	Hold
4보	4	&	엔	짝	Hold
5보	5	Q	퀵	쿵	Hold
6보	6	Q	퀵	짝	Hold
7보	7	Q	퀵	쿵	Hold

〈남성〉

스텝	핸드	스텝 방식	액션
1보	왼손	놓고	Turn
2보	왼손	놓고	Turn
3보	왼손	놓고	Backward Walk
4보	왼손	놓고	Backward Walk
5보	왼손		Twist
6보	왼손		

7보	왼손		

스텝	풋 포지션	총 회전량
1보	왼발 Turn/L	180°/L
2보	오른발 Turn/L	
3보	왼발 후진	
4보	오른발 후진	
5보	오른발 왼발 모은 상태 유지	
6보	오른발 왼발 모은 상태 유지	
7보	오른발 왼발 모은 상태 유지	

〈여성〉

스텝	핸드	스텝 방식	액션
1보	오른손	놓고	Turn
2보	오른손	놓고	Turn
3보	오른손	놓고	Forward Walk
4보	오른손	놓고	Forward Walk
5보	오른손	놓고	Swivel(Twist)
6보	오른손	놓고	
7보	오른손	놓고	

스텝	풋 포지션	총 회전량
1보	오른발 Turn/L	180°/L
2보	왼발 Turn/L	
3보	오른발 전진	
4보	왼발 오른발 옆에 모으고	
5보	오른발 왼발 모은 상태를 유지하면서 Swivel(Twist)	
6보	오른발 왼발 모은 상태를 유지하면서 Swivel(Twist)	
7보	오른발 왼발 모은 상태를 유지하면서 Swivel(Twist)	

홀드 상태에서 남성과 여성이 동시에 180° 회전하는 스텝에서는 텐션이 걸린 상태를 유지하면서 남성은 회전하면 된다. 텐션이 걸린 상태에서 남성이 회전하면 자연스럽게 여성에게 텐션 및 리드가 전달되기 때문이다. 대부분 초보자는 강제로 여성을 손 및 등을 강하게 잡아당기는 경우가 있는데 너무 강한 리드나 텐션은 여성을 불편하게 만든다.

5보~7보에서 남성은 브레이크 상태를 유지하면서 여성의 오른손을 밀고, 당기고, 오른손으로 여성의 견갑골을 당기고, 밀고를 연속으로 하면 된다. 남성의 의도에 따라 1~2번이나 3~4번 이상도 가능하다.

여성은 약간 무릎을 구부린 상태에서 트위스트(스위블)를 할 수도 있고, 무릎을 구부림 없는 상태에서 트위스트(스위블)를 할 수도 있다. 여성은 기량에 따라 선택하면 된다.

41번 180° 체크턴, 트위스트(스위블), 턴

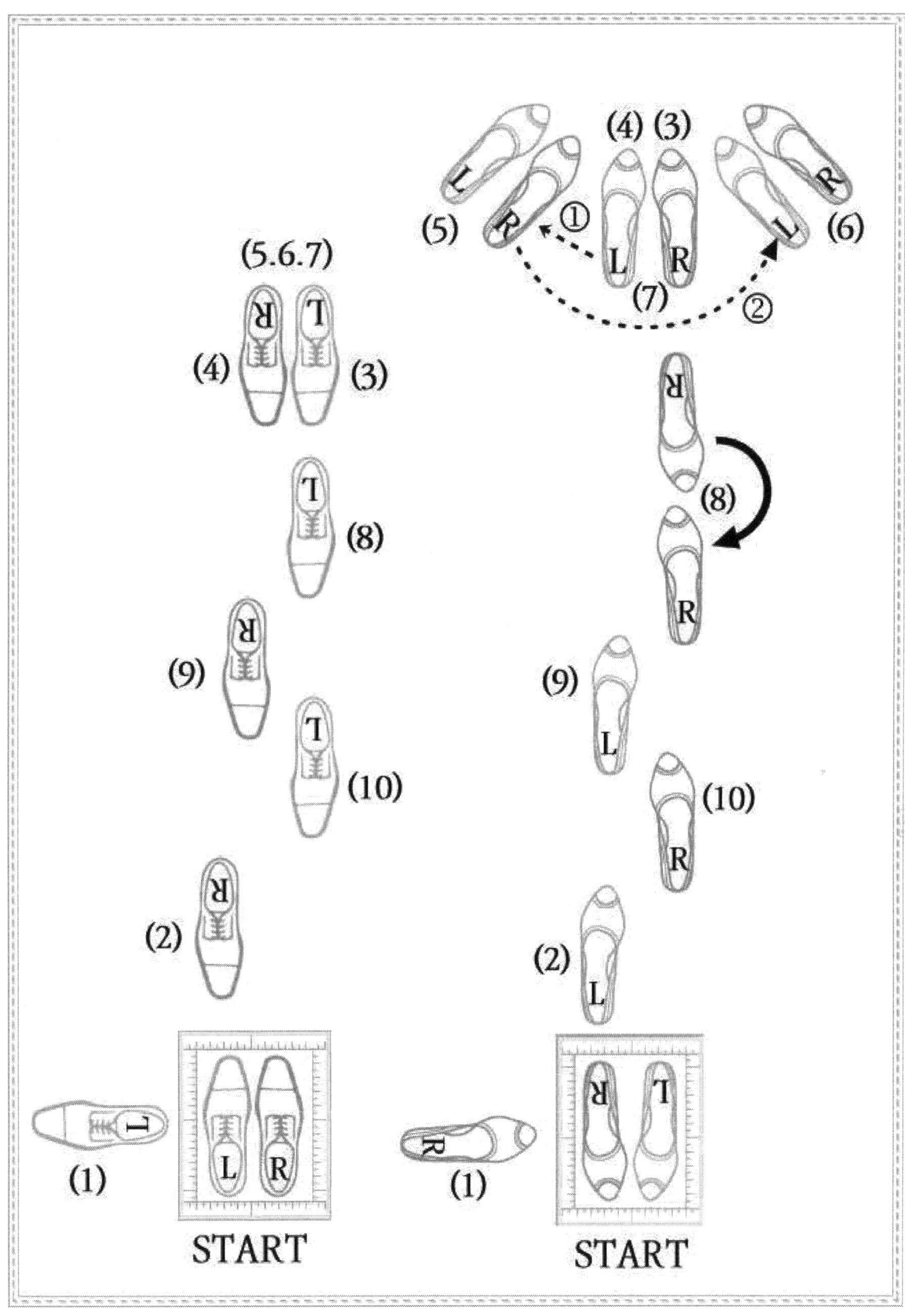

〈남성&여성〉

스텝	카운트	리듬	읽을 때	음악 타이밍	핸드 포지션
1보	1	Q	퀵	쿵	Hold
2보	2	Q	퀵	짝	Hold
3보	3	S	슬로우	쿵	Hold
4보	4	&	엔	짝	Hold
5보	5	Q	퀵	쿵	Hold
6보	6	Q	퀵	짝	Hold
7보	7	Q	퀵	쿵	Hold
8보	8	Q	퀵	짝	Hold
9보	9	Q	퀵	쿵	Hold
10보	10	Q	퀵	짝	Hold

〈남성〉

스텝	핸드	스텝 방식	액션
1보	왼손	놓고	Turn
2보	왼손	놓고	Turn
3보	왼손	놓고	Backward Walk
4보	왼손	놓고	Backward Walk
5보	왼손		Twist
6보	왼손		
7보	왼손		
8보	왼손	놓고	Forward Walk
9보	왼손	놓고	Forward Walk
10보	왼손	놓고	Forward Walk

스텝	풋 포지션	총 회전량
1보	왼발 Turn/L	180°/L
2보	오른발 Turn/L	
3보	왼발 후진	
4보	오른발 후진	
5보	오른발 왼발 모은 상태를 유지	
6보	오른발 왼발 모은 상태를 유지	
7보	오른발 왼발 모은 상태를 유지	
8보	왼발 전진	
9보	오른발 전진	
10보	왼발 전진	

〈여성〉

스텝	핸드	스텝 방식	액션
1보	오른손	놓고	Turn
2보	오른손	놓고	Turn
3보	오른손	놓고	Forward Walk
4보	오른손	놓고	Forward Walk
5보	오른손	놓고	Swivel(Twist)

6보	오른손	놓고	
7보	오른손	놓고	
8보	오른손	놓고	Turn
9보	오른손	놓고	Backward Walk
10보	오른손	놓고	Backward Walk

스텝	풋 포지션	총 회전량
1보	오른발 Turn/L	
2보	왼발 Turn/L	
3보	오른발 전진	
4보	왼발 오른발 옆에 모으고	
5보	오른발 왼발 모은 상태를 유지하면서 Swivel(Twist)	180°/R
6보	오른발 왼발 모은 상태를 유지하면서 Swivel(Twist)	180°/L
7보	오른발 왼발 모은 상태를 유지하면서 Swivel(Twist)	
8보	오른발 Turn/R	
9보	왼발 후진	
10보	오른발 후진	

1번~7번까지는 40번 피겨와 같음.

8보에 여성 오른손을 여성 머리 위로 올려 오른쪽으로 회전시켜준다.

42번 프롬나드 쓰리 스텝, 트위스트(스위블)

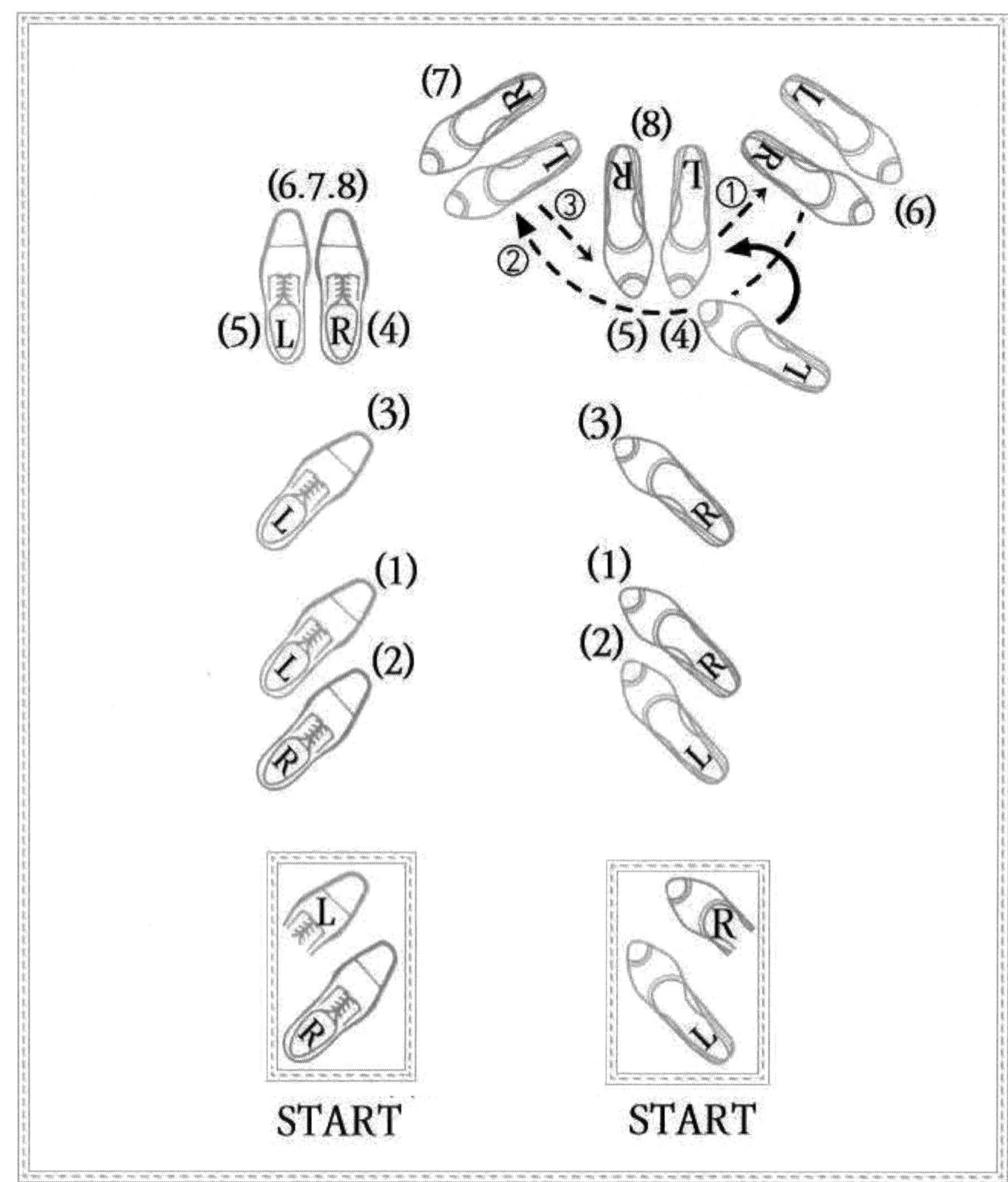

〈남성&여성〉

스텝	카운트	리듬	읽을 때	음악 타이밍	핸드 포지션
1보	1	Q	퀵	쿵	Hold
2보	2	Q	퀵	짝	Hold
3보	3	Q	퀵	쿵	Hold
4보	4	S	슬로우	짝	Hold

5보	5	&	엔	쿵	Hold
6보	6	Q	퀵	짝	Hold
7보	7	Q	퀵	쿵	Hold
8보	8	Q	퀵	짝	Hold

〈남성〉

스텝	핸드	스텝 방식	액션
1보	왼손	놓고	Forward Walk
2보	왼손	놓고	Forward Walk
3보	왼손	놓고	Forward Walk
4보	왼손	놓고	Forward Walk
5보	왼손	놓고	Forward Walk
6보	왼손		Twist
7보	왼손		
8보	왼손		

스텝	풋 포지션	총 회전량
1보	왼발 전진	없음
2보	오른발 전진	
3보	왼발 전진	
4보	오른발 전진	
5보	왼발 오른발 옆에 모으고	
6보	오른발 왼발 모은 상태를 유지하면서	
7보	오른발 왼발 모은 상태를 유지하면서	
8보	오른발 왼발 모은 상태를 유지하면서	

〈여성〉

스텝	핸드	스텝 방식	액션
1보	오른손	놓고	Forward Walk
2보	오른손	놓고	Forward Walk
3보	오른손	놓고	Forward Walk
4보	오른손	놓고	Turn
5보	오른손	놓고	
6보	오른손	놓고	Swivel(Twist)
7보	오른손	놓고	
8보	오른손	놓고	

스텝	풋 포지션	총 회전량
1보	오른발 전진	180°/L
2보	왼발 전진	
3보	오른발 전진	
4보	왼발 Turn/L	
5보	오른발 왼발 옆에 모으고	
6보	오른발 왼발 모은 상태를 유지하면서 Swivel(Twist)	
7보	오른발 왼발 모은 상태를 유지하면서 Swivel(Twist)	

8보	오른발 왼발 모은 상태를 유지하면서 Swivel(Twist)	

리드법은 38번, 40번 참고

43번 2 Walk, 사이드 스텝 (리드법: 6번, 10번 참고)

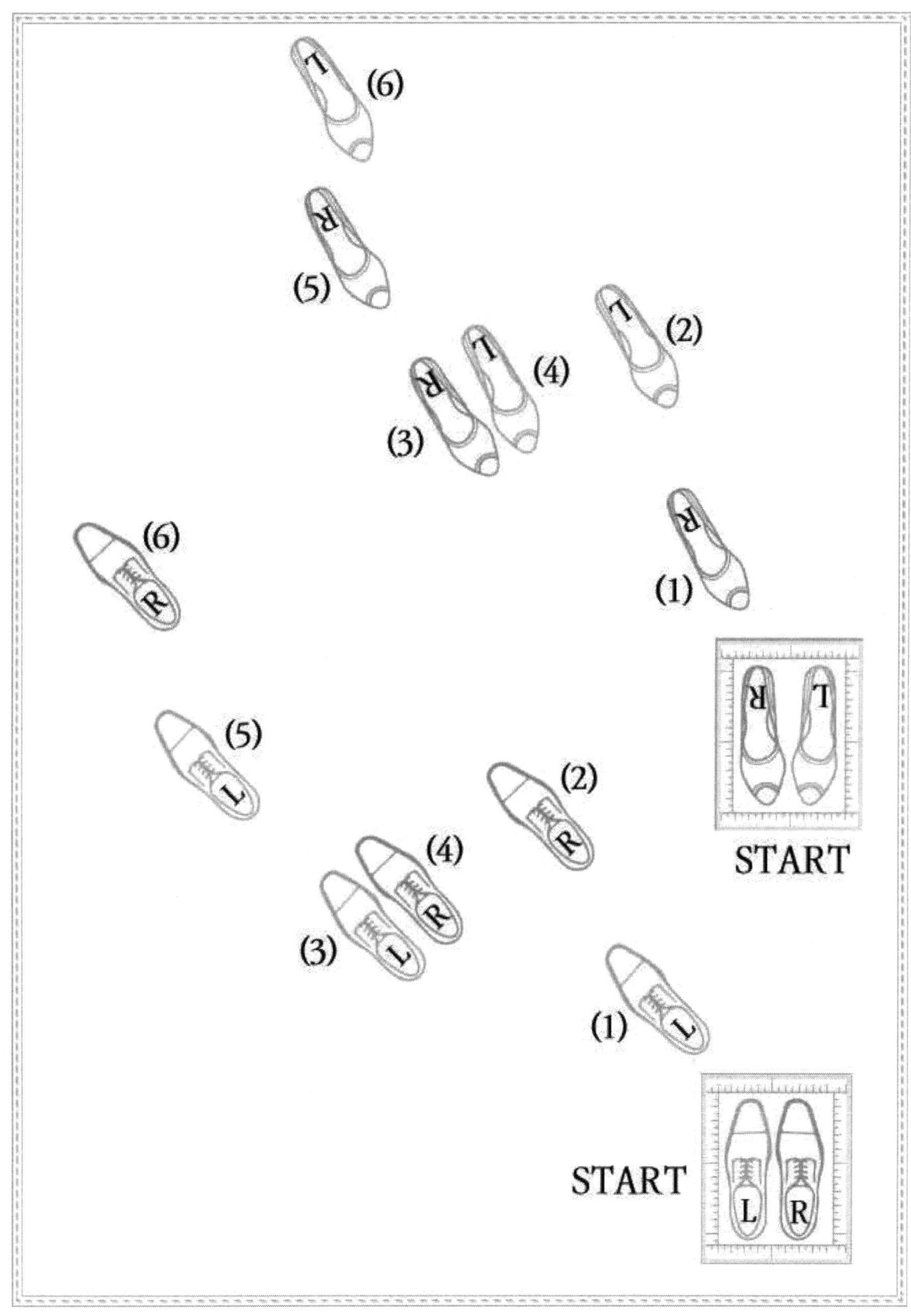

〈남성&여성〉

스텝	카운트	리듬	읽을 때	음악 타이밍	핸드 포지션
1보	1	Q	퀵	쿵	Hold
2보	2	Q	퀵	짝	Hold
3보	3	Q	퀵	쿵	Hold
4보	4	&	엔	짝	Hold
5보	5	Q	퀵	쿵	Hold
6보	6	Q	퀵	짝	Hold

〈남성〉

스텝	핸드	스텝 방식	액션
1보	왼손	놓고	Forward Walk
2보	왼손	놓고	Forward Walk
3보	왼손	놓고	Side Step
4보	왼손	놓고	Side Step
5보	왼손	놓고	Forward Walk
6보	왼손	놓고	Forward Walk

스텝	풋 포지션	총 회전량
1보	왼발 전진	없음
2보	오른발 전진	
3보	왼발 옆으로	
4보	오른발 왼발 옆에 모으고	
5보	왼발 전진	
6보	오른발 전진	

〈여성〉

스텝	핸드	스텝 방식	액션
1보	오른손	놓고	Backward Walk
2보	오른손	놓고	Backward Walk
3보	오른손	놓고	Side Step
4보	오른손	놓고	Side Step
5보	오른손	놓고	Backward Walk
6보	오른손	놓고	Backward Walk

스텝	풋 포지션	총 회전량
1보	오른발 후진	없음
2보	왼발 후진	
3보	오른발 옆으로	
4보	왼발 오른발 옆에 모으고	
5보	오른발 후진	
6보	왼발 후진	

44번 리듬 타기

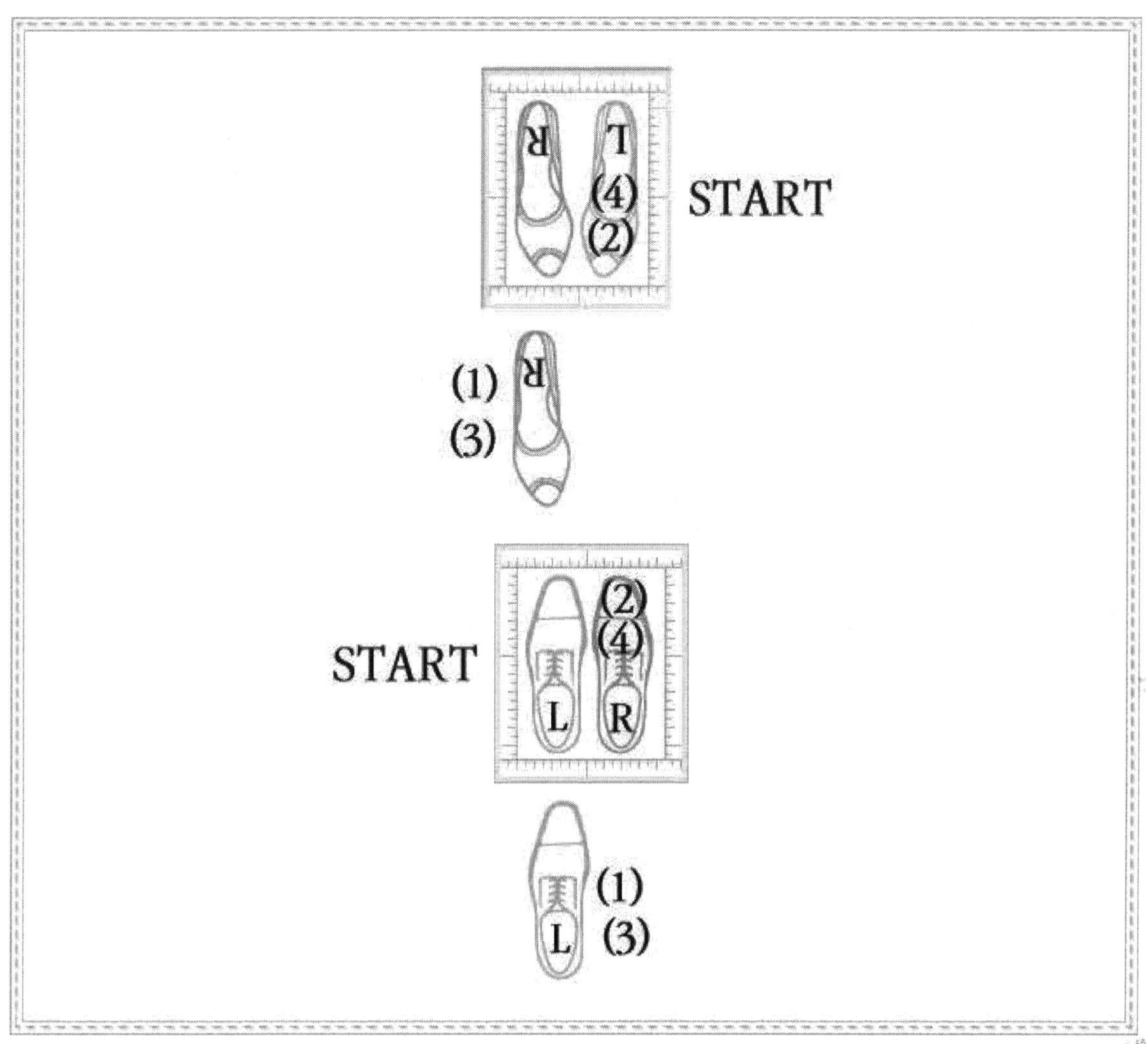

〈남성&여성〉

스텝	카운트	리듬	읽을 때	음악 타이밍	핸드 포지션
1보	1	Q	퀵	쿵	Hold
2보	2	Q	퀵	짝	Hold
3보	3	Q	퀵	쿵	Hold
4보	4	Q	퀵	짝	Hold

〈남성〉

스텝	핸드	스텝 방식	액션
1보	왼손	놓고	Backward Walk
2보	왼손	놓고	Forward
3보	왼손	놓고	Backward
4보	왼손	놓고	Forward

스텝	풋 포지션	총 회전량
1보	왼발 후진	없음
2보	체중 이동/RF	
3보	체중 이동/LF	
4보	체중 이동/RF	

〈여성〉

스텝	핸드	스텝 방식	액션
1보	오른손	놓고	Forward Walk
2보	오른손	놓고	Backward
3보	오른손	놓고	Forward
4보	오른손	놓고	Backward

스텝	풋 포지션	총 회전량
1보	오른발 전진	없음
2보	체중 이동/LF	
3보	체중 이동/RF	
4보	체중 이동/LF	

3보~4보에서는 발 이동 없이 오른발, 왼발, 오른발(여성은 왼발, 오른발, 왼발)로 체중 이동만 하면 된다.

45번 리듬 전·후진 스텝(리드법:1번, 2번, 3번, 4번, 44번 참고)

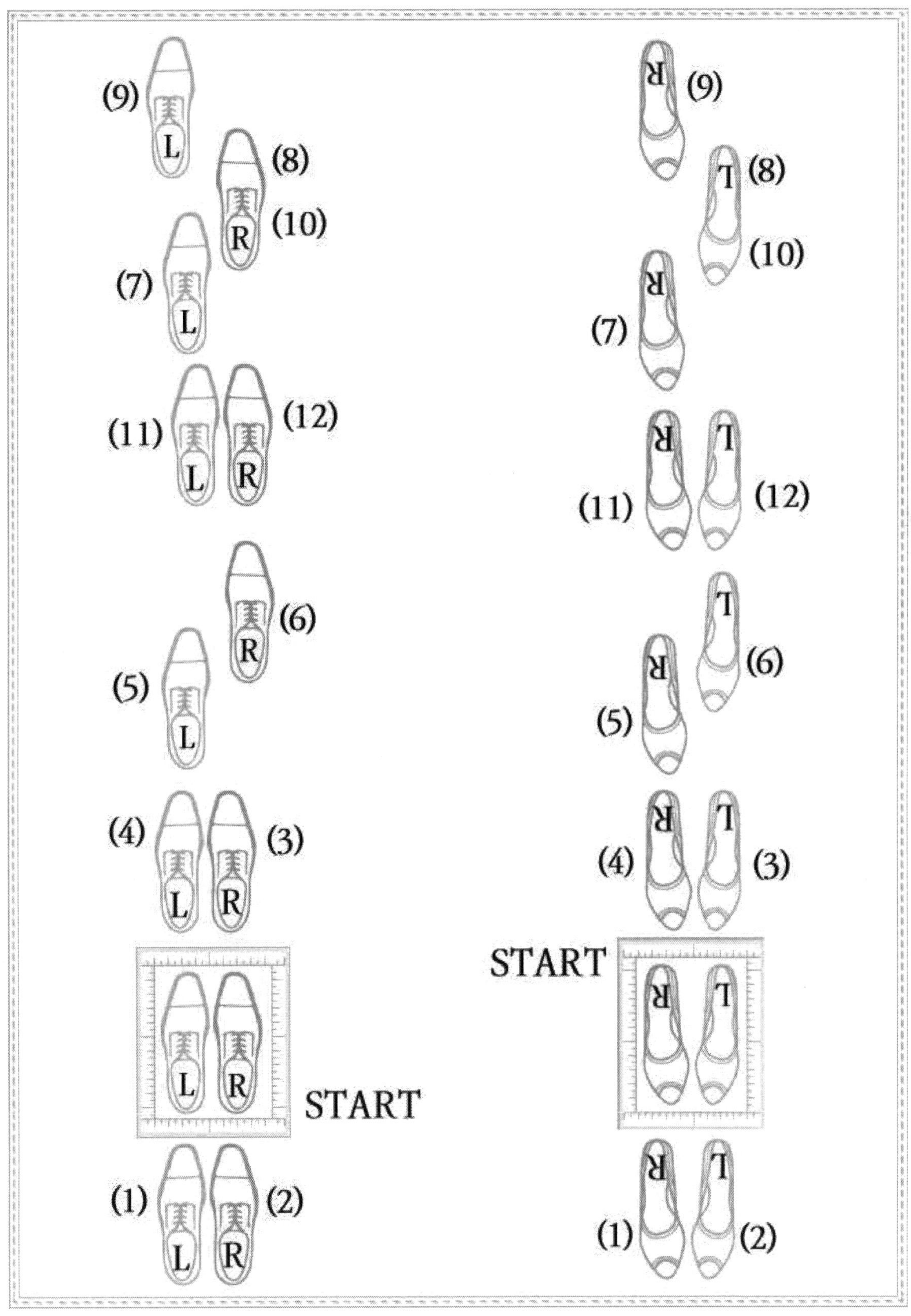

〈남성&여성〉

스텝	카운트	리듬	읽을 때	음악 타이밍	핸드 포지션
1보	1	S	슬로우	쿵	Hold
2보	2	&	엔	짝	Hold
3보	3	S	슬로우	쿵	Hold
4보	4	&	엔	짝	Hold
5보	5	Q	퀵	쿵	Hold
6보	6	Q	퀵	짝	Hold
7보	7	Q	퀵	쿵	Hold
8보	8	Q	퀵	짝	Hold
9보	9	Q	퀵	쿵	Hold
10보	10	Q	퀵	짝	Hold
11보	11	S	슬로우	쿵	Hold
12보	12	&	엔	짝	Hold

〈남성〉

스텝	핸드	스텝 방식	액션
1보	왼손	놓고	Backward Walk
2보	왼손	찍고	Backward Walk
3보	왼손	놓고	Forward Walk
4보	왼손	찍고	Forward Walk
5보	왼손	놓고	Forward Walk
6보	왼손	놓고	Forward Walk
7보	왼손	놓고	Forward Walk
8보	왼손	놓고	Forward Walk
9보	왼손	놓고	Forward Walk
10보	왼손	놓고	Backward Walk
11보	왼손	놓고	Backward Walk
12보	왼손	놓고	Backward Walk

스텝	풋 포지션	총 회전량
1보	왼발 후진	없음
2보	오른발 후진하면서 왼발 옆에 모으고	
3보	오른발 전진	
4보	왼발 전진하면서 오른발 옆에 모으고	
5보	왼발 전진	
6보	오른발 전진	
7보	왼발 전진	
8보	오른발 전진	
9보	왼발 전진	
10보	오른발 약간 후진	
11보	왼발 후진	
12보	오른발 후진하면서 왼발 옆에 모으고	

〈여성〉

스텝	핸드	스텝 방식	액션

1보	오른손	놓고	Forward Walk
2보	오른손	찍고	Forward Walk
3보	오른손	놓고	Backward Walk
4보	오른손	찍고	Backward Walk
5보	오른손	놓고	Backward Walk
6보	오른손	놓고	Backward Walk
7보	오른손	놓고	Backward Walk
8보	오른손	놓고	Backward Walk
9보	오른손	놓고	Backward Walk
10보	오른손	놓고	Forward Walk
11보	오른손	놓고	Forward Walk
12보	오른손	놓고	Forward Walk

스텝	풋 포지션	총 회전량
1보	오른발 전진	없음
2보	왼발 전진하면서 오른발 옆에 모으고	
3보	왼발 후진	
4보	오른발 후진하면서 왼발 옆에 모으고	
5보	오른발 후진	
6보	왼발 후진	
7보	오른발 후진	
8보	왼발 후진	
9보	오른발 후진	
10보	왼발 약간 전진	
11보	오른발 전진	
12보	왼발 전진하면서 오른발 옆에 모으고	

46번 후진 사이드 스텝(남/L 여/R)

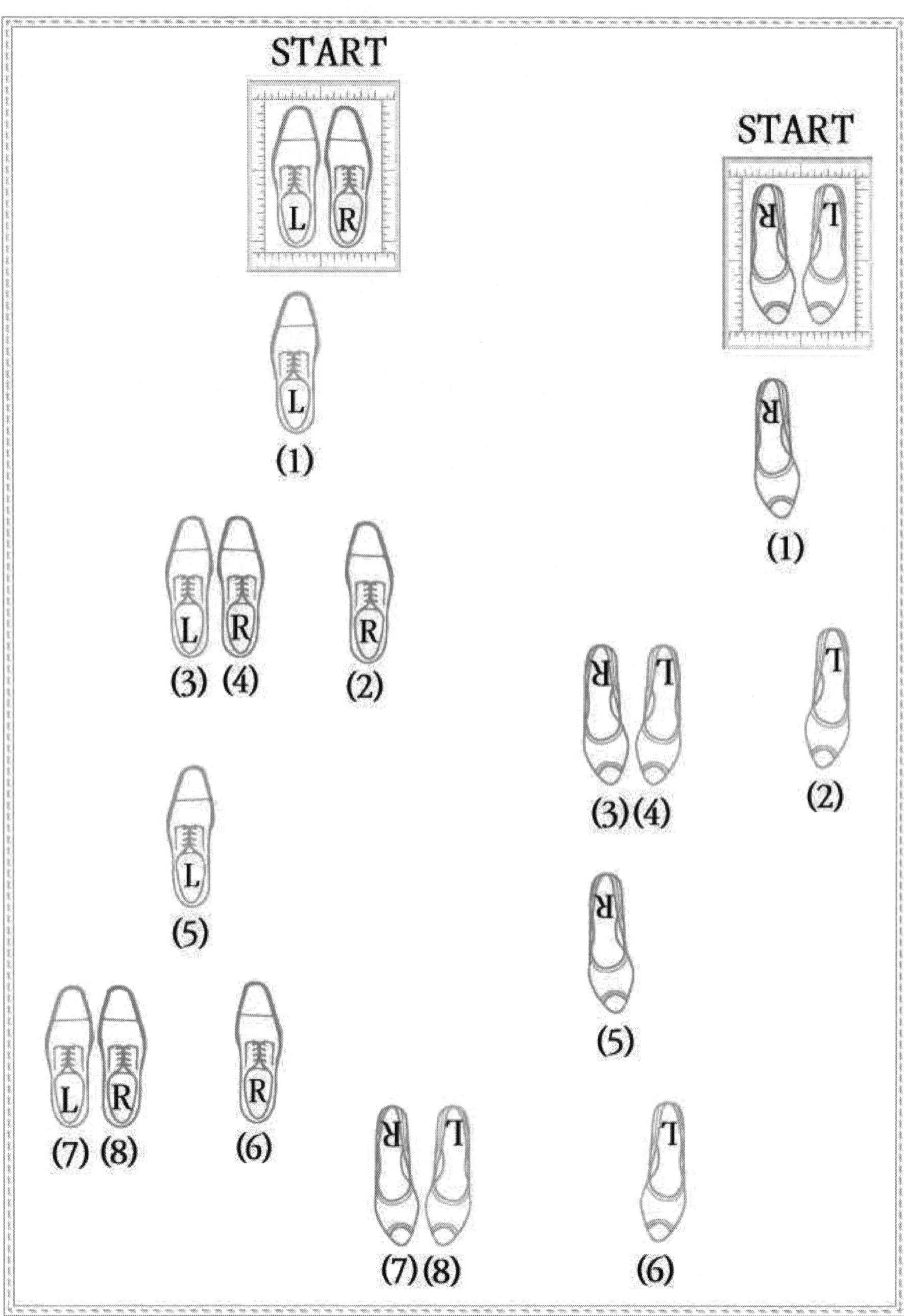

〈남성&여성〉

스텝	카운트	리듬	읽을 때	음악 타이밍	핸드 포지션
1보	1	Q	퀵	쿵	Hold
2보	2	Q	퀵	짝	Hold
3보	3	Q	퀵	쿵	Hold
4보	4	&	엔	짝	Hold
5보	5	Q	퀵	쿵	Hold
6보	6	Q	퀵	짝	Hold
7보	7	Q	퀵	쿵	Hold
8보	8	&	엔	짝	Hold

〈남성〉

스텝	핸드	스텝 방식	액션
1보	왼손	놓고	Backward Walk
2보	왼손	놓고	Backward Walk
3보	왼손	놓고	Side Step
4보	왼손	놓고	Side Step
5보	왼손	놓고	Backward Walk
6보	왼손	놓고	Backward Walk
7보	왼손	놓고	Side Step
8보	왼손	놓고	Side Step

스텝	풋 포지션	총 회전량
1보	왼발 후진	없음
2보	오른발 후진	
3보	왼발 옆으로(왼쪽)	
4보	오른발 왼발 옆에 모으고	
5보	왼발 후진	
6보	오른발 후진	
7보	왼발 옆으로(왼쪽)	
8보	오른발 왼발 옆에 모으고	

〈여성〉

스텝	핸드	스텝 방식	액션
1보	오른손	놓고	Forward Walk
2보	오른손	놓고	Forward Walk
3보	오른손	놓고	Side Step
4보	오른손	놓고	Side Step
5보	오른손	놓고	Forward Walk
6보	오른손	놓고	Forward Walk
7보	오른손	놓고	Side Step
8보	오른손	놓고	Side Step

스텝	풋 포지션	총 회전량
1보	오른발 전진	없음

2보	왼발 전진	
3보	오른발 옆으로(오른쪽)	
4보	왼발 오른발 옆으로 모으고	
5보	오른발 전진	
6보	왼발 전진	
7보	오른발 옆으로(오른쪽)	
8보	왼발 오른발 옆으로 모으고	

리드법은 피겨 6번 참고

47번 후진 사이드 스텝(L/R)

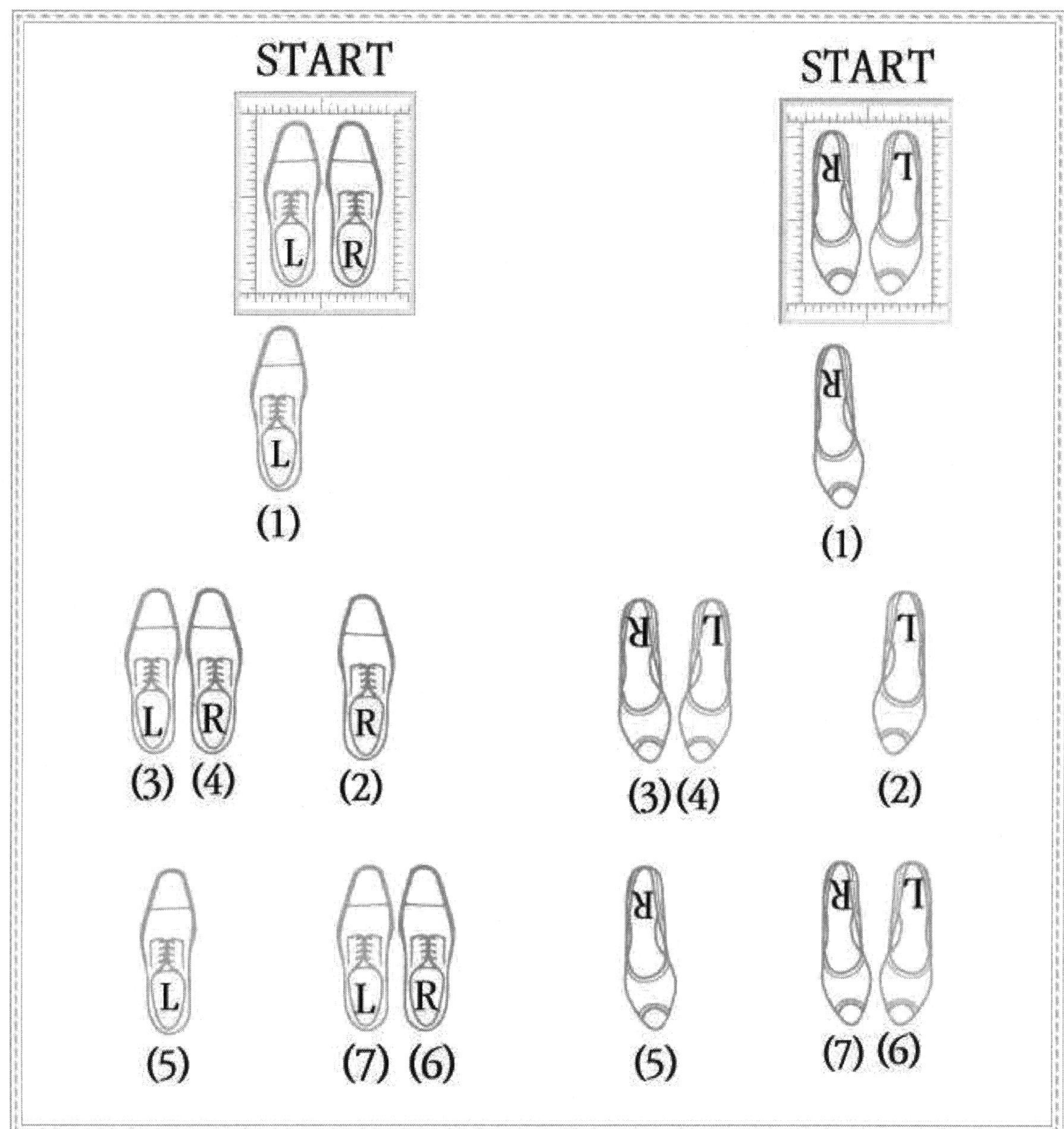

〈남성&여성〉

스텝	카운트	리듬	읽을 때	음악 타이밍	핸드 포지션
1보	1	Q	퀵	쿵	Hold
2보	2	Q	퀵	짝	Hold
3보	3	Q	퀵	쿵	Hold
4보	4	&	엔	짝	Hold
5보	5	Q	퀵	쿵	Hold
6보	6	Q	퀵	짝	Hold
7보	7	&	엔	쿵	Hold

〈남성〉

스텝	핸드	스텝 방식	액션
1보	왼손	놓고	Backward Walk
2보	왼손	놓고	Backward Walk
3보	왼손	놓고	Side Step
4보	왼손	놓고	Side Step
5보	왼손	놓고	Backward Walk
6보	왼손	놓고	Side Step
7보	왼손	놓고	Side Step

스텝	풋 포지션	총 회전량
1보	왼발 후진	없음
2보	오른발 후진	
3보	왼발 옆으로(왼쪽)	
4보	오른발 왼발 옆에 모으고	
5보	왼발 후진	
6보	오른발 옆으로(오른쪽)	
7보	왼발 오른쪽 옆에 모으고	

〈여성〉

스텝	핸드	스텝 방식	액션
1보	오른손	놓고	Forward Walk
2보	오른손	놓고	Forward Walk
3보	오른손	놓고	Side Step
4보	오른손	놓고	Side Step
5보	오른손	놓고	Forward Walk
6보	오른손	놓고	Side Step
7보	오른손	놓고	Side Step

스텝	풋 포지션	총 회전량
1보	오른발 전진	없음
2보	왼발 전진	
3보	오른발 옆으로(오른쪽)	
4보	왼발 오른발 옆으로 모으고	
5보	오른발 전진	
6보	왼발 옆으로(왼쪽)	
7보	오른발 왼발 옆으로 모으고	

리드법은 피겨 6번 참고

48번 크로스 스위블(백 지그재그) 역 오픈

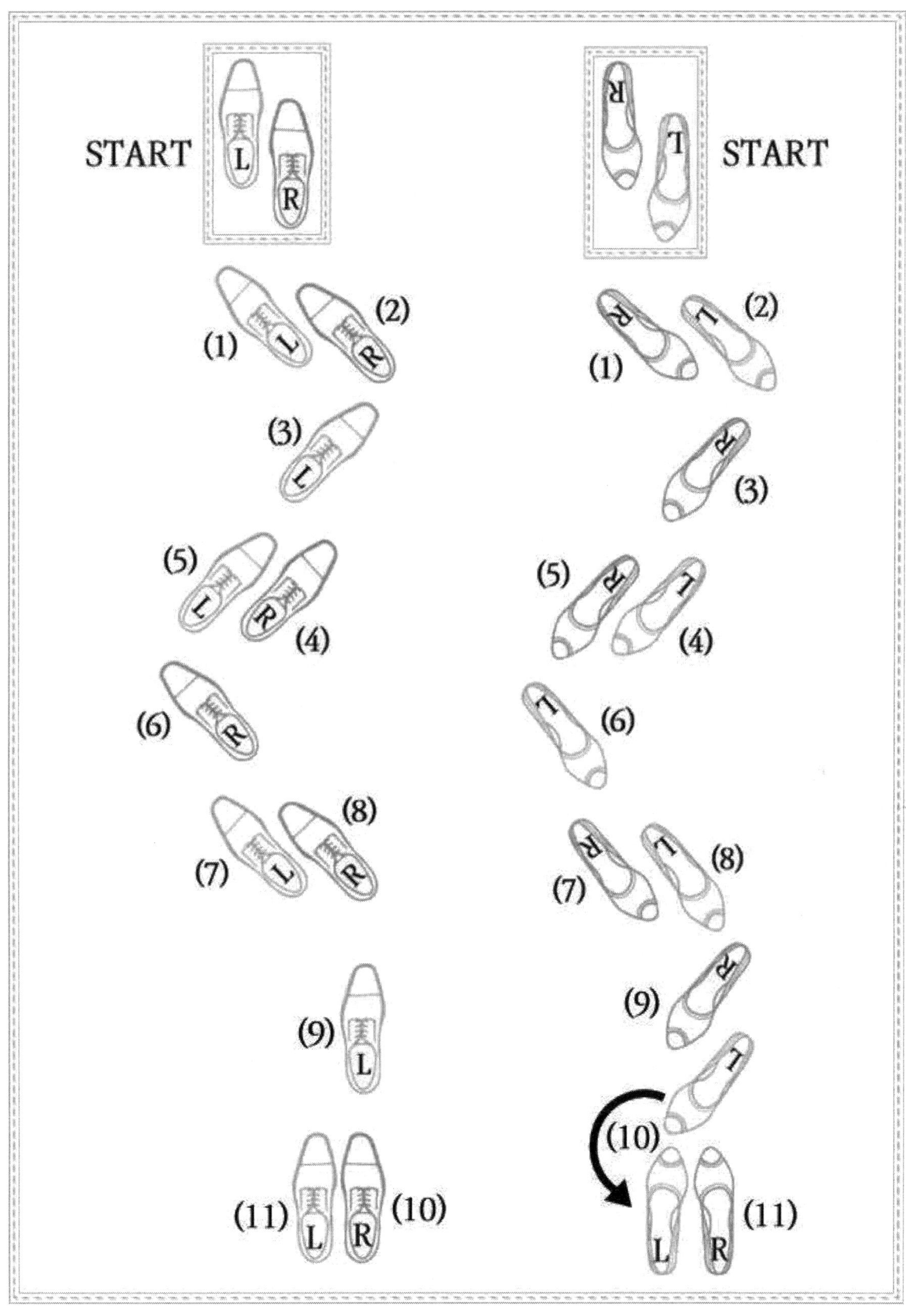

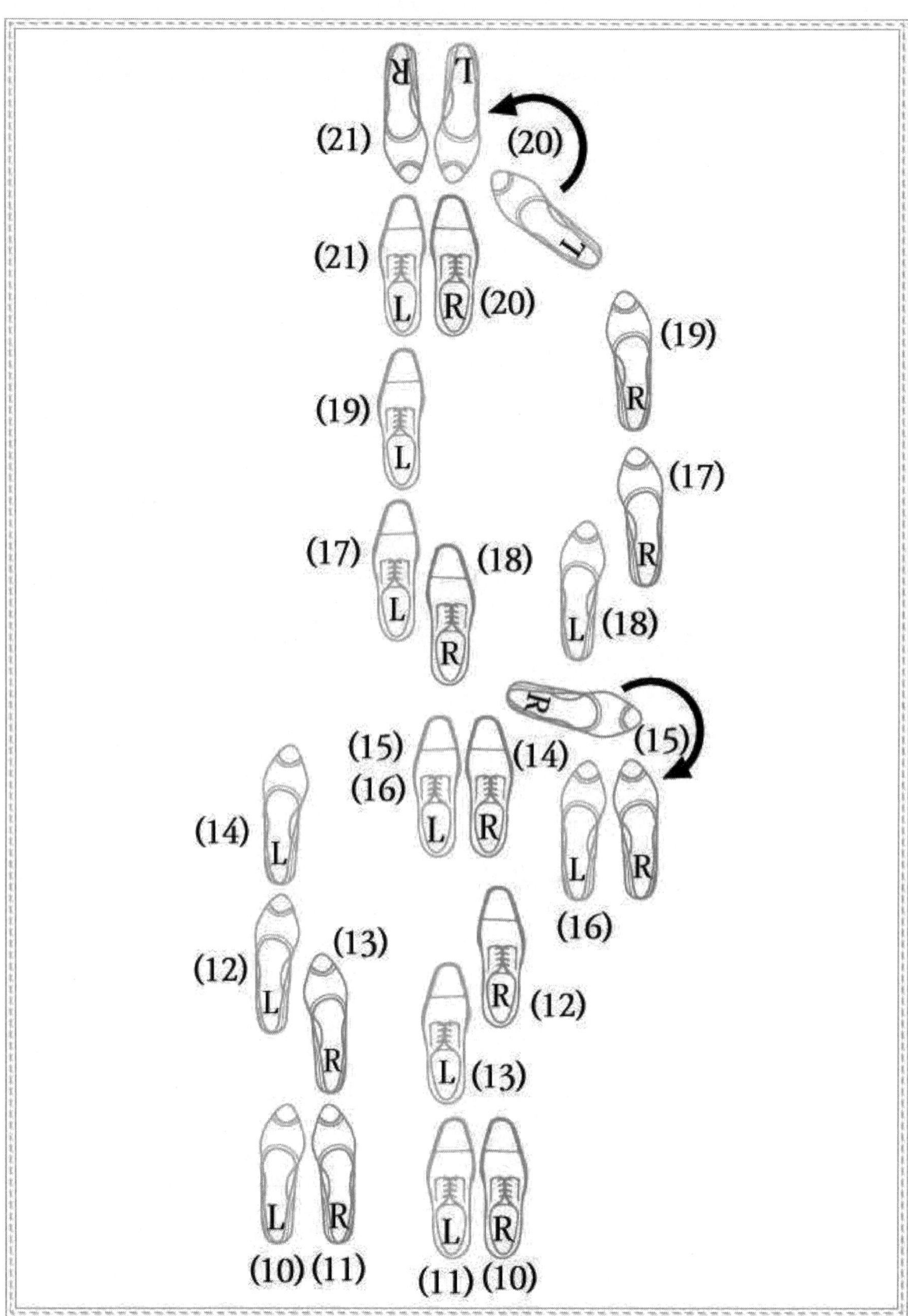
R
L
(21)
(20)
L
(21)
L
R
(20)
(19)
R
(19)
L
(17)
R
(17)
(18)
L
R
L
(18)
R
(15)
(15)
(14)
(16)
L
R
(14)
L
L
R
(16)
(13)
(12)
L
R
R
(12)
L
(13)
L
R
L
R
(10)
(11)
(11)
(10)

〈남성&여성〉

스텝	카운트	리듬	읽을 때	음악 타이밍	핸드 포지션
1보	1	Q	퀵	쿵	Hold
2보	2	&	엔	짝	Hold
3보	3	Q	퀵	쿵	Hold
4보	4	Q	퀵	짝	Hold
5보	5	&	엔	쿵	Hold
6보	6	Q	퀵	짝	Hold
7보	7	Q	퀵	짝	Hold
8보	8	&	엔	쿵	Hold
9보	9	Q	퀵	짝	Hold
10보	10	S	슬로우	쿵	Hold
11보	11	&	엔	짝	Hold
12보	12	Q	퀵	쿵	Hold
13보	13	&	엔	짝	Hold
14보	14	Q	퀵	쿵	Hold
15보	15	S	슬로우	짝	Hold
16보	16	&	엔	쿵	Hold
17보	17	Q	퀵	짝	Hold
18보	18	&	엔	쿵	Hold
19보	19	Q	퀵	짝	Hold
20보	20	S	슬로우	쿵	Hold
21보	21	&	엔	짝	Hold

〈남성〉

스텝	핸드	스텝 방식	액션
1보	왼손	놓고	Diagonally Backward Walk
2보	왼손	놓고	Backward Walk
3보	왼손	놓고	Diagonally Backward Walk
4보	왼손	놓고	Backward Walk
5보	왼손	놓고	Backward Walk
6보	왼손	놓고	Diagonally Backward Walk
7보	왼손	놓고	Backward Walk
8보	왼손	놓고	Backward Walk
9보	왼손	놓고	Diagonally Backward Walk
10보	왼손	놓고	Backward Walk
11보	오른손	찍고	Backward Walk
12보	오른손	놓고	Forward Walk
13보	오른손	놓고	Forward Walk
14보	오른손	놓고	Forward Walk
15보	오른손	놓고	Forward Walk
16보	왼손	찍고	Stop
17보	왼손	놓고	Forward Walk
18보	왼손	놓고	Forward Walk
19보	왼손	놓고	Forward Walk
20보	왼손	놓고	Forward Walk
21보	왼손	찍고	Forward Walk

스텝	풋 포지션	총 회전량
1보	왼발 사선으로 후진, Turn/R	
2보	오른발 후진	
3보	왼발 사선으로 후진, Turn/L	
4보	오른발 후진	
5보	왼발 후진	
6보	오른발 사선으로 후진, Turn/R	
7보	왼발 후진	
8보	오른발 후진	
9보	왼발 사선으로 후진, Turn/L	
10보	오른발 후진	90°/R
11보	왼발 후진하면서 오른발 옆에 모으고	
12보	오른발 전진	90°/L
13보	왼발 약간 전진	
14보	오른발 전진	
15보	왼발 전진하면서 오른발 옆에 모으고	
16보	양쪽 발 제자리 멈춤	
17보	왼발 전진	
18보	오른발 약간 전진	
19보	왼발 전진	
20보	오른발 전진	
21보	왼발 전진하면서 오른발 옆에 모으고	

〈여성〉

스텝	핸드	스텝 방식	액션
1보	오른손	놓고	Diagonally Forward Walk
2보	오른손	놓고	Forward Walk
3보	오른손	놓고	Diagonally Forward Walk
4보	오른손	놓고	Forward Walk
5보	오른손	놓고	Forward Walk
6보	오른손	놓고	Diagonally Forward Walk
7보	오른손	놓고	Forward Walk
8보	오른손	놓고	Forward Walk
9보	오른손	놓고	Diagonally Forward Walk
10보	오른손	놓고	Turn
11보	왼손	찍고	
12보	왼손	놓고	Forward Walk
13보	왼손	놓고	Forward Walk
14보	왼손	놓고	Forward Walk
15보	왼손	놓고	Turn
16보	오른손	놓고	
17보	오른손	놓고	Forward Walk
18보	오른손	놓고	Forward Walk
19보	오른손	놓고	Forward Walk
20보	오른손	놓고	Turn
21보	오른손	찍고	

스텝	풋 포지션	총 회전량

1보	오른발 사선으로 전진, Turn/L	
2보	왼발 전진	
3보	오른발 사선으로 전진, Turn/R	
4보	왼발 전진	
5보	오른발 전진	
6보	왼발 사선으로 전진, Turn/L	
7보	오른발 전진	
8보	왼발 전진	
9보	오른발 사선으로 전진, Turn/R	
10보	왼발 Turn/L	180°/R
11보	오른발 왼발 옆에 모으고	
12보	왼발 전진	180°/L
13보	오른발 전진	
14보	왼발 전진	
15보	오른발 Turn/R	
16보	왼발 오른발 옆에 모으고	
17보	오른발 전진	
18보	왼발 약간 전진	
19보	오른발 전진	
20보	왼발 Turn/L	
21보	오른발 왼발 옆에 모으고	

10보~11보에서 남성 왼손으로 여성 오른손을 당기면서 남성 허리 쪽으로 이동시키고 오른손으로 여성 왼손을 잡는다. 남성 허리 쪽으로 여성 오른손을 당기면 자연스레 남성 왼쪽으로 180° 회전 및 남성 왼쪽으로 이동하게 된다.

12보부터 남성은 프롬나드 샤세를 하면서 오른손으로 여성 왼손을 잡아당겨 남성 오른쪽으로 이동시켜주면서 R/180° 회전시켜준다. 17보부터 프롬나드 샤세 후 여성을 남성 앞으로 회전시켜 세운다.

49번 지그재그, 프롬나드 포지션

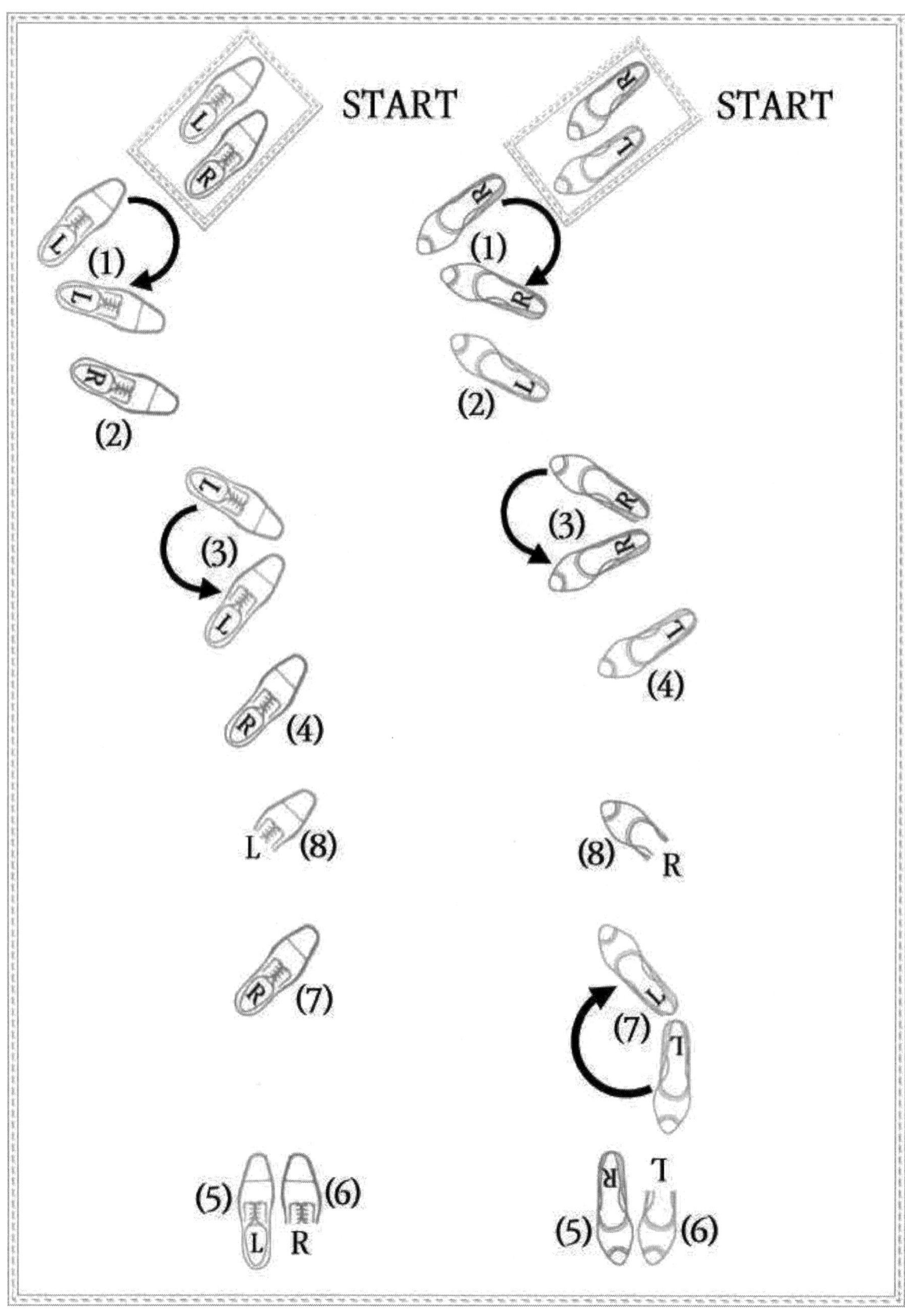

〈남성&여성〉

스텝	카운트	리듬	읽을 때	음악 타이밍	핸드 포지션
1보	1	Q	퀵	쿵	Hold
2보	2	Q	퀵	짝	Hold
3보	3	Q	퀵	쿵	Hold
4보	4	Q	퀵	짝	Hold
5보	5	S	슬로우	쿵	Hold
6보	6	&	엔	짝	Hold
7보	7	Q	퀵	쿵	Hold
8보	8	Q	퀵	짝	Hold

〈남성〉

스텝	핸드	스텝 방식	액션
1보	왼손	놓고	Backward Walk
2보	왼손	놓고	Side Step
3보	왼손	놓고	Forward Walk
4보	왼손	놓고	Side Step
5보	왼손	놓고	Backward Walk
6보	왼손	찍고	Backward Walk
7보	왼손	놓고	Forward Walk
8보	왼손	찍고	Forward Walk

스텝	풋 포지션	총 회전량
1보	왼발 후진	90°/R 90°/L
2보	오른발 옆으로	
3보	왼발 전진	
4보	오른발 옆으로	
5보	왼발 후진	
6보	오른발 왼발 옆에 모으고	
7보	오른발 전진	
8보	왼발 전진	

〈여성〉

스텝	핸드	스텝 방식	액션
1보	오른손	놓고	Forward Walk
2보	오른손	놓고	Side Step
3보	오른손	놓고	Backward Walk
4보	오른손	놓고	Side Step
5보	오른손	놓고	Forward Walk
6보	오른손	찍고	Forward Walk
7보	오른손	놓고	Turn
8보	오른손	찍고	Forward Walk

스텝	풋 포지션	총 회전량

1보	오른발 전진	180˚/R 90˚/L
2보	왼발 옆으로	
3보	오른발 후진	
4보	왼발 옆으로	
5보	오른발 전진	
6보	오른발 왼발 옆에 모으고	
7보	왼발 Turn/R	
8보	오른발 전진	

7보~8보에 남성은 오른발을 전진하면서 여성 오른손을 앞으로 밀고 여성 견갑골을 당긴다.

50번 지그재그 아웃사이드 턴

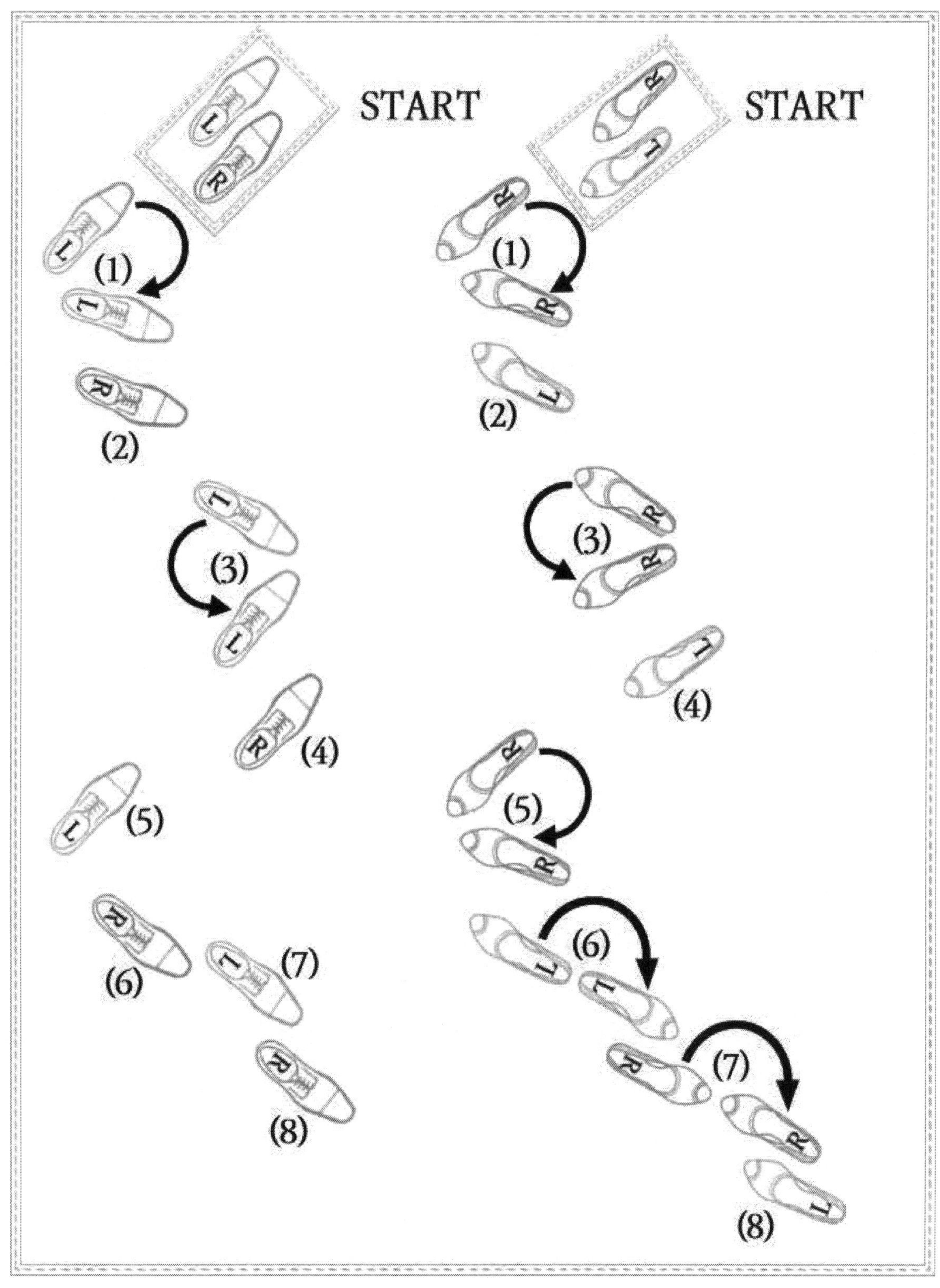

〈남성&여성〉

스텝	카운트	리듬	읽을 때	음악 타이밍	핸드 포지션
1보	1	Q	퀵	쿵	Hold
2보	2	Q	퀵	짝	Hold
3보	3	Q	퀵	쿵	Hold
4보	4	Q	퀵	짝	Hold
5보	5	Q	퀵	쿵	Hold
6보	6	Q	퀵	짝	One Hand Joined
7보	7	Q	퀵	쿵	One Hand Joined
8보	8	Q	퀵	짝	One Hand Joined

〈남성〉

스텝	핸드	스텝 방식	액션
1보	왼손	놓고	Backward Walk
2보	왼손	놓고	Side Step
3보	왼손	놓고	Forward Walk
4보	왼손	놓고	Side Step
5보	왼손	놓고	Backward Walk
6보	왼손	놓고	Forward Walk, Turn
7보	왼손	놓고	Forward Walk
8보	왼손	놓고	Forward Walk

스텝	풋 포지션	총 회전량
1보	왼발 후진	180°/R 90°/L
2보	오른발 옆으로	
3보	왼발 전진	
4보	오른발 옆으로	
5보	왼발 후진	
6보	오른발 전진, Turn/R	
7보	왼발 전진	
8보	오른발 전진	

〈여성〉

스텝	핸드	스텝 방식	액션
1보	오른손	놓고	Forward Walk
2보	오른손	놓고	Side Step
3보	오른손	놓고	Backward Walk
4보	오른손	놓고	Side Step
5보	오른손	놓고	Turn
6보	오른손	놓고	Turn
7보	오른손	놓고	Turn
8보	오른손	놓고	Backward Walk

스텝	풋 포지션	총 회전량

1보	오른발 전진	90°/R 180°/L
2보	왼발 옆으로	
3보	오른발 후진	
4보	왼발 옆으로	
5보	오른발 Turn/R	
6보	왼발 Turn/R	
7보	오른발 Turn/R	
8보	왼발 후진	

5보에 남성은 왼발을 후진하면서 여성 오른손을 머리 위로 올려주면서 여성을 오른쪽으로 회전시켜준다.

51번 바운스 사이드 지그재그

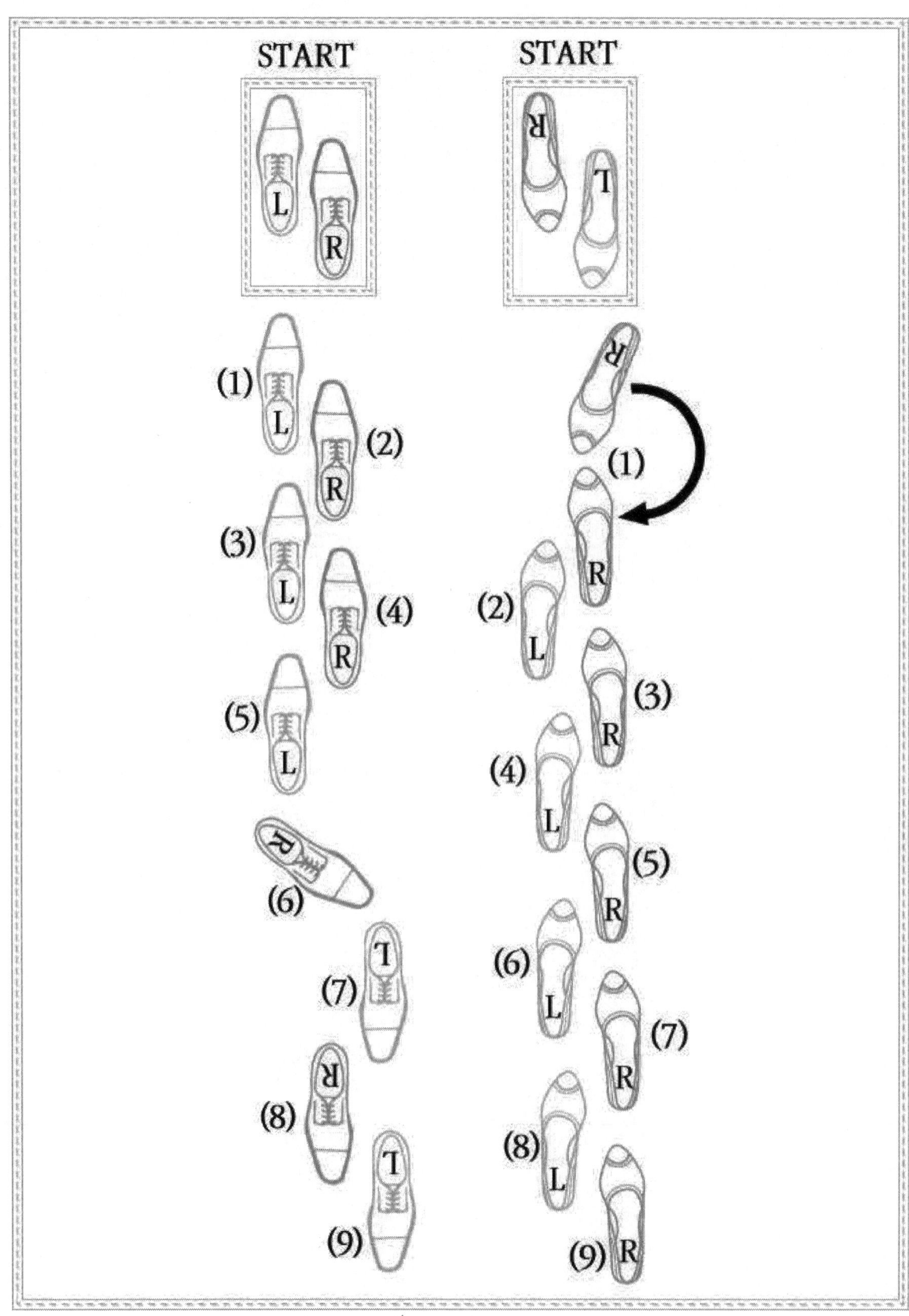

〈남성&여성〉

스텝	카운트	리듬	읽을 때	음악 타이밍	핸드 포지션
1보	1	Q	퀵	쿵	Hold
2보	2	Q	퀵	짝	Hold
3보	3	Q	퀵	쿵	Hold
4보	4	Q	퀵	짝	Hold
5보	5	Q	퀵	쿵	Hold
6보	6	Q	퀵	짝	Hold
7보	7	Q	퀵	쿵	Hold
8보	8	Q	퀵	짝	Hold
9보	9	Q	퀵	쿵	Hold

〈남성〉

스텝	핸드	스텝 방식	액션
1보	왼손	놓고	Backward Walk
2보	왼손	놓고	Backward Walk
3보	왼손	놓고	Backward Walk
4보	왼손	놓고	Backward Walk
5보	왼손	놓고	Backward Walk
6보	왼손	놓고	Turn
7보	왼손	놓고	Forward Walk
8보	왼손	놓고	Forward Walk
9보	왼손	놓고	Forward Walk

스텝	풋 포지션	총 회전량
1보	왼발 후진	180°/R
2보	오른발 후진	
3보	왼발 후진	
4보	오른발 후진	
5보	왼발 후진	
6보	오른발 Turn/R	
7보	왼발 전진	
8보	오른발 전진	
9보	왼발 전진	

〈여성〉

스텝	핸드	스텝 방식	액션
1보	오른손	놓고	Turn
2보	오른손	놓고	Backward Walk
3보	오른손	놓고	Backward Walk
4보	오른손	놓고	Backward Walk
5보	오른손	놓고	Backward Walk
6보	오른손	놓고	Backward Walk
7보	오른손	놓고	Backward Walk

8보	오른손	놓고	Backward Walk
9보	오른손	놓고	Backward Walk

스텝	풋 포지션	총 회전량
1보	오른발 Turn/R	180°/R
2보	왼발 후진	
3보	오른발 후진	
4보	왼발 후진	
5보	오른발 후진	
6보	왼발 후진	
7보	오른발 후진	
8보	왼발 후진	
9보	오른발 후진	

1보에 남성 왼손으로 여성 오른손을 오른쪽으로 밀면서 180° 회전시켜준다.

남성은 오른발 후진할 때마다 바운스를 준다. 남성이 바운스를 주면 자연스레 여성도 왼발에 바운스를 주기 때문에 인위적으로 리드 할 필요는 없다.

52번 지그재그 리버스 턴

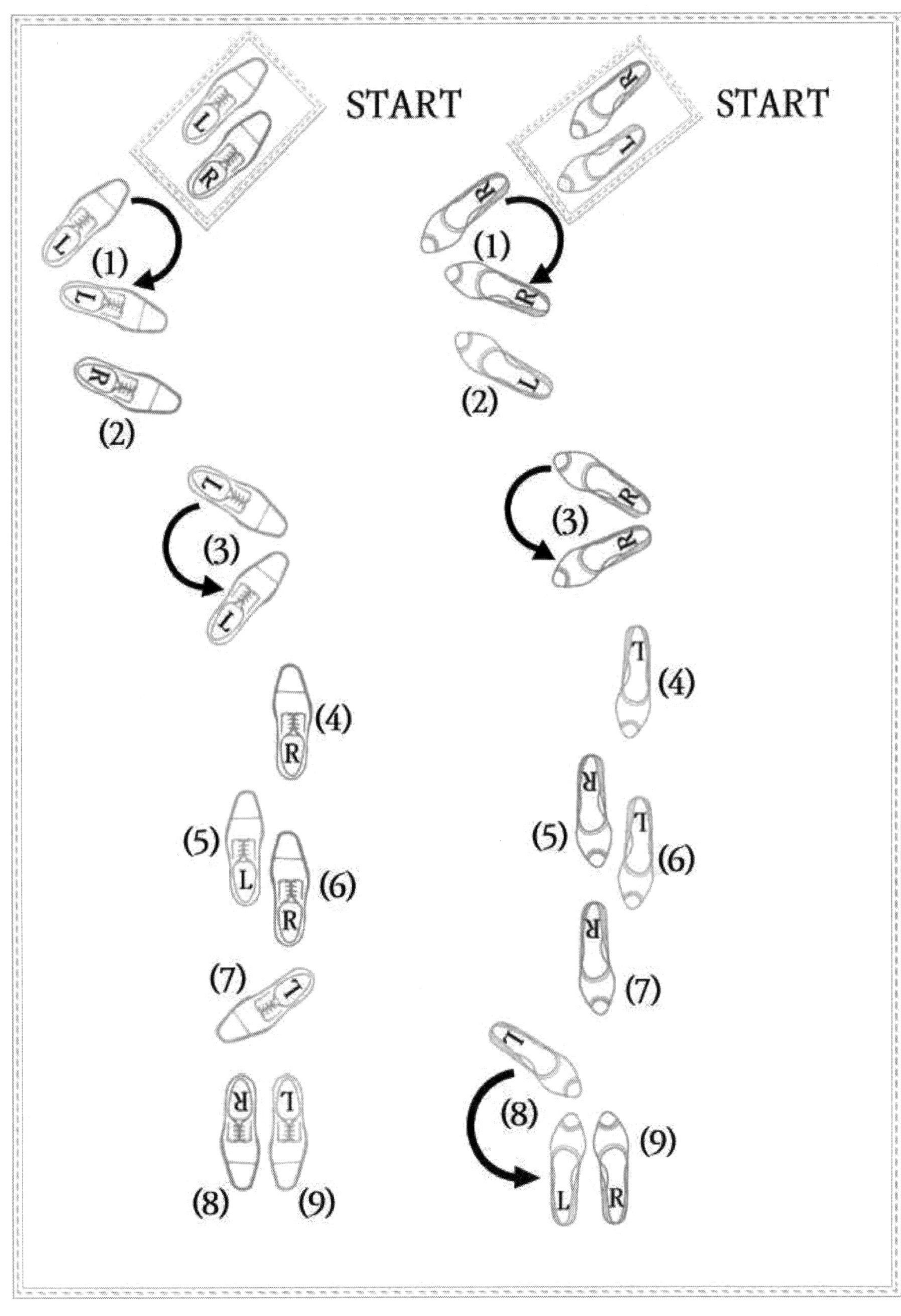

〈남성&여성〉

스텝	카운트	리듬	읽을 때	음악 타이밍	핸드 포지션
1보	1	Q	퀵	쿵	Hold
2보	2	Q	퀵	짝	Hold
3보	3	Q	퀵	쿵	Hold
4보	4	Q	퀵	짝	Hold
5보	5	Q	퀵	쿵	Hold
6보	6	Q	퀵	짝	Hold
7보	7	Q	퀵	쿵	Hold
8보	8	S	슬로우	짝	Hold
9보	9	&	엔	쿵	Hold

〈남성〉

스텝	핸드	스텝 방식	액션
1보	왼손	놓고	Backward Walk
2보	왼손	놓고	Side Step
3보	왼손	놓고	Forward Walk
4보	왼손	놓고	Backward Walk
5보	왼손	놓고	Backward Walk
6보	왼손	놓고	Backward Walk
7보	왼손	놓고	Turn
8보	왼손	놓고	Turn
9보	왼손	놓고	

스텝	풋 포지션	총 회전량
1보	왼발 후진	90°/R 180°/L
2보	오른발 옆으로	
3보	왼발 전진	
4보	오른발 후진	
5보	왼손 후진	
6보	오른발 후진	
7보	왼발 Turn/L	
8보	오른발 Turn/L	
9보	오른발 왼발 옆에 모으고	

〈여성〉

스텝	핸드	스텝 방식	액션
1보	오른손	놓고	Forward Walk
2보	오른손	놓고	Side Step
3보	오른손	놓고	Backward Walk
4보	오른손	놓고	Forward Walk
5보	오른손	놓고	Forward Walk
6보	오른손	놓고	Forward Walk
7보	오른손	놓고	Forward Walk

8보	오른손	놓고	Turn
9보	오른손	놓고	

스텝	풋 포지션	총 회전량
1보	오른발 전진	90°/R 180°/L
2보	왼발 옆으로	
3보	오른발 후진	
4보	왼발 전진	
5보	오른발 전진	
6보	왼발 전진	
7보	오른발 전진	
8보	왼발 Turn/L	
9보	오른발 왼발 옆에 모으고	

사이드 지그재그 스텝을 행한 후 리버스턴(마무리턴)을 하는 피겨로 리드법은 15번 35번 참고

53번 반 스핀(네츄럴 턴)

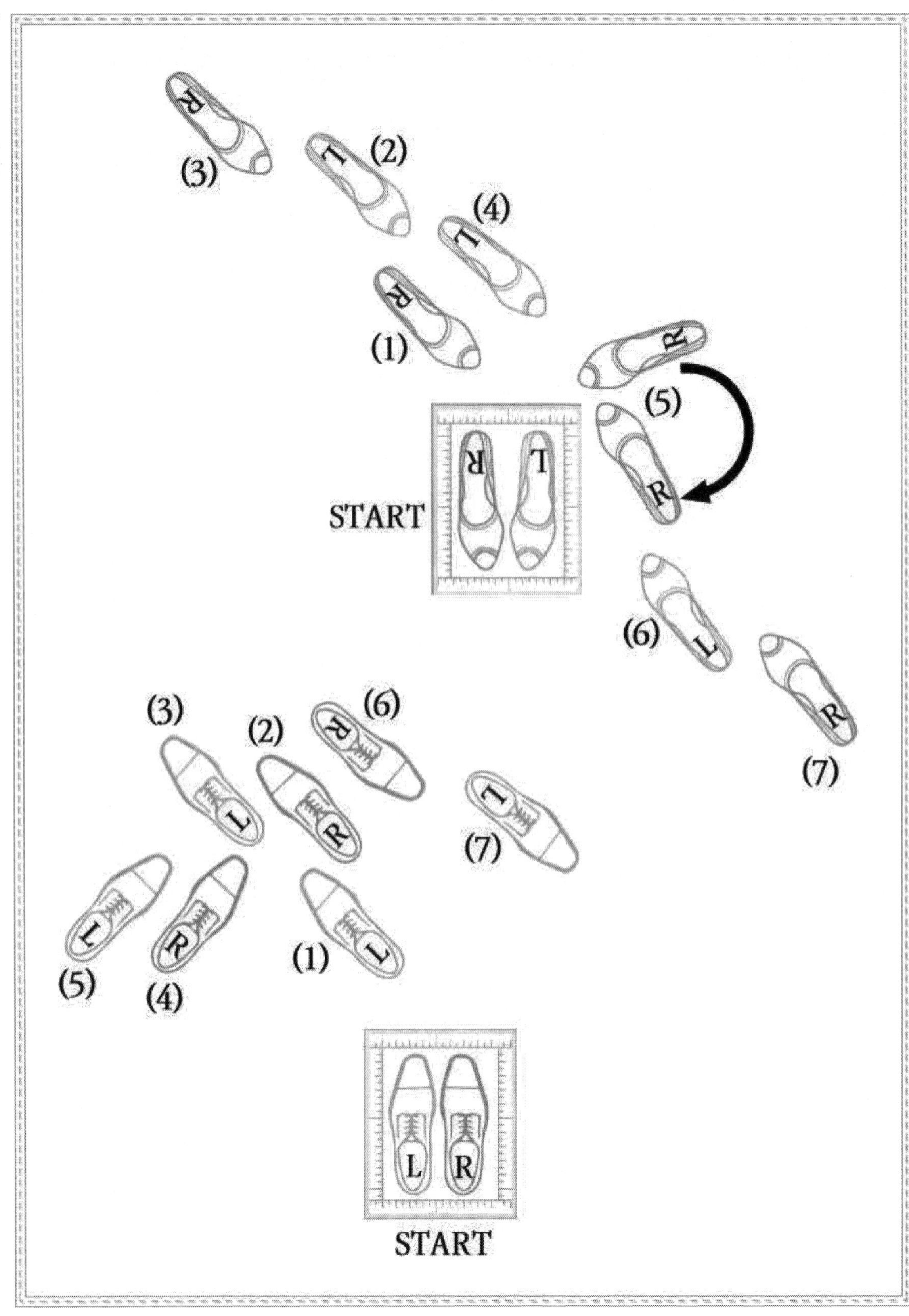

〈남성&여성〉

스텝	카운트	리듬	읽을 때	음악 타이밍	핸드 포지션
1보	1	Q	퀵	쿵	Hold
2보	2	Q	퀵	짝	Hold
3보	3	Q	퀵	쿵	Hold
4보	4	Q	퀵	짝	Hold
5보	5	Q	퀵	쿵	Hold
6보	6	Q	퀵	짝	Hold
7보	7	Q	퀵	쿵	Hold

〈남성〉

스텝	핸드	스텝 방식	액션
1보	왼손	놓고	Forward Walk
2보	왼손	놓고	Forward Walk
3보	왼손	놓고	Forward Walk
4보	왼손	놓고	Backward Walk
5보	왼손	놓고	Backward Walk
6보	왼손	놓고	Turn
7보	왼손	놓고	Forward Walk

스텝	풋 포지션	총 회전량
1보	왼발 전진	270°/R
2보	오른발 전진	
3보	왼발 전진	
4보	오른발 후진	
5보	왼발 후진	
6보	오른발 Turn/R	
7보	왼발 전진	

〈여성〉

스텝	핸드	스텝 방식	액션
1보	오른손	놓고	Backward Walk
2보	오른손	놓고	Backward Walk
3보	오른손	놓고	Backward Walk
4보	오른손	놓고	Forward Walk
5보	오른손	놓고	Turn
6보	오른손	놓고	Backward Walk
7보	오른손	놓고	Backward Walk

스텝	풋 포지션	총 회전량
1보	오른발 후진	270°/R
2보	왼발 후진	
3보	오른발 후진	
4보	왼발 전진	

5보	오른발 Turn/R	
6보	왼발 후진	
7보	오른발 후진	

Closed facing position 상태에서 반 스핀 하는 피겨로 4보에 남성의 오른발의 회전량에 따라 반 스핀 회전량도 달라진다. 남성의 의도에 따라 15°, 30°, 45°, 90°, 135°, 180° 이상도 가능하다.

남성과 여성은 텐션이 걸린 상태에서는 여성을 인위적으로 리드 할 필요가 없다. 다만 여성이 초보자거나, 텐션이 걸린 상태가 아니라면 살짝 텐션을 더 주면서 리드를 해야한다.

54번 트윙클

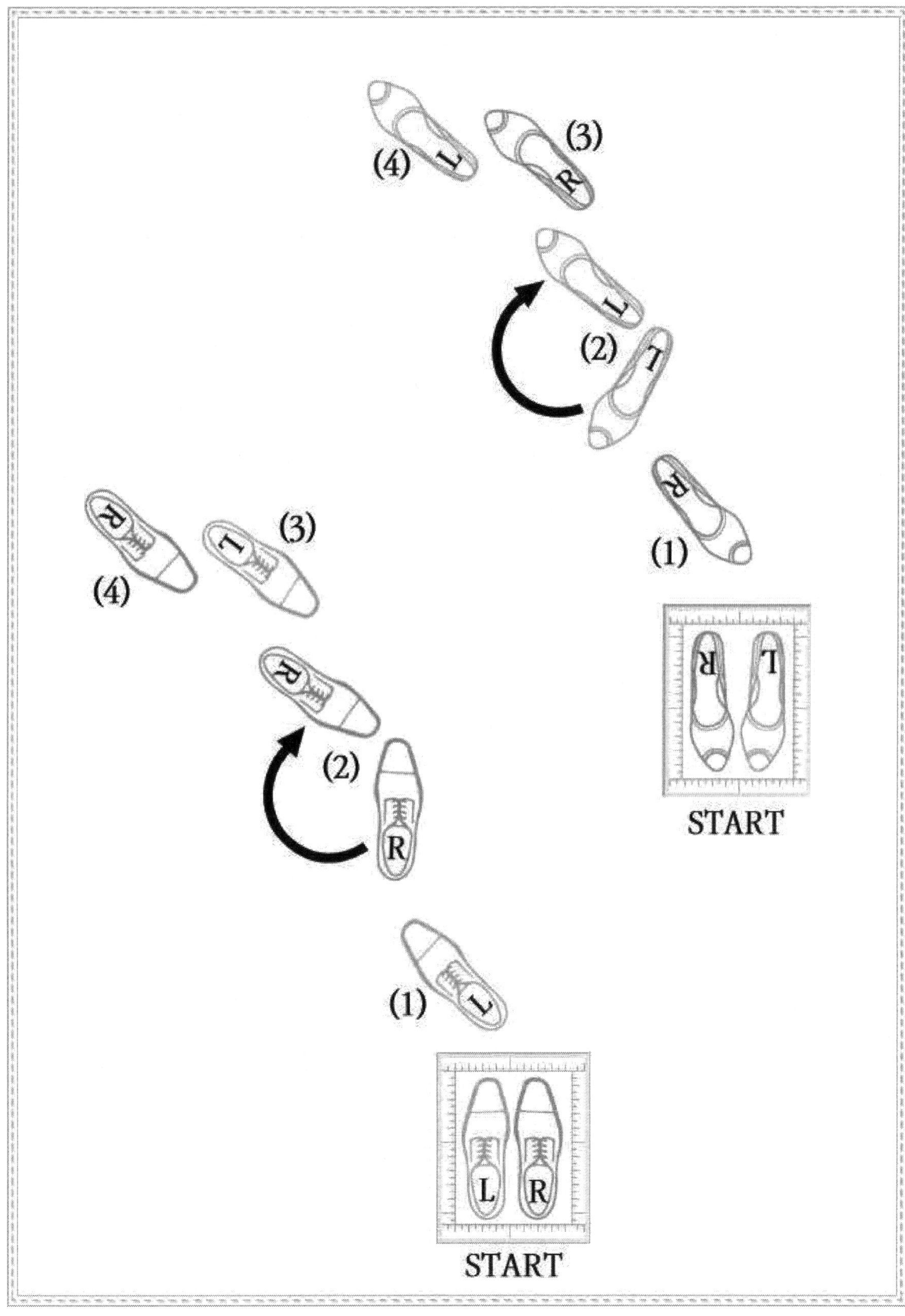

〈남성&여성〉

스텝	카운트	리듬	읽을 때	음악 타이밍	핸드 포지션
1보	1	Q	퀵	쿵	Hold
2보	2	Q	퀵	짝	Hold
3보	3	Q	퀵	쿵	Hold
4보	4	Q	퀵	짝	Hold

〈남성〉

스텝	핸드	스텝 방식	액션
1보	왼손	놓고	Forward Walk
2보	왼손	놓고	Turn
3보	왼손	놓고	Backward Walk
4보	왼손	놓고	Backward Walk

스텝	풋 포지션	총 회전량
1보	왼발 전진	180°/R
2보	오른발 Turn/R	
3보	왼발 후진	
4보	오른발 후진	

〈여성〉

스텝	핸드	스텝 방식	액션
1보	오른손	놓고	Backward Walk
2보	오른손	놓고	Turn
3보	오른손	놓고	Forward Walk
4보	오른손	놓고	Forward Walk

스텝	풋 포지션	총 회전량
1보	오른발 후진	180°/R
2보	왼발 Turn/R	
3보	오른발 전진	
4보	왼발 전진	

Closed facing position 상태에서 남성은 1보에 전진, 2보에 사선으로 전진하면서 오른쪽으로 180° 회전을 한 후 후진 스텝을 진행한다.

남성과 여성은 텐션이 걸린 상태에서는 여성을 인위적으로 리드 할 필요가 없다. 다만 여성이 초보자거나, 텐션이 걸린 상태가 아니라면 살짝 텐션을 주면서 리드를 해야한다.

55번 지그재그 인사이드 턴

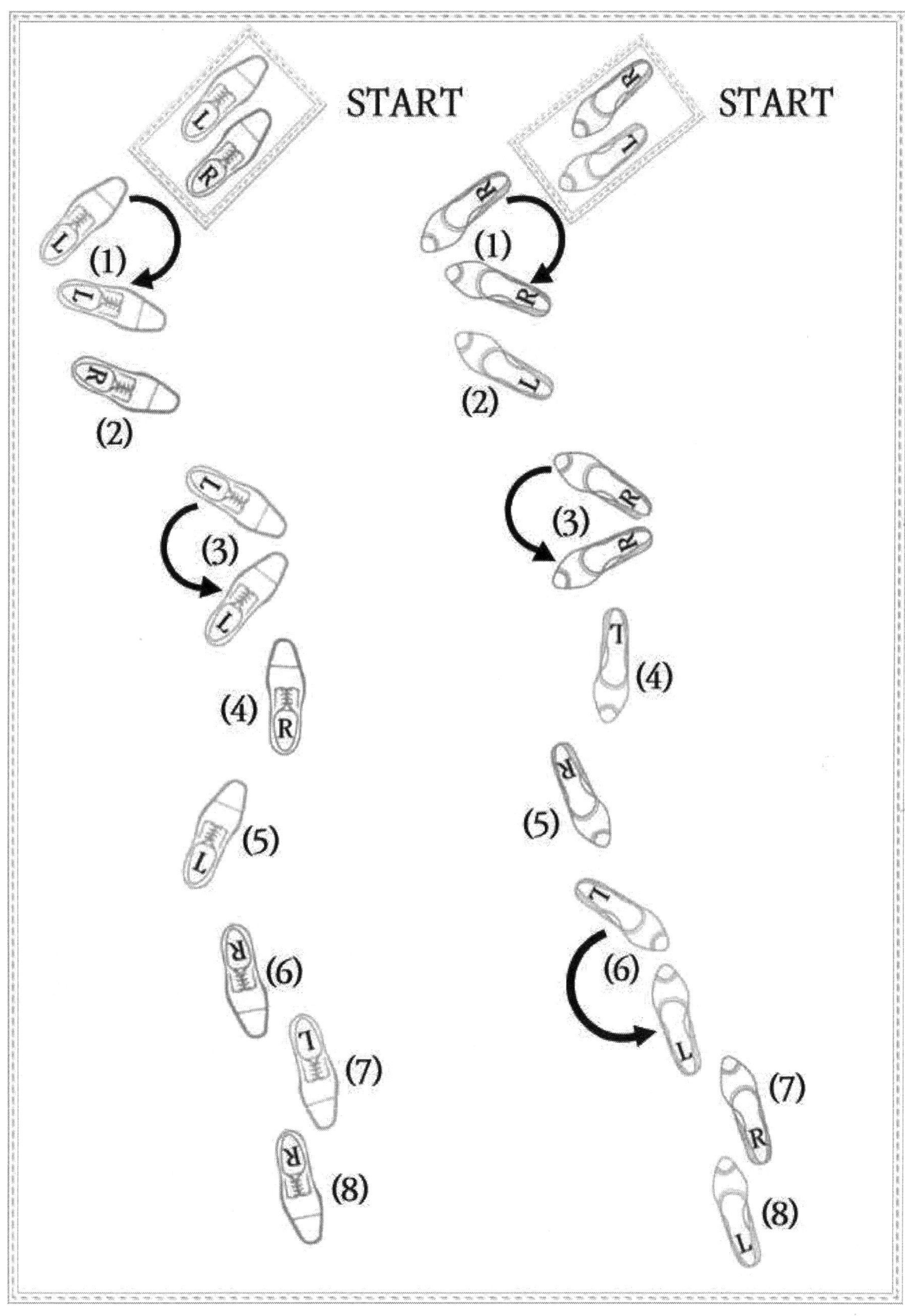

〈남성&여성〉

스텝	카운트	리듬	읽을 때	음악 타이밍	핸드 포지션
1보	1	Q	퀵	쿵	Hold
2보	2	Q	퀵	짝	Hold
3보	3	Q	퀵	쿵	Hold
4보	4	Q	퀵	짝	Hold
5보	5	Q	퀵	쿵	Hold
6보	6	Q	퀵	짝	One Hand Joined
7보	7	Q	퀵	쿵	One Hand Joined
8보	8	Q	퀵	짝	One Hand Joined

〈남성〉

스텝	핸드	스텝 방식	액션
1보	왼손	놓고	Backward Walk
2보	왼손	놓고	Side Step
3보	왼손	놓고	Forward Walk
4보	왼손	놓고	Backward Walk
5보	왼손	놓고	Backward Walk
6보	왼손	놓고	Forward Walk, Turn
7보	왼손	놓고	Forward Walk
8보	왼손	놓고	Forward Walk

스텝	풋 포지션	총 회전량
1보	왼발 후진	
2보	오른발 옆으로	
3보	왼발 전진	
4보	오른발 후진	180°/R
5보	왼손 후진	90°/L
6보	오른발 Turn/R	
7보	왼발 전진	
8보	오른발 전진	

〈여성〉

스텝	핸드	스텝 방식	액션
1보	오른손	놓고	Forward Walk
2보	오른손	놓고	Side Step
3보	오른손	놓고	Backward Walk
4보	오른손	놓고	Forward Walk
5보	오른손	놓고	Forward Walk
6보	오른손	놓고	Turn
7보	오른손	놓고	Backward Walk
8보	오른손	놓고	Backward Walk

스텝	풋 포지션	총 회전량

1보	오른발 전진	90°/R 180°/L
2보	왼발 옆으로	
3보	오른발 후진	
4보	왼발 전진	
5보	오른발 전진	
6보	왼발 Turn/L	
7보	오른발 후진	
8보	왼발 후진	

5보에 남성은 여성 오른손을 머리 위로 올려 6보에 여성을 왼쪽으로 회전시켜준다.

56번 백 스텝 내츄럴 턴

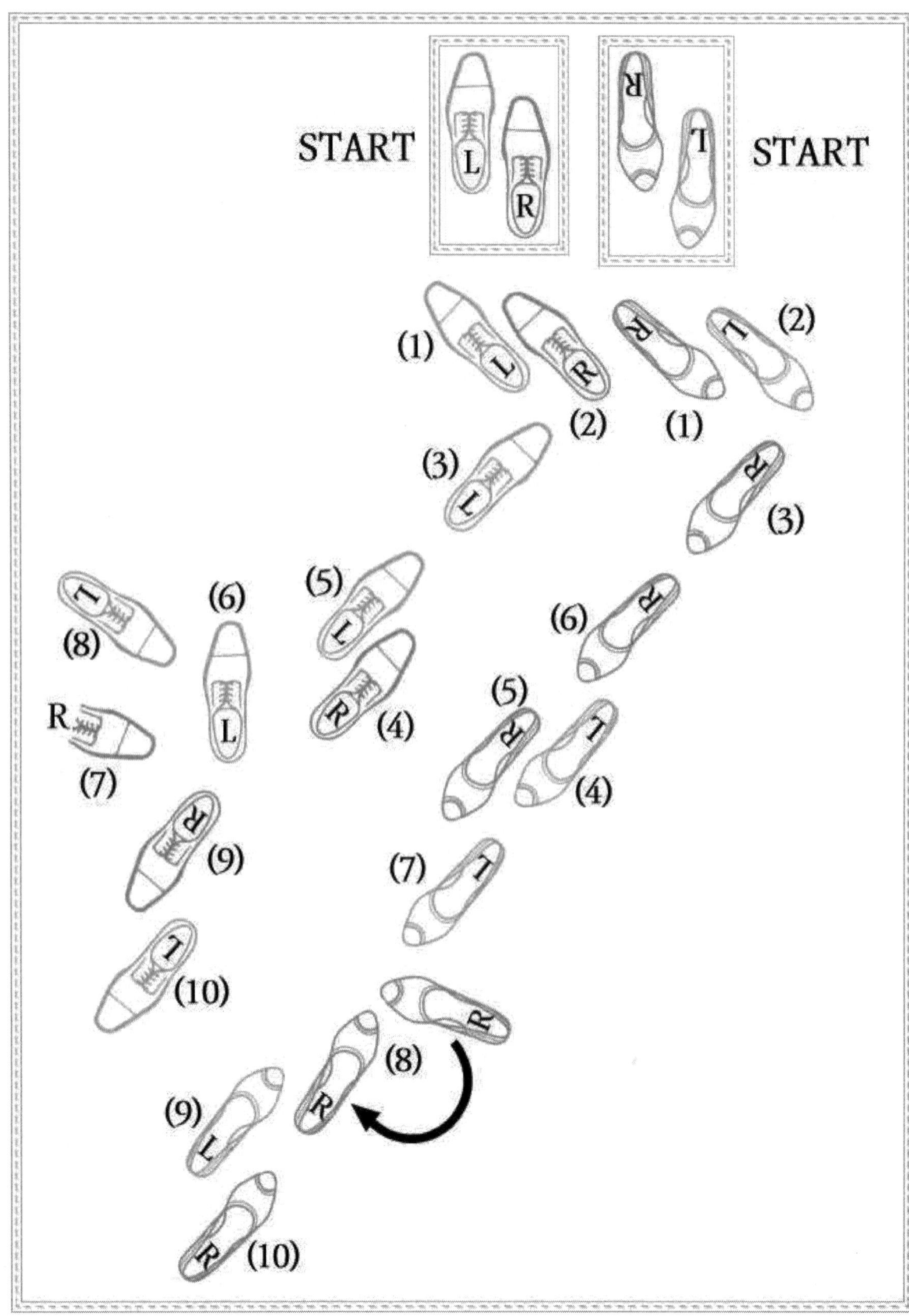
START
L
R
R
L
START
(1)
L
R
(2)
R
L
(2)
(2)
(1)
(3)
L
R
(3)
(5)
L
(6)
(8)
L
(6)
R
R
L
(4)
R
(7)
(5)
R
L
(4)
R
(9)
(7)
L
L
(10)
R
(8)
(9)
R
L
R
(10)

〈남성&여성〉

스텝	카운트	리듬	읽을 때	음악 타이밍	핸드 포지션
1보	1	Q	퀵	쿵	Hold
2보	2	&	엔	짝	Hold
3보	3	Q	퀵	쿵	Hold
4보	4	S	슬로우	짝	Hold
5보	5	&	엔	쿵	Hold
6보	6	Q	퀵	짝	Hold
7보	7	Q	퀵	짝	Hold
8보	8	Q	퀵	쿵	Hold
9보	9	Q	퀵	짝	Hold
10보	10	Q	퀵	쿵	Hold

〈남성〉

스텝	핸드	스텝 방식	액션
1보	왼손	놓고	Diagonally Backward Walk
2보	왼손	놓고	Backward Walk
3보	왼손	놓고	Diagonally Backward Walk
4보	왼손	놓고	Backward Walk
5보	왼손	놓고	Backward Walk
6보	왼손	놓고	Side Step
7보	왼손	놓고	Turn
8보	왼손	놓고	Side Step
9보	왼손	놓고	Forward Walk
10보	왼손	놓고	Forward Walk

스텝	풋 포지션	총 회전량
1보	왼발 사선으로 후진	180˚/R 90˚/L
2보	오른발 후진	
3보	왼발 사선으로 후진	
4보	오른발 후진	
5보	왼발 후진	
6보	왼발 옆으로	
7보	오른발 Turn/R	
8보	왼발 옆으로	
9보	오른발 전진	
10보	왼발 전진	

〈여성〉

스텝	핸드	스텝 방식	액션
1보	오른손	놓고	Diagonally Forward Walk
2보	오른손	놓고	Forward Walk
3보	오른손	놓고	Diagonally Forward Walk
4보	오른손	놓고	Forward Walk
5보	오른손	놓고	Forward Walk
6보	오른손	놓고	Backward Walk

7보	오른손	놓고	Forward Walk
8보	오른손	놓고	Turn
9보	오른손	놓고	Backward Walk
10보	오른손	놓고	Backward Walk

스텝	풋 포지션	총 회전량
1보	오른발 사선으로 전진	180°/R 45°/L
2보	왼발 전진	
3보	오른발 사선으로 전진	
4보	왼발 전진	
5보	오른발 전진	
6보	오른발 후진	
7보	왼발 전진	
8보	오른발 Turn/R	
9보	왼발 후진	
10보	오른발 후진	

백 지그재그 스텝, 내츄럴 턴(반 스핀)스텝이 연결된 스텝으로 리드법은 28번, 55번 참고

57번 전진 지그재그

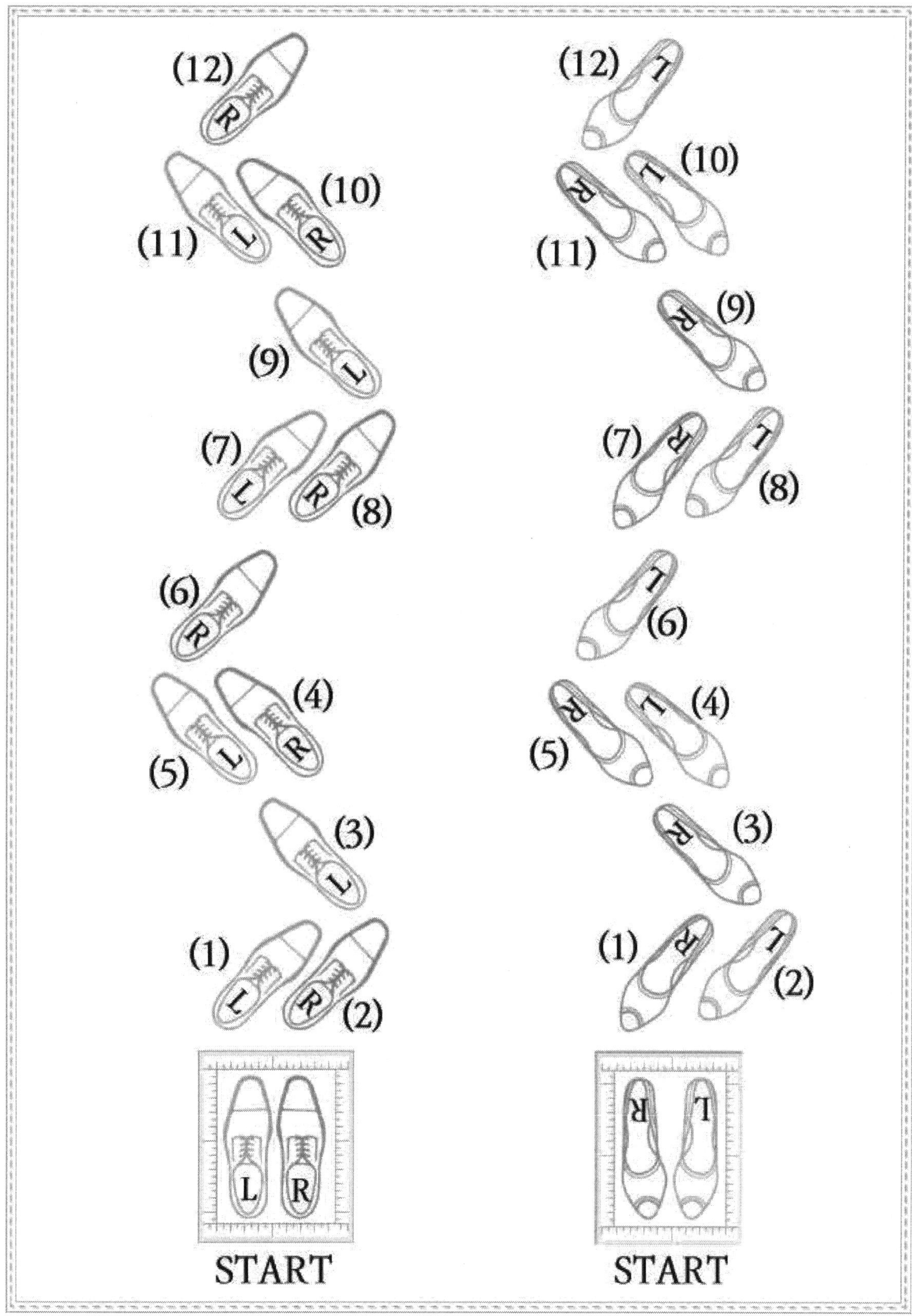
(12)
R
(12)
L
(10)
(11)
L
R
(10)
R
L
(11)
(9)
L
(9)
R
(7)
L
R
(8)
(7)
R
L
(8)
(6)
R
L
(6)
(4)
(5)
L
R
R
L
(4)
(5)
(3)
L
R
(3)
(1)
L
R
(2)
(1)
R
L
(2)
L
R
START
R
L
START

〈남성&여성〉

스텝	카운트	리듬	읽을 때	음악 타이밍	핸드 포지션
1보	1	Q	퀵	쿵	Hold
2보	2	&	엔	짝	Hold
3보	3	Q	퀵	쿵	Hold
4보	4	Q	퀵	짝	Hold
5보	5	&	엔	쿵	Hold
6보	6	Q	퀵	짝	Hold
7보	7	Q	퀵	짝	Hold
8보	8	&	엔	쿵	Hold
9보	9	Q	퀵	짝	Hold
10보	10	Q	퀵	쿵	Hold
11보	11	&	엔	짝	Hold
12보	12	Q	퀵	쿵	Hold

〈남성〉

스텝	핸드	스텝 방식	액션
1보	왼손	놓고	Diagonally Forward Walk
2보	왼손	놓고	Forward Walk
3보	왼손	놓고	Diagonally Forward Walk
4보	왼손	놓고	Forward Walk
5보	왼손	놓고	Forward Walk
6보	왼손	놓고	Diagonally Forward Walk
7보	왼손	놓고	Forward Walk
8보	왼손	놓고	Forward Walk
9보	왼손	놓고	Diagonally Forward Walk
10보	왼손	놓고	Forward Walk
11보	왼손	놓고	Forward Walk
12보	왼손	놓고	Diagonally Forward Walk

스텝	풋 포지션	총 회전량
1보	왼발 사선으로 전진	90°/R 90°/L
2보	오른발 전진	
3보	왼발 사선으로 전진	
4보	오른발 전진	
5보	왼발 전진	
6보	오른발 사선으로 전진	
7보	왼발 전진	
8보	오른발 전진	
9보	왼발 사선으로 전진	
10보	오른발 전진	
11보	왼발 전진	
12보	오른발 사선으로 전진	

〈여성〉

스텝	핸드	스텝 방식	액션

1보	오른손	놓고	Diagonally Backward Walk
2보	오른손	놓고	Backward Walk
3보	오른손	놓고	Diagonally Backward Walk
4보	오른손	놓고	Backward Walk
5보	오른손	놓고	Backward Walk
6보	오른손	놓고	Diagonally Backward Walk
7보	오른손	놓고	Backward Walk
8보	오른손	놓고	Backward Walk
9보	오른손	놓고	Diagonally Backward Walkal
10보	오른손	놓고	Backward Walk
11보	오른손	놓고	Backward Walk
12보	오른손	놓고	Diagonally Backward Walk

스텝	풋 포지션	총 회전량
1보	오른발 사선으로 후진	90°/R 90°/L
2보	왼발 후진	
3보	오른발 사선으로 후진	
4보	왼발 후진	
5보	오른발 후진	
6보	왼발 사선으로 후진	
7보	오른발 후진	
8보	왼발 후진	
9보	오른발 사선으로 후진	
10보	왼발 후진	
11보	오른발 후진	
12보	왼발 사선으로 후진	

전진 지그재그 리드 법은 백 지그재그 리드법 반대로...

58번 후진 스텝(6 스텝)

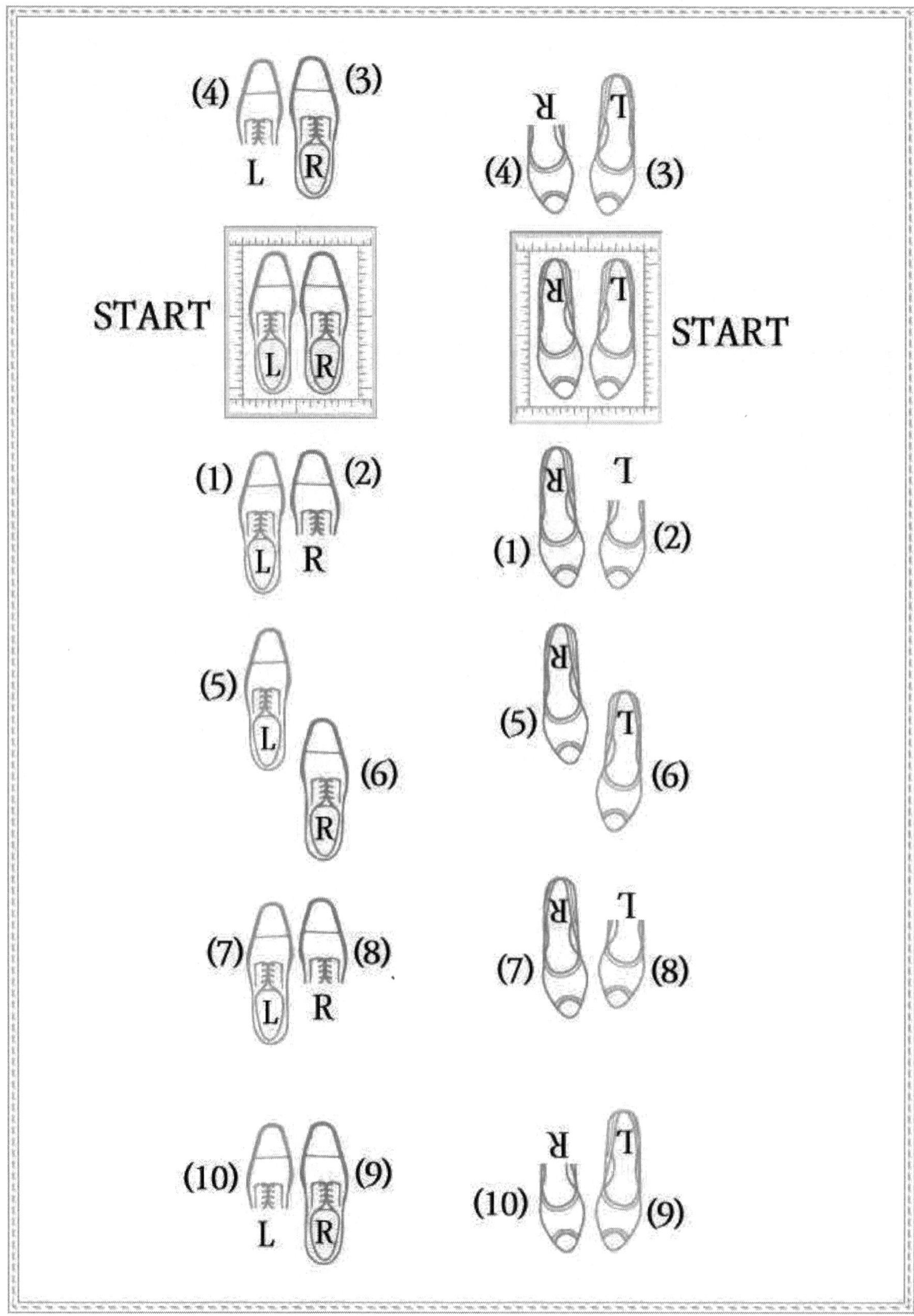

〈남성&여성〉

스텝	카운트	리듬	읽을 때	음악 타이밍	핸드 포지션
1보	1	S	슬로우	쿵	Hold
2보	2	&	엔	짝	Hold
3보	3	S	슬로우	쿵	Hold
4보	4	&	엔	짝	Hold
5보	5	Q	퀵	쿵	Hold
6보	6	Q	퀵	짝	Hold
7보	7	S	슬로우	짝	Hold
8보	8	&	엔	쿵	Hold
9보	9	S	슬로우	짝	Hold
10보	10	&	엔	쿵	Hold

〈남성〉

스텝	핸드	스텝 방식	액션
1보	왼손	놓고	Backward Walk
2보	왼손	찍고	Backward Walk
3보	왼손	놓고	Forward Walk
4보	왼손	찍고	Forward Walk
5보	왼손	놓고	Backward Walk
6보	왼손	놓고	Backward Walk
7보	왼손	놓고	Backward Walk
8보	왼손	찍고	Backward Walk
9보	왼손	놓고	Backward Walk
10보	왼손	찍고	Backward Walk

스텝	풋 포지션	총 회전량
1보	왼발 후진	없음
2보	오른발 후진하면서 왼발 옆에 모으고	
3보	오른발 전진	
4보	왼발 전진하면서 오른발 옆에 모으고	
5보	왼발 후진	
6보	오른발 후진	
7보	왼발 후진	
8보	오른발 후진하면서 왼발 옆에 모으고	
9보	오른발 후진	
10보	왼발 후진하면서 오른발 옆에 모으고	

〈여성〉

스텝	핸드	스텝 방식	액션
1보	왼손	놓고	Forward Walk
2보	왼손	찍고	Forward Walk
3보	왼손	놓고	Backward Walk
4보	왼손	찍고	Backward Walk
5보	왼손	놓고	Forward Walk
6보	왼손	놓고	Forward Walk

7보	왼손	놓고	Forward Walk
8보	왼손	찍고	Forward Walk
9보	왼손	놓고	Forward Walk
10보	왼손	찍고	Forward Walk

스텝	풋 포지션	총 회전량
1보	오른발 전진	없음
2보	왼발 전진하면서 오른발 옆에 모으고	
3보	왼발 후진	
4보	오른발 후진하면서 왼발 옆에 모으고	
5보	오른발 전진	
6보	왼발 전진	
7보	오른발 전진	
8보	왼발 전진하면서 오른발 옆에 모으고	
9보	왼발 전진	
10보	오른발 전진하면서 왼발 옆에 모으고	

리드법은 1번~4번 피겨 참고

5보~6보에서는 남성과 여성은 텐션이 걸린 상태에서 인위적인 리드 및 텐션이 필요 없이 후진하면 된다.

59번 프롬나드 첵 락

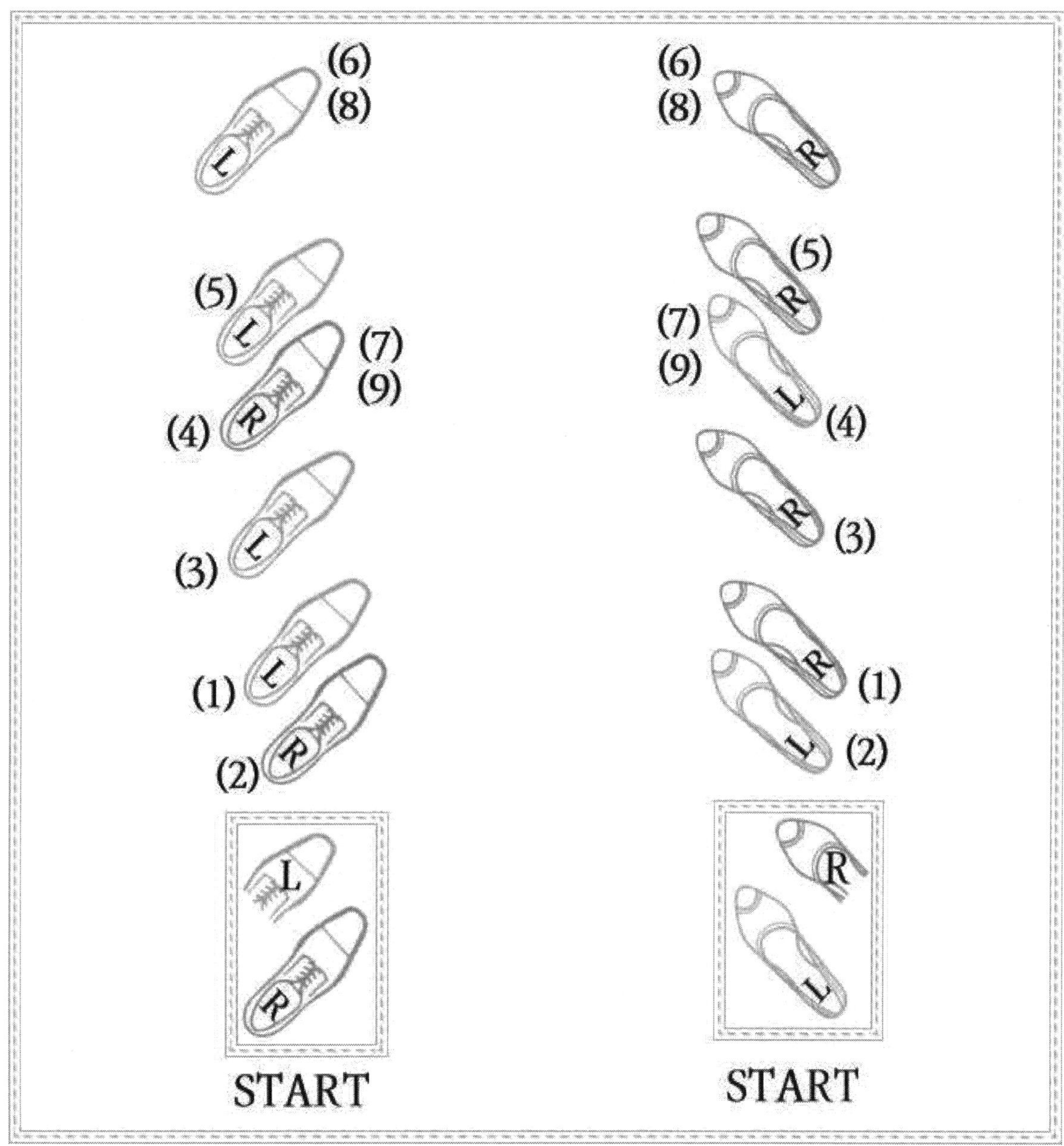

〈남성&여성〉

스텝	카운트	리듬	읽을 때	음악 타이밍	핸드 포지션
1보	1	Q	퀵	쿵	Hold
2보	2	&	엔	짝	Hold
3보	3	Q	퀵	쿵	Hold
4보	4	S	슬로우	짝	Hold
5보	5	&	엔	쿵	Hold
6보	6	Q	퀵	짝	Hold
7보	7	Q	퀵	짝	Hold
8보	8	Q	퀵	쿵	Hold

9보	9	Q	퀵	짝	Hold

〈남성〉

스텝	핸드	스텝 방식	액션
1보	왼손	놓고	Forward Walk
2보	왼손	놓고	Forward Walk
3보	왼손	놓고	Forward Walk
4보	왼손	놓고	Forward Walk
5보	왼손	놓고	Forward Walk
6보	왼손	놓고	Forward Walk
7보	왼손	놓고	Backward
8보	왼손	놓고	Forward
9보	왼손	놓고	Backward

스텝	풋 포지션	총 회전량
1보	왼발 전진	없음
2보	오른발 전진	
3보	왼발 전진	
4보	오른발 전진	
5보	왼발 전진	
6보	왼발 전진	
7보	체중 이동/RF	
8보	체중 이동/LF	
9보	체중 이동/RF	

〈여성〉

스텝	핸드	스텝 방식	액션
1보	왼손	놓고	Forward Walk
2보	왼손	놓고	Forward Walk
3보	왼손	놓고	Forward Walk
4보	왼손	놓고	Forward Walk
5보	왼손	놓고	Forward Walk
6보	왼손	놓고	Forward Walk
7보	왼손	놓고	Backward
8보	왼손	놓고	Forward
9보	왼손	놓고	Backward

스텝	풋 포지션	총 회전량
1보	오른발 전진	없음
2보	왼발 전진	
3보	오른발 전진	
4보	왼발 전진	
5보	오른발 전진	
6보	오른발 전진	
7보	체중 이동/LF	

8보	체중 이동/RF	
9보	체중 이동/LF	

프롬나드 샤세 스텝과 첵 락이 결합한 피겨로 8보~9보에서는 체중 이동만 하면 된다.

60번 사이드 스텝 지그재그

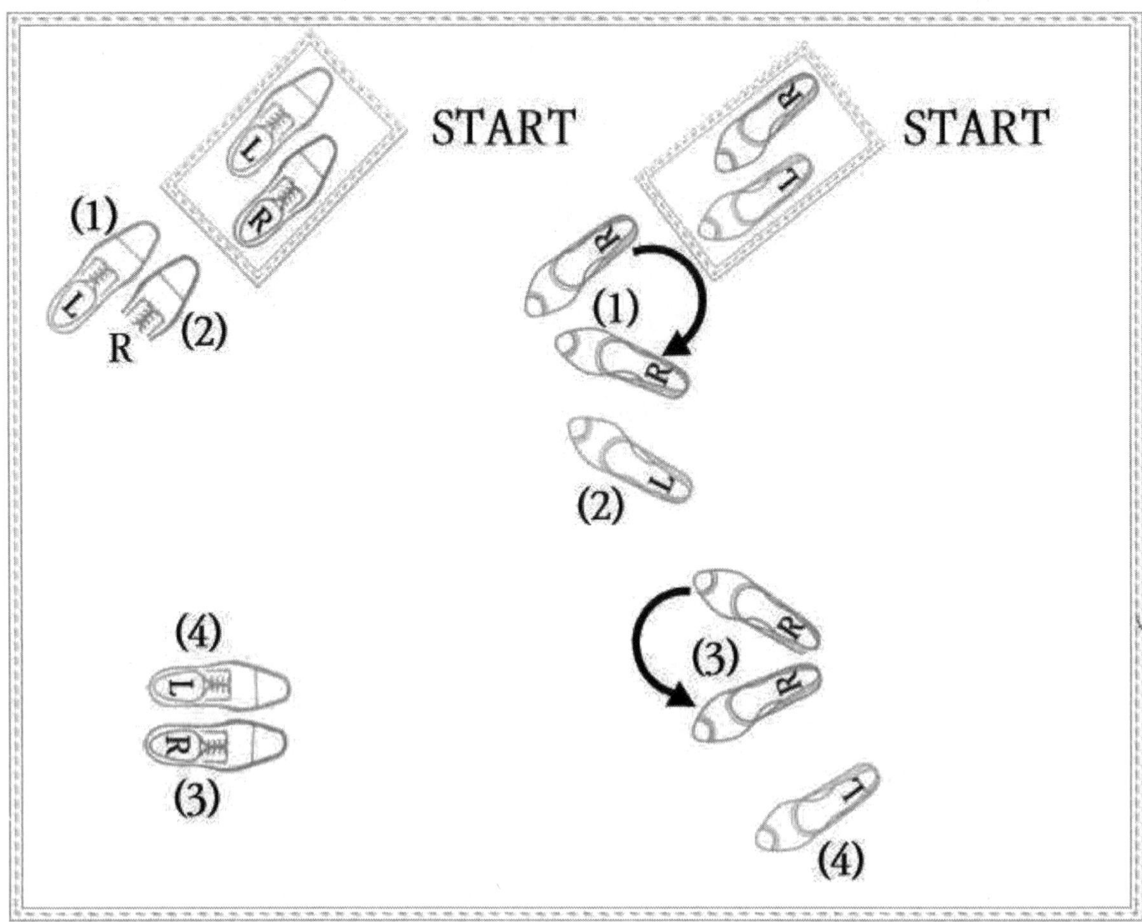

〈남성&여성〉

스텝	카운트	리듬	읽을 때	음악 타이밍	핸드 포지션
1보	1	Q	퀵	쿵	Hold
2보	2	Q	퀵	짝	Hold
3보	3	Q	퀵	쿵	Hold
4보	4	Q	퀵	짝	Hold

〈남성〉

스텝	핸드	스텝 방식	액션
1보	오른손	놓고	Backward Walk
2보	오른손	찍고	Backward Walk
3보	오른손	놓고	Side Step
4보	오른손	놓고	Side Step

스텝	풋 포지션	총 회전량
1보	왼발 후진	90˚/R

2보	오른발 후진하면서 왼발 옆에 모으고	
3보	오른발 옆으로	
4보	왼발 오른발 옆에 모으고	

〈여성〉

스텝	핸드	스텝 방식	액션
1보	오른손	놓고	Forward Walk
2보	오른손	놓고	Side Step
3보	오른손	놓고	Backward Walk
4보	오른손	놓고	Side Step

스텝	풋 포지션	총 회전량
1보	오른발 전진	90°/R
2보	왼발 옆으로	
3보	오른발 후진	90°/L
4보	왼발 옆으로	

사이드 지그재그 리드법으로 여성을 리드하면 된다. 단 남성은 지그재그 스텝이 아닌 사이드 스텝으로 밟으면 된다.

61번 백 스텝 스위블 역회전

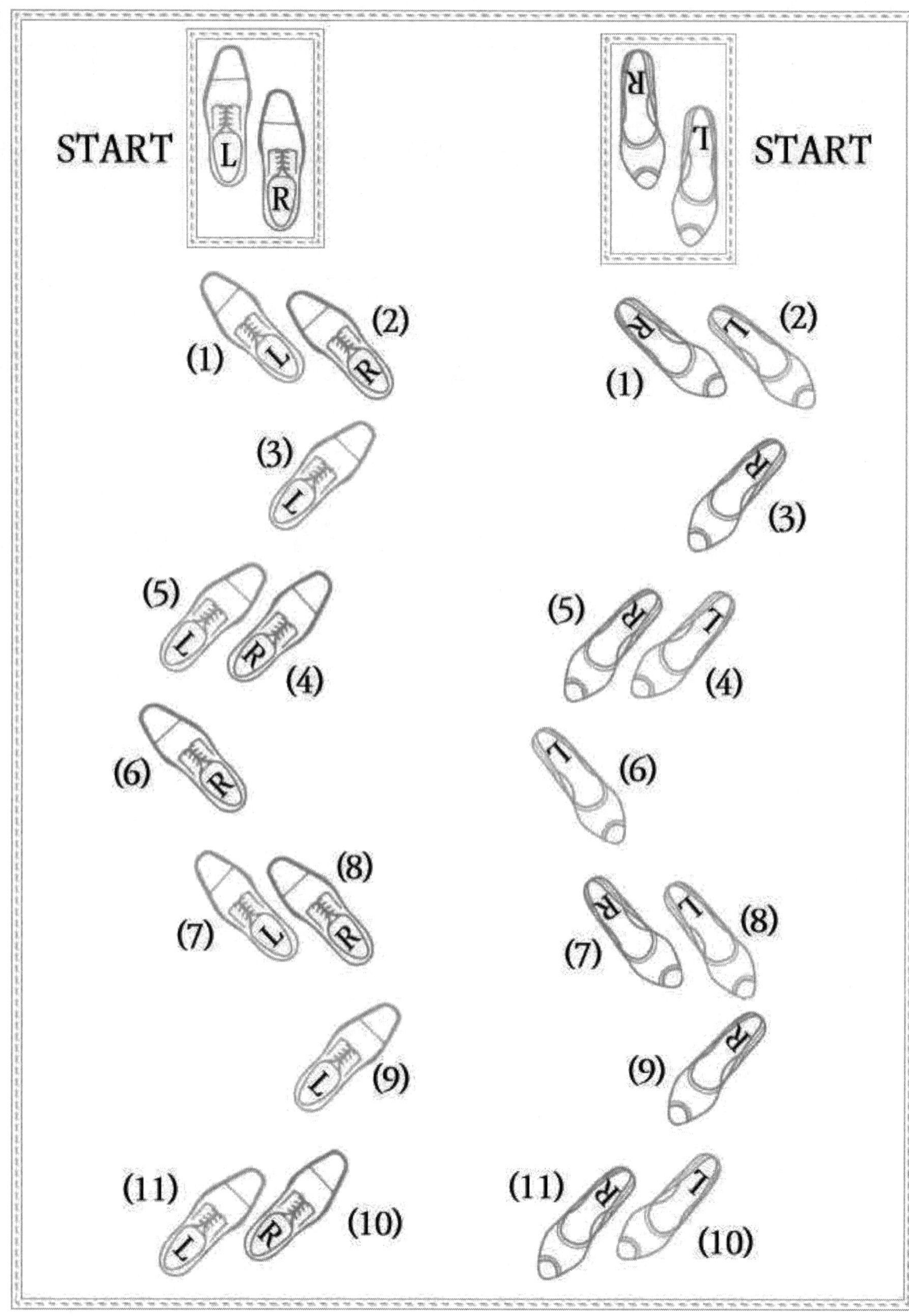

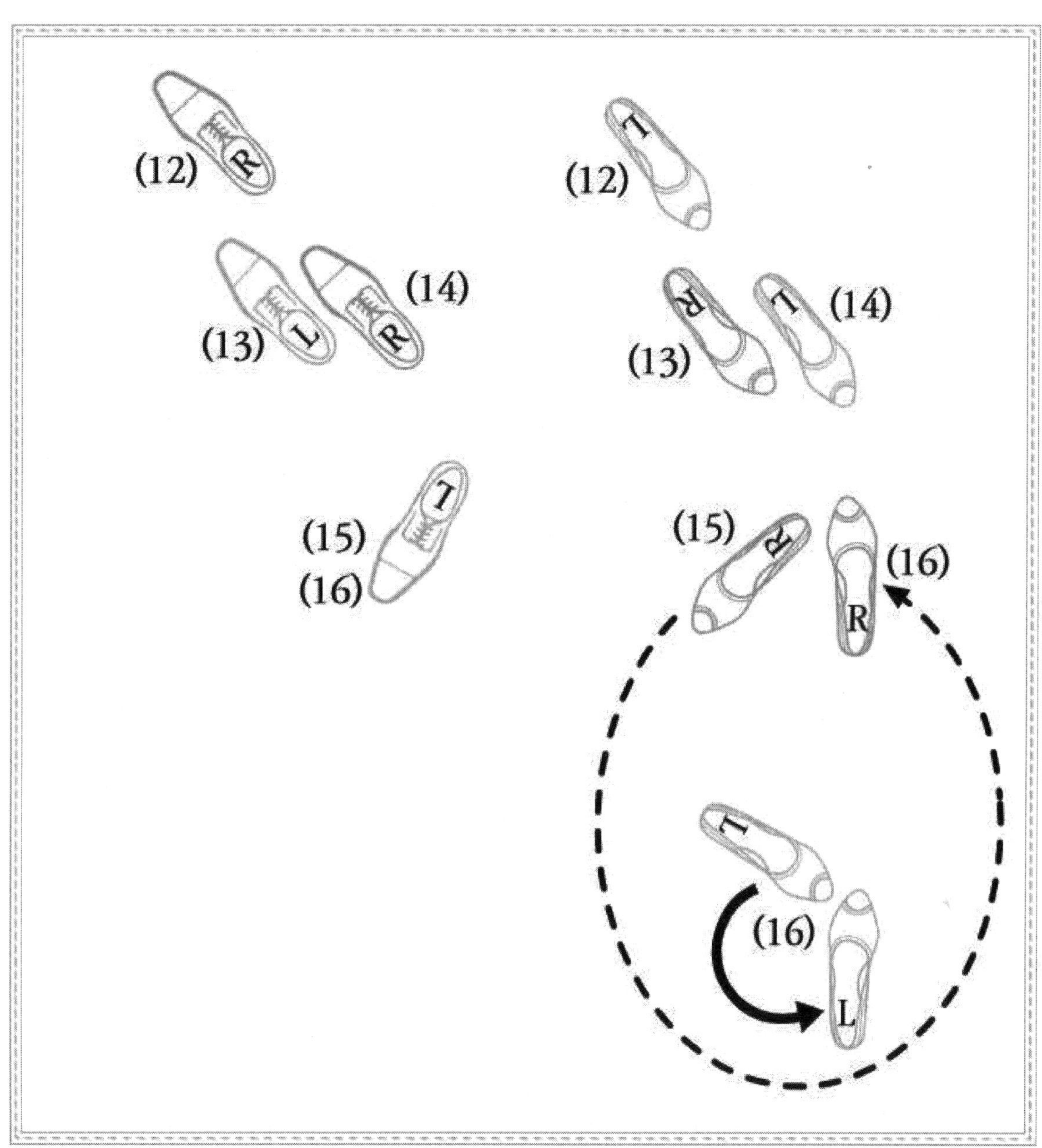

〈남성&여성〉

스텝	카운트	리듬	읽을 때	음악 타이밍	핸드 포지션
1보	1	Q	퀵	쿵	Hold
2보	2	&	엔	짝	Hold
3보	3	Q	퀵	쿵	Hold
4보	4	Q	퀵	짝	Hold
5보	5	&	엔	쿵	Hold
6보	6	Q	퀵	짝	Hold
7보	7	Q	퀵	짝	Hold
8보	8	&	엔	쿵	Hold

9보	9	Q	퀵	짝	Hold
10보	10	Q	퀵	쿵	Hold
11보	11	&	엔	짝	Hold
12보	12	Q	퀵	쿵	Hold
13보	13	Q	퀵	짝	Hold
14보	14	&	엔	쿵	Hold
15보	15	S	슬로우	짝	Hold
16보	16	&	엔	쿵	Hold

〈남성〉

스텝	핸드	스텝 방식	액션
1보	왼손	놓고	Diagonally Backward Walk
2보	왼손	놓고	Backward Walk
3보	왼손	놓고	Diagonally Backward Walk
4보	왼손	놓고	Backward Walk
5보	왼손	놓고	Backward Walk
6보	왼손	놓고	Diagonally Backward Walk
7보	왼손	놓고	Backward Walk
8보	왼손	놓고	Backward Walk
9보	왼손	놓고	Diagonally Backward Walk
10보	왼손	놓고	Backward Walk
11보	왼손	놓고	Backward Walk
12보	왼손	놓고	Diagonally Backward Walk
13보	왼손	놓고	Backward Walk
14보	왼손	놓고	Backward Walk
15보	왼손	놓고	Turn
16보	왼손	놓고	

스텝	풋 포지션	총 회전량
1보	왼발 사선으로 후진, Turn/R	90°/R 135°/L
2보	오른발 후진	
3보	왼발 사선으로 후진, Turn/L	
4보	오른발 후진	
5보	왼발 후진	
6보	오른발 사선으로 후진, Turn/R	
7보	왼발 후진	
8보	오른발 후진	
9보	왼발 사선으로 후진, Turn/L	
10보	오른발 후진	
11보	왼발 후진	
12보	오른발 사선으로 후진, Turn/R	
13보	왼발 후진	
14보	오른발 후진	
15보	왼발 Turn/L	
16보	왼발 체중 유지	

〈여성〉

스텝	핸드	스텝 방식	액션
1보	오른손	놓고	Diagonally Forward Walk
2보	오른손	놓고	Forward Walk
3보	오른손	놓고	Diagonally Forward Walk
4보	오른손	놓고	Forward Walk
5보	오른손	놓고	Forward Walk
6보	오른손	놓고	Diagonally Forward Walk
7보	오른손	놓고	Forward Walk
8보	오른손	놓고	Forward Walk
9보	오른손	놓고	Diagonally Forward Walk
10보	오른손	놓고	Forward Walk
11보	오른손	놓고	Forward Walk
12보	오른손	놓고	Diagonally Forward Walk
13보	오른손	놓고	Forward Walk
14보	오른손	놓고	Forward Walk
15보	오른손	놓고	Swivel
16보	오른손	놓고	

스텝	풋 포지션	총 회전량
1보	오른발 사선으로 전진, Turn/L	90°/R 360°/L
2보	왼발 전진	
3보	오른발 사선으로 전진, Turn/R	
4보	왼발 전진	
5보	오른발 전진	
6보	왼발 사선으로 전진, Turn/L	
7보	오른발 전진	
8보	왼발 전진	
9보	오른발 사선으로 전진, Turn/R	
10보	왼발 전진	
11보	오른발 전진	
12보	왼발 사선으로 전진, Turn/L	
13보	오른발 전진	
14보	왼발 전진	
15보	Swivel	
16보		

백 지그재그 스텝, 스위블 스텝이 결합한 피겨로 남성은 15보에 여성이 지나가도록 비켜 정지한 상태에서 오른손으로 여성 견갑골을 밀어주고 16보에 왼손으로 여성 오른손을 남성 앞으로 당긴다.

62번 전진 커트 (후행 피겨/프롬나드 샤세)

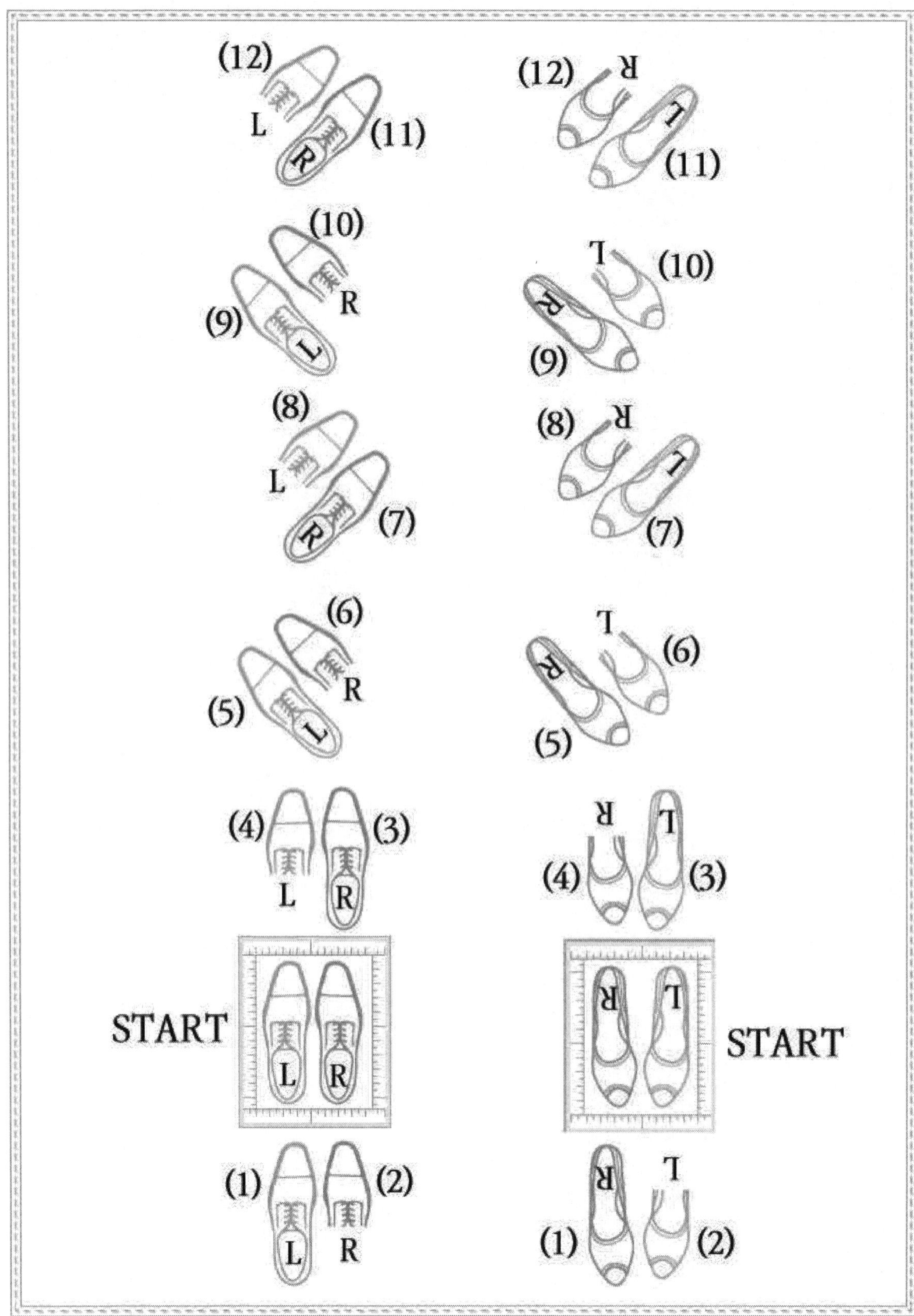

〈남성&여성〉

스텝	카운트	리듬	읽을 때	음악 타이밍	핸드 포지션
1보	1	S	슬로우	쿵	Hold
2보	2	&	엔	짝	Hold
3보	3	S	슬로우	쿵	Hold
4보	4	&	엔	짝	Hold
5보	5	S	슬로우	쿵	Hold
6ㅗ	6	&	엔	짝	Hold
7보	7	S	슬로우	쿵	Hold
8보	8	&	엔	짝	Hold
9보	9	S	슬로우	쿵	Hold
10보	10	&	엔	짝	Hold
11보	11	S	슬로우	쿵	Hold
12보	12	&	엔	짝	Hold

〈남성〉

스텝	핸드	스텝 방식	액션
1보	왼손	놓고	Backward Walk
2보	왼손	찍고	Backward Walk
3보	왼손	놓고	Forward Walk
4보	왼손	찍고	Forward Walk
5보	왼손	놓고	Diagonally Forward Walk
6보	왼손	찍고	Forward Walk
7보	왼손	놓고	Diagonally Forward Walk
8보	왼손	찍고	Forward Walk
9보	왼손	놓고	Diagonally Forward Walk
10보	왼손	찍고	Forward Walk
11보	왼손	놓고	Diagonally Forward Walk
12보	왼손	찍고	Forward Walk

스텝	풋 포지션	총 회전량
1보	왼발 후진	90˚/R 90˚/L
2보	오른발 후진하면서 왼발 옆에 모으고	
3보	오른발 전진	
4보	왼발 전진하면서 오른발 옆에 모으고	
5보	왼발 사선으로 전진	
6보	오른발 사선으로 전진하면서 왼발 옆에 모으고	
7보	오른발 사선으로 전진	
8보	왼발 사선으로 전진하면서 오른발 옆에 모으고	
9보	왼발 사선으로 전진	
10보	오른발 사선으로 전진하면서 왼발 옆에 모으고	
11보	오른발 사선으로 전진	
12보	왼발 사선으로 전진하면서 오른발 옆에 모으고	

〈여성〉

스텝	핸드	스텝 방식	액션

1보	오른손	놓고	Forward Walk
2보	오른손	찍고	Forward Walk
3보	오른손	놓고	Backward Walk
4보	오른손	찍고	Backward Walk
5보	오른손	놓고	Diagonally Backward Walk
6보	오른손	찍고	Backward Walk
7보	오른손	놓고	Diagonally Backward Walk
8보	오른손	찍고	Backward Walk
9보	오른손	놓고	Diagonally Backward Walk
10보	오른손	찍고	Backward Walk
11보	오른손	놓고	Diagonally Backward Walk
12보	오른손	찍고	Backward Walk

스텝	풋 포지션	총 회전량
1보	오른발 전진	90°/R 90°/L
2보	왼발 전진하면서 오른발 옆에 모으고	
3보	왼발 후진	
4보	오른발 후진하면서 왼발 옆에 모으고	
5보	오른발 사선으로 후진	
6보	왼발 사선으로 후진하면서 오른발 옆에 모으고	
7보	왼발 사선으로 후진	
8보	오른발 사선으로 후진하면서 왼발 옆에 모으고	
9보	오른발 사선으로 후진	
10보	왼발 사선으로 후진하면서 오른발 옆에 모으고	
11보	왼발 사선으로 후진	
12보	오른발 사선으로 후진하면서 왼발 옆에 모으고	

전진하면서 커트하는 피겨로 5보에 왼쪽 사선으로 전진하고 6보에 오른발을 왼발 옆에 모으면서 반 박자 멈추고 다음 스텝을 진행한다.

63번 아웃사이드 턴, 인사이드 턴

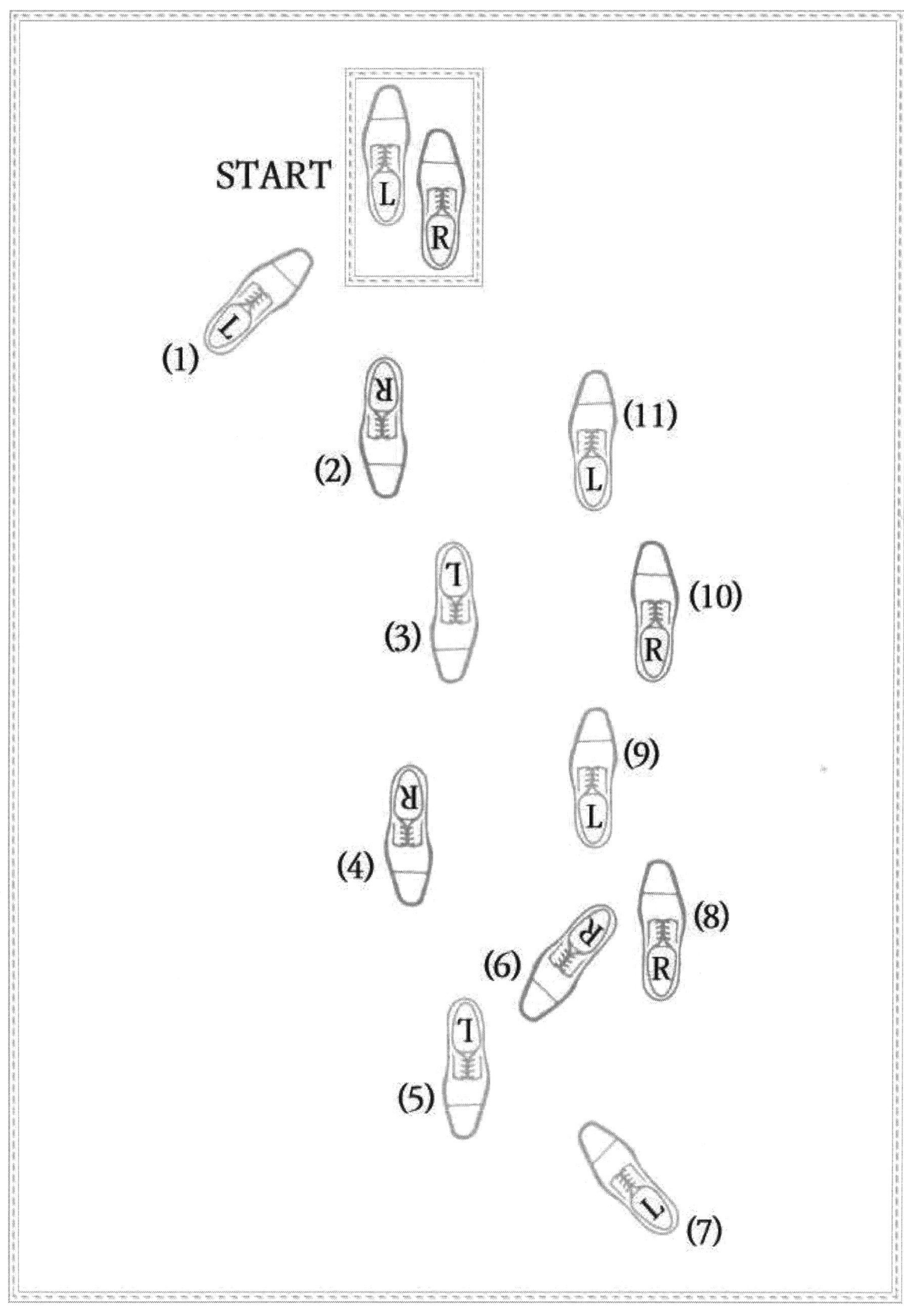

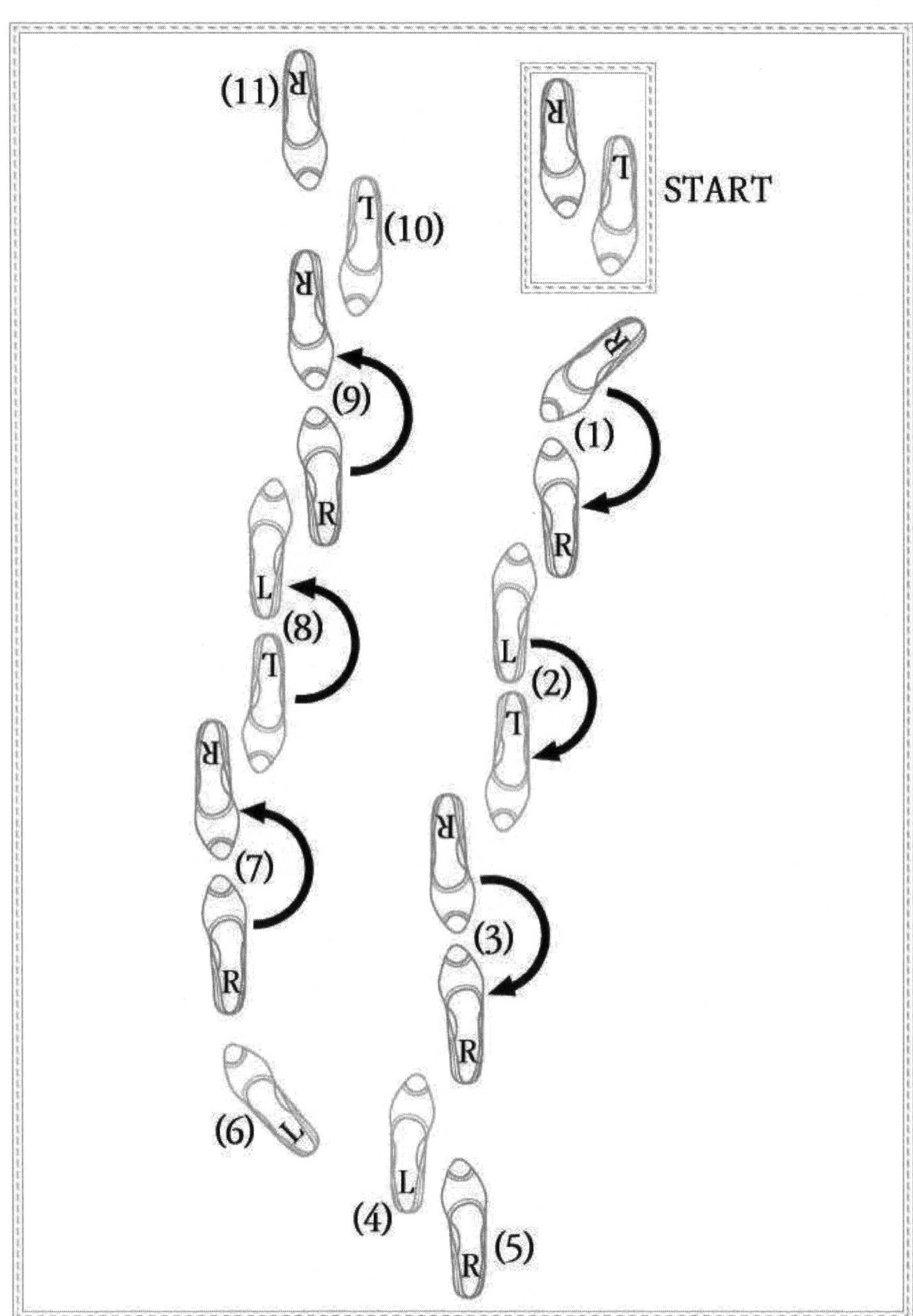
START
(1)
(2)
(3)
(4)
(5)
(6)
(7)
(8)
(9)
(10)
(11)

〈남성&여성〉

스텝	카운트	리듬	읽을 때	음악 타이밍	핸드 포지션
1보	1	Q	퀵	쿵	Hold
2보	2	Q	퀵	짝	Hold
3보	3	Q	퀵	쿵	One Hand Joined
4보	4	Q	퀵	짝	One Hand Joined
5보	5	Q	퀵	쿵	One Hand Joined
6보	6	Q	퀵	짝	One Hand Joined
7보	7	Q	퀵	쿵	One Hand Joined
8보	8	Q	퀵	짝	One Hand Joined
9보	9	Q	퀵	쿵	One Hand Joined
10보	10	Q	퀵	짝	One Hand Joined
11보	11	Q	퀵	쿵	One Hand Joined

〈남성〉

스텝	핸드	스텝 방식	액션
1보	왼손	놓고	Backward Walk, Turn
2보	왼손	놓고	Forward Walk, Turn
3보	왼손	놓고	Forward Walk
4보	왼손	놓고	Forward Walk
5보	왼손	놓고	Forward Walk
6보	왼손	놓고	Diagonally Backward Walk, Turn
7보	왼손	놓고	Turn
8보	왼손	놓고	Forward Walk, Turn
9보	왼손	놓고	Forward Walk
10보	왼손	놓고	Forward Walk
11보	왼손	놓고	Forward Walk

스텝	풋 포지션	총 회전량
1보	왼발 사선으로 후진	360°/R
2보	오른발 Turn/R	
3보	왼발 전진	
4보	오른발 전진	
5보	왼발 전진	
6보	오른발 사선으로 후진, Turn/R	
7보	왼발 Turn/R	
8보	오른발 Turn/R	
9보	왼발 전진	
10보	오른발 전진	
11보	왼발 전진	

〈여성〉

스텝	핸드	스텝 방식	액션
1보	오른손	놓고	Turn
2보	오른손	놓고	Turn
3보	오른손	놓고	Turn

4보	오른손	놓고	Backward Walk
5보	오른손	놓고	Backward Walk
6보	오른손	놓고	Diagonally Forward Walk
7보	오른손	놓고	Turn
8보	오른손	놓고	turn
9보	오른손	놓고	Turn
10보	오른손	놓고	Backward Walk
11보	오른손	놓고	Backward Walk

스텝	풋 포지션	총 회전량
1보	오른발 Turn/R	540°/R 540°/L
2보	왼발 Turn/R	
3보	오른발 Turn/R	
4보	왼발 후진	
5보	오른발 후진	
6보	왼발 사선으로 전진	
7보	오른발 Turn/L	
8보	왼발 Turn/L	
9보	오른발 Turn/L	
10보	왼발 후진	
11보	오른발 후진	

남성은 여성 오른손을 여성 머리 위로 올려주면서 여성을 오른쪽으로 회전시켜 준 다음에 왼쪽으로 회전시켜준다.

64번 오픈 프롬나드 샤세 잔발

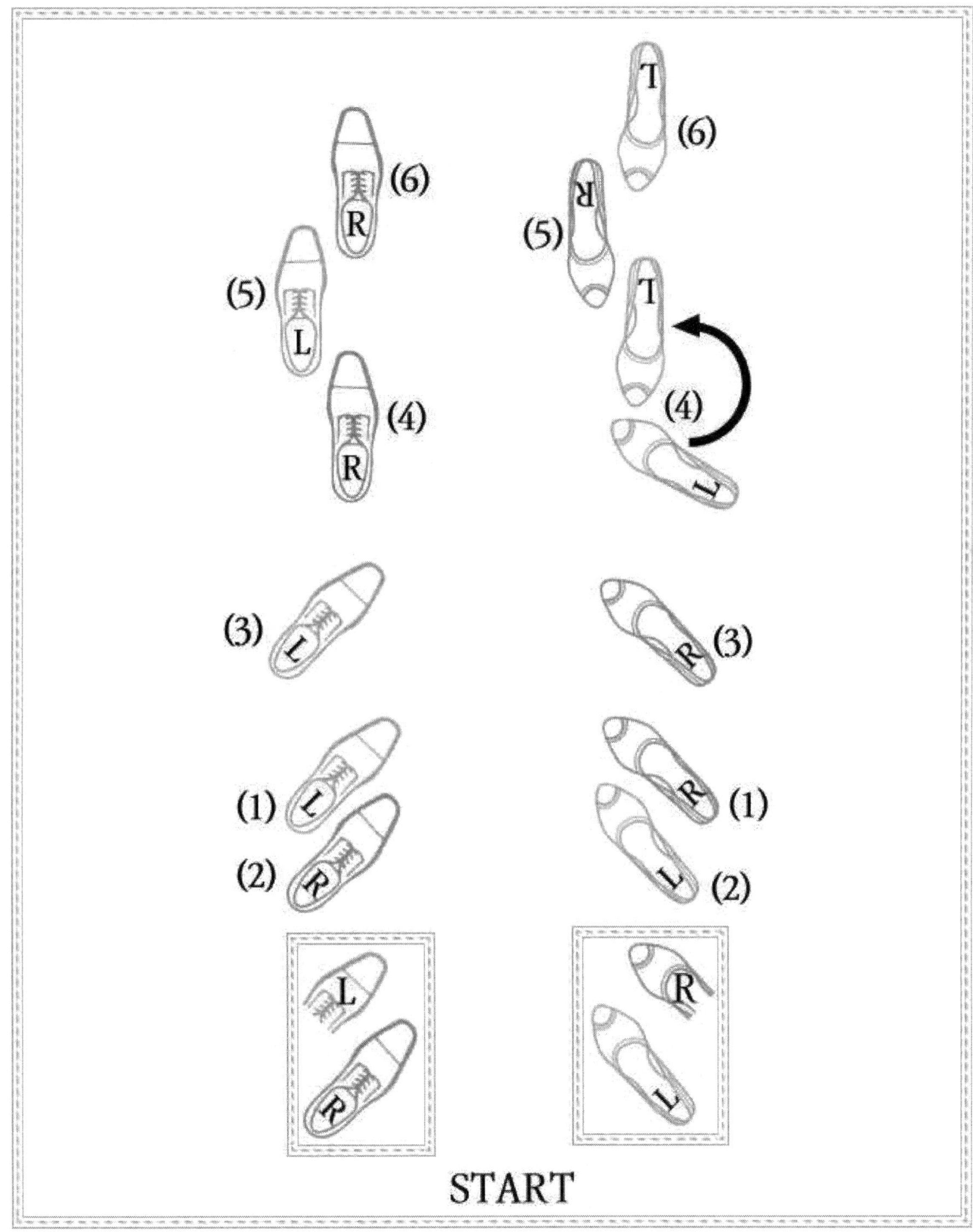

〈남성&여성〉

스텝	카운트	리듬	읽을 때	음악 타이밍	핸드 포지션
1보	1	Q	퀵	쿵	Hold

2보	2	&	엔	짝	Hold
3보	3	Q	퀵	쿵	Hold
4보	4	Q	퀵	짝	Hold
5보	5	&	엔	쿵	Hold
6보	6	Q	퀵	짝	Hold

〈남성〉

스텝	핸드	스텝 방식	액션
1보	왼손	놓고	Forward Walk
2보	왼손	놓고	Forward Walk
3보	왼손	놓고	Forward Walk
4보	왼손	놓고	Forward Walk
5보	왼손	놓고	Forward Walk
6보	왼손	놓고	Forward Walk

스텝	풋 포지션	총 회전량
1보	왼발 전진	없음
2보	오른발 전진	
3보	왼발 전진	
4보	오른발 전진	
5보	왼발 전진	
6보	오른발 전진	

〈여성〉

스텝	핸드	스텝 방식	액션
1보	왼손	놓고	Forward Walk
2보	왼손	놓고	Forward Walk
3보	왼손	놓고	Forward Walk
4보	왼손	놓고	Turn
5보	왼손	놓고	Backward Walk
6보	왼손	놓고	Backward Walk

스텝	풋 포지션	총 회전량
1보	오른발 전진	180°/L
2보	왼발 전진	
3보	오른발 전진	
4보	왼발 Turn/L	
5보	오른발 후진	
6보	왼발 후진	

4보에 남성은 여성을 왼쪽으로 회전시켜주면서 전진 스텝을 한다.

65번 스탑 콘트라 체크

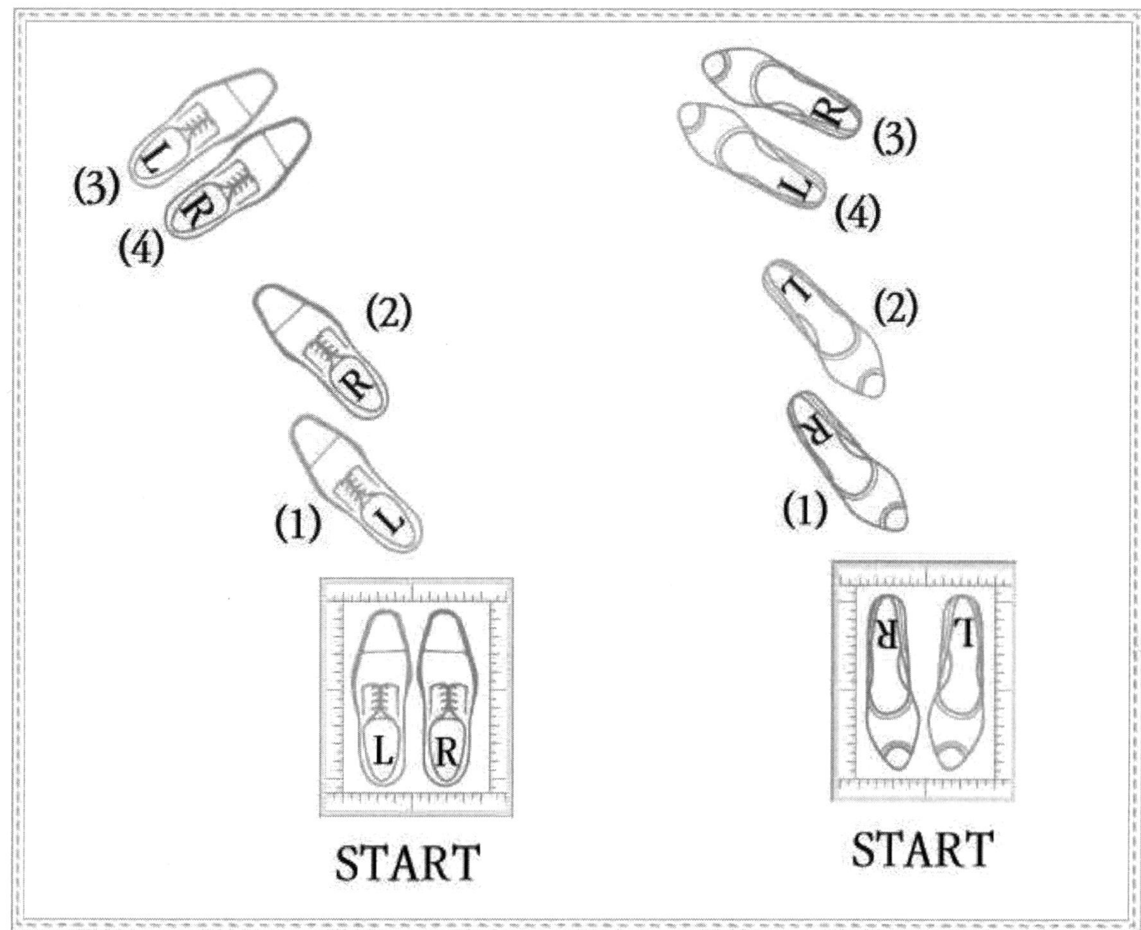

〈남성&여성〉

스텝	카운트	리듬	읽을 때	음악 타이밍	핸드 포지션
1보	1	Q	퀵	쿵	Hold
2보	2	Q	퀵	짝	Hold
3보	3	Q	퀵	쿵	Hold
4보	4	Q	퀵	짝	Hold

〈남성〉

스텝	핸드	스텝 방식	액션
1보	왼손	놓고	Diagonally Forward Walk
2보	왼손	놓고	Forward Walk
3보	왼손	놓고	Diagonally Forward Walk
4보	왼손	놓고	Forward Walk

스텝	풋 포지션	총 회전량
1보	왼발 사선으로 전진	45°/L

2보	오른발 전진	90°/R
3보	왼발 Turn/R	
4보	오른발 왼발 옆에 모으고	

〈여성〉

스텝	핸드	스텝 방식	액션
1보	오른손	놓고	Diagonally Backward Walk
2보	오른손	놓고	Backward Walk
3보	오른손	놓고	Turn
4보	오른손	놓고	

스텝	풋 포지션	총 회전량
1보	오른발 사선으로 후진	180°/R
2보	왼발 후진	
3보	오른발 Turn/R	
4보	왼발 오른발 옆에 모으고	

Closed facing position를 유지, 3보~4보에서 남성 왼손으로 여성 오른손을 밀면서 180°/R 회전시켜준다. 남성은 3보~4보에 바디 액션

66번 아웃사이드 턴 응용

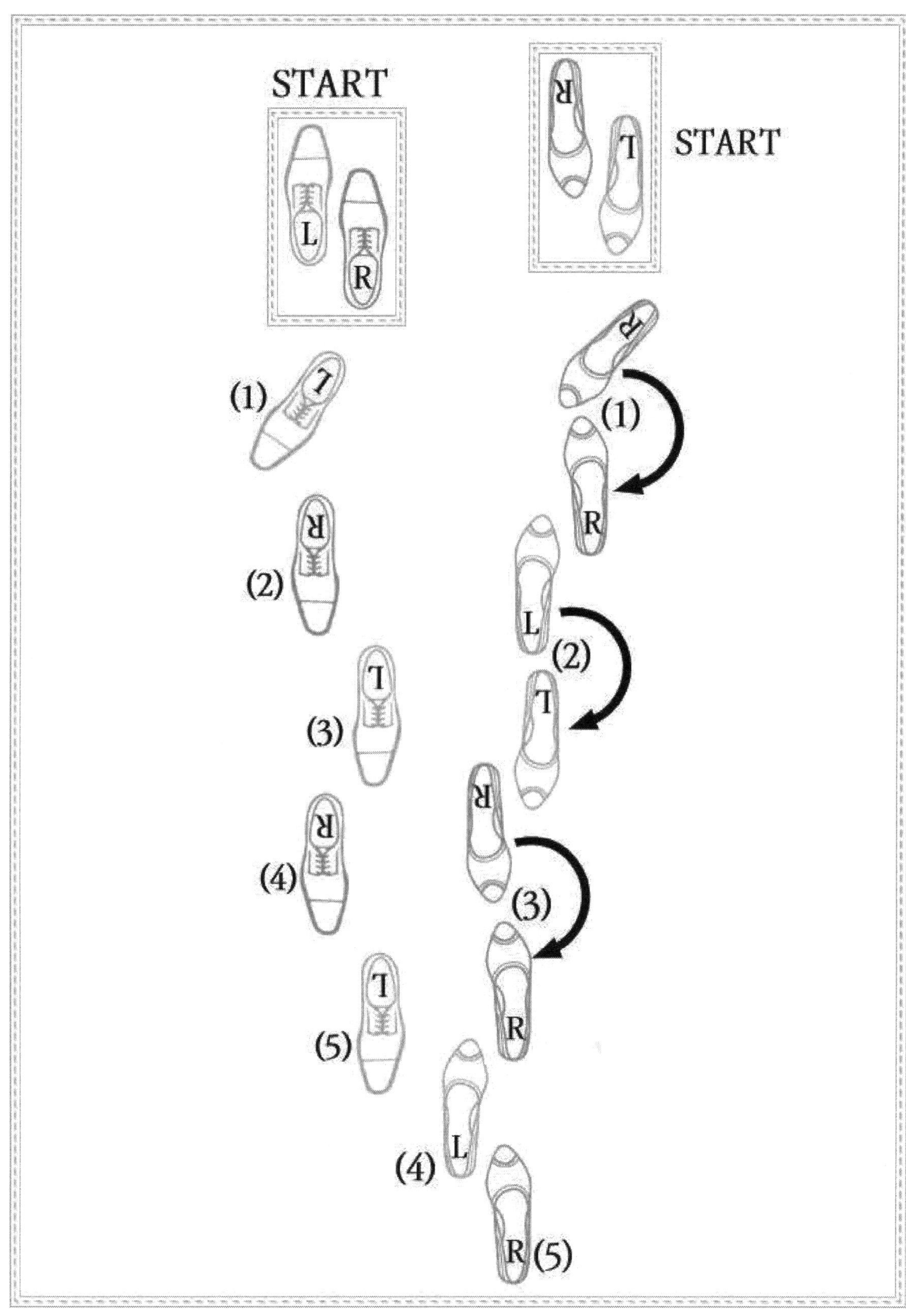

〈남성&여성〉

스텝	카운트	리듬	읽을 때	음악 타이밍	핸드 포지션
1보	1	Q	퀵	쿵	Hold
2보	2	Q	퀵	짝	One Hand Joined
3보	3	Q	퀵	쿵	One Hand Joined
4보	4	Q	퀵	짝	One Hand Joined
5보	5	Q	퀵	쿵	One Hand Joined

〈남성〉

스텝	핸드	스텝 방식	액션
1보	왼손	놓고	Turn
2보	왼손	놓고	Forward Walk, Turn
3보	왼손	놓고	Forward Walk
4보	왼손	놓고	Forward Walk
5보	왼손	놓고	Forward Walk

스텝	풋 포지션	총 회전량
1보	왼발 Turn/R	180°/L
2보	오른발 Turn/R	
3보	왼발 전진	
4보	오른발 전진	
5보	왼발 전진	

〈여성〉

스텝	핸드	스텝 방식	액션
1보	오른손	놓고	Turn
2보	오른손	놓고	Turn
3보	오른손	놓고	Turn
4보	오른손	놓고	Backward Walk
5보	오른손	놓고	Backward Walk

스텝	풋 포지션	총 회전량
1보	오른발 Turn/R	540°/R
2보	왼발 Turn/R	
3보	오른발 Turn/R	
4보	왼발 후진	
5보	오른발 후진	

여성의 오른손을 여성 머리 위로 올려 오른쪽으로 회전시켜주는 피겨로 남성은 1보에 왼쪽으로 회전, 여성과 등지면서 여성을 오른쪽으로 회전시켜주면서 2보부터 여성을 쫓아간다.

67번 리버스 스위블, 트위스트

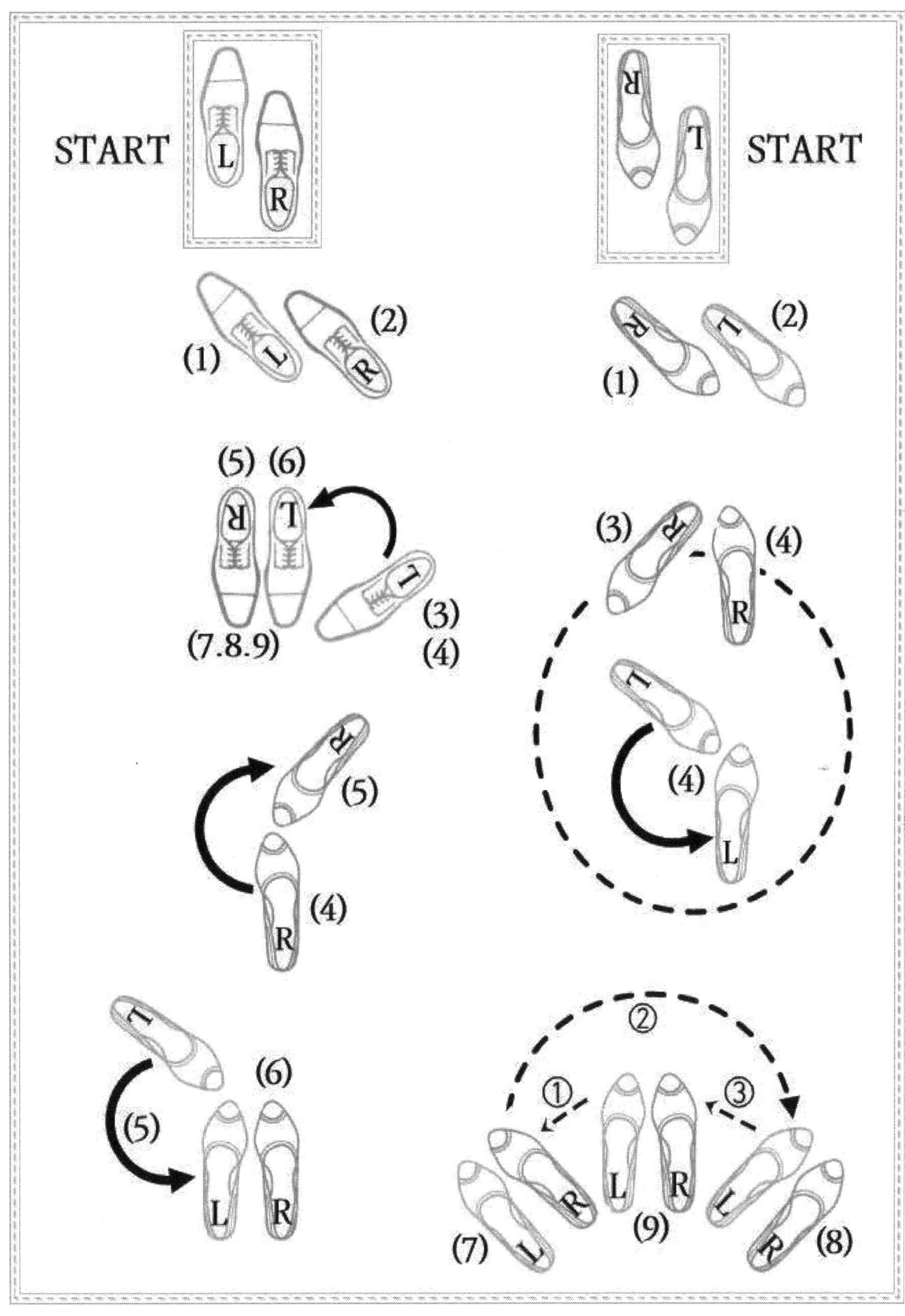

〈남성&여성〉

스텝	카운트	리듬	읽을 때	음악 타이밍	핸드 포지션
1보	1	Q	퀵	쿵	Hold
2보	2	&	엔	짝	Hold
3보	3	Q	퀵	쿵	Hold
4보	4	S	슬로우	짝	Hold
5보	5	S	슬로우	쿵	Hold
6보	6	&	엔	짝	Hold
7보	7	Q	퀵	짝	Hold
8보	8	Q	퀵	쿵	Hold
9보	9	Q	퀵	짝	Hold

〈남성〉

스텝	핸드	스텝 방식	액션
1보	왼손	놓고	Diagonally Backward Walk
2보	왼손	놓고	Backward Walk
3보	왼손	놓고	Turn
4보	왼손	놓고	Stop
5보	왼손	놓고	Turn
6보	왼손	놓고	
7보	왼손	놓고	Stop
8보	왼손	놓고	Stop
9보	왼손	놓고	Stop

스텝	풋 포지션	총 회전량
1보	왼발 사선으로 후진	180°/L
2보	오른발 후진	
3보	왼발 Turn/L	
4보	왼발 제자리	
5보	오른발 Turn/L	
6보	왼발 오른발 옆에 모으고	
7보	오른발 왼발 모은 상태 계속 유지	
8보		
9보		

〈여성〉

스텝	핸드	스텝 방식	액션
1보	오른손	놓고	Diagonally Forward Walk
2보	오른손	놓고	Forward Walk
3보	오른손	놓고	Diagonally Forward Walk
4보	오른손	놓고	Swivel
5보	오른손	놓고	Swivel
6보	오른손	놓고	Turn
7보	오른손	놓고	Swivel(Twist)

8보	오른손	놓고	Swivel(Twist)
9보	오른손	놓고	Swivel(Twist)

스텝	풋 포지션	총 회전량
1보	오른발 사선으로 전진	180˚/R 180˚/L
2보	왼발 전진	
3보	오른발 사선으로 전진	
4보	오른발, 왼발 Swivel	
5보		
6보	오른발 왼발에 모으고	
7보	Swivel(Twist)	
8보	Swivel(Twist)	
9보	Swivel(Twist)	

리버스 스위블과 트위스트(스위블) 스텝이 연결된 피겨로 리드는 61번, 42번 참고

68번 제자리 리듬 타기

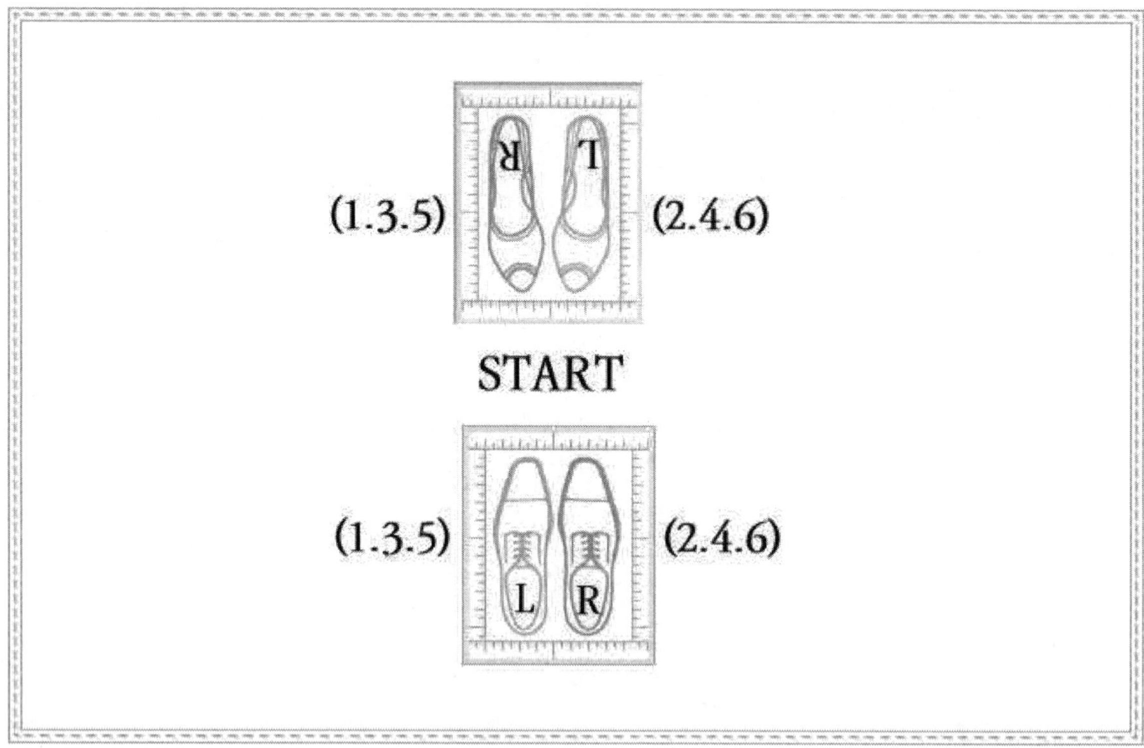

〈남성&여성〉

스텝	카운트	리듬	읽을 때	음악 타이밍	핸드 포지션
1보	1	Q	퀵	쿵	Hold
2보	2	Q	퀵	짝	Hold
3보	3	Q	퀵	쿵	Hold
4보	4	Q	퀵	짝	Hold
5보	5	Q	퀵	쿵	Hold
6보	6	Q	퀵	짝	Hold

〈남성〉

스텝	핸드	스텝 방식	액션
1보	왼손	놓고	Rhythm
2보	왼손	놓고	Rhythm
3보	왼손	놓고	Rhythm
4보	왼손	놓고	Rhythm
5보	왼손	놓고	Rhythm
6보	왼손	놓고	Rhythm

스텝	풋 포지션	총 회전량
1보	체중 이동/L	없음
2보	체중 이동/R	

3보	체중 이동/L	
4보	체중 이동/R	
5보	체중 이동/L	
6보	체중 이동/R	

〈여성〉

스텝	핸드	스텝 방식	액션
1보	오른손	놓고	Rhythm
2보	오른손	놓고	Rhythm
3보	오른손	놓고	Rhythm
4보	오른손	놓고	Rhythm
5보	오른손	놓고	Rhythm
6보	오른손	놓고	Rhythm

스텝	풋 포지션	총 회전량
1보	체중 이동/R	없음
2보	체중 이동/L	
3보	체중 이동/R	
4보	체중 이동/L	
5보	체중 이동/R	
6보	체중 이동/L	

발의 전·후진 이동 없이 체중 이동 연속.

69번 백 링크

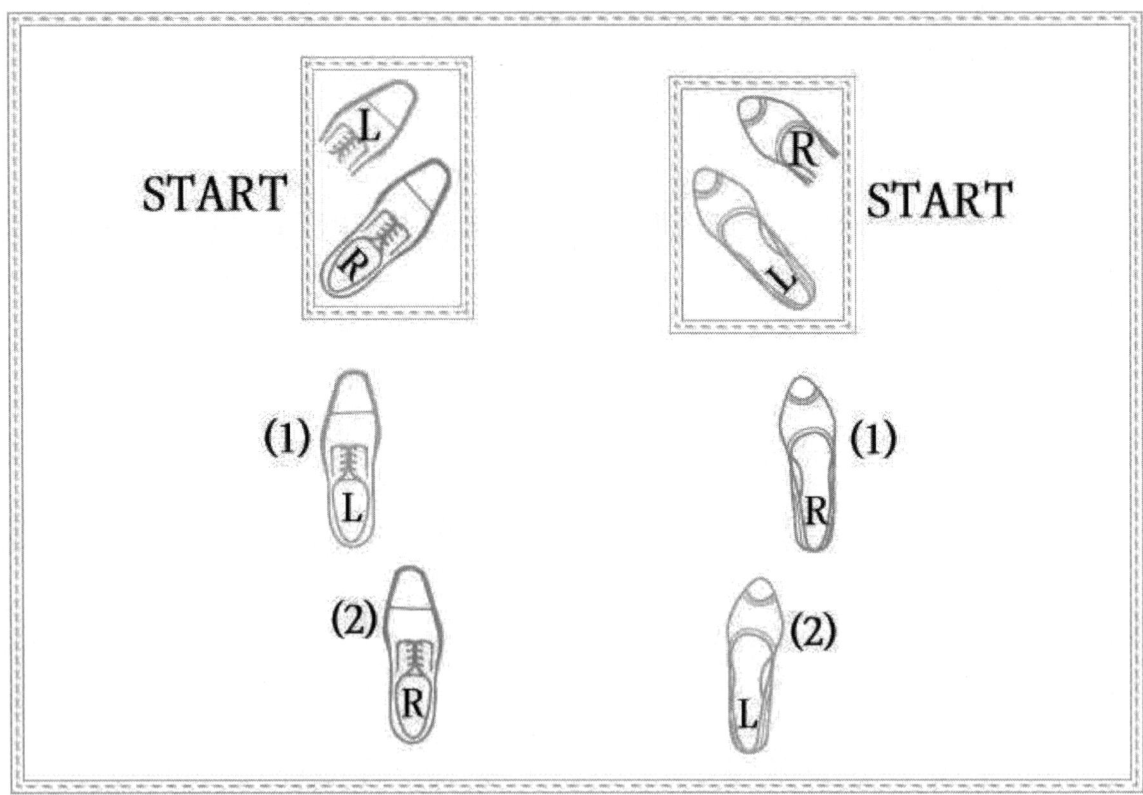

〈남성&여성〉

스텝	카운트	리듬	읽을 때	음악 타이밍	핸드 포지션
1보	1	Q	퀵	쿵	Hold
2보	2	Q	퀵	짝	Hold

〈남성〉

스텝	핸드	스텝 방식	액션
1보	왼손	놓고	Backward Walk
2보	왼손	놓고	Backward Walk

스텝	풋 포지션	총 회전량
1보	왼발 후진	없음
2보	오른발 후진	

〈여성〉

스텝	핸드	스텝 방식	액션
1보	오른손	놓고	Backward Walk
2보	오른손	놓고	Backward Walk

스텝	풋 포지션	총 회전량
1보	오른발 후진	없음
2보	왼발 후진	

Promenade position에서 남성은 2보에 후진 스텝을 하면서 바디 액션

70번 프로그레시브 링크

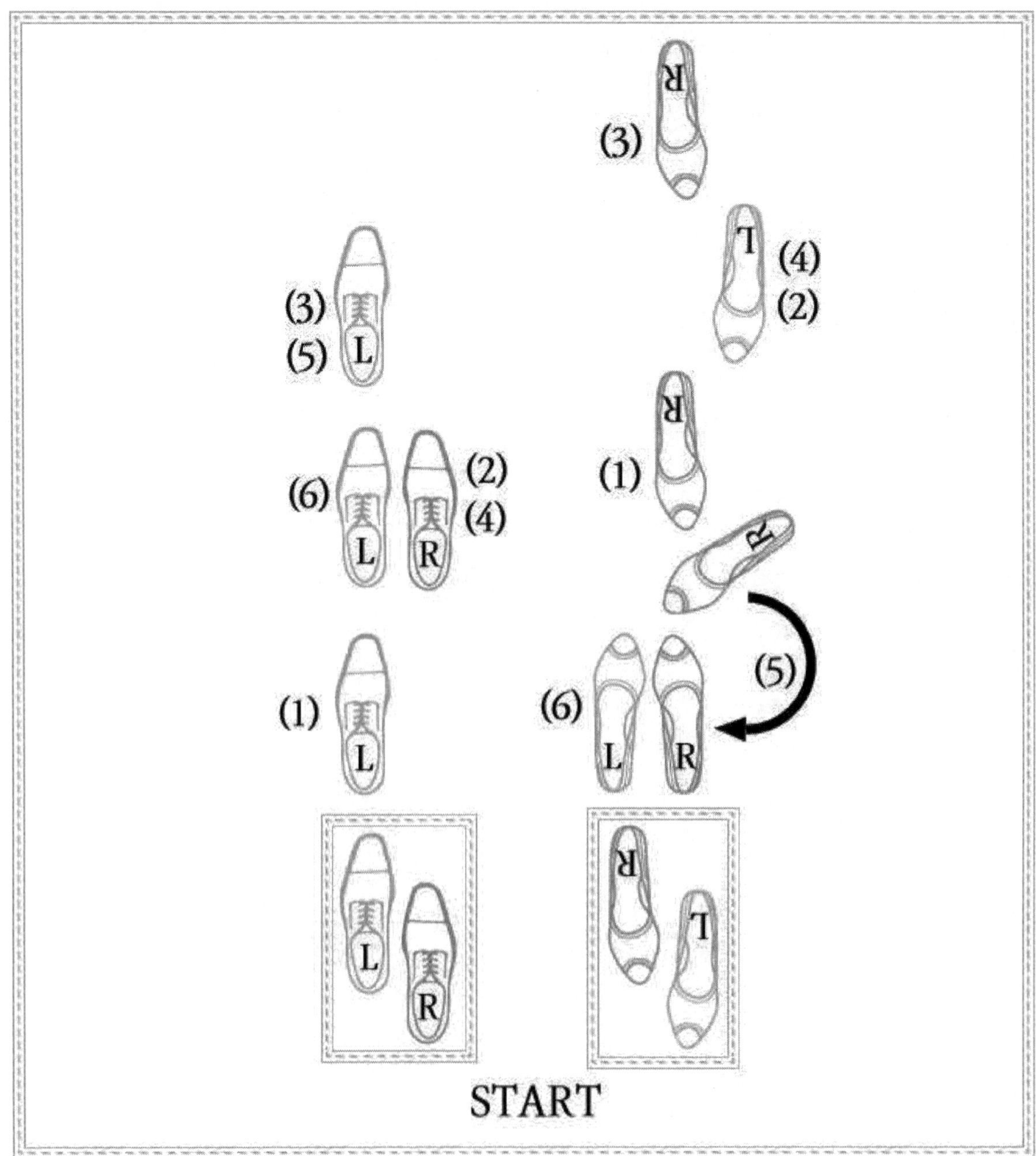

〈남성&여성〉

스텝	카운트	리듬	읽을 때	음악 타이밍	핸드 포지션
1보	1	Q	퀵	쿵	Hold
2보	2	Q	퀵	짝	Hold
3보	3	Q	퀵	쿵	Hold
4보	4	Q	퀵	짝	Hold
5보	5	Q	퀵	쿵	Hold

6보	6	Q	퀵	짝	Hold

〈남성〉

스텝	핸드	스텝 방식	액션
1보	왼손	놓고	Forward Walk
2보	왼손	놓고	Forward Walk
3보	왼손	놓고	Forward Walk
4보	왼손	놓고	Backward
5보	왼손	놓고	Forward
6보	왼손	놓고	Backward Walk

스텝	풋 포지션	총 회전량
1보	왼발 전진	없음
2보	오른발 전진	
3보	왼발 전진	
4보	체중 이동/R	
5보	체중 이동/L	
6보	왼발 후진	

〈여성〉

스텝	핸드	스텝 방식	액션
1보	오른손	놓고	Backward Walk
2보	오른손	놓고	Backward Walk
3보	오른손	놓고	Backward Walk
4보	오른손	놓고	Forward
5보	오른손	놓고	Turn
6보	오른손	놓고	

스텝	풋 포지션	총 회전량
1보	오른발 후진	없음
2보	왼발 후진	
3보	오른발 후진	
4보	체중 이동/L	
5보	오른발 Turn/L	
6보	왼발 오른발에 모으고	

남성은 5보~6보에서 여성 왼손을 밀면서 오른쪽으로 회전시켜준다.

71번 백 스텝, 런닝 브레이크

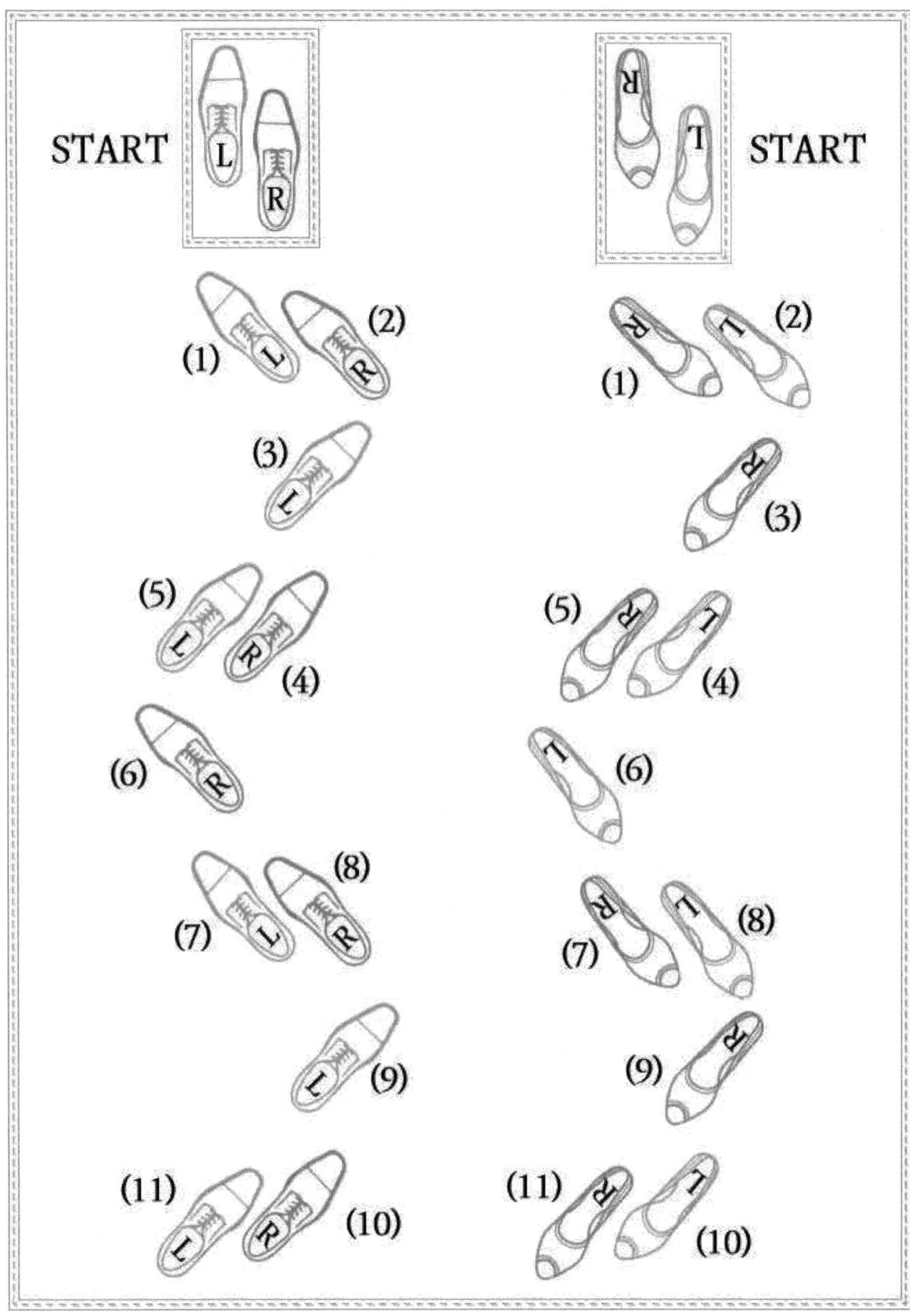

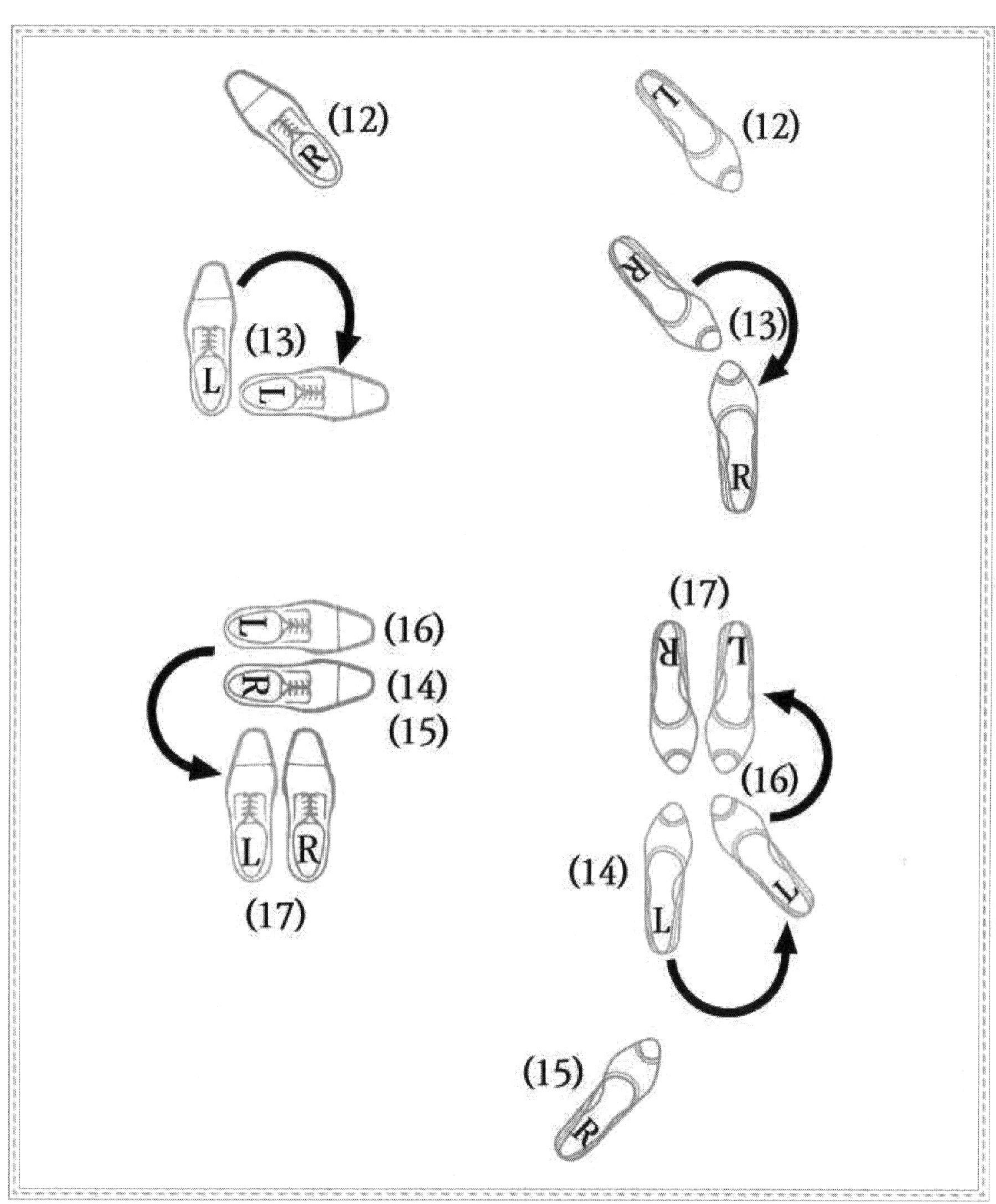

〈남성&여성〉

스텝	카운트	리듬	읽을 때	음악 타이밍	핸드 포지션
1보	1	Q	퀵	쿵	Hold
2보	2	&	엔	짝	Hold
3보	3	Q	퀵	쿵	Hold
4보	4	Q	퀵	짝	Hold

5보	5	&	엔	쿵	Hold
6보	6	Q	퀵	짝	Hold
7보	7	Q	퀵	짝	Hold
8보	8	&	엔	쿵	Hold
9보	9	Q	퀵	짝	Hold
10보	10	Q	퀵	쿵	Hold
11보	11	&	엔	짝	Hold
12보	12	Q	퀵	쿵	Hold
13보	13	S	슬로우	짝	Hold
14보	14	&	엔	쿵	Hold
15보	15	S	슬로우	짝	Hold
16보	16	&	엔	쿵	Hold
17보	17	Q	퀵	짝	Hold

〈남성〉

스텝	핸드	스텝 방식	액션
1보	왼손	놓고	Diagonally Backward Walk
2보	왼손	놓고	Backward Walk
3보	왼손	놓고	Diagonally Backward Walk
4보	왼손	놓고	Backward Walk
5보	왼손	놓고	Backward Walk
6보	왼손	놓고	Diagonally Backward Walk
7보	왼손	놓고	Backward Walk
8보	왼손	놓고	Backward Walk
9보	왼손	놓고	Diagonally Backward Walk
10보	왼손	놓고	Backward Walk
11보	왼손	놓고	Backward Walk
12보	왼손	놓고	Diagonally Backward Walk
13보	왼손	놓고	Backward Walk, Turn
14보	왼손	놓고	Side Step
15보	왼손	놓고	Side
16보	왼손	놓고	Side Step
17보	왼손	놓고	Turn

스텝	풋 포지션	총 회전량
1보	왼발 사선으로 후진, Turn/R	90°/R 180°/L
2보	오른발 후진	
3보	왼발 사선으로 후진, Turn/L	
4보	오른발 후진	
5보	왼발 후진	
6보	오른발 사선으로 후진, Turn/R	
7보	왼발 후진	
8보	오른발 후진	
9보	왼발 사선으로 후진, Turn/L	
10보	오른발 후진	
11보	왼발 후진	
12보	오른발 사선으로 후진, Turn/R	
13보	왼발 후진, Turn/R	

14보	오른발 옆으로	
15보	체중 이동/RF	
16보	왼발 오른발 옆에 모으고	
17보	양쪽 발이 모은 상태에서 Turn/L	

〈여성〉

스텝	핸드	스텝 방식	액션
1보	오른손	놓고	Diagonally Forward Walk
2보	오른손	놓고	Forward Walk
3보	오른손	놓고	Diagonally Forward Walk
4보	오른손	놓고	Forward Walk
5보	오른손	놓고	Forward Walk
6보	오른손	놓고	Diagonally Forward Walk
7보	오른손	놓고	Forward Walk
8보	오른손	놓고	Forward Walk
9보	오른손	놓고	Diagonally Forward Walk
10보	오른손	놓고	Forward Walk
11보	오른손	놓고	Forward Walk
12보	오른손	놓고	Diagonally Forward Walk
13보	오른손	놓고	Forward Walk, Turn
14보	오른손	놓고	Backward Walk
15보	오른손	놓고	Backward Walk
16보	오른손	놓고	Turn
17보	오른손	놓고	

스텝	풋 포지션	총 회전량
1보	오른발 사선으로 전진, Turn/L	180°/R 180°/L
2보	왼발 전진	
3보	오른발 사선으로 전진, Turn/R	
4보	왼발 전진	
5보	오른발 전진	
6보	왼발 사선으로 전진, Turn/L	
7보	오른발 전진	
8보	왼발 전진	
9보	오른발 사선으로 전진, Turn/R	
10보	왼발 전진	
11보	오른발 전진	
12보	왼발 사선으로 전진, Turn/L	
13보	오른발, Turn/R	
14보	왼발 후진	
15보	오른발 후진	
16보	왼발, Turn/R	
17보	오른발 왼발 옆에 모으고	

13보, 남성은 왼발을 후진과 동시에 여성 전진하도록 앞으로 당긴다. 남성은 오른쪽으로 회전하면서 여성을 오른쪽으로 회전시켜준다.

14보, 남성은 오른발을 오른쪽 옆으로 이동하면서 여성 왼발이 후진하도록 왼손으로 여성 오른손을 밀어준다.

15보, 남성은 왼발이 오른발 옆에 모으면서, 여성 오른발이 사선으로 후진할 수 있게 오른손을 밀어준다.

16보, 남성은 양쪽 발이 모은 상태를 유지하면서 여성 오른손을 당기면서 왼쪽으로 회전시켜준다.

17보, 남성은 양발이 다 모은 상태에서 왼쪽으로 회전과 동시에 여성 오른손을 당기면서 여성 견갑골에 위치한 남성 오른손으로 밀어준다.

72번 런닝, 훅 던지기

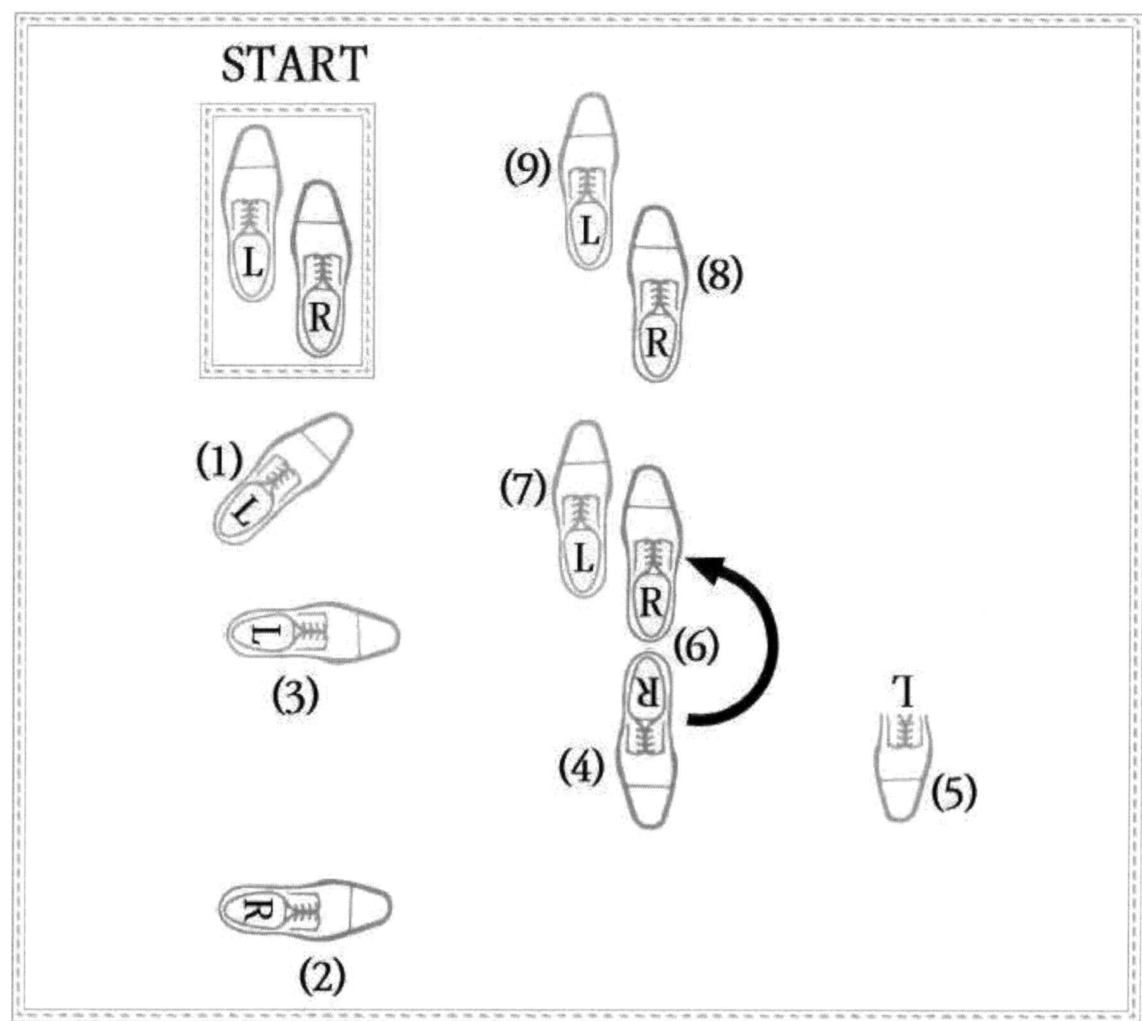

〈남성&여성〉

스텝	카운트	리듬	읽을 때	음악 타이밍	핸드 포지션
1보	1	Q	퀵	쿵	Hold
2보	2	S	슬로우	짝	Hold
3보	3	&	엔	쿵	Hold
4보	4	Q	퀵	짝	Hold
5보	5	Q	퀵	쿵	Hold
6보	6	Q	퀵	짝	
7보	7	Q	퀵	짝	
8보	8	Q	퀵	쿵	
9보	9	Q	퀵	짝	

〈남성〉

스텝	핸드	스텝 방식	액션

1보	왼손	놓고	Diagonally Backward Walk
2보	왼손	놓고	Side Step
3보	왼손	놓고	Turn
4보	왼손	놓고	Turn
5보	왼손	찍고	Side Step
6보		놓고	Turn
7보		놓고	Forward Walk
8보		놓고	Forward Walk
9보		놓고	Forward Walk

스텝	풋 포지션	총 회전량
1보	왼발 사선으로 후진, Turn/R	180°/R 180°/L
2보	오른발 옆으로	
3보	왼발 Turn/R	
4보	오른발 Turn/R	
5보	왼발 옆으로	
6보	오른발 Turn/L	
7보	왼발 전진	
8보	오른발 전진	
9보	왼발 전진	

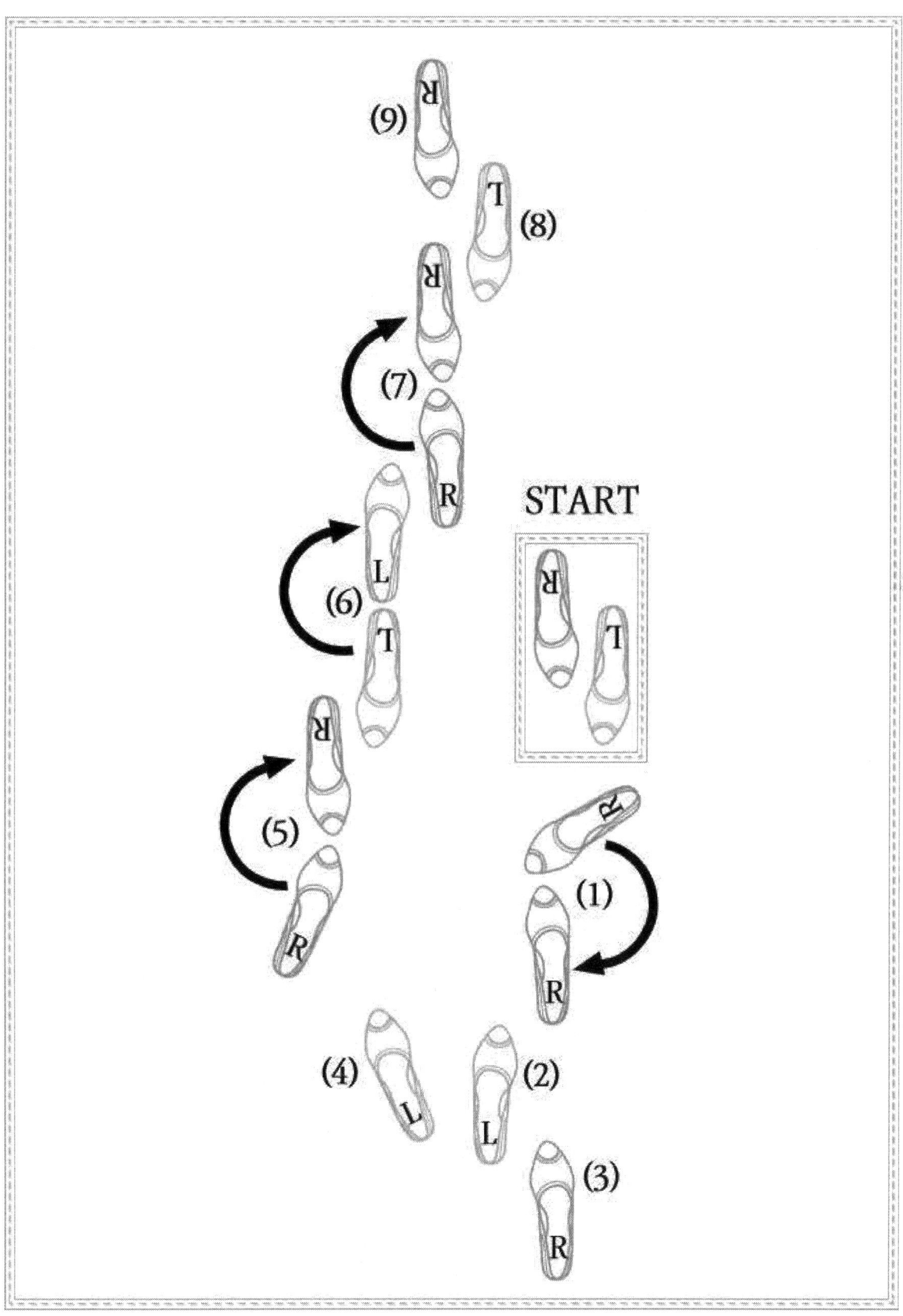
START
(1)
(2)
(3)
(4)
(5)
(6)
(7)
(8)
(9)

〈여성〉

스텝	핸드	스텝 방식	액션
1보	오른손	놓고	Turn
2보	오른손	놓고	Backward Walk
3보	오른손	놓고	Backward Walk
4보	오른손	놓고	Forward Walk
5보	오른손	놓고	Turn
6보		놓고	Turn
7보		놓고	Turn
8보		놓고	Backward Walk
9보		놓고	Backward Walk

스텝	풋 포지션	총 회전량
1보	오른발 사선으로 전진, Turn/L	720°/R
2보	왼발 후진	
3보	오른발 후진	
4보	왼발 전진	
5보	오른발 Turn/R	
6보	왼발 Turn/R	
7보	오른발 Turn/R	
8보	왼발 후진	
9보	오른발 후진	

1보, 남성은 왼발을 사선으로 후진과 동시에 여성 전진하도록 앞으로 당기면서 여성을 오른쪽으로 회전시켜준다.

2보, 남성은 오른발을 옆으로 이동하면서 여성 왼발이 후진하도록 왼손으로 여성 오른손을 밀어준다.

3보, 남성은 왼발을 오른쪽 옆으로 약간 이동, 여성 오른발이 후진할 수 있게 오른손을 밀어준다.

4보, 남성은 오른발을 오른쪽으로 회전, 여성 왼발이 전진할 수 있게 여성 오른손을 당긴다.

5보, 남성 왼발을 옆으로 이동하면서 여성이 오른쪽으로 회전할 수 있게 여성 견갑골을 당기면서 오른손을 밀어준다.

6보, 남성은 왼쪽으로 회전하면서 7보부터 여성을 쫓아간다.

73번 팽이 연속

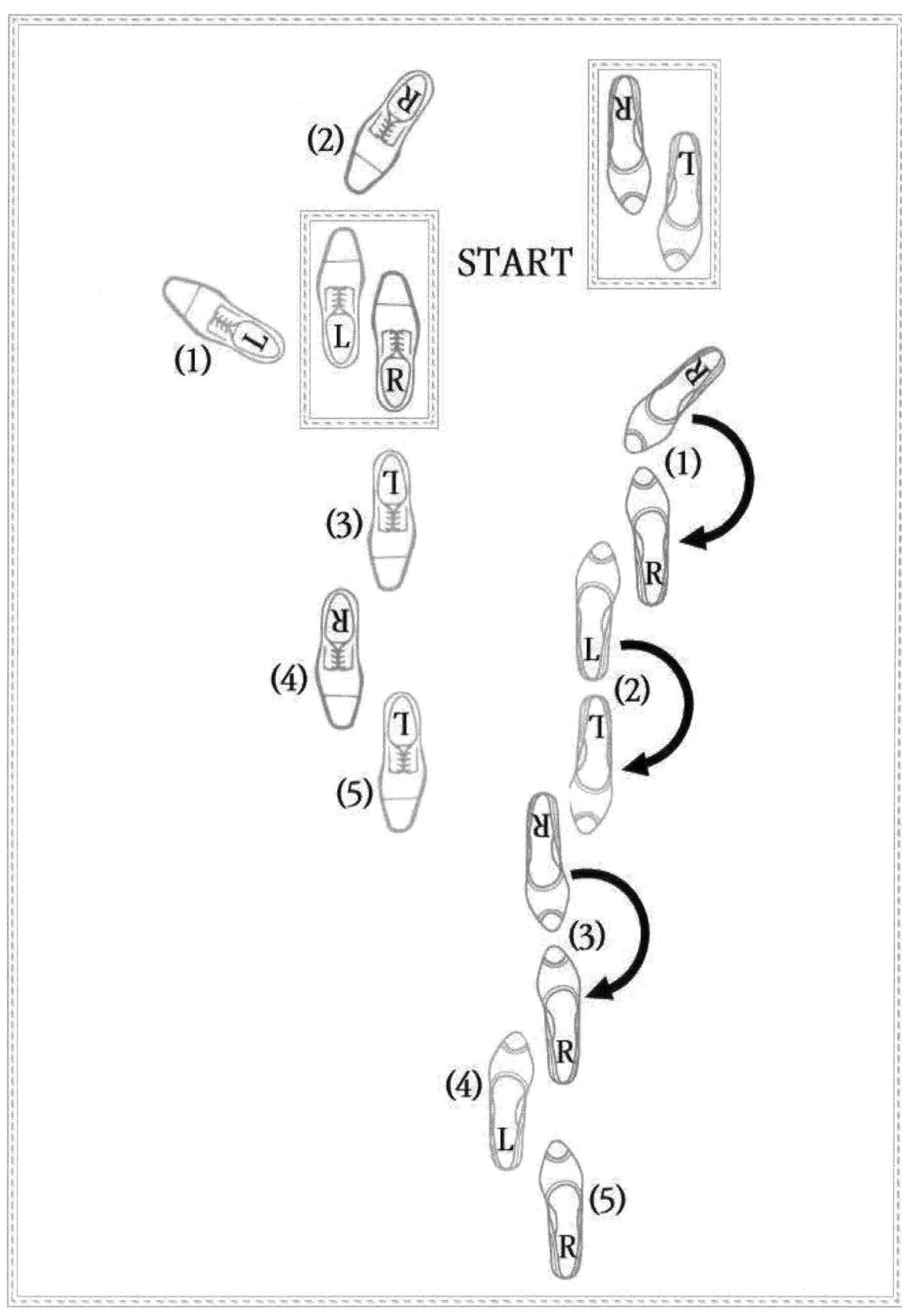

〈남성&여성〉

스텝	카운트	리듬	읽을 때	음악 타이밍	핸드 포지션
1보	1	Q	퀵	쿵	One Hand Joined
2보	2	Q	퀵	짝	
3보	3	Q	퀵	쿵	
4보	4	Q	퀵	짝	
5보	5	Q	퀵	쿵	

〈남성〉

스텝	핸드	스텝 방식	액션
1보	오른손	놓고	Turn
2보		놓고	Turn
3보		놓고	Forward Walk
4보		놓고	Forward Walk
5보		찍고	Forward Walk

스텝	풋 포지션	총 회전량
1보	왼발 Turn/L	180˚/L
2보	오른발 Turn/L	
3보	왼발 전진	
4보	오른발 전진	
5보	왼발 전진	

〈여성〉

스텝	핸드	스텝 방식	액션
1보	오른손	놓고	Turn
2보		놓고	Turn
3보		놓고	Turn
4보		놓고	Backward Walk
5보		놓고	Backward Walk

스텝	풋 포지션	총 회전량
1보	오른발 Turn/R	540˚/R
2보	왼발 Turn/R	
3보	오른발 Turn/R	
4보	왼발 후진	
5보	오른발 후진	

1보에 남성은 왼손으로 여성 오른손을 당기면서 왼쪽으로 회전하면서 여성 어깨 나 팔을 밀어주면서 오른쪽으로 회전시켜준다.

남성은 1보~2보를 연속 동작 후 여성을 오른쪽으로 회전시켜줄 수도 있다.

74번 오픈 전진 트위스트(스위블)

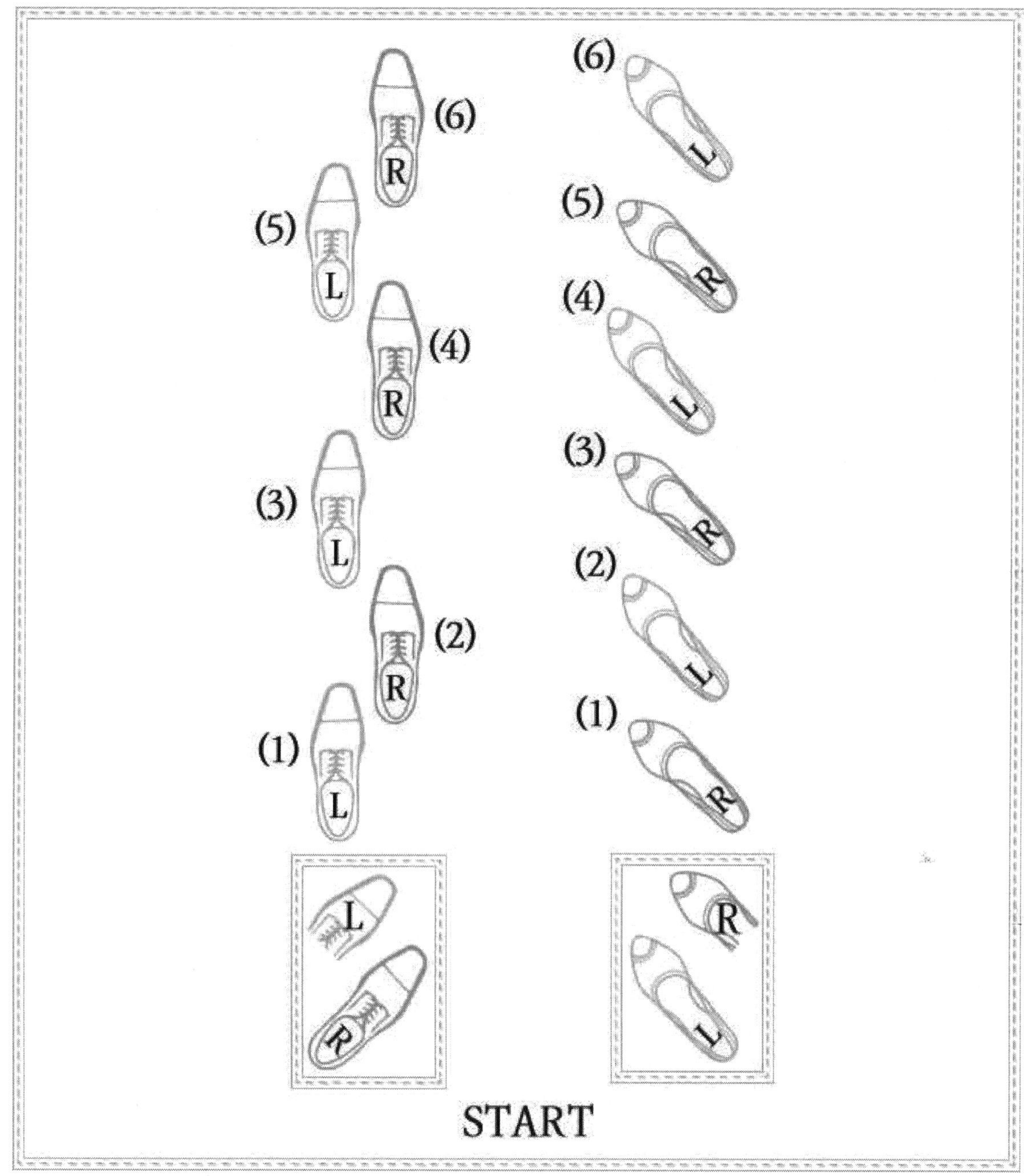

〈남성&여성〉

스텝	카운트	리듬	읽을 때	음악 타이밍	핸드 포지션
1보	1	Q	퀵	쿵	Hold
2보	2	Q	퀵	짝	Hold
3보	3	Q	퀵	쿵	Hold
4보	4	Q	퀵	짝	Hold
5보	5	Q	퀵	쿵	Hold

6보	6	Q	퀵	짝	Hold

〈남성〉

스텝	핸드	스텝 방식	액션
1보	오른손	놓고	Forward Walk
2보	오른손	놓고	Forward Walk
3보	오른손	놓고	Forward Walk
4보	오른손	놓고	Forward Walk
5보	오른손	찍고	Forward Walk
6보	오른손	놓고	Forward Walk

스텝	풋 포지션	총 회전량
1보	왼발 전진	없음
2보	오른발 전진	
3보	왼발 전진	
4보	오른발 전진	
5보	왼발 전진	
6보	오른발 전진	

〈여성〉

스텝	핸드	스텝 방식	액션
1보	오른손	놓고	Swivel(Twist)
2보	오른손	놓고	Swivel(Twist)
3보	오른손	놓고	Swivel(Twist)
4보	오른손	놓고	Swivel(Twist)
5보	오른손	놓고	Swivel(Twist)
6보	오른손	놓고	Swivel(Twist)

스텝	풋 포지션	총 회전량
1보	오른발 전진	없음
2보	왼발 전진	
3보	오른발 전진	
4보	왼발 전진	
5보	오른발 전진	
6보	왼발 전진	

1보, 3보, 5보에 남성은 왼손으로 여성 오른손을 당기고, 2보, 4보, 6보에 여성 오른손을 밀어준다.

75번 백 스텝 90° 연속

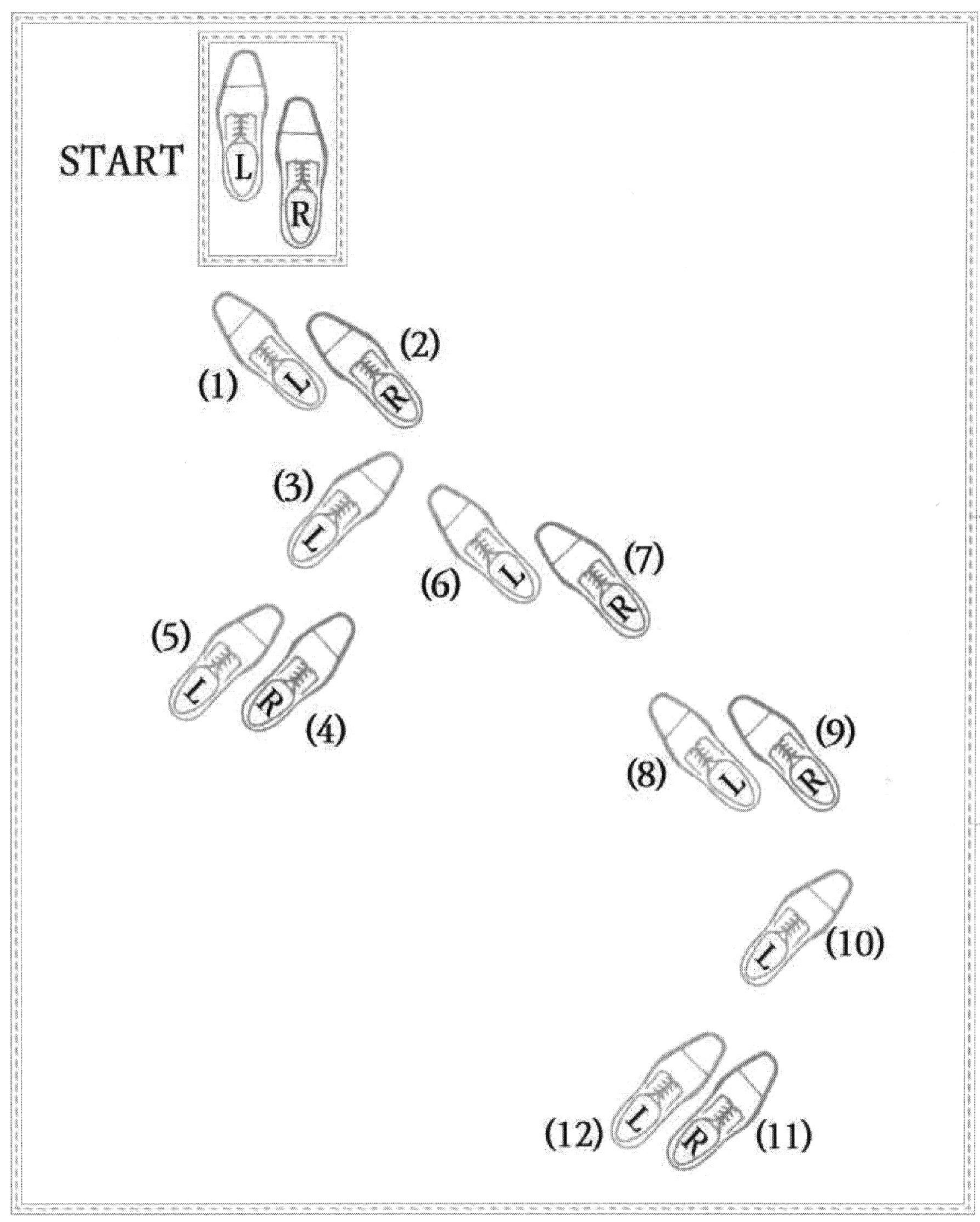

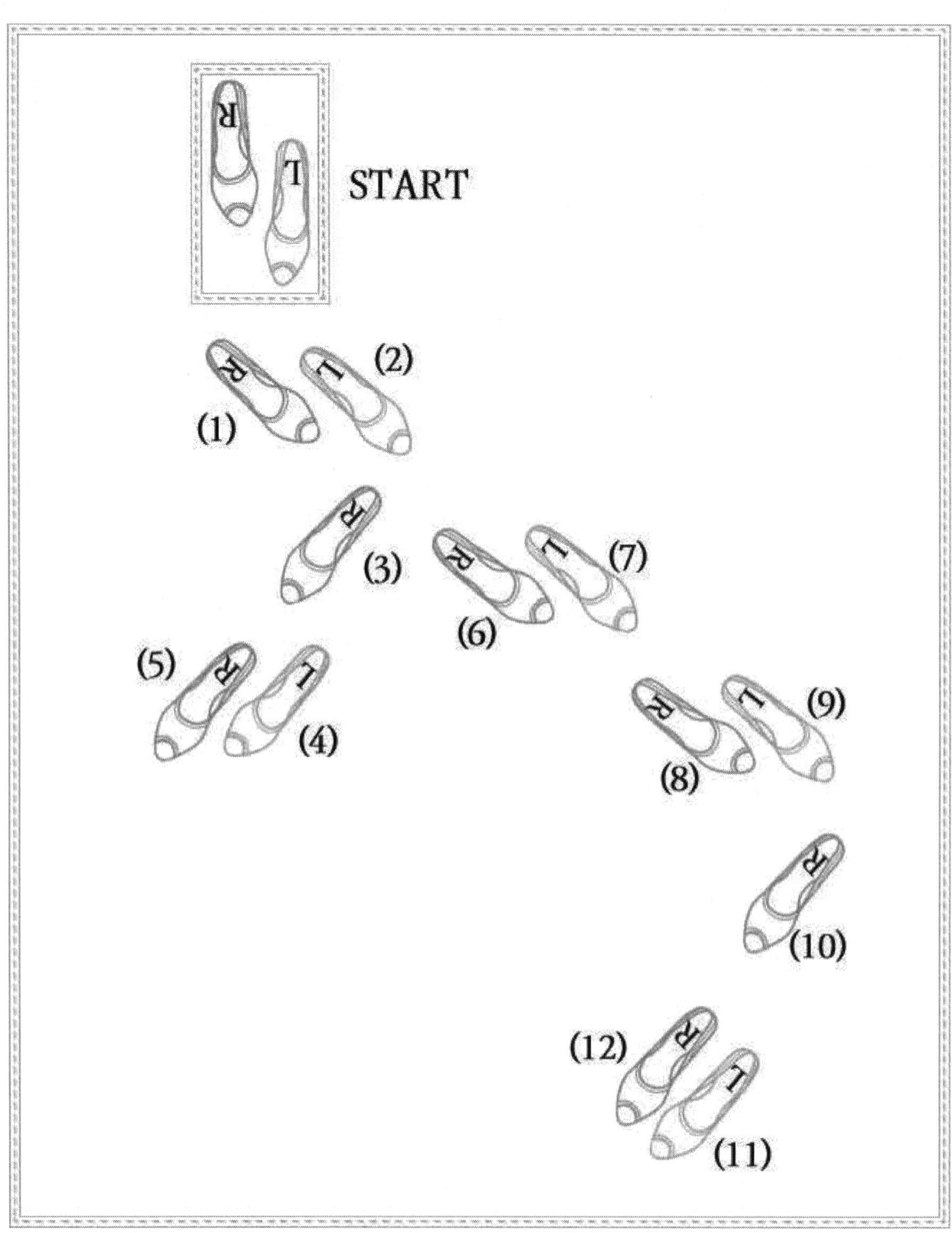

〈남성&여성〉

스텝	카운트	리듬	읽을 때	음악 타이밍	핸드 포지션
1보	1	Q	퀵	쿵	Hold
2보	2	&	엔	짝	Hold
3보	3	Q	퀵	쿵	Hold

4보	4	S	슬로우	짝	Hold
5보	5	&	엔	쿵	Hold
6보	6	Q	퀵	짝	Hold
7보	7	Q	퀵	짝	Hold
8보	8	Q	퀵	쿵	Hold
9보	9	&	엔	짝	Hold
10보	10	Q	퀵	쿵	Hold
11보	11	S	슬로우	짝	Hold
12보	12	&	엔	쿵	Hold

〈남성〉

스텝	핸드	스텝 방식	액션
1보	왼손	놓고	Diagonally Backward Walk
2보	왼손	놓고	Backward Walk
3보	왼손	놓고	Diagonally Backward Walk
4보	왼손	놓고	Backward Walk
5보	왼손	놓고	Backward Walk
6보	왼손	놓고	Turn
7보	왼손	놓고	Backward Walk
8보	왼손	놓고	Backward Walk
9보	왼손	놓고	Backward Walk
10보	왼손	놓고	Diagonally Backward Walk
11보	왼손	놓고	Backward Walk
12보	왼손	놓고	Backward Walk

스텝	풋 포지션	총 회전량
1보	왼발 사선으로 후진	90°/R 90°/L
2보	오른발 후진	
3보	왼발 사선으로 후진	
4보	오른발 후진	
5보	왼발 후진하면서 오른발 옆에 모으고	
6보	왼발 Turn/L	
7보	오른발 후진	
8보	왼발 후진	
9보	오른발 후진	
10보	왼발 사선으로 후진	
11보	오른발 후진	
12보	왼발 오른발 옆에 모으고	

〈여성〉

스텝	핸드	스텝 방식	액션
1보	오른손	놓고	Diagonally Forward Walk
2보	오른손	놓고	Forward Walk
3보	오른손	놓고	Diagonally Forward Walk
4보	오른손	놓고	Forward Walk
5보	오른손	놓고	Forward Walk

6보	오른손	놓고	Turn
7보	오른손	놓고	Forward Walk
8보	오른손	놓고	Forward Walk
9보	오른손	놓고	Forward Walk
10보	오른손	놓고	Diagonally Forward Walk
11보	오른손	놓고	Forward Walk
12보	오른손	놓고	Forward Walk

스텝	풋 포지션	총 회전량
1보	오른발 사선으로 전진	
2보	왼발 전진	
3보	오른발 사선으로 전진	
4보	왼발 전진	
5보	오른발 전진하면서 왼발 옆에 모으고	
6보	오른발 Turn/L	90°/R
7보	왼발 전진	90°/L
8보	오른발 전진	
9보	왼발 전진	
10보	오른발 사선으로 전진	
11보	왼발 전진	
12보	오른발 전진하면서 왼발 옆에 모으고	

백 스텝 커트 후 왼쪽으로 90° 회전 연속 동작이다.

76번 어깨걸이

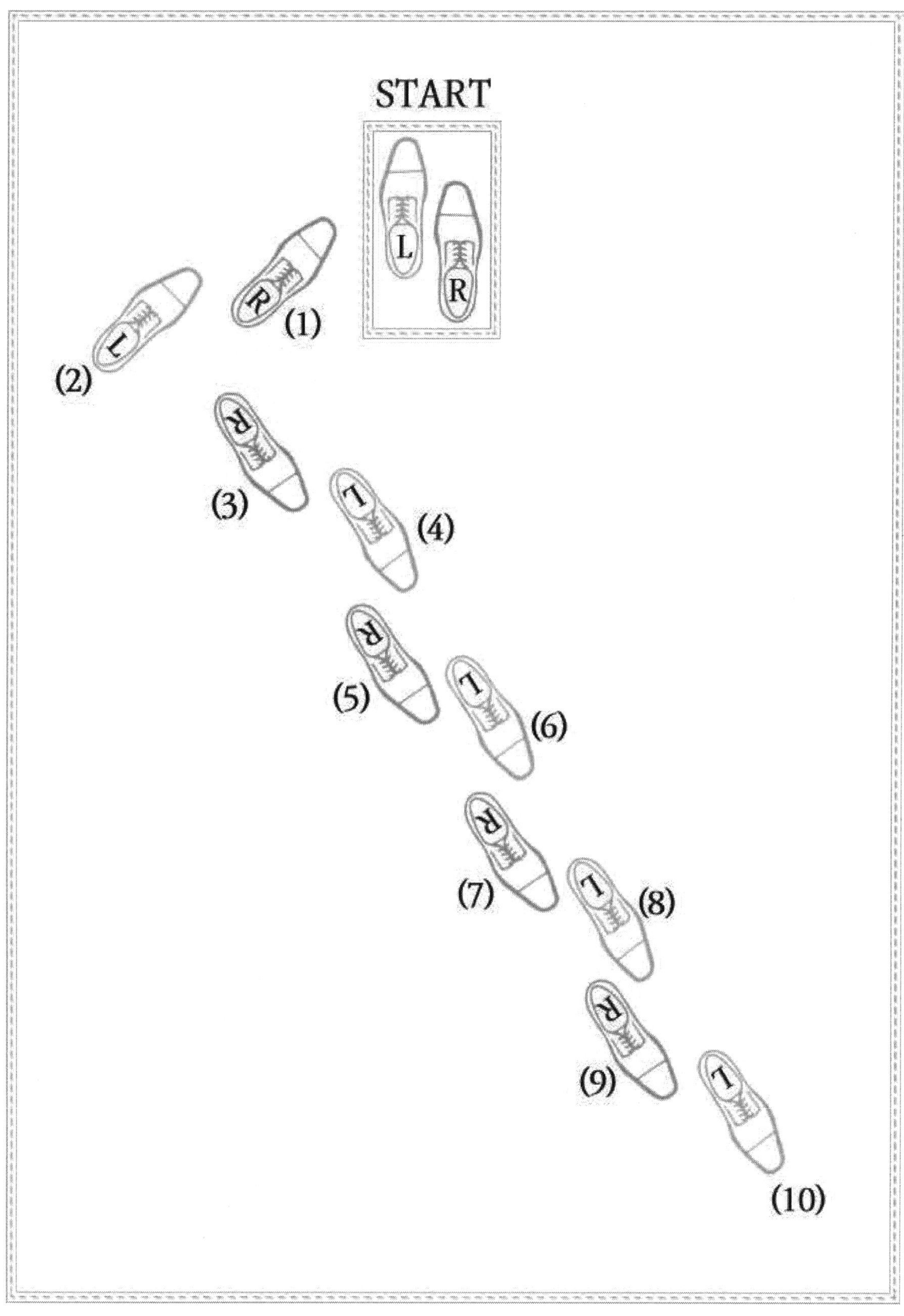

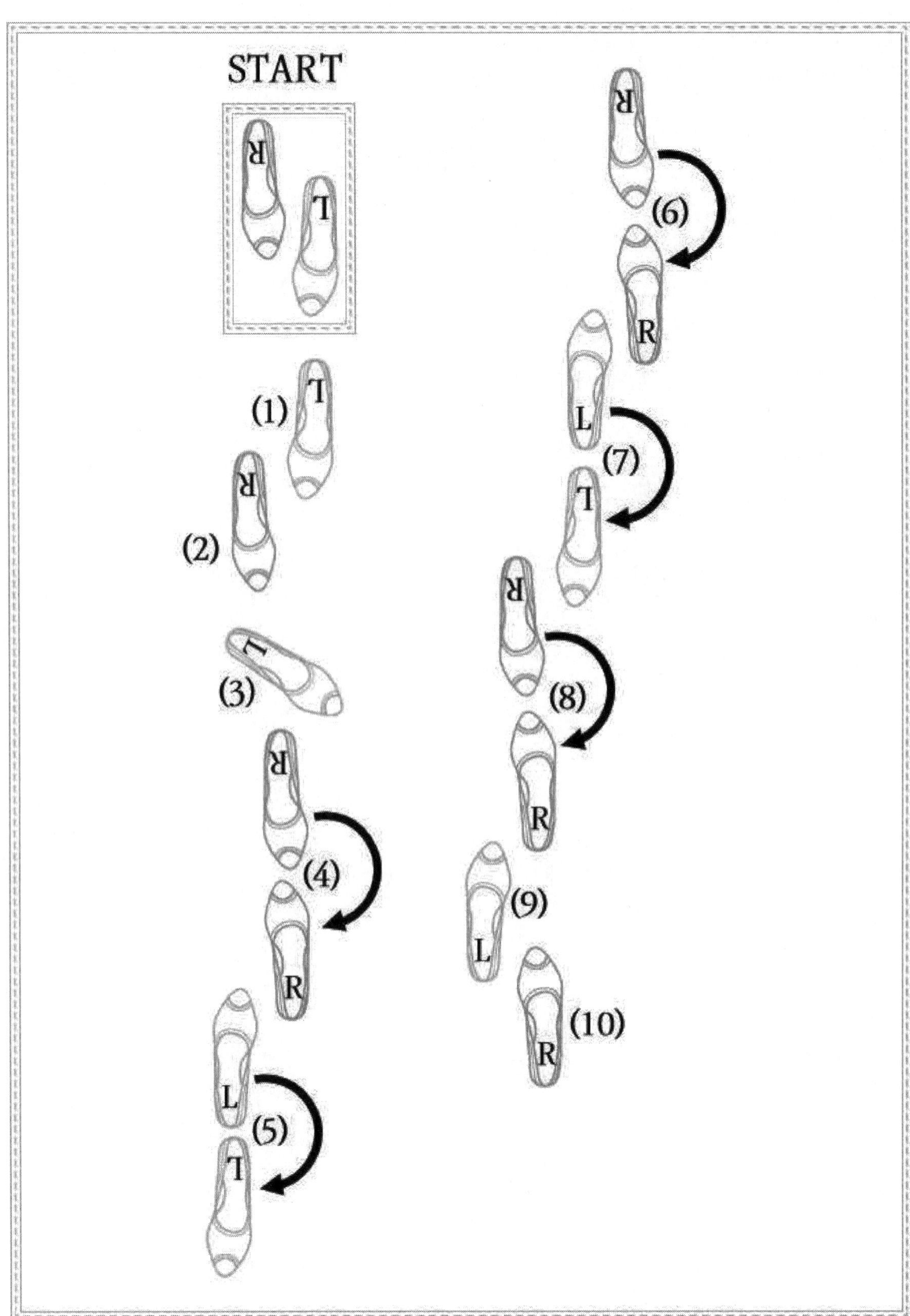
START
R
L
(1)
L
R
(2)
L
(3)
R
(4)
R
L
(5)
L
R
(6)
R
L
(7)
L
R
(8)
R
L
(9)
R
(10)

〈남성&여성〉

스텝	카운트	리듬	읽을 때	음악 타이밍	핸드 포지션
1보	1	Q	퀵	쿵	One Hand Joined
2보	2	Q	퀵	짝	One Hand Joined
3보	3	Q	퀵	쿵	One Hand Joined
4보	4	Q	퀵	짝	One Hand Joined
5보	5	Q	퀵	쿵	One Hand Joined
6보	6	Q	퀵	짝	One Hand Joined
7보	7	Q	퀵	쿵	One Hand Joined
8보	8	Q	퀵	짝	One Hand Joined
9보	9	Q	퀵	쿵	One Hand Joined
10보	10	Q	퀵	짝	One Hand Joined

〈남성〉

스텝	핸드	스텝 방식	액션
1보	오른손	놓고	Backward Walk
2보	오른손	놓고	Backward Walk
3보	오른손	놓고	Forward Walk, Turn
4보	오른손	놓고	Forward Walk
5보	오른손	놓고	Forward Walk
6보	오른손	놓고	Forward Walk
7보	오른손	놓고	Forward Walk
8보	오른손	놓고	Forward Walk
9보	오른손	놓고	Forward Walk
10보	오른손	놓고	Forward Walk

스텝	풋 포지션	총 회전량
1보	오른발 후진	180°/R
2보	왼발 후진	
3보	오른발 Turn/R, 전진	
4보	왼발 전진	
5보	오른발 전진	
6보	왼발 전진	
7보	오른발 전진	
8보	왼발 전진	
9보	오른발 전진	
10보	왼발 전진	

〈여성〉

스텝	핸드	스텝 방식	액션
1보	오른손	놓고	Forward Walk
2보	오른손	놓고	Forward Walk
3보	오른손	놓고	Diagonally Forward Walk, Turn
4보	오른손	놓고	Turn
5보	오른손	놓고	Turn
6보	오른손	놓고	Turn

7보	오른손	놓고	Turn
8보	오른손	놓고	Turn
9보	오른손	놓고	Backward Walk
10보	오른손	놓고	Backward Walk

스텝	풋 포지션	총 회전량
1보	왼발 전진	45°/L 900°/R
2보	오른발 전진	
3보	왼발 사선으로 전진, Turn/L	
4보	오른발 Turn/R	
5보	왼발 Turn/R	
6보	오른발 Turn/R	
7보	왼발 Turn/R	
8보	오른발 Turn/R	
9보	왼발 후진	
10보	오른발 후진	

남성은 사선으로 후진하면서 여성 오른손을 3보에 잡아당기고 여성 어깨 쪽으로 이동 4보에 여성의 오른손을 여성 머리 위로 올려주면서 오른쪽으로 회전시켜준다.

77번 전진 트위스트(스위블)

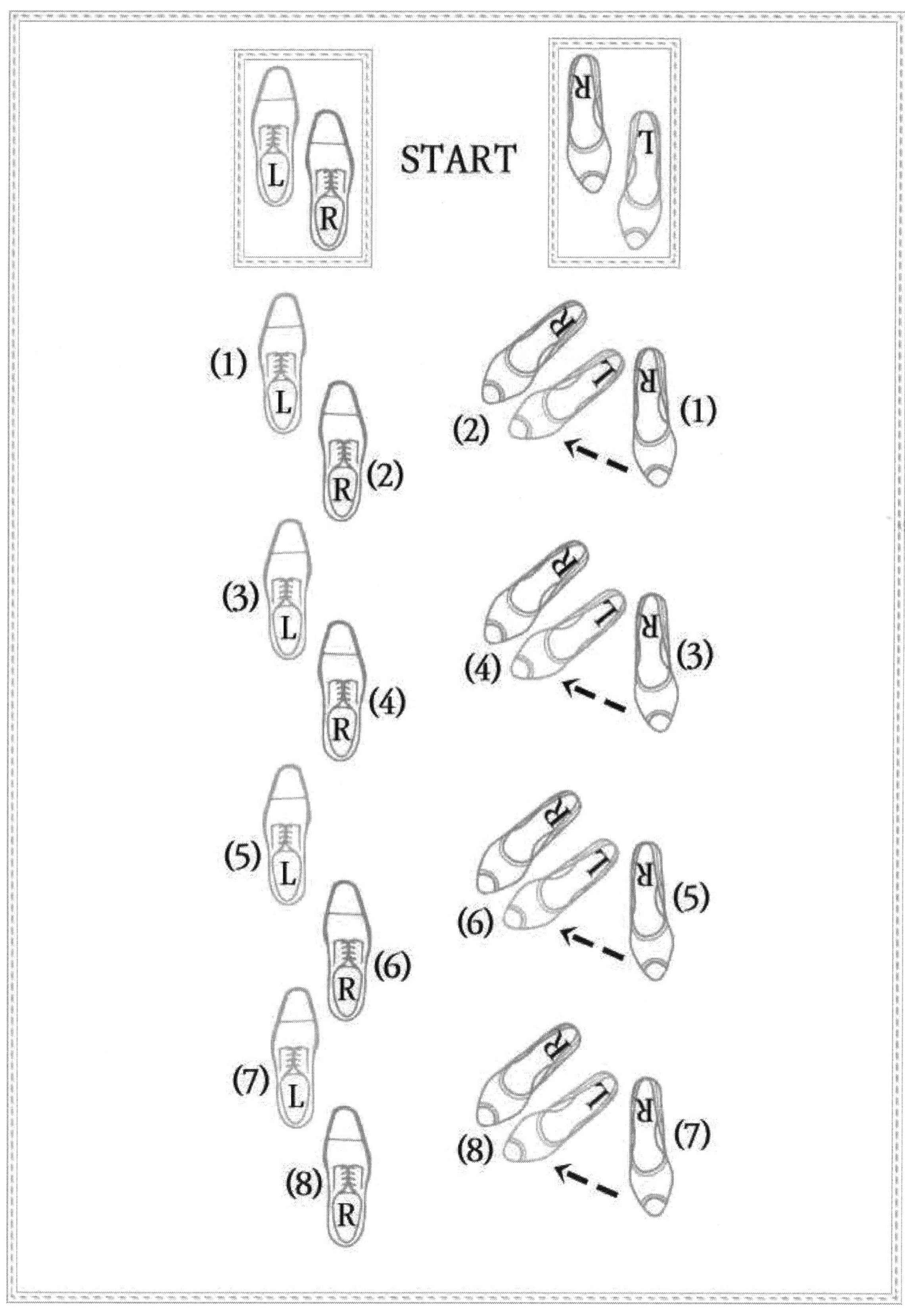

〈남성&여성〉

스텝	카운트	리듬	읽을 때	음악 타이밍	핸드 포지션
1보	1	Q	퀵	쿵	Hold
2보	2	Q	퀵	짝	Hold
3보	3	Q	퀵	쿵	Hold
4보	4	Q	퀵	짝	Hold
5보	5	Q	퀵	쿵	Hold
6보	6	Q	퀵	짝	Hold
7보	7	Q	퀵	쿵	Hold
8보	8	Q	퀵	짝	Hold

〈남성〉

스텝	핸드	스텝 방식	액션
1보	왼손	놓고	Backward Walk
2보	왼손	놓고	Backward Walk
3보	왼손	놓고	Backward Walk
4보	왼손	놓고	Backward Walk
5보	왼손	놓고	Backward Walk
6보	왼손	놓고	Backward Walk
7보	왼손	놓고	Backward Walk
8보	왼손	놓고	Backward Walk

스텝	풋 포지션	총 회전량
1보	왼발 후진	없음
2보	오른발 후진	
3보	왼발 후진	
4보	오른발 후진	
5보	왼발 후진	
6보	오른발 후진	
7보	왼발 후진	
8보	오른발 후진	

〈여성〉

스텝	핸드	스텝 방식	액션
1보	오른손	놓고	Forward Walk
2보	오른손	놓고	Swivel(Twist)
3보	오른손	놓고	Forward Walk
4보	오른손	놓고	Swivel(Twist)
5보	오른손	놓고	Forward Walk
6보	오른손	놓고	Swivel(Twist)
7보	오른손	놓고	Forward Walk
8보	오른손	놓고	Swivel(Twist)

스텝	풋 포지션	총 회전량
1보	오른발 전진	45°/R

2보	왼발 오른발에 모으면서 Swivel(Twist)	
3보	오른발 전진	
4보	왼발 오른발에 모으면서 Swivel(Twist)	
5보	오른발 전진	
6보	왼발 오른발에 모으면서 Swivel(Twist)	
7보	오른발 전진	
8보	왼발 오른발에 모으면서 Swivel(Twist)	

Closed facing position에서 1보, 3보, 5보, 7보에 남성은 후진하면서 여성을 앞으로 살짝 앞으로 당긴다. 2보, 4보, 6보, 8보에 남성은 여성 오른손을 밀고, 여성 견갑골을 당긴다.

78번 어깨 커트

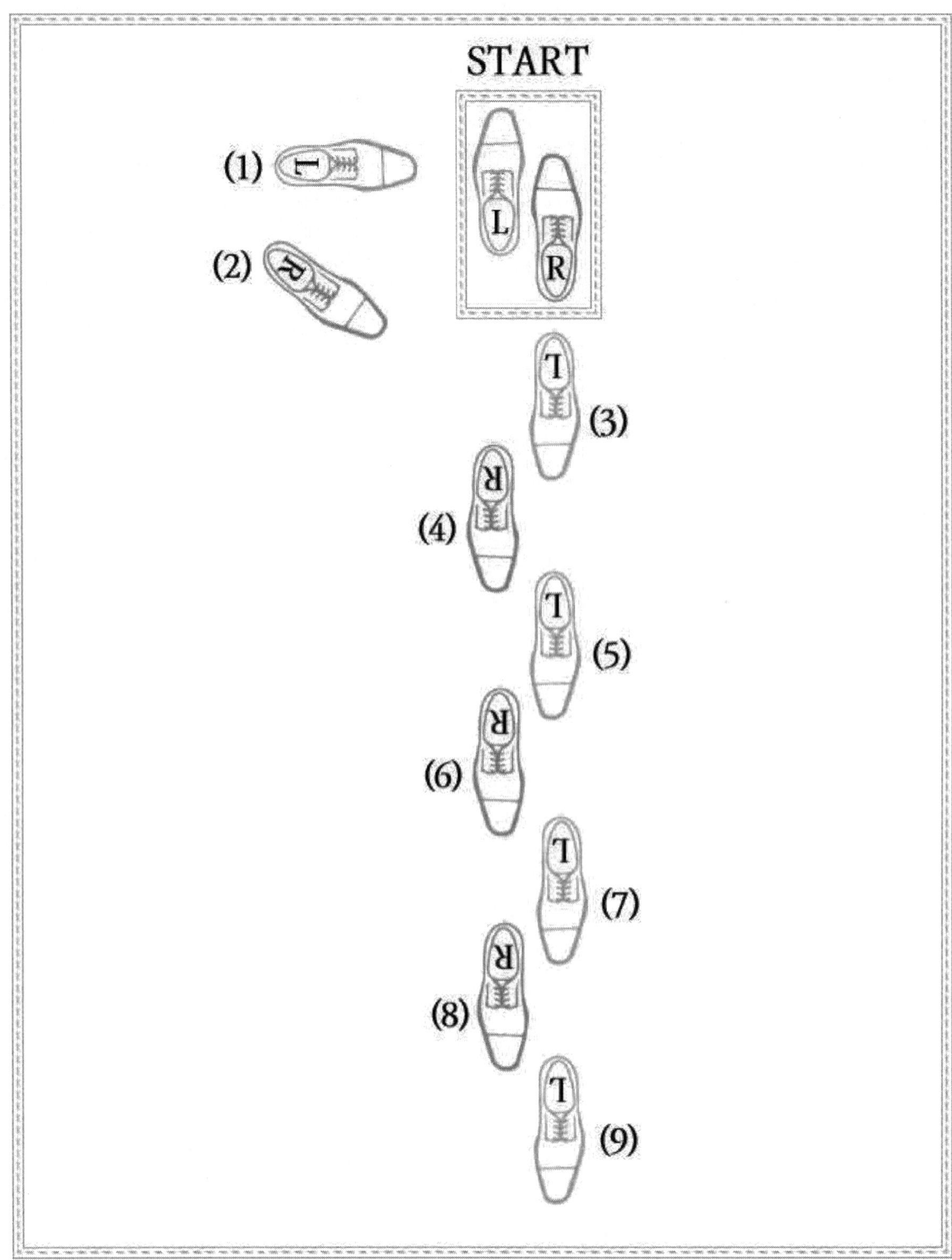

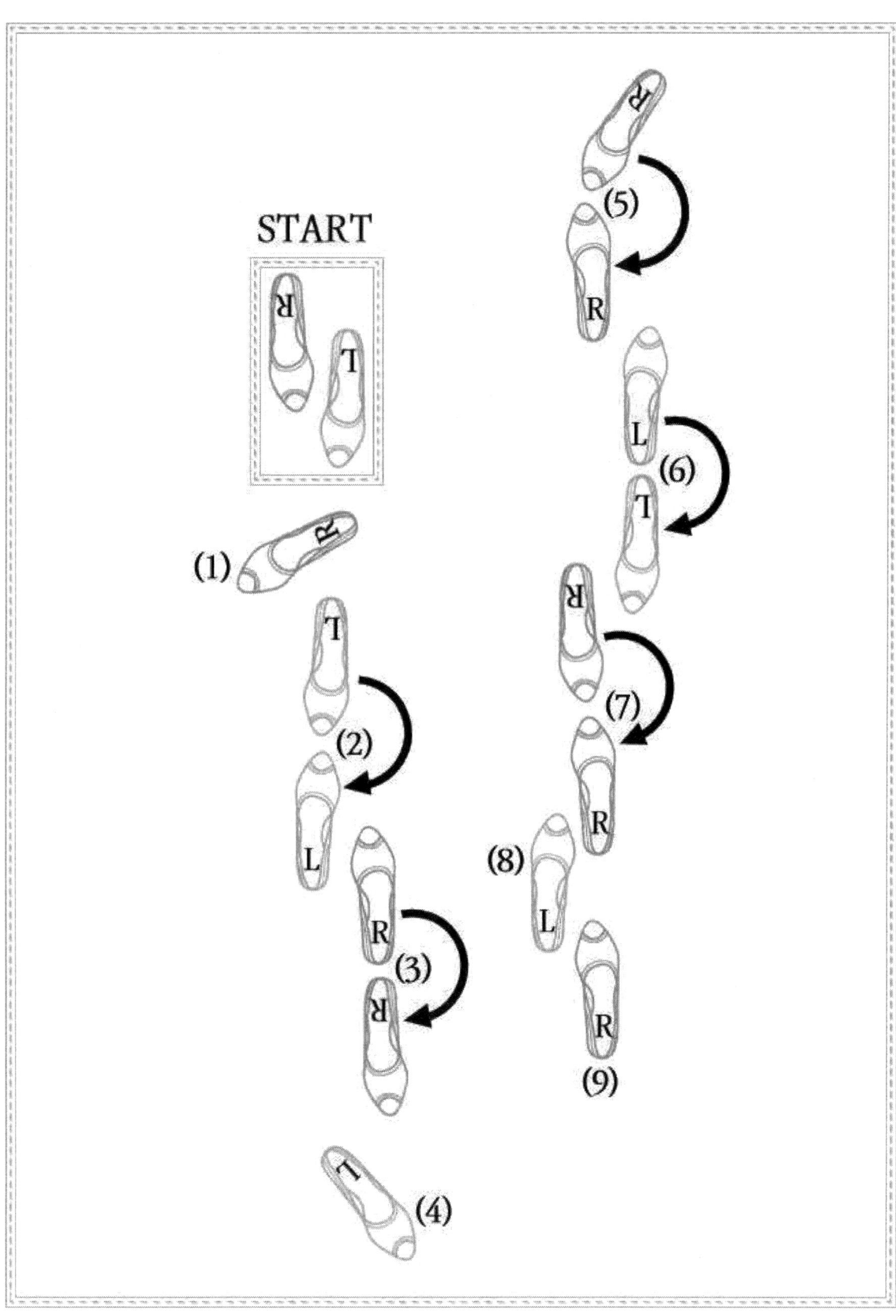
START
R
L
(1)
R
L
(2)
L
R
(3)
R
L
(4)
R
(5)
R
L
(6)
L
R
(7)
R
(8)
L
R
(9)

〈남성&여성〉

스텝	카운트	리듬	읽을 때	음악 타이밍	핸드 포지션
1보	1	Q	퀵	쿵	Hold
2보	2	Q	퀵	짝	
3보	3	Q	퀵	쿵	
4보	4	Q	퀵	짝	
5보	5	Q	퀵	쿵	
6보	6	Q	퀵	짝	
7보	7	Q	퀵	쿵	
8보	8	Q	퀵	짝	
9보	9	Q	퀵	쿵	

〈남성〉

스텝	핸드	스텝 방식	액션
1보	왼손	놓고	Backward Walk
2보		놓고	Side Step
3보		놓고	Forward Walk
4보		놓고	Forward Walk
5보		놓고	Forward Walk
6보		놓고	Forward Walk
7보		놓고	Forward Walk
8보		놓고	Forward Walk
9보		놓고	Forward Walk

스텝	풋 포지션	총 회전량
1보	오른발 후진	180˚/R
2보	왼발 후진	
3보	오른발 Turn/R, 전진	
4보	왼발 전진	
5보	오른발 전진	
6보	왼발 전진	
7보	오른발 전진	
8보	왼발 전진	
9보	오른발 전진	
10보	왼발 전진	

〈여성〉

스텝	핸드	스텝 방식	액션
1보	오른손	놓고	Diagonally Forward Walk, Turn
2보		놓고	Turn
3보		놓고	Turn
4보		놓고	Diagonally Forward Walk, Turn
5보		놓고	Turn
6보		놓고	Turn
7보		놓고	Turn
8보		놓고	Backward Walk

9보		놓고	Backward Walk

스텝	풋 포지션	총 회전량
1보	오른발 사선으로 전진	45°/L 900°/R
2보	왼발 Turn/R	
3보	오른발 Turn/R	
4보	왼발 사선을 전진	
5보	오른발 Turn/R	
6보	왼발 Turn/R	
7보	오른발 Turn/R	
8보	왼발 후진	
9보	오른발 후진	

2보에 남성은 오른손으로 여성 어깨를 잡아 오른쪽으로 회전시켜준다. 4보에 남성은 양쪽 손으로 여성의 양쪽 어깨를 잡은 다음에 어깨 커트, 5보에 여성 왼쪽 어깨를 밀고 오른쪽 어깨를 당겨주면서 여성을 오른쪽으로 회전시켜준다.

79번 백 스텝 후 아웃사이드 턴

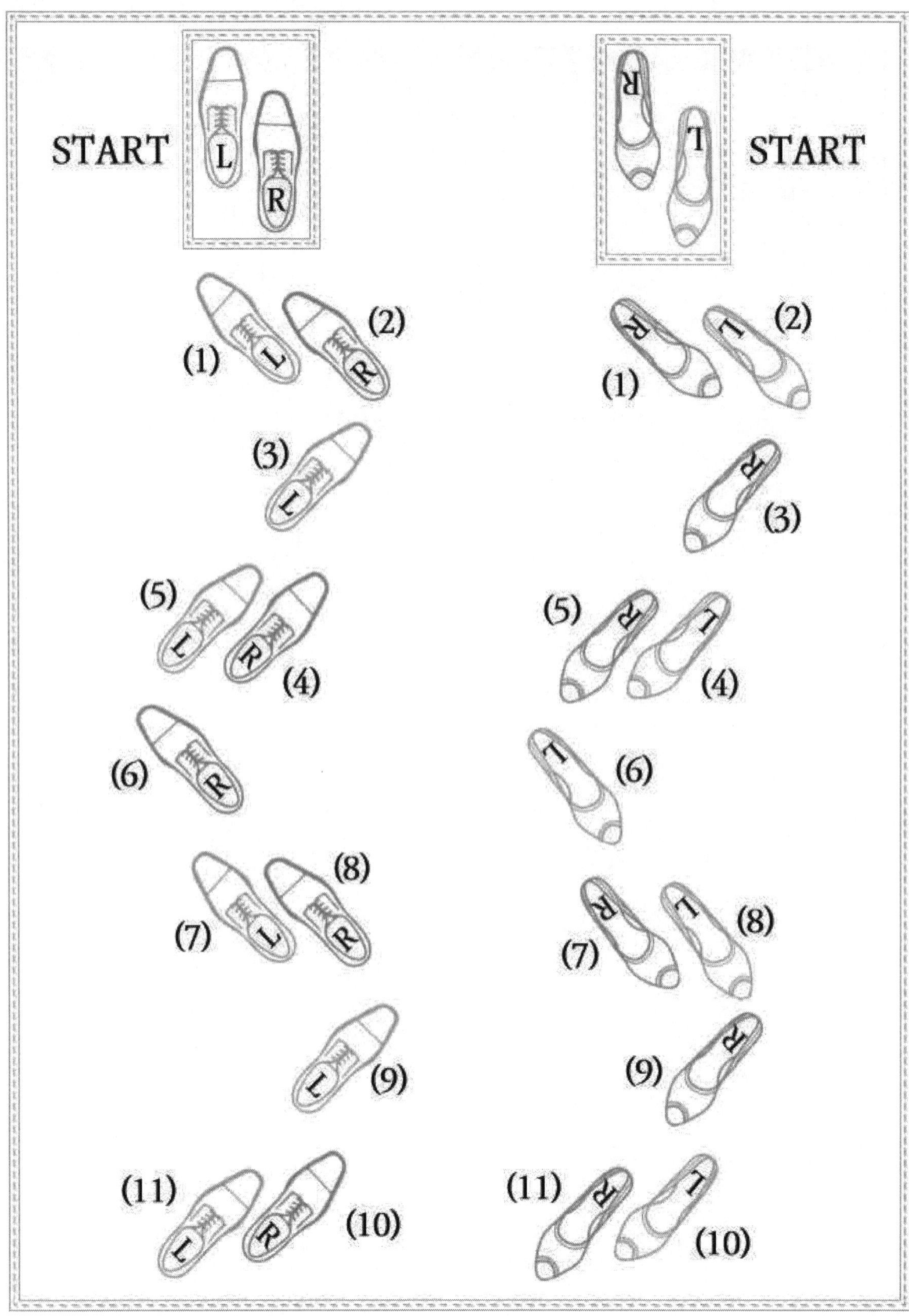

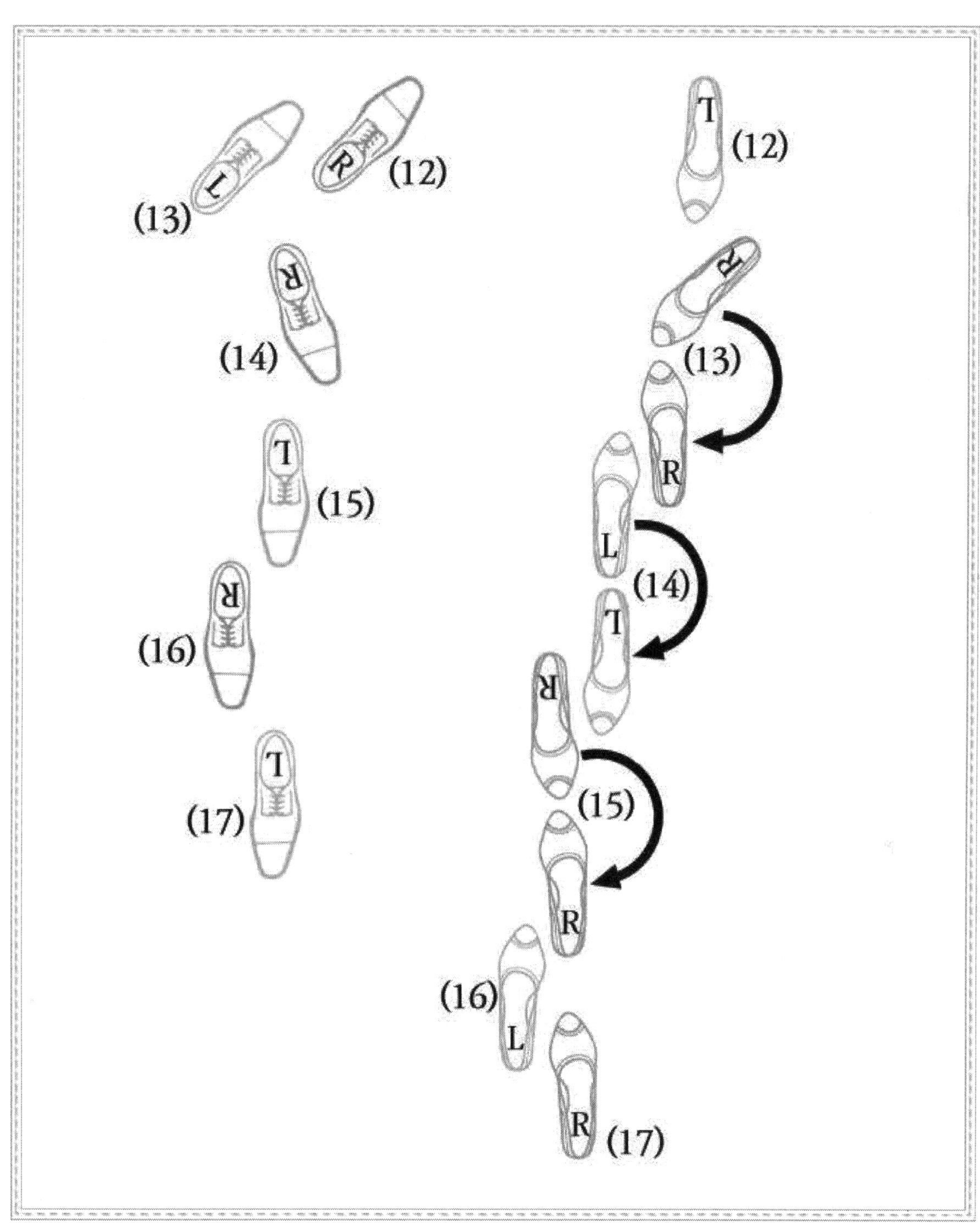

〈남성&여성〉

스텝	카운트	리듬	읽을 때	음악 타이밍	핸드 포지션
1보	1	Q	퀵	쿵	Hold
2보	2	&	엔	짝	Hold
3보	3	Q	퀵	쿵	Hold

4보	4	Q	퀵	짝	Hold
5보	5	&	엔	쿵	Hold
6보	6	Q	퀵	짝	Hold
7보	7	Q	퀵	짝	Hold
8보	8	&	엔	쿵	Hold
9보	9	Q	퀵	짝	Hold
10보	10	Q	퀵	쿵	Hold
11보	11	&	엔	짝	Hold
12보	12	Q	퀵	쿵	Hold
13보	13	Q	퀵	짝	One Hand Joined
14보	14	Q	퀵	쿵	One Hand Joined
15보	15	Q	퀵	짝	One Hand Joined
16보	16	Q	퀵	쿵	One Hand Joined
17보	17	Q	퀵	짝	One Hand Joined

〈남성〉

스텝	핸드	스텝 방식	액션
1보	왼손	놓고	Diagonally Backward Walk
2보	왼손	놓고	Backward Walk
3보	왼손	놓고	Diagonally Backward Walk
4보	왼손	놓고	Backward Walk
5보	왼손	놓고	Backward Walk
6보	왼손	놓고	Diagonally Backward Walk
7보	왼손	놓고	Backward Walk
8보	왼손	놓고	Backward Walk
9보	왼손	놓고	Diagonally Backward Walk
10보	왼손	놓고	Backward Walk
11보	왼손	놓고	Backward Walk
12보	왼손	놓고	Backward Walk
13보	왼손	놓고	Backward Walk
14보	왼손	놓고	Forward Walk, Turn
15보	왼손	놓고	Forward Walk
16보	왼손	놓고	Forward Walk
17보	왼손	놓고	Forward Walk

스텝	풋 포지션	총 회전량
1보	왼발 사선으로 후진, Turn/R	180°/R 90°/L
2보	오른발 후진	
3보	왼발 사선으로 후진, Turn/L	
4보	오른발 후진	
5보	왼발 후진	
6보	오른발 사선으로 후진, Turn/R	
7보	왼발 후진	
8보	오른발 후진	
9보	왼발 사선으로 후진, Turn/L	
10보	오른발 후진	
11보	왼발 후진	
12보	오른발 후진	

13보	왼발 후진	
14보	오른발 Turn/R	
15보	왼발 전진	
16보	오른발 전진	
17보	왼발 전진	

〈여성〉

스텝	핸드	스텝 방식	액션
1보	오른손	놓고	Diagonally Forward Walk
2보	오른손	놓고	Forward Walk
3보	오른손	놓고	Diagonally Forward Walk
4보	오른손	놓고	Forward Walk
5보	오른손	놓고	Forward Walk
6보	오른손	놓고	Diagonally Forward Walk
7보	오른손	놓고	Forward Walk
8보	오른손	놓고	Forward Walk
9보	오른손	놓고	Diagonally Forward Walk
10보	오른손	놓고	Forward Walk
11보	오른손	놓고	Forward Walk
12보	오른손	놓고	Forward Walk
13보	오른손	놓고	Turn
14보	오른손	놓고	Turn
15보	오른손	놓고	Turn
16보	오른손	놓고	Backward Walk
17보	오른손	놓고	Backward Walk

스텝	풋 포지션	총 회전량
1보	오른발 사선으로 전진, Turn/L	540°/R 90°/L
2보	왼발 전진	
3보	오른발 사선으로 전진, Turn/R	
4보	왼발 전진	
5보	오른발 전진	
6보	왼발 사선으로 전진, Turn/L	
7보	오른발 전진	
8보	왼발 전진	
9보	오른발 사선으로 전진, Turn/R	
10보	왼발 전진	
11보	오른발 전진	
12보	왼발 전진	
13보	오른발 Turn/R	
14보	왼발 Turn/R	
15보	오른발 Turn/R	
16보	왼발 후진	
17보	오른발 후진	

남성은 13보에 후진하면서 여성 오른손을 여성 머리 위로 올려주면서 여성을 오른쪽으로 회전시켜준다.

80번 터널

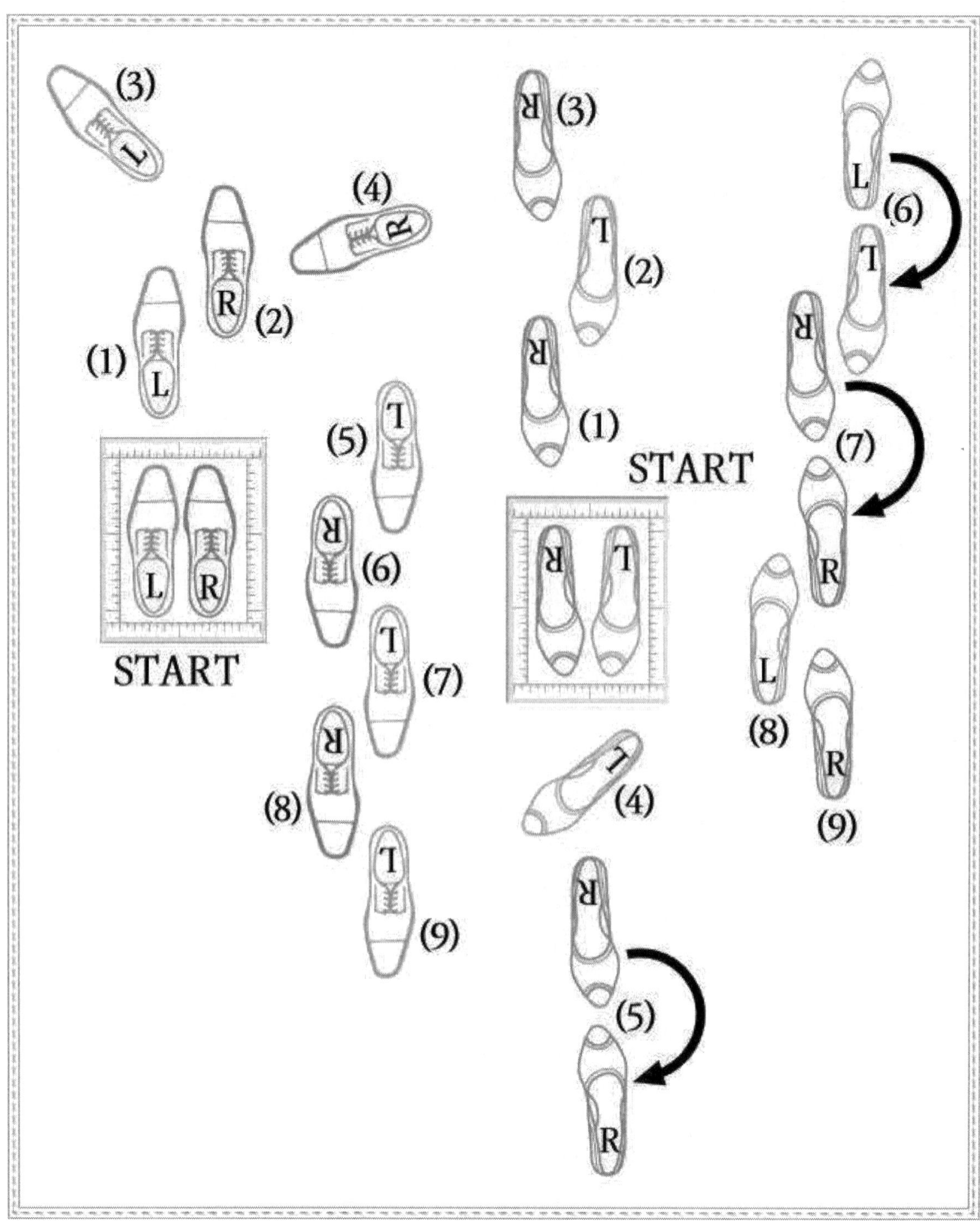

〈남성&여성〉

스텝	카운트	리듬	읽을 때	음악 타이밍	핸드 포지션
1보	1	Q	퀵	쿵	Hold

2보	2	Q	퀵	짝	Hold
3보	3	Q	퀵	쿵	One Hand Joined
4보	4	Q	퀵	짝	One Hand Joined
5보	5	Q	퀵	쿵	One Hand Joined
6보	6	Q	퀵	짝	One Hand Joined
7보	7	Q	퀵	짝	One Hand Joined
8보	8	Q	퀵	쿵	One Hand Joined
9보	9	Q	퀵	짝	One Hand Joined

〈남성〉

스텝	핸드	스텝 방식	액션
1보	왼손	놓고	Forward Walk
2보	왼손	놓고	Forward Walk
3보	왼손	놓고	Diagonally Forward Walk, Turn
4보	왼손	놓고	Backward Walk, Turn
5보	왼손	놓고	Forward Walk, Turn
6보	왼손	놓고	Forward Walk
7보	왼손	놓고	Forward Walk
8보	왼손	놓고	Forward Walk
9보	왼손	놓고	Forward Walk

스텝	풋 포지션	총 회전량
1보	왼발 전진	180°/L
2보	오른발 전진	
3보	왼발 사선으로 전진, Turn/L	
4보	오른발 후진	
5보	왼발 전진, Turn/L	
6보	오른발 전진	
7보	왼발 전진	
8보	오른발 전진	
9보	왼발 전진	

〈여성〉

스텝	핸드	스텝 방식	액션
1보	오른손	놓고	Backward Walk
2보	오른손	놓고	Backward Walk
3보	오른손	놓고	Backward Walk
4보	오른손	놓고	Diagonally Forward Walk
5보	오른손	놓고	Turn
6보	오른손	놓고	Turn
7보	오른손	놓고	Turn
8보	오른손	놓고	Backward Walk
9보	오른손	놓고	Backward Walk

스텝	풋 포지션	총 회전량
1보	오른발 후진	540°/R
2보	왼발 후진	
3보	오른발 후진	
4보	왼발 사선으로 전진	
5보	오른발 Turn/R	
6보	왼발 Turn/R	
7보	오른발 Turn/R	
8보	왼발 후진	
9보	오른발 후진	

3보에 남성은 여성 오른손을 머리 위로 들어 왼쪽으로 회전하면서 그 아래로 들어가 4보부터 여성을 오른쪽으로 회전시켜준다.

81번 리버스 턴 커트 턴

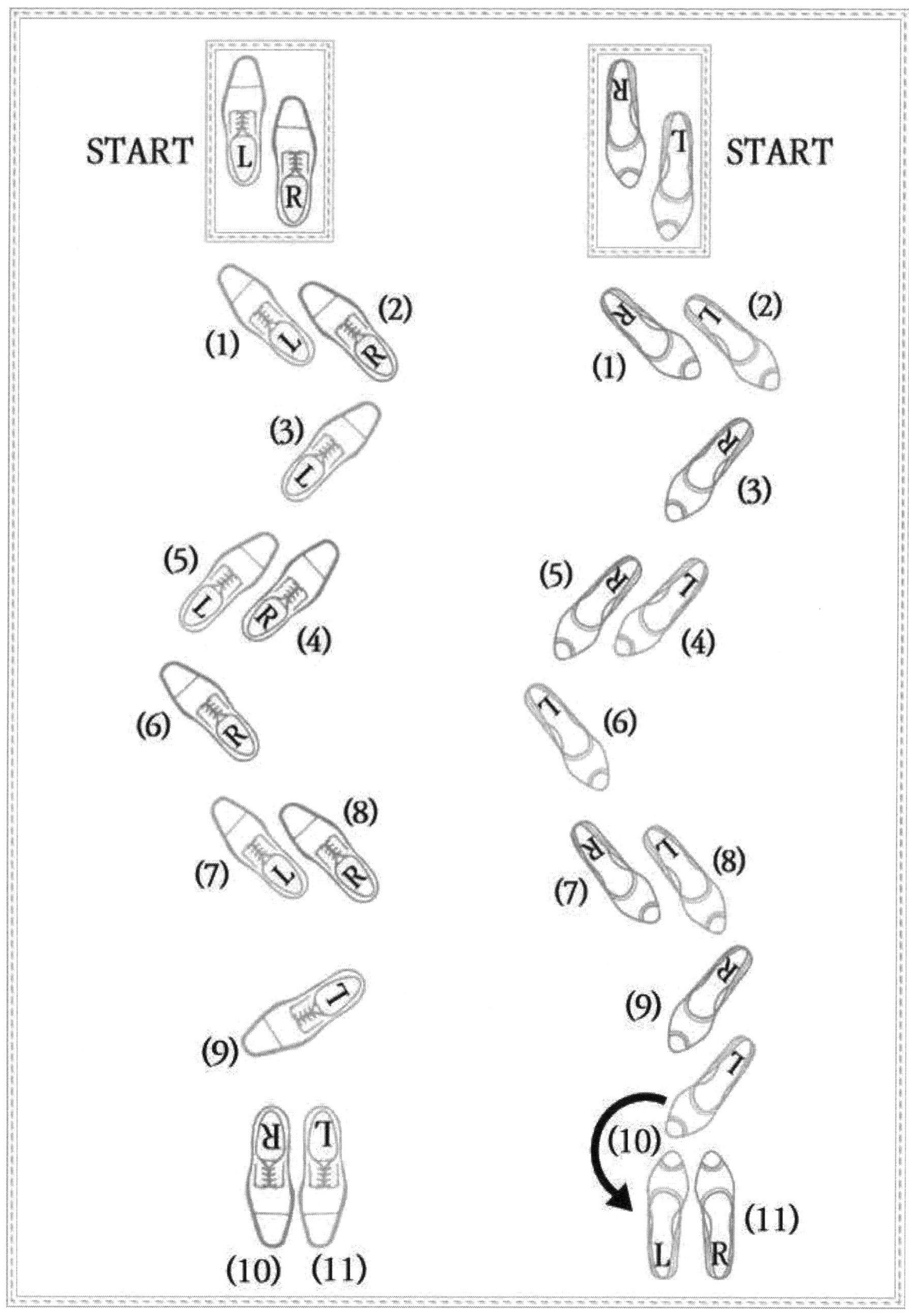

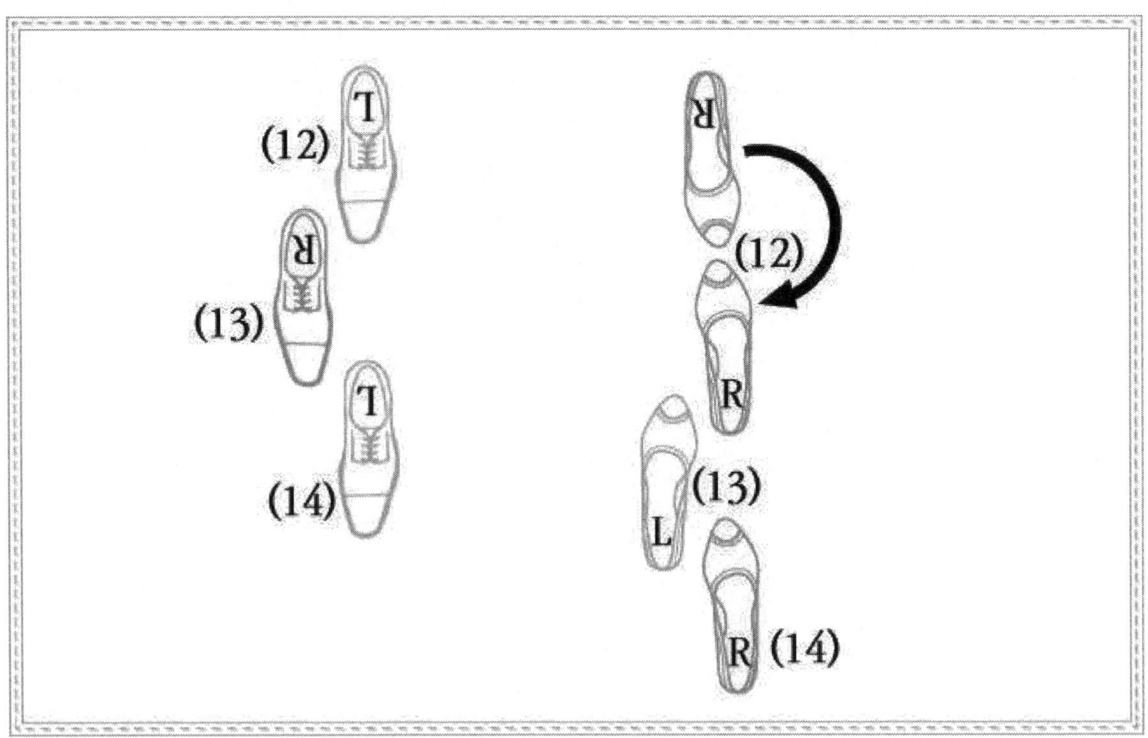

〈남성&여성〉

스텝	카운트	리듬	읽을 때	음악 타이밍	핸드 포지션
1보	1	Q	퀵	쿵	Hold
2보	2	&	엔	짝	Hold
3보	3	Q	퀵	쿵	Hold
4보	4	Q	퀵	짝	Hold
5보	5	&	엔	쿵	Hold
6보	6	Q	퀵	짝	Hold
7보	7	Q	퀵	짝	Hold
8보	8	&	엔	쿵	Hold
9보	9	Q	퀵	짝	Hold
10보	10	S	슬로우	쿵	Hold
11보	11	&	엔	짝	Hold
12보	12	Q	퀵	쿵	One Hand Joined
13보	13	Q	퀵	짝	One Hand Joined
14보	14	Q	퀵	쿵	One Hand Joined

〈남성〉

스텝	핸드	스텝 방식	액션
1보	왼손	놓고	Diagonally Backward Walk
2보	왼손	놓고	Backward Walk
3보	왼손	놓고	Diagonally Backward Walk
4보	왼손	놓고	Backward Walk
5보	왼손	놓고	Backward Walk
6보	왼손	놓고	Diagonally Backward Walk

7보	왼손	놓고	Backward Walk
8보	왼손	놓고	Backward Walk
9보	왼손	놓고	Diagonally Backward Walk
10보	왼손	놓고	Turn
11보	왼손	놓고	
12보	왼손	놓고	Forward Walk
13보	왼손	놓고	Forward Walk
14보	왼손	놓고	Forward Walk

스텝	풋 포지션	총 회전량
1보	왼발 사선으로 후진, Turn/R	90°/R 180°/L
2보	오른발 후진	
3보	왼발 사선으로 후진, Turn/L	
4보	오른발 후진	
5보	왼발 후진	
6보	오른발 사선으로 후진, Turn/R	
7보	왼발 후진	
8보	오른발 후진	
9보	왼발 Turn/L	
10보	오른발 Turn/L	
11보	왼발 오른발 옆에 모으고	
12보	왼발 전진	
13보	오른발 전진	
14보	왼발 저진	

〈여성〉

스텝	핸드	스텝 방식	액션
1보	오른손	놓고	Diagonally Forward Walk
2보	오른손	놓고	Forward Walk
3보	오른손	놓고	Diagonally Forward Walk
4보	오른손	놓고	Forward Walk
5보	오른손	놓고	Forward Walk
6보	오른손	놓고	Diagonally Forward Walk
7보	오른손	놓고	Forward Walk
8보	오른손	놓고	Forward Walk
9보	오른손	놓고	Diagonally Forward Walk
10보	오른손	놓고	Turn
11보	오른손	놓고	
12보	오른손	놓고	Turn
13보	오른손	놓고	Backward Walk
14보	오른손	놓고	Backward Walk

스텝	풋 포지션	총 회전량
1보	오른발 사선으로 전진, Turn/L	180°/R 180°/L
2보	왼발 전진	
3보	오른발 사선으로 전진, Turn/R	
4보	왼발 전진	

5보	오른발 전진	
6보	왼발 사선으로 전진, Turn/L	
7보	오른발 전진	
8보	왼발 전진	
9보	오른발 사선으로 전진, Turn/R	
10보	왼발 Turn/L	
11보	오른발 왼발 옆에 모으고	
12보	오른발 Turn/R	
13보	왼발 후진	
14보	오른발 후진	

12보에 여성 오른손을 머리 위로 들어 여성을 오른쪽으로 회전시켜준다.

82번 후진 커트 1

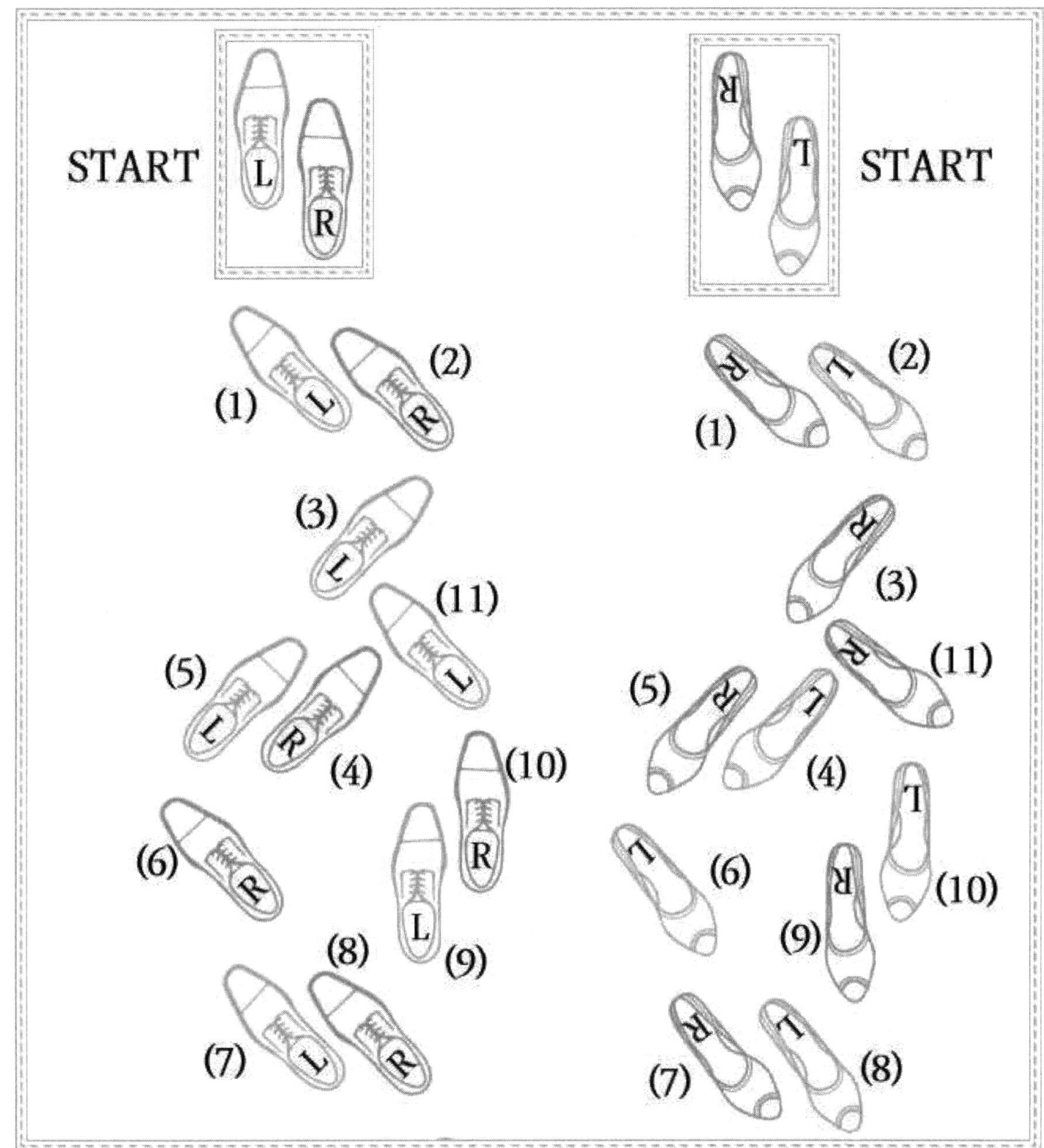

〈남성&여성〉

스텝	카운트	리듬	읽을 때	음악 타이밍	핸드 포지션
1보	1	Q	퀵	쿵	Hold
2보	2	&	엔	짝	Hold
3보	3	Q	퀵	쿵	Hold
4보	4	Q	퀵	짝	Hold
5보	5	&	엔	쿵	Hold
6보	6	Q	퀵	짝	Hold

7보	7	Q	퀵	짝	Hold
8보	8	&	엔	쿵	Hold
9보	9	Q	퀵	짝	Hold
10보	10	Q	퀵	쿵	Hold
11보	11	Q	퀵	짝	Hold

〈남성〉

스텝	핸드	스텝 방식	액션
1보	왼손	놓고	Diagonally Backward Walk
2보	왼손	놓고	Backward Walk
3보	왼손	놓고	Diagonally Backward Walk
4보	왼손	놓고	Backward Walk
5보	왼손	놓고	Backward Walk
6보	왼손	놓고	Diagonally Backward Walk
7보	왼손	놓고	Backward Walk
8보	왼손	놓고	Backward Walk
9보	왼손	놓고	Forward Walk
10보	왼손	놓고	Forward Walk
11보	왼손	놓고	Diagonally Forward Walk

스텝	풋 포지션	총 회전량
1보	왼발 사선으로 후진, Turn/R	90˚/R 90˚/L
2보	오른발 후진	
3보	왼발 사선으로 후진, Turn/L	
4보	오른발 후진	
5보	왼발 후진	
6보	오른발 사선으로 후진, Turn/R	
7보	왼발 후진	
8보	오른발 후진	
9보	왼발 전진	
10보	오른발 전진	
11보	왼발 사선으로 전진	

〈여성〉

스텝	핸드	스텝 방식	액션
1보	오른손	놓고	Diagonally Forward Walk
2보	오른손	놓고	Forward Walk
3보	오른손	놓고	Diagonally Forward Walk
4보	오른손	놓고	Forward Walk
5보	오른손	놓고	Forward Walk
6보	오른손	놓고	Diagonally Forward Walk
7보	오른손	놓고	Forward Walk
8보	오른손	놓고	Forward Walk
9보	오른손	놓고	Backward Walk
10보	오른손	놓고	Backward Walk

11보	오른손	놓고	Diagonally Forward Walk

스텝	풋 포지션	총 회전량
1보	오른발 사선으로 전진, Turn/L	90°/R 90°/L
2보	왼발 전진	
3보	오른발 사선으로 전진, Turn/R	
4보	왼발 전진	
5보	오른발 전진	
6보	왼발 사선으로 전진, Turn/L	
7보	오른발 전진	
8보	왼발 전진	
9보	오른발 후진	
10보	왼발 후진	
11보	오른발 사선으로 후진	

8보에 남성은 오른발을 왼발에 모으고, 왼손에 텐션을 주면서 벽이 되어 여성이 더 이상 전진하지 못하도록 한다.

83번 후진 커트, 갈까 말까, 전진 투웰

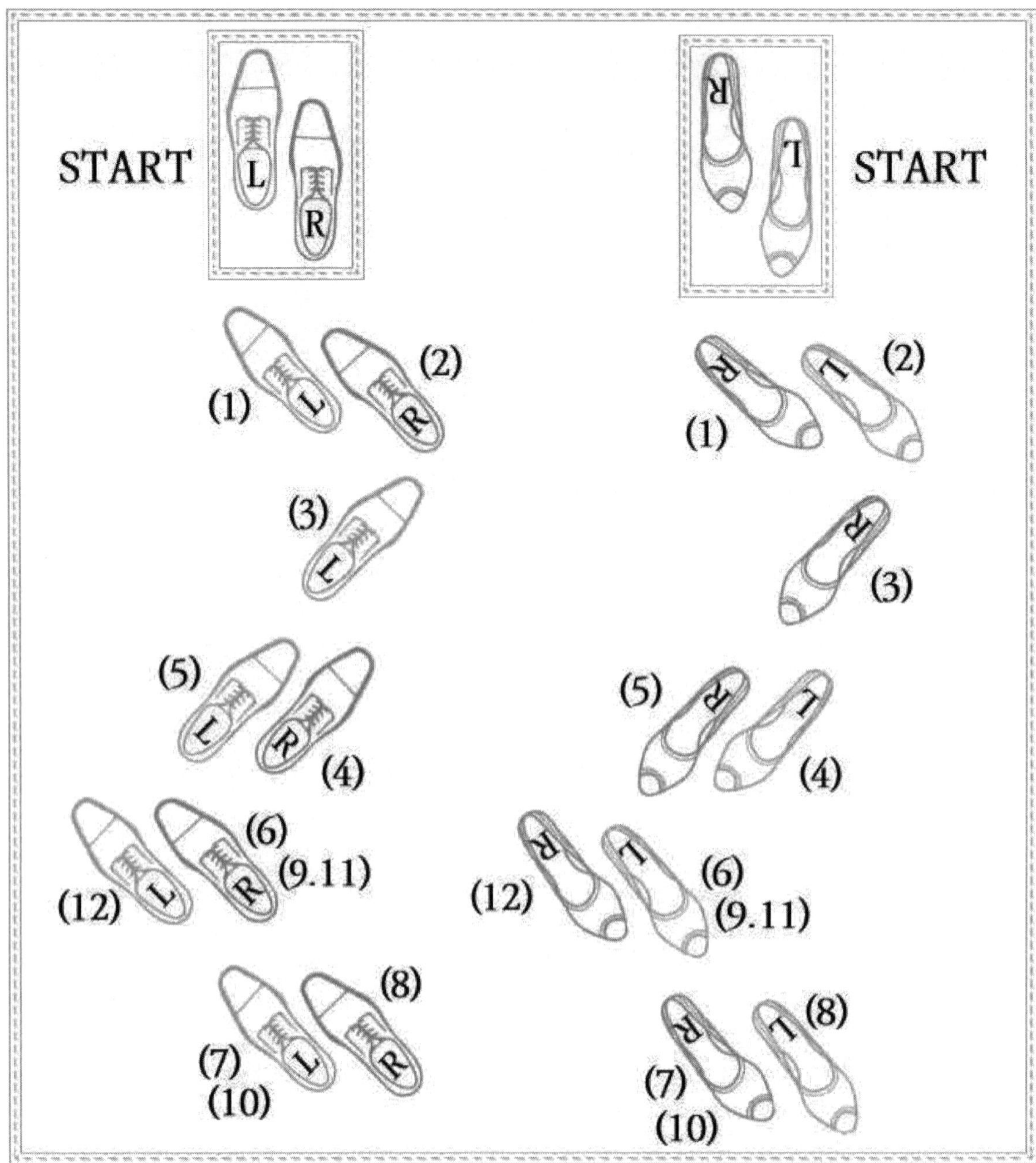

〈남성&여성〉

스텝	카운트	리듬	읽을 때	음악 타이밍	핸드 포지션
1보	1	Q	퀵	쿵	Hold
2보	2	&	엔	짝	Hold
3보	3	Q	퀵	쿵	Hold
4보	4	Q	퀵	짝	Hold
5보	5	&	엔	쿵	Hold
6보	6	Q	퀵	짝	Hold

7보	7	Q	퀵	짝	Hold
8보	8	Q	퀵	쿵	Hold
9보	9	Q	퀵	짝	Hold
10보	10	Q	퀵	쿵	Hold
11보	11	Q	퀵	짝	Hold
12보	12	Q	퀵	쿵	Hold

〈남성〉

스텝	핸드	스텝 방식	액션
1보	왼손	놓고	Diagonally Backward Walk
2보	왼손	놓고	Backward Walk
3보	왼손	놓고	Diagonally Backward Walk
4보	왼손	놓고	Backward Walk
5보	왼손	놓고	Backward Walk
6보	왼손	놓고	Diagonally Backward Walk
7보	왼손	놓고	Backward Walk
8보	왼손	놓고	Backward Walk
9보	왼손	놓고	Forward Walk
10보	왼손	놓고	Backward
11보	왼손	놓고	Forward
12보	왼손	놓고	Forward Walk

스텝	풋 포지션	총 회전량
1보	왼발 사선으로 후진, Turn/R	
2보	오른발 후진	
3보	왼발 사선으로 후진, Turn/L	
4보	오른발 후진	
5보	왼발 후진	
6보	오른발 사선으로 후진, Turn/R	90°/R
7보	왼발 후진	90°/L
8보	오른발 후진	
9보	오른발 전진	
10보	체중 이동/L	
11보	체중 이동/R	
12보	왼발 전진	

〈여성〉

스텝	핸드	스텝 방식	액션
1보	오른손	놓고	Diagonally Forward Walk
2보	오른손	놓고	Forward Walk
3보	오른손	놓고	Diagonally Forward Walk
4보	오른손	놓고	Forward Walk
5보	오른손	놓고	Forward Walk
6보	오른손	놓고	Diagonally Forward Walk
7보	오른손	놓고	Forward Walk
8보	오른손	놓고	Forward Walk

9보	오른손	놓고	Backward Walk
10보	오른손	놓고	Forward
11보	오른손	놓고	Backward
12보	오른손	놓고	Backward Walk

스텝	풋 포지션	총 회전량
1보	오른발 사선으로 전진, Turn/L	90°/R 90°/L
2보	왼발 전진	
3보	오른발 사선으로 전진, Turn/R	
4보	왼발 전진	
5보	오른발 전진	
6보	왼발 사선으로 전진, Turn/L	
7보	오른발 전진	
8보	왼발 전진	
9보	왼발 후진	
10보	체중 이동/R	
11보	체중 이동/L	
12보	오른발 후진	

8보, 남성은 오른발을 왼발에 모으고, 왼손에 텐션을 주면서 벽이 되어 여성이 더는 전진하지 못하도록 한다.

9보~11보, 남성과 여성은 체중 이동 후 12보에 남성은 전진, 여성은 후진

84번 후진 커트 2

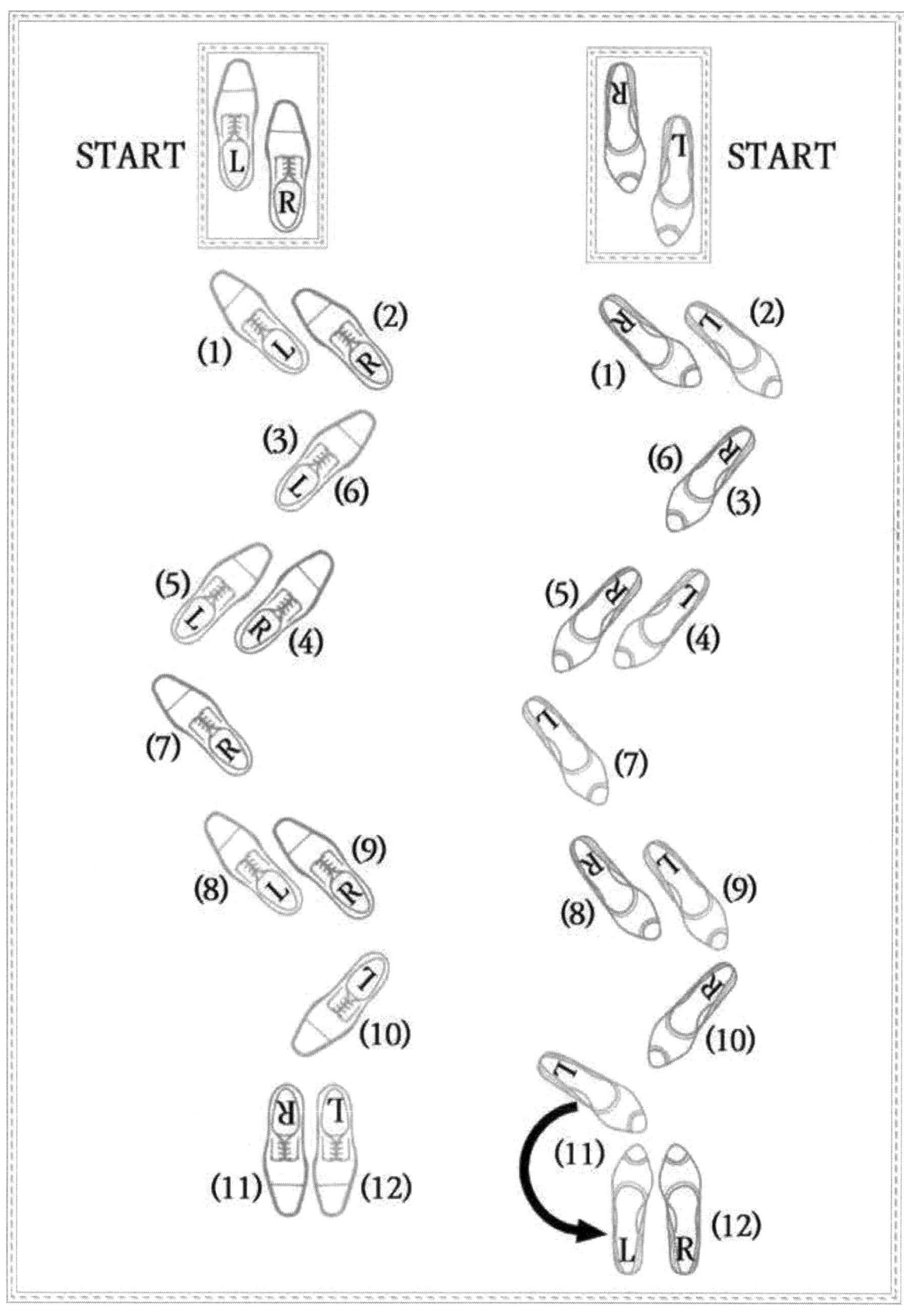

〈남성&여성〉

스텝	카운트	리듬	읽을 때	음악 타이밍	핸드 포지션
1보	1	Q	퀵	쿵	Hold
2보	2	&	엔	짝	Hold
3보	3	Q	퀵	쿵	Hold
4보	4	S	슬로우	짝	Hold
5보	5	&	엔	쿵	Hold
6보	6	Q	퀵	짝	Hold
7보	7	Q	퀵	짝	Hold
8보	8	Q	퀵	쿵	Hold
9보	9	&	엔	짝	Hold
10보	10	Q	퀵	쿵	Hold
11보	11	S	슬로우	짝	Hold
12보	12	&	퀵	쿵	Hold

〈남성〉

스텝	핸드	스텝 방식	액션
1보	왼손	놓고	Diagonally Backward Walk
2보	왼손	놓고	Backward Walk
3보	왼손	놓고	Diagonally Backward Walk
4보	왼손	놓고	Backward Walk
5보	왼손	놓고	Backward Walk
6보	왼손	놓고	Forward Walk
7보	왼손	놓고	Diagonally Backward Walk
8보	왼손	놓고	Backward Wal
9보	왼손	놓고	Backward Wal
10보	왼손	놓고	Turn
11보	왼손	놓고	Turn
12보	왼선	놓고	

스텝	풋 포지션	총 회전량
1보	왼발 사선으로 후진, Turn/R	90°/R 180°/L
2보	오른발 후진	
3보	왼발 사선으로 후진, Turn/L	
4보	오른발 후진	
5보	왼발 오른발 옆에 모으고	
6보	왼발 전진	
7보	오른발 사선으로 후진	
8보	왼발 후진	
9보	오른발 후진	
10보	왼발 Turn/L	
11보	오른발 Turn/L	
12보	왼발 오른발 옆에 모으고	

〈여성〉

스텝	핸드	스텝 방식	액션

1보	오른손	놓고	Diagonally Forward Walk
2보	오른손	놓고	Forward Walk
3보	오른손	놓고	Diagonally Forward Walk
4보	오른손	놓고	Forward Walk
5보	오른손	놓고	Forward Walk
6보	오른손	놓고	Backward Walk
7보	오른손	놓고	Diagonally Forward Walk
8보	오른손	놓고	Forward Walk
9보	오른손	놓고	Forward Walk
10보	오른손	놓고	Diagonally Forward Walk
11보	오른손	놓고	Turn
12보	오른손	놓고	

스텝	풋 포지션	총 회전량
1보	오른발 사선으로 전진, Turn/L	90˚/R 180˚/L
2보	왼발 전진	
3보	오른발 사선으로 전진, Turn/R	
4보	왼발 전진	
5보	오른발 전진	
6보	오른발 후진	
7보	왼발 사선으로 전진	
8보	오른발 전진	
9보	왼발 전진	
10보	오른발 사선으로 전진	
11보	왼발 Turn/L	
12보	오른발 왼발 옆에 모으고	

5보, 남성은 오른발을 왼발에 모으고, 왼손에 텐션을 주면서 벽이 되어 여성이 더는 전진하지 못하도록 한다.

6보, 텐션이 걸린 상태에서 남성은 왼발을 전진하면서 여성을 후진시켜준다.

7보~12보, 백 지그재그 리버스턴

85번 후진 커트 3

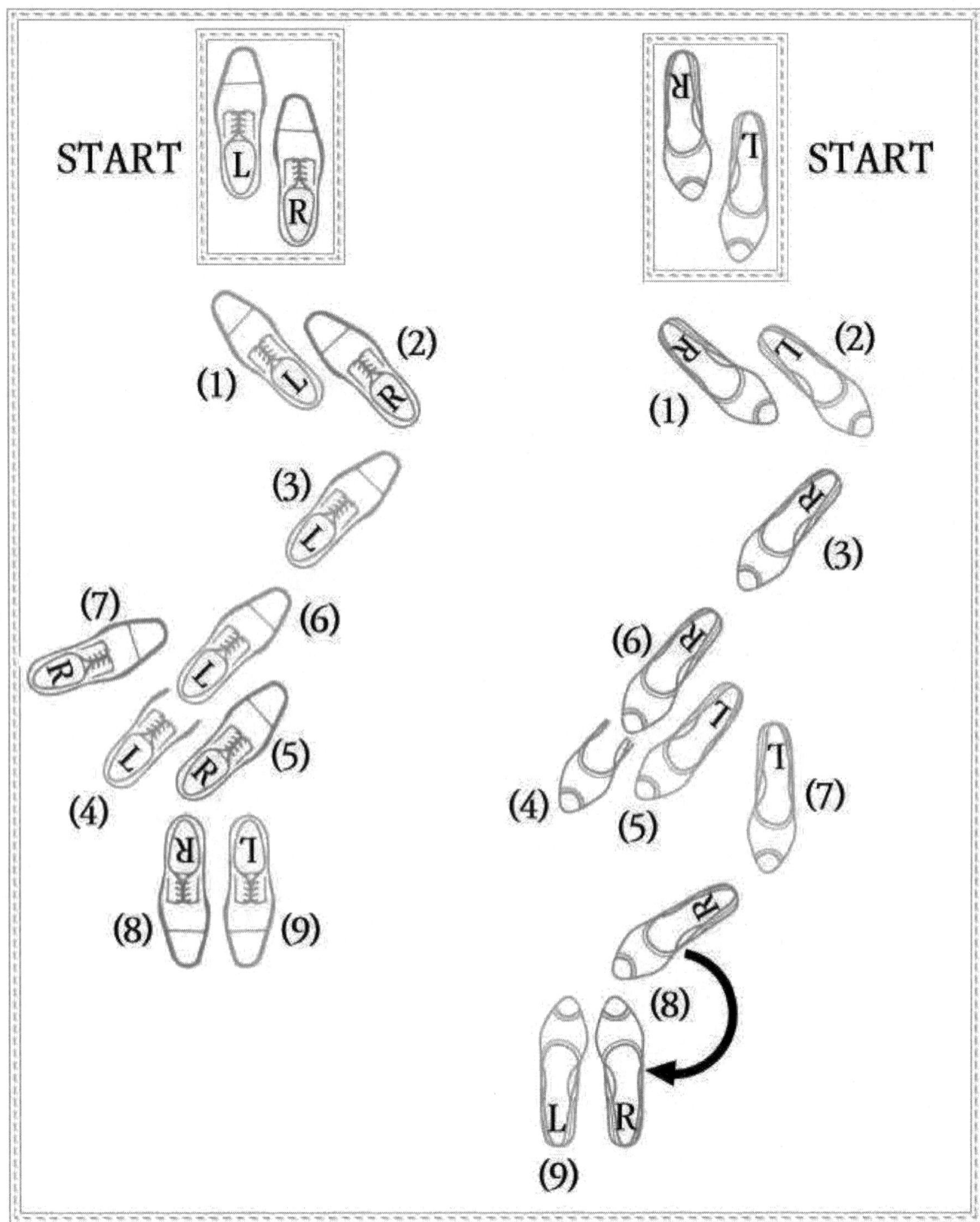

〈남성&여성〉

스텝	카운트	리듬	읽을 때	음악 타이밍	핸드 포지션
1보	1	Q	퀵	쿵	Hold
2보	2	&	엔	짝	Hold

3보	3	Q	퀵	쿵	Hold
4보	4	S	슬로우	짝	Hold
5보	5	&	엔	쿵	Hold
6보	6	Q	퀵	짝	Hold
7보	7	Q	퀵	짝	Hold
8보	8	S	슬로우	쿵	Hold
9보	9	&	엔	짝	Hold

〈남성〉

스텝	핸드	스텝 방식	액션
1보	왼손	놓고	Diagonally Backward Walk
2보	왼손	놓고	Backward Walk
3보	왼손	놓고	Diagonally Backward Walk
4보	왼손	놓고	Backward Walk
5보	왼손	놓고	Backward Walk
6보	왼손	놓고	Forward Walk
7보	왼손	놓고	Diagonally Backward Walk
8보	왼손	놓고	Turn
9보	왼손	놓고	

스텝	풋 포지션	총 회전량
1보	왼발 사선으로 후진, Turn/R	180°/R 90°/L
2보	오른발 후진	
3보	왼발 사선으로 후진, Turn/L	
4보	오른발 후진	
5보	왼발 오른발 옆에 모으고	
6보	왼발 전진	
7보	오른발 사선으로 후진	
8보	오른발 Turn/R	
9보	왼발 오른발 옆에 모으고	

〈여성〉

스텝	핸드	스텝 방식	액션
1보	오른손	놓고	Diagonally Forward Walk
2보	오른손	놓고	Forward Walk
3보	오른손	놓고	Diagonally Forward Walk
4보	오른손	놓고	Forward Walk
5보	오른손	놓고	Forward Walk
6보	오른손	놓고	Backward Walk
7보	오른손	놓고	Diagonally Forward Walk
8보	오른손	놓고	Turn
9보	오른손	놓고	

스텝	풋 포지션	총 회전량
1보	오른발 사선으로 전진, Turn/L	180°/R

2보	왼발 전진	90°/L
3보	오른발 사선으로 전진, Turn/R	
4보	왼발 전진	
5보	오른발 전진	
6보	오른발 후진	
7보	왼발 사선으로 전진	
8보	오른발 Turn/R	
9보	왼발 오른발 옆에 모으고	

5보, 남성은 오른발을 왼발에 모으고, 왼손에 텐션을 주면서 벽이 되어 여성이 더는 전진하지 못하도록 한다.

6보, 텐션이 걸린 상태에서 남성은 왼발을 전진하면서 여성을 후진시켜준다.

7보, 남성은 사선으로 오른발을 후진하면서 여성 왼발이 전진하도록 리드를 한다.

8~9보, 남성은 오른쪽으로 180° 회전하면서 여성을 오른쪽으로 180° 회전시켜준다.

86번 오픈 프롬나드 샤세, 다이아몬드 스텝

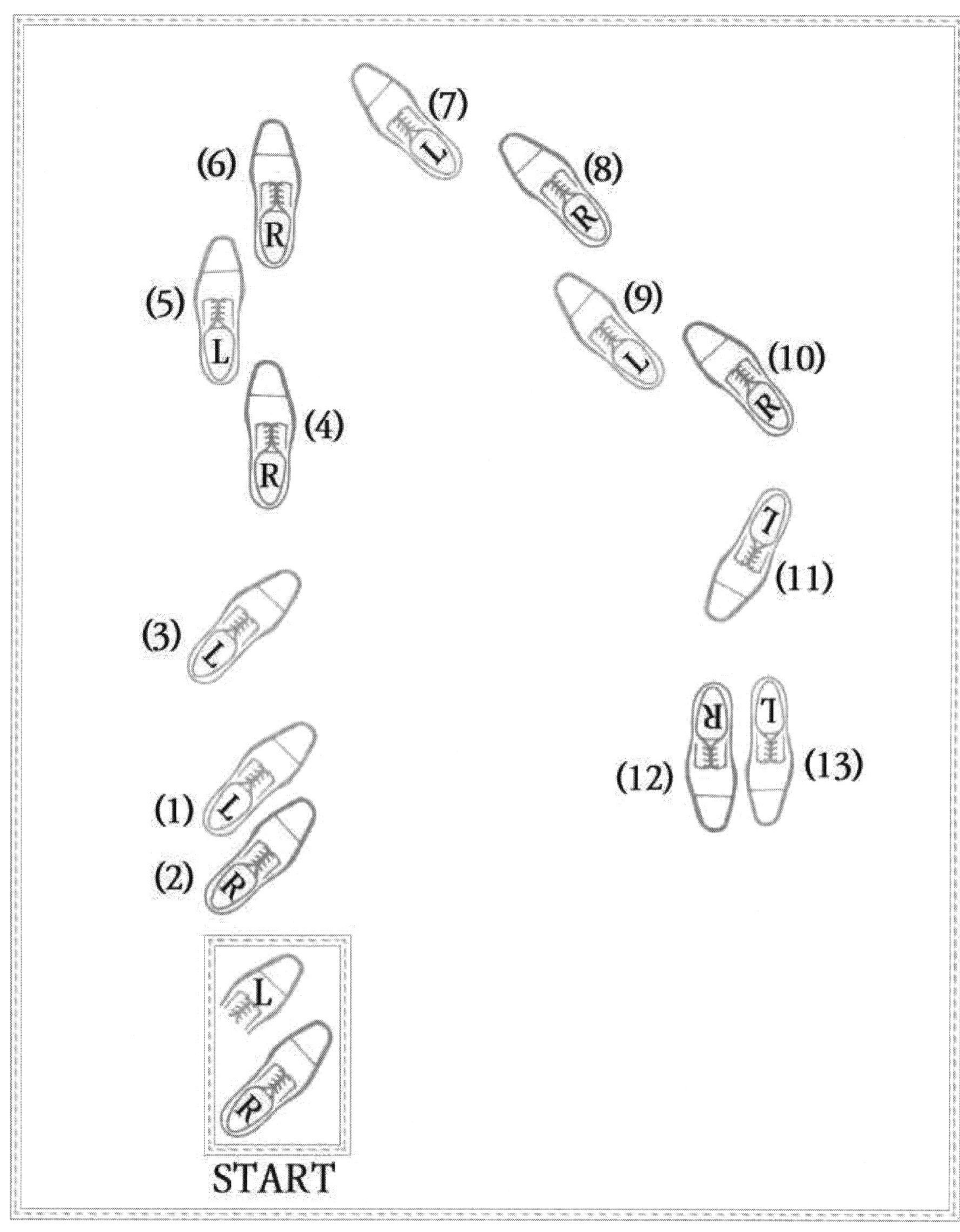

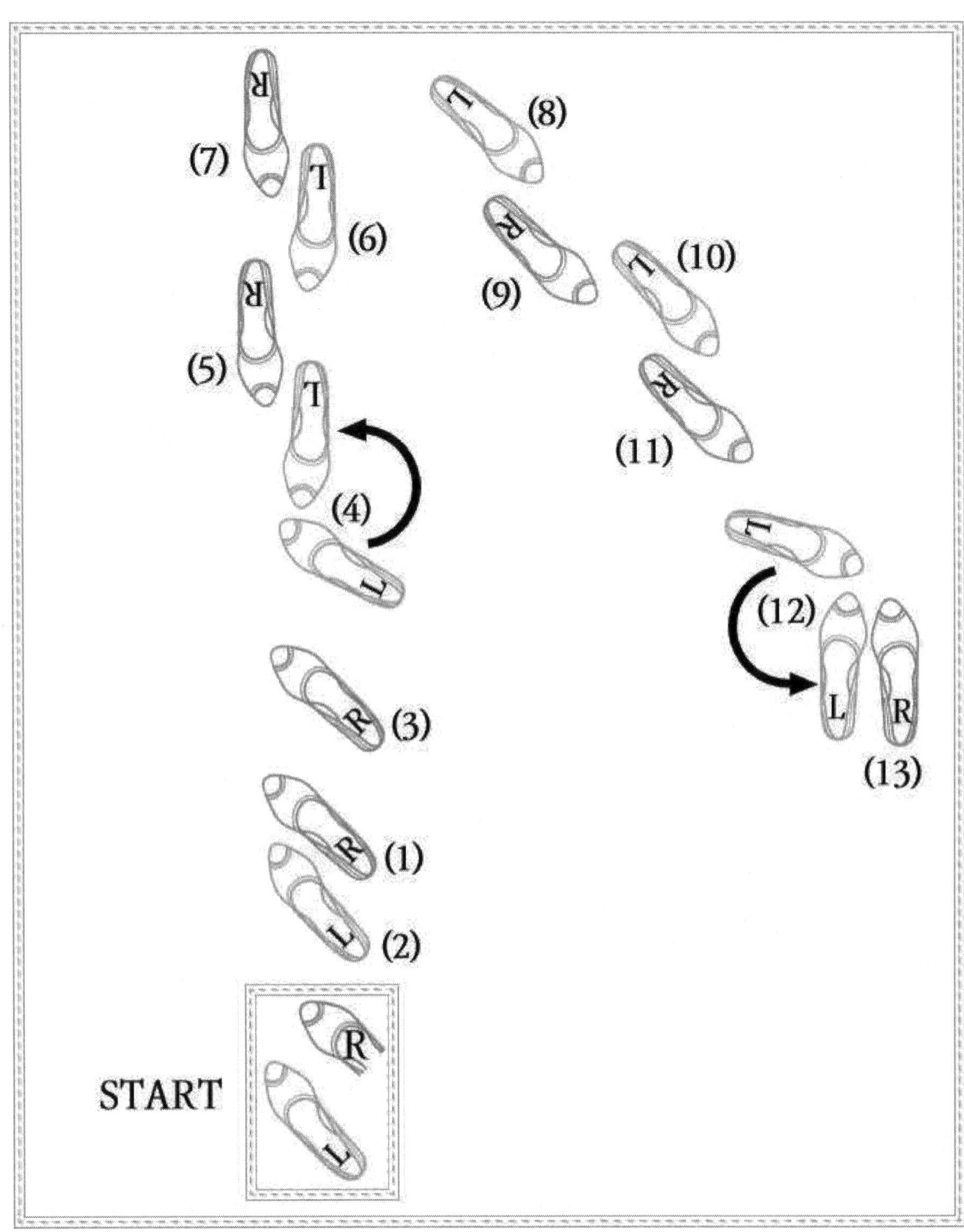

〈남성&여성〉

스텝	카운트	리듬	읽을 때	음악 타이밍	핸드 포지션
1보	1	Q	퀵	쿵	Hold
2보	2	&	엔	짝	Hold

3보	3	Q	퀵	쿵	Hold
4보	4	Q	퀵	짝	Hold
5보	5	&	엔	쿵	Hold
6보	6	Q	퀵	짝	Hold
7보	7	Q	퀵	짝	Hold
8보	8	Q	퀵	쿵	Hold
9보	9	Q	퀵	짝	Hold
10보	10	&	엔	쿵	Hold
11보	11	Q	퀵	짝	Hold
12보	12	S	슬로우	쿵	Hold
13보	13	&	엔	짝	Hold

〈남성〉

스텝	핸드	스텝 방식	액션
1보	왼손	놓고	Forward Walk
2보	왼손	놓고	Forward Walk
3보	왼손	놓고	Forward Walk
4보	왼손	놓고	Forward Walk
5보	왼손	놓고	Forward Walk
6보	왼손	놓고	Forward Walk
7보	왼손	놓고	Backward Walk, Turn
8보	왼손	놓고	Backward Walk
9보	왼손	놓고	Backward Walk
10보	왼손	놓고	Backward Walk
11보	왼손	놓고	Turn
12보	왼손	놓고	Turn
13보	왼손	놓고	

스텝	풋 포지션	총 회전량
1보	왼발 전진	180°/L
2보	오른발 전진	
3보	왼발 전진	
4보	오른발 전진	
5보	왼발 전진	
6보	오른발 전진	
7보	왼발 Turn/L	
8보	오른발 후진	
9보	왼발 후진	
10보	오른발 후진	
11보	왼발 Turn/L	
12보	오른발 Turn/L	
13보	왼발 오른발 옆에 모으고	

〈여성〉

스텝	핸드	스텝 방식	액션
1보	오른손	놓고	Forward Walk

2보	오른손	놓고	Forward Walk
3보	오른손	놓고	Forward Walk
4보	오른손	놓고	Backward Walk, Turn
5보	오른손	놓고	Backward Walk
6보	오른손	놓고	Backward Walk
7보	오른손	놓고	Backward Walk
8보	오른손	놓고	Forward Walk, Turn
9보	오른손	놓고	Forward Walk
10보	오른손	놓고	Forward Walk
11보	오른손	놓고	Forward Walk
12보	오른손	놓고	Turn
13보	오른손	놓고	

스텝	풋 포지션	총 회전량
1보	오른발 전진	360°/L
2보	왼발 전진	
3보	오른발 전진	
4보	왼발 Turn/L	
5보	오른발 후진	
6보	왼발 후진	
7보	오른발 후진	
8보	왼발 전진, Turn/L	
9보	오른발 전진	
10보	왼발 전진	
11보	오른발 전진	
12보	왼발 Turn/L	
13보	오른발 왼발 옆에 모으고	

1보~3보, 프롬나드 샤세

4보, 남성은 여성을 왼쪽으로 180° 회전시켜준다.

5보~6보, 남성 오른손으로 여성 왼손을 밀면서 전진 스텝을 한다.

7보~10보, 남성은 여성의 왼손을 당기면서 후진 스텝을 한다.

11보~13보, 리버스턴

87번 런닝, 훅 던지기(손 머리 위)

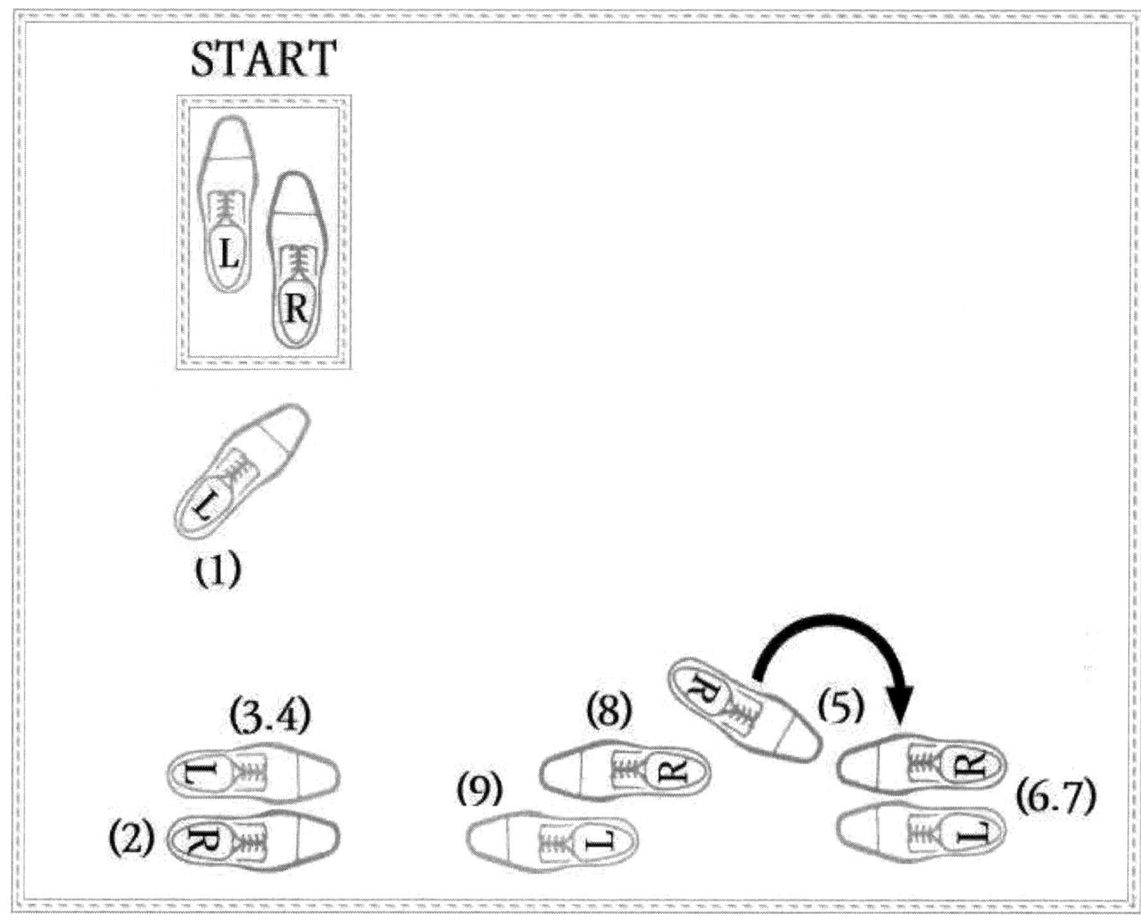

〈남성&여성〉

스텝	카운트	리듬	읽을 때	음악 타이밍	핸드 포지션
1보	1	Q	퀵	쿵	Hold
2보	2	S	슬로우	짝	Hold
3보	3	&	엔	쿵	Hold
4보	4	Q	퀵	짝	Hold
5보	5	Q	퀵	쿵	Hold
6보	6	Q	퀵	짝	One Hand Joined
7보	7	Q	퀵	짝	One Hand Joined
8보	8	Q	퀵	쿵	One Hand Joined
9보	9	Q	퀵	짝	One Hand Joined

〈남성〉

스텝	핸드	스텝 방식	액션
1보	왼손	놓고	Diagonally Backward Walk
2보	왼손	놓고	Side Step
3보	왼손	놓고	Side Step

4보	왼손	놓고	Stop
5보	왼손	놓고	Turn
6보	왼손	놓고	
7보	왼손	놓고	
8보	왼손	놓고	Forward Walk
9보	왼손	놓고	Forward Walk

스텝	풋 포지션	총 회전량
1보	왼발 사선으로 후진, Turn/R	270°/R
2보	오른발 옆으로	
3보	왼발 오른발 옆에 모으고	
4보	양쪽 발 모은 상태 유지	
5보	오른발 Turn/R 왼발 오른발에 모으고	
6보		
7보		
8보	오른발 전진	
9보	왼발 전진	

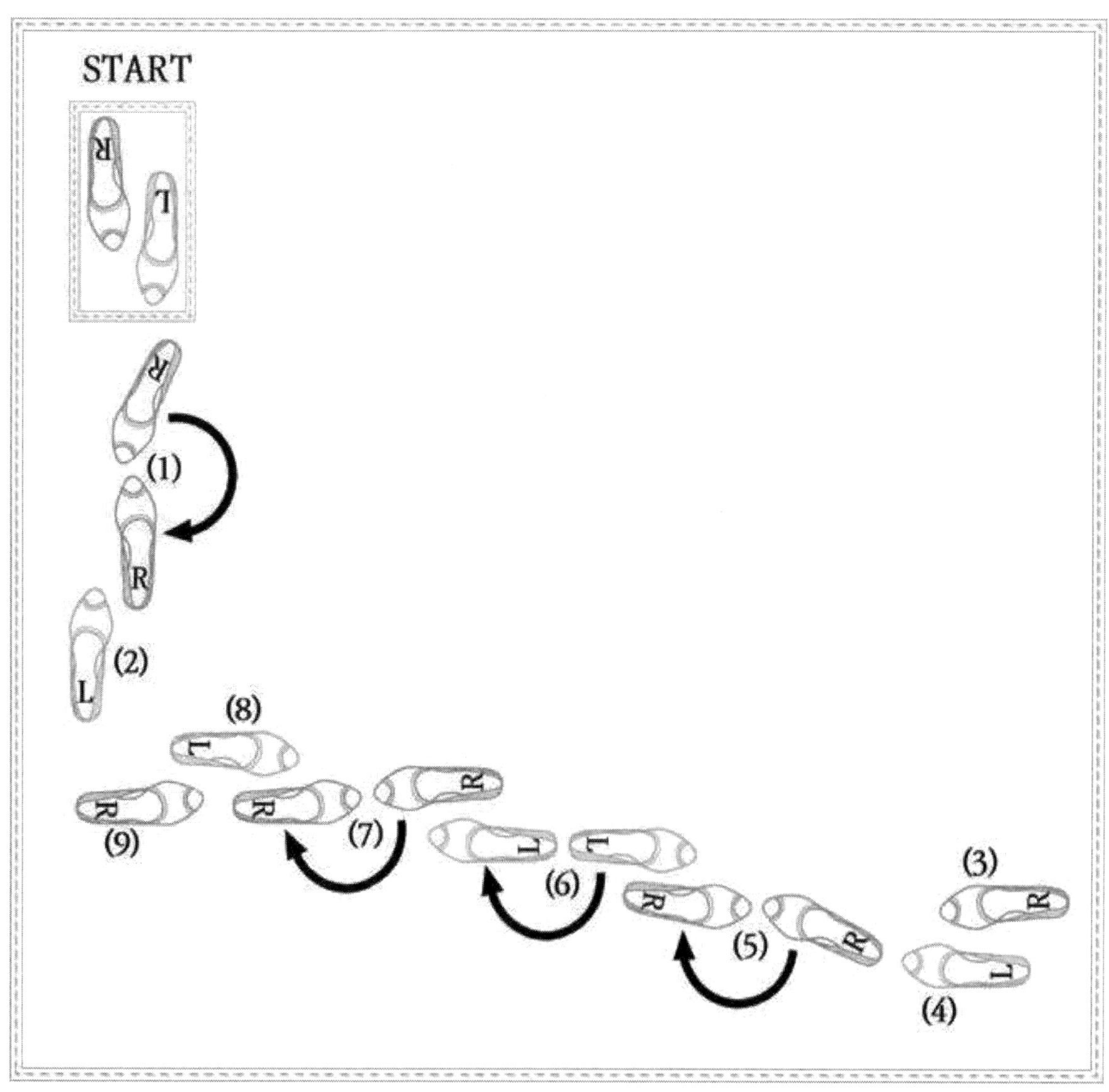

〈여성〉

스텝	핸드	스텝 방식	액션
1보	오른손	놓고	Turn
2보	오른손	놓고	Backward Walk
3보	오른손	놓고	Forward Walk, Turn
4보	오른손	놓고	Forward Walk
5보	오른손	놓고	Turn
6보	오른손	놓고	Turn
7보	오른손	놓고	Turn
8보	오른손	놓고	Backward Walk
9보	오른손	놓고	Backward Walk

스텝	풋 포지션	총 회전량
1보	오른발 사선으로 전진, Turn/R	720°/R

2보	왼발 후진	
3보	오른발 Turn/R	
4보	왼발 전진	
5보	오른발 Turn/R	
6보	왼발 Turn/R	
7보	오른발 Turn/R	
8보	왼발 후진	
9보	오른발 후진	

1보, 남성은 왼발을 사선으로 후진과 동시에 여성 전진하도록 앞으로 당기면서 여성을 오른쪽으로 회전시켜준다.

2보, 남성은 오른발을 옆으로 이동하면서 여성 왼발이 후진하도록 왼손으로 여성 오른손을 밀어준다.

3보, 남성은 왼발을 오른발 옆에 모으고, 여성 오른발이 후진할 수 있게 오른손을 밀어준다.

4보, 남성은 발 모은 상태를 유지하면서, 여성 왼발이 전진할 수 있게 여성 오른손을 당긴다.

5보, 남성은 오른발을 전진 오른쪽으로 회전 시작, 여성이 오른쪽으로 회전할 수 있게 여성 견갑골을 당기면서 오른손을 머리 위로 올려주면서 오른쪽으로 회전시켜준다.

6보~7보, 남성은 오른쪽으로 회전, 8보부터 여성을 쫓아간다.

88번 후진 커트

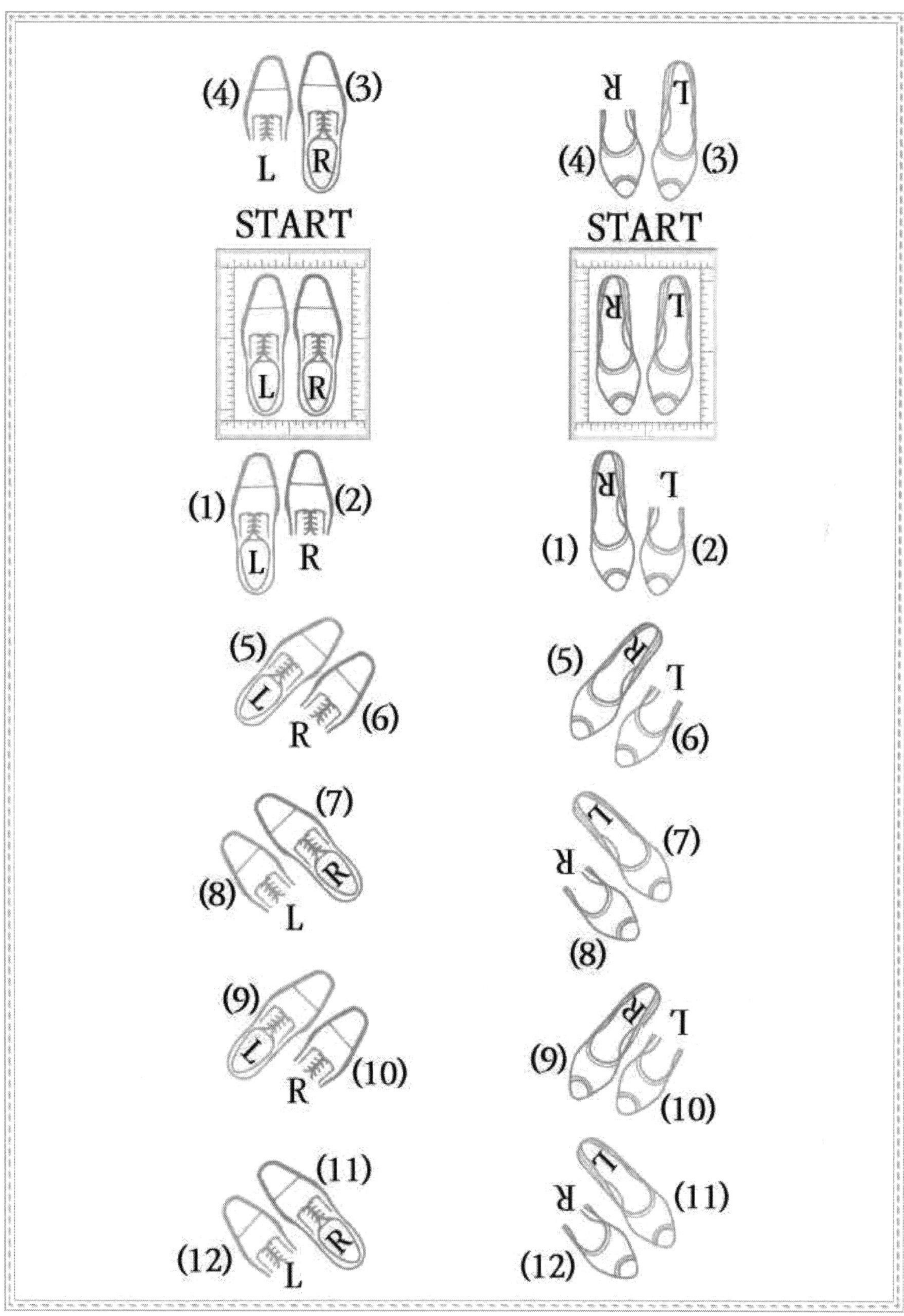

(4)
(3)
L
R
START
L
R
(1)
(2)
L
R
(5)
L
R
(6)
(7)
R
(8)
L
(9)
L
R
(10)
(11)
R
(12)
L
R
L
(4)
(3)
START
R
L
R
L
(1)
(2)
(5)
R
L
(6)
L
R
(7)
(8)
(9)
R
L
(10)
L
R
(11)
(12)

〈남성&여성〉

스텝	카운트	리듬	읽을 때	음악 타이밍	핸드 포지션
1보	1	S	슬로우	쿵	Hold
2보	2	&	엔	짝	Hold
3보	3	S	슬로우	쿵	Hold
4보	4	&	엔	짝	Hold
5보	5	S	슬로우	쿵	Hold
6보	6	&	엔	짝	Hold
7보	7	S	슬로우	짝	Hold
8보	8	&	엔	쿵	Hold
9보	9	S	슬로우	짝	Hold
10보	10	&	엔	쿵	Hold
11보	11	S	슬로우	짝	Hold
12보	12	&	엔	쿵	Hold

〈남성〉

스텝	핸드	스텝 방식	액션
1보	왼손	놓고	Backward Walk
2보	왼손	찍고	Backward Walk
3보	왼손	놓고	Forward Walk
4보	왼손	찍고	Forward Walk
5보	왼손	놓고	Diagonally Backward Walk
6보	왼손	찍고	Diagonally Backward Walk
7보	왼손	놓고	Diagonally Backward Walk
8보	왼손	찍고	Diagonally Backward Walk
9보	왼손	놓고	Diagonally Backward Walk
10보	왼손	찍고	Diagonally Backward Walk
11보	왼손	놓고	Diagonally Backward Walk
12보	왼손	찍고	Diagonally Backward Walk

스텝	풋 포지션	총 회전량
1보	왼발 후진	
2보	오른발 후진하면서 왼발 옆에 모으고	
3보	오른발 전진	
4보	왼발 전진하면서 오른발 옆에 모으고	
5보	왼발 사선으로 후진	
6보	오른발 사선으로 후진하면서 왼발 옆에 모으고	45°/R
7보	오른발 사선으로 후진	45°/L
8보	왼발 사선으로 후진하면서 오른발 옆에 모으고	
9보	왼발 사선으로 후진	
10보	오른발 사선으로 후진하면서 왼발 옆에 모으고	
11보	오른발 사선으로 후진	
12보	왼발 사선으로 후진하면서 오른발 옆에 모으고	

〈여성〉

스텝	핸드	스텝 방식	액션

1보	오른손	놓고	Forward Walk
2보	오른손	찍고	Forward Walk
3보	오른손	놓고	Backward Walk
4보	오른손	찍고	Backward Walk
5보	오른손	놓고	Diagonally Forward Walk
6보	오른손	찍고	Diagonally Forward Walk
7보	오른손	놓고	Diagonally Forward Walk
8보	오른손	찍고	Diagonally Forward Walk
9보	오른손	놓고	Diagonally Forward Walk
10보	오른손	찍고	Diagonally Forward Walk
11보	오른손	놓고	Diagonally Forward Walk
12보	오른손	찍고	Diagonally Forward Walk

스텝	풋 포지션	총 회전량
1보	오른발 후진	45°/R 45°/L
2보	왼발 후진하면서 오른발 옆에 모으고	
3보	왼발 전진	
4보	오른발 전진하면서 왼발 옆에 모으고	
5보	오른발 사선으로 전진	
6보	왼발 사선으로 전진하면서 오른발 옆에 모으고	
7보	왼발 사선으로 전진	
8보	오른발 사선으로 전진하면서 왼발 옆에 모으고	
9보	오른발 사선으로 전진	
10보	왼발 사선으로 전진하면서 오른발 옆에 모으고	
11보	왼발 사선으로 전진	
12보	오른발 사선으로 전진하면서 왼발 옆에 모으고	

5보, 9보, 남성은 후진하면서 여성 왼손을 밀고

7보, 11보, 남성은 후진하면서 여성 왼손을 당기고

89번 전·후진 8박

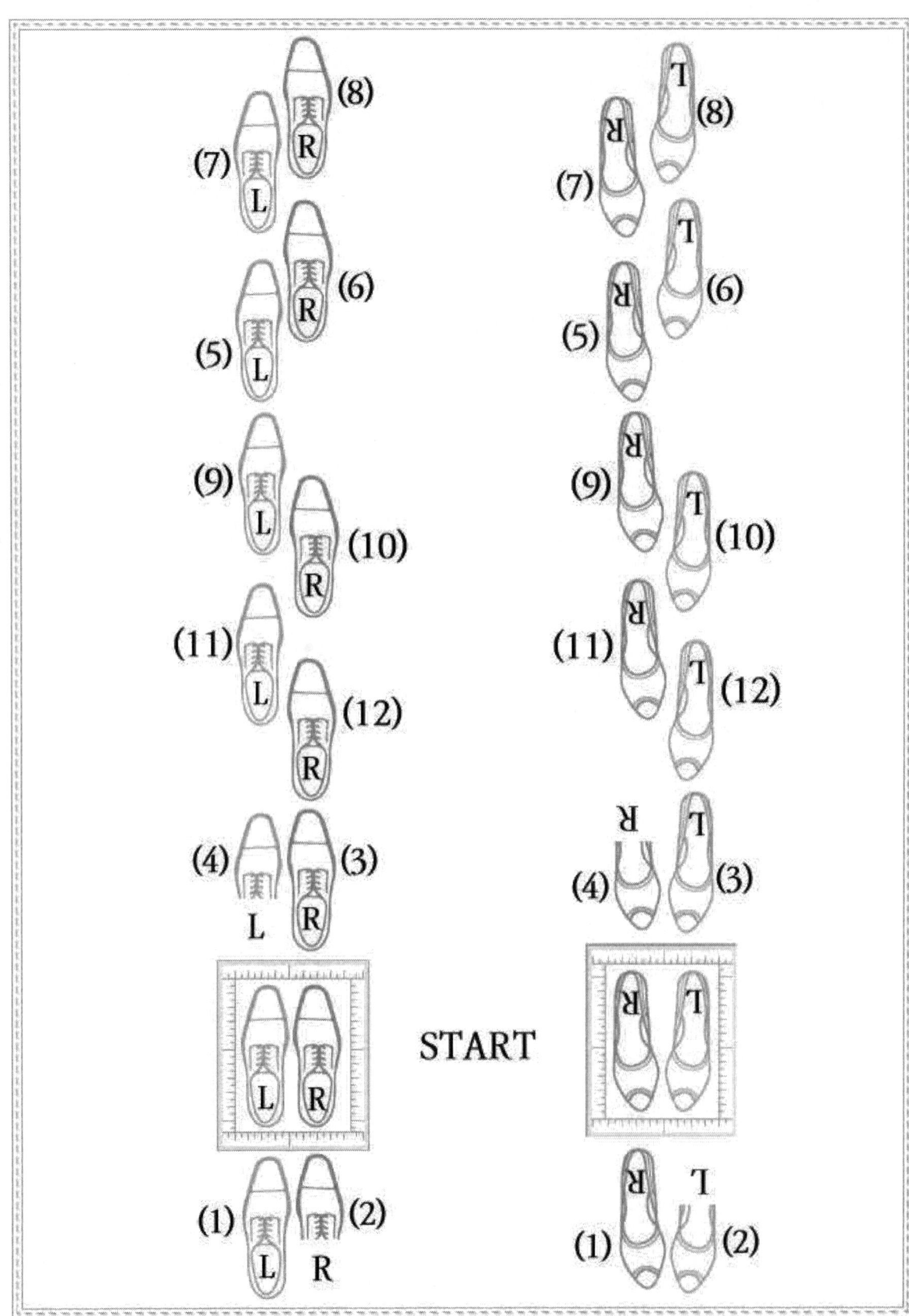

〈남성&여성〉

스텝	카운트	리듬	읽을 때	음악 타이밍	핸드 포지션
1보	1	S	슬로우	쿵	Hold
2보	2	&	엔	짝	Hold
3보	3	S	슬로우	쿵	Hold
4보	4	&	엔	짝	Hold
5보	5	Q	퀵	쿵	Hold
6보	6	Q	퀵	짝	Hold
7보	7	Q	퀵	짝	Hold
8보	8	Q	퀵	쿵	Hold
9보	9	Q	퀵	짝	Hold
10보	10	Q	퀵	쿵	Hold
11보	11	Q	퀵	짝	Hold
12보	12	Q	퀵	쿵	Hold

〈남성〉

스텝	핸드	스텝 방식	액션
1보	왼손	놓고	Backward Walk
2보	왼손	찍고	Backward Walk
3보	왼손	놓고	Forward Walk
4보	왼손	찍고	Forward Walk
5보	왼손	놓고	Forward Walk
6보	왼손	놓고	Forward Walk
7보	왼손	놓고	Forward Walk
8보	왼손	놓고	Forward Walk
9보	왼손	놓고	Backward Walk
10보	왼손	놓고	Backward Walk
11보	왼손	놓고	Backward Walk
12보	왼손	놓고	Backward Walk

스텝	풋 포지션	총 회전량
1보	왼발 후진	없음
2보	오른발 후진하면서 왼발 옆에 모으고	
3보	오른발 전진	
4보	왼발 전진하면서 오른발 옆에 모으고	
5보	왼발 전진	
6보	오른발 전진	
7보	왼발 전진	
8보	오른발 전진	
9보	왼발 후진	
10보	오른발 후진	
11보	왼발 후진	
12보	오른발 후진	

〈여성〉

스텝	핸드	스텝 방식	액션

1보	오른손	놓고	Forward Walk
2보	오른손	찍고	Forward Walk
3보	오른손	놓고	Backward Walk
4보	오른손	찍고	Backward Walk
5보	오른손	놓고	Backward Walk
6보	오른손	놓고	Backward Walk
7보	오른손	놓고	Backward Walk
8보	오른손	놓고	Backward Walk
9보	오른손	놓고	Forward Walk
10보	오른손	놓고	Forward Walk
11보	오른손	놓고	Forward Walk
12보	오른손	놓고	Forward Walk

스텝	풋 포지션	총 회전량
1보	오른발 후진	없음
2보	왼발 후진하면서 오른발 옆에 모으고	
3보	왼발 전진	
4보	오른발 전진하면서 왼발 옆에 모으고	
5보	오른발 후진	
6보	왼발 후진	
7보	오른발 후진	
8보	왼발 후진	
9보	오른발 전진	
10보	왼발 전진	
11보	오른발 전진	
12보	왼발 전진	

대부분 남성은 전·후진 스텝을 할 때 양쪽 손으로 인위적으로 여성을 당기고 밀고, 너무 강한 텐션을 주는 경우가 많다. 인위적으로 너무 강한 텐션을 주거나 밀면 여성은 불편함과 동시에 몸에 큰 부담을 받는다. 텐션이 걸려 있는 상태에서 남성 발이 전·후진하면 자연스럽게 남성 왼손과 오른손도 전진하기 때문에 자연스럽게 여성을 리드하게 되니 인위적으로 리드 및 텐션의 강도를 더 줄 필요가 없다.

90번 브레이크

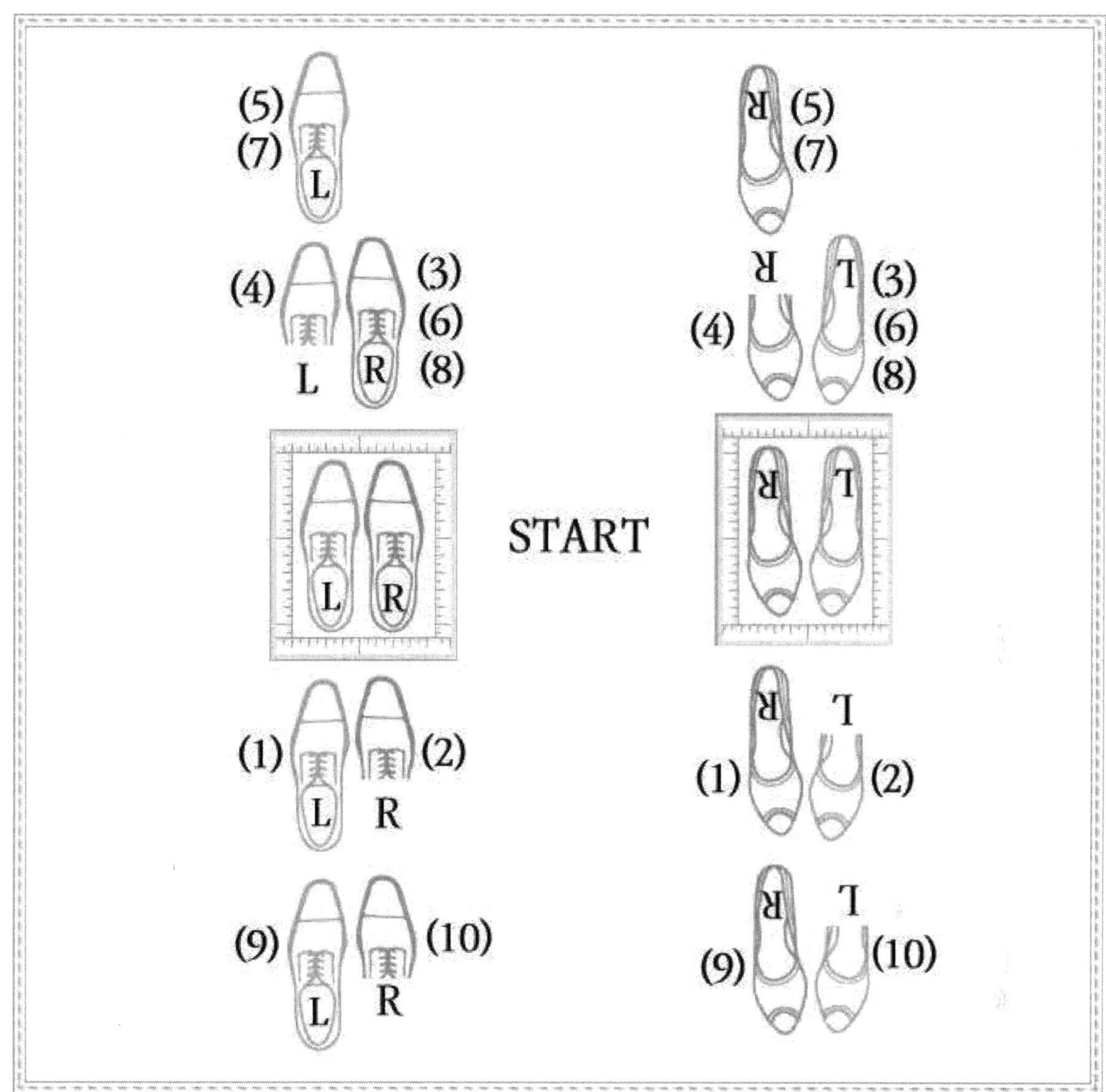

〈남성&여성〉

스텝	카운트	리듬	읽을 때	음악 타이밍	핸드 포지션
1보	1	S	슬로우	쿵	Hold
2보	2	&	엔	짝	Hold
3보	3	S	슬로우	쿵	Hold
4보	4	&	엔	짝	Hold
5보	5	Q	퀵	쿵	Hold
6보	6	Q	퀵	짝	Hold
7보	7	Q	퀵	짝	Hold
8보	8	Q	퀵	쿵	Hold
9보	9	S	슬로우	짝	Hold
10보	10	&	엔	쿵	Hold

〈남성〉

스텝	핸드	스텝 방식	액션
1보	왼손	놓고	Backward Walk
2보	왼손	찍고	Backward Walk
3보	왼손	놓고	Forward Walk
4보	왼손	찍고	Forward Walk
5보	왼손	놓고	Forward Walk
6보	왼손	놓고	Backward
7보	왼손	놓고	Forward
8보	왼손	놓고	Backward
9보	왼손	놓고	Backward Walk
10보	왼손	찍고	Backward Walk

스텝	풋 포지션	총 회전량
1보	왼발 후진	없음
2보	오른발 후진하면서 왼발 옆에 모으고	
3보	오른발 전진	
4보	왼발 전진하면서 오른발 옆에 모으고	
5보	왼발 전진	
6보	체중 이동/R	
7보	체중 이동/L	
8보	체중 이동/R	
9보	왼발 후진	
10보	오른발 후진하면서 왼발 옆에 모으고	

〈여성〉

스텝	핸드	스텝 방식	액션
1보	오른손	놓고	Forward Walk
2보	오른손	찍고	Forward Walk
3보	오른손	놓고	Backward Walk
4보	오른손	찍고	Backward Walk
5보	오른손	놓고	Backward Walk
6보	오른손	놓고	Forward
7보	오른손	놓고	Backward
8보	오른손	놓고	Forward
9보	오른손	놓고	Forward Walk
10보	오른손	찍고	Forward Walk

스텝	풋 포지션	총 회전량
1보	오른발 후진	없음
2보	왼발 후진하면서 오른발 옆에 모으고	
3보	왼발 전진	
4보	오른발 전진하면서 왼발 옆에 모으고	
5보	오른발 후진	
6보	체중 이동/L	
7보	체중 이동/R	

8보	체중 이동/L	
9보	오른발 전진	
10보	왼발 전진하면서 오른발 옆에 모으고	

7보~8보, 체중 이동 후 남성은 후진하면서 여성을 전진할 수 있게 리드를 한다.

91번 쿼터 턴

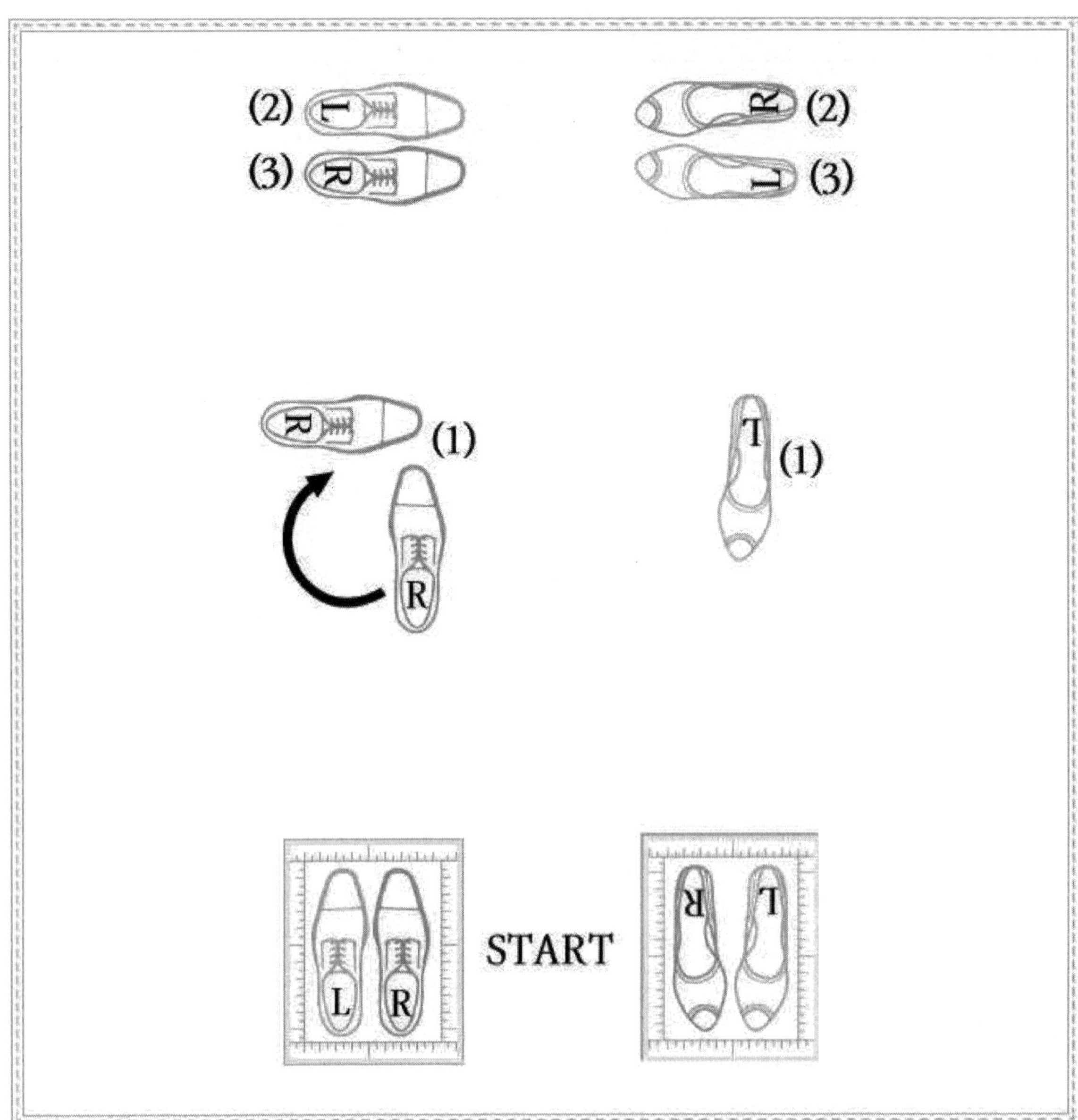

〈남성&여성〉

스텝	카운트	리듬	읽을 때	음악 타이밍	핸드 포지션
1보	1	Q	퀵	쿵	Hold
2보	2	Q	퀵	짝	Hold
3보	3	Q	퀵	쿵	Hold

〈남성〉

스텝	핸드	스텝 방식	액션
1보	왼손	놓고	Forward Walk, Turn

2보	왼손	놓고	Side Step
3보	왼손	놓고	Side Step

스텝	풋 포지션	총 회전량
1보	오른발 전진, Turn/R	90°/R
2보	왼발 옆으로	
3보	오른발 왼발 옆에 모으고	

〈여성〉

스텝	핸드	스텝 방식	액션
1보	오른손	놓고	Backward Walk
2보	오른손	놓고	Side Step
3보	오른손	놓고	Side Step

스텝	풋 포지션	총 회전량
1보	왼발 후진	90°/R
2보	오른발 옆으로	
3보	왼발 오른발 옆에 모으고	

남성은 오른발을 전진, 오른쪽으로 90° 회전하면서 여성을 오른쪽으로 90° 회전시켜준다.

6. 부록

무도 단체

댄스 관련 자격증(민간자격증)

각 나라 댄스스포츠 협회

세계적으로 인기 있는 춤

댄스 종목 및 댄스 스타일

댄스 관련 명언

음악에 대한 명언

예술에 대한 명언

무도 단체

사단법인 및 사회단체 협회로 무도단체명이 바뀐 단체도 있고 지금은 사라진 단체도 있다.

한글명	영문명
무도협회인 경남사교무도교사협회 (1953)	
서울무도교사협회 (1959)	
(사)한국무도 교육협회 (1970)	korea association of education ballroom dance in corporation
한국무도강사협회 (1996)	dsfk(dance sport federation of korea)
한국댄스스포츠 교사협회 (1997)	
(사)한국댄스스포츠연합회(1998)	
(사)한국댄스스포츠교사협회 (1999)	kdta(korea dancesport teachers association)
(사)대한댄스스포츠진흥회 (2001)	kdpa(korea dance sport promotion association)
(사)대한댄스스포츠연맹 (2001)	k.d.s.f(korea dance sport federation)
(사)대한댄스스포츠협회 (2001)	kda(korea dance sport association)
(사)대한댄스스포츠총연합회 (1996)	fkda(federation korea dance sport association)
(사)한국아메리칸스포츠댄스협회 (2002)	kad(the korean association of american sport dancing)
(사)부산댄스스포츠협회 (2002)	
(사)한국댄스스포츠경기연맹 (2001)	kdcf: korea dance sport competition federation)
(사)21c댄스스포츠육성연맹 (한국청소년댄스스포츠연맹) (2001)	kydf(korea youth dance sport federation)
(사)한국체육진흥회 보라매 댄스스쿨	
(사)한국사회체육진흥회 한국댄스스포츠협회	kads(the korean association of dance sport)
(사)청소년여가선용지도협회 댄스스포츠연합회	
(사)신세대 문화예술교류단 한국댄스스포츠	
(사)한국댄스스포츠 부산광역시경기연맹	
한국댄스스포츠 경기선수협의회 (2001)	
대한 스포츠댄싱연맹(2000)	kr-dsf(korea dance sport federation)
국제댄스스포츠교육연구소 (2000) (idea)	
국민생활체육 안산시댄스스포츠연합회 (2001)	
한국 댄스스포츠 교원연수원 (1999)	korea dance sport training teacher institute
한국 댄스문제 연구소 (1999)	
한국댄스스포츠 교육연합회 (2002)	kdo(the korea dance sport education organization)
한국휠체어댄스스포츠연맹	
국제댄스스포츠협회	
한국프로페셔널댄스스포츠협회	
(사)한국교생활체육진흥원	

(사)한국공립대학평생교육원협의회	
(사)한국무용지도자협회	
(사)대한방과후협회	
(사)대한생활체육진흥회	
(사)코리아댄스스포츠총연합회	
(사)한국여가문화지도자연합회	
(사)브로드웨이	
대한레저스포츠이벤트협회	
한국공연문화예술연구소	
사단법인 청소년행복세상	
국민생활체육광진구댄스스포츠연합회	
전국리듬댄스지도자협회 (리듬댄스교육연수원)	
힐링리듬댄스진흥원	
(사)한국생활문화예술협회	
아사모 생활댄스연수학원	
(사)대한스포츠지도자연맹	
국민생활체육전국댄스스포츠연합회	
(사)한국여가문화지도자연합회	
대한웰니스스포츠협회	
생활체육교사연구회	
국제라틴댄스교육협회	
(사)대한글로벌댄스지도자연합회	
(사)한국스포츠과학지도자협회	
(사)한국국공립대학평생교육원협의회	
(사)대한스포츠자격협회	
(사)한국예술복지협회	
(사) 한국스포츠문화예술협회	
대한인재교육협회	
(사)한국생활체육스포츠협회	
(사)한국댄스스포츠지도자협회	
(사)국스포츠지도사연구협회	
한국인재산업자격협회	

댄스 관련 자격증(민간자격증)

자격명	기관명	자격발급기관
모던댄스스포프지도자	대한자격개발검정원	대한자격개발검정원
불룸댄스지도자	문화체육관광부	(사)한구교생활체육진흥원
댄스스포츠지도자	문화체육관광부	(사)한국공립대학평생 교육원협의회
실버댄스지도자	문화체육관광부	대한자격개발검정원
사교댄스지도자	문화체육관광부	대한자격개발검정원
라틴댄스스포프지도자	문화체육관광부	대한자격개발검정원
댄스스포츠지도사 (Standard Dancing)	문화체육관광부	(사)대한스포츠총연합회
댄스스포츠지도사(Latin American Dancing)	문화체육관광부	(사)대한스포츠총연합회

파티댄스지도사 (Party Dance)	문화체육관광부	(사)대한스포츠총연합회
댄스스포츠모던(MODERN)	문화체육관광부	(사)국제댄스스포츠협회
댄스스포츠라틴(LATIN)	문화체육관광부	(사)국제댄스스포츠협회
다이어트댄스지도사 (Diet Dance)	문화체육관광부	(사)대한댄스스포츠총연합회
모던댄스	문화체육관광부	(사)대한스포츠댄싱연맹
소셜댄스	문화체육관광부	(사)대한스포츠댄싱연맹
라틴댄스	문화체육관광부	(사)대한스포츠댄싱연맹
실버건강댄스	문화체육관광부	(사)대한스포츠댄싱연맹
라틴댄스지도자	문화체육관광부	한국댄스스포츠협회
모던댄스지도자	문화체육관광부	한국댄스스포츠협회
웰빙댄스지도자	문화체육관광부	한국댄스스포츠협회
라틴댄스스포츠지도사	문화체육관광부	(주)한국자격개발원
모던댄스스포츠지도사	문화체육관광부	(주)한국자격개발원
사교댄스지도사	문화체육관광부	(주)한국자격개발원
라틴댄스스포츠지도자	문화체육관광부	동아대학교
댄스스포츠지도자	문화체육관광부	명지대학교
모던댄스스포츠지도자	문화체육관광부	동아대학교
댄스스포츠지도사	문화체육관광부	(사)한국무용지도자협회
댄스스포츠지도사(라틴)	문화체육관광부	대구한의대학교
댄스스포츠지도사(스탠다드)	문화체육관광부	대구한의대학교
스포츠댄스지도사	문화체육관광부	사단법인대한방과후협회
댄스스포츠	문화체육관광부	사단법인대한생활체육진흥회
댄스스포츠지도자	문화체육관광부	사단법인코리아댄스 스포츠총연합회
리듬댄스강사	문화체육관광부	사단법인한국여가문화 지도자연합회
댄스스포츠	문화체육관광부	브로드웨이
댄스스포츠	문화체육관광부	대한레저스포츠이벤트협회
댄스스포츠전문지도사	문화체육관광부	한국공연문화예술연구소
청소년스포츠댄스지도자	문화체육관광부	사단법인 청소년행복세상
댄스스포츠지도자	문화체육관광부	국민생활체육광진구 댄스스포츠연합회
웰빙리듬댄스강사	문화체육관광부	전국리듬댄스지도자협회 (리듬댄스교육연수원)
힐링리듬짝댄스	문화체육관광부	힐링리듬댄스진흥원
댄스스포츠실버지도사	문화체육관광부	사단법인대한댄스스포츠협회
댄스스포츠유소년지도사	문화체육관광부	사단법인대한댄스스포츠협회
댄스스포츠생활지도사	문화체육관광부	사단법인대한댄스스포츠협회
HMN댄스스포츠	문화체육관광부	하모니 댄스스포츠 학원
스포츠리듬짝댄스지도자	문화체육관광부	힐링리듬댄스진흥원
힐링사교댄스지도자	문화체육관광부	힐링리듬댄스진흥원
전통무용힐링리듬댄스지도자	문화체육관광부	힐링리듬댄스진흥원
리듬짝댄스지도자	문화체육관광부	힐링리듬댄스진흥원
사교댄스지도자	문화체육관광부	힐링리듬댄스진흥원
라틴댄스(모던)지도자	문화체육관광부	사단법인 한국생활문화예술협회
웰빙댄스(소셜)지도자	문화체육관광부	사단법인 한국생활문화예술협회
댄스스포츠지도자	문화체육관광부	대한휘트니스협회

리듬댄스지도자	문화체육관광부	힐링리듬댄스진흥원
댄스스포츠지도사	문화체육관광부	(사)한국문화예술진흥회
사교댄스강사	문화체육관광부	힐링리듬댄스진흥원
사교댄스지도자자격증	문화체육관광부	아사모 생활댄스연수학원
건강리듬댄스지도자	문화체육관광부	사단법인 대한스포츠지도자연맹
댄스스포츠지도자	문화체육관광부	사단법인 대한스포츠지도자연맹
댄스스포츠지도자	문화체육관광부	국민생활체육전국 댄스스포츠연합회
웰빙댄스강사자격증	문화체육관광부	사단법인한국여가문화 지도자연합회
모던댄스스포츠지도자	문화체육관광부	대한웰니스스포츠협회
라틴댄스스포츠지도자	문화체육관광부	대한웰니스스포츠협회
웰빙댄스지도자	문화체육관광부	대한웰니스스포츠협회
웰빙(소셜)댄스	문화체육관광부	생활체육교사연구회
라틴아메리칸댄스	문화체육관광부	생활체육교사연구회
볼륨스탠다드댄스	문화체육관광부	생활체육교사연구회
국제라틴자이브댄스지도자	문화체육관광부	국제라틴댄스교육협회
국제라틴차차차댄스지도자	문화체육관광부	국제라틴댄스교육협회
스포츠댄스	문화체육관광부	(사)대한글로벌댄스지도자 연합회
리듬댄스	문화체육관광부	(사)대한글로벌댄스지도자연합회
웰빙사교댄스	문화체육관광부	(사)대한글로벌댄스지도자 연합회
댄스스포츠지도자	문화체육관광부	사단법인 한국스포츠과학지도자협회
사교댄스지도사	문화체육관광부	(사)한국국공립대학평생교육원협의회
소셜리듬댄스지도자	문화체육관광부	사단법인 한국스포츠문화예술협회
댄스스포츠지도자	문화체육관광부	(사)대한스포츠자격협회
댄스스포츠심판	문화체육관광부	사단법인 한국예술복지협회
댄스스포츠지도사	문화체육관광부	대한인재교육협회
댄스스포츠	문화체육관광부	사단법인한국생활체육스포츠협회
댄스스포츠지도자	문화체육관광부	(사단법인)) 한국댄스스포츠지도자협회
댄스스포츠통합루틴지도사	문화체육관광부	사단법인한국스포츠지도사 연구협회
댄스스포츠지도자	문화체육관광부	한국인재산업자격협회

각 나라 댄스스포츠 협회

ADF	오스트리아 무용 스포츠 연맹
AABD	아르헨티나
DSAA	아제르바이잔공화국 댄스 스포츠 협회
BDF	벨기에 댄스 스포츠 연맹
CADA	캐나다 아마추어 댄스 스포츠 협회
CDF	중국 무용 스포츠 연맹
CDTA	캐나다 무용 교사 협회
DS	덴마크 스포츠 댄스
EADA	영국 아마추어 댄스 스포츠 협회
EDSA	에스토니아 댄스 스포츠 협회

FDSA	핀란드 무용 스포츠 협회
FFD	프랑스 댄스스포츠 협회
HKDSA	홍콩 댄스 스포츠 협회
HDA	헝가리 댄스 스포츠 협회
JDSF	일본 댄스 스포츠 연맹
IDSF	국제 무용 스포츠 연맹
IOC	국제 올림픽위원회
RDSF	루마니아어 댄스 스포츠 연맹
DSFR	러시아 댄스 스포츠 연맹
SGDF	싱가포르 댄스 스포츠 연합
SDSF	슬로바키아 댄스 스포츠 연맹
TDSA	태국 무용 스포츠 협회
USAD	미국 댄스 스포츠 협회
UDSA	우간다 댄스 스포츠 협회
UUDSO	우크라이나 댄스 스포츠 조직 연합
UIFSDD	우즈벡 국제 댄스 스포츠 연맹
VDSA	베트남 댄스 스포츠 협회
PZS	슬로베니아 댄스 스포츠 연맹
WDDSC	세계 무용 댄스 스포츠 협의회
YUDSF	유고 슬라비아 댄스 스포츠 연맹

세계적으로 인기 있는 춤

수많은 스타일의 춤이 있으며, 각각의 춤은 그 자신만의 매력을 가지고 있다. 세계적으로 인기 있는 춤은 다음과 같다.

댄스 명	유래	특징
발레	발레는 '춤을 추다'라는 이탈리아어에서 유래됐다	주로 클래식 음악에 맞춰 춤을 춘다.
벨리댄스	벨리댄스는 과거 다산을 기원하는 전통의식에서 유래했다	이슬람 문화권 여성들이 추는 배꼽춤
Hip-hop힙합 댄스	엉덩이(hip)를 흔들다(hop)'는 말에서 유래	힙합 음악에 맞춰 춤을 춘다.
재즈 댄스	재즈댄스는 아프리카의 토속리듬에서 유래	재즈 음악에 맞춰 추는 춤으로 발차기, 도약, 음악의 박자에 맞춘 고에너지 댄스 스타일.
바차타 댄스	도미니카 공화국에서 유래	신체적인 접촉이 많은 춤으로 야한 춤으로 생각하는 사람들이 많다.
탭댄스 (Tap dance)	미국 남부의 흑인 춤에서 유래	타이밍과 비트에 중점을 두고 추는 춤으로 탭 슈즈에 있는 작은 금속판이 땅에 닿았을 때 탭핑 소리를 내는 것이 특징이다.
아르헨티난 탱고	브에노스아이레스지역에서 발달한 민속춤	강렬한 리듬과 관능적인 춤

폴 댄스	인도의 말라캄 요가	주로 여성들이 즐기는 댄스로 운동의 한 종목으로 점점 인기를 얻고 있으며, 근육 지구력, 조정력, 상체와 하체의 힘을 요구한다.
살사 댄스	스페인어로 소스라는 뜻의 'salsa'에서 유래	리듬과 관능을 강조한 춤
자이브	스윙(Swing) 리듬에 맞추어 처음으로 추어진 춤에서 유래	재즈 음악에 맞추어 추는 격렬한 춤
룸바	쿠바의 흑인 원주민들의 민속 무용	환상적인 리듬과 동작의 춤으로 여성의 아름다움을 춤으로 표현할 수 있다.
플라멩코	집시의 춤에서 유래	분노와 서글픔을 춤과 노래로 표현한 것
삼바 댄스	백인들이 흑인들을 멸시해 부를 때 부르던 '삼보(Sambo)'에서 유래됐다.	열정적이고 육감적인 몸짓을 보여주는 춤
왈츠	프랑스의 보르타(Volta)란 춤에서 유래	우아한 분위기를 연출하는 춤
파소도블	스페인에서 유래	투우를 묘사한 춤
폭스트롯	'말의 걸음걸이'에서 유래	스무스(Smooth)하고 경쾌한 다리의 움직임의 춤
비엔나왈츠	알프스지방의 민속무용에서 유래	파도치듯 떠오르고 내려가듯 추는 춤
퀵스텝	미국에서 유래	경쾌하고 명랑하며 스피드하면서도 리드미컬한 춤
차차차	쿠바에서 유래	차차차 음악에 맞추어 강력하고 경쾌하게 추는 춤
트위스트(Twist)	1960년경 미국에서 발생한 새로운 댄스 리듬	몸을 비트면서 추는 춤
람바다	브라질의 작은 클럽에서 유래	선정적인 춤으로 90년대를 풍미했다.
메렝게	도미니카 공화국에서 유래, 아이티의 민속춤	빠르고 흥겨운 춤
블루스	미국 흑인에서 유래	원초적이고 감각적으로 추는 춤
카포에이라	아프리카 노예	부드러우면서 강한 춤

댄스 종목 및 댄스 스타일

American Smooth Dances	American Rhythm Dances	International Standard Dances	International Latin Dances
Foxtrot	Rumba	Slow Foxtrot	Rumba
Waltz	Cha Cha	Waltz	Cha Cha
Viennese Waltz	East Coast Swing	Viennese Waltz	Samba
Tango	Bolero	Tango	Paso Doble
	Mambo	Quickstep	Jive

Social Latin Dances	Social Swing	Country Dances	Other Social

	Dances		Dances
Salsa	East Coast Swing a.k.a. Jitterbug	Country 2-Step	Hustle
Casino Rueda	Lindy Hop	East Coast Swing	Polka
Bachata	Shag (Collegiate & Carolina)	Night Club	Night Club 2-Step
Merengue	West Coast Swing	Cha Cha	Argentine Tango
Zouk	Balboa	Polka	
Kizomba		West Coast Swing	
		Waltz	
		Triple 2-Step	

댄스 관련 명언

"댄스는 내가 언제든지 표현할 수 있는 것이다." - Madonna

"댄스는 내가 나를 표현하는 방법이다." - Martha Graham

"댄스는 말을 할 수 없을 때 말한다." - Martha Graham

"댄스는 우리가 말할 수 없는 것을 말해준다." - Agnes de Mille

"댄스는 정신적인, 감정적인 그리고 심리적인 측면에서 나를 발전시킨다." - Mikhail Baryshnikov

"댄스는 내 삶에서 가장 높은 순간 중 하나이다." - Misty Copeland

"댄스는 몸이 말하는 언어이다." - Twyla Tharp

"댄스는 인생의 축제이다." - Isadora Duncan

"댄스는 내가 그렇게 해야만 하는 것이 아니라, 내가 하고 싶은 것이다." - Michael Jackson

"댄스는 내 삶을 변화시켰다. 그것은 나를 깨우쳤고, 나를 만들었다." - Judith Jamison

"댄스는 우리 모두에게 도전과 놀이의 기회를 제공한다." - Twyla Tharp

"댄스는 우리의 몸과 마음을 자유롭게 만들어준다." - Martha Graham

"댄스는 우리의 존재를 깨우쳐주는 것이다." - Anna Halprin

"댄스는 희생과 신념이 필요하다." - Alvin Ailey

"댄스는 무대 위에서 내가 정말로 살아있다는 것을 느끼게 만들어준다." - Mikhail Baryshnikov

"댄스는 나에게 마음의 평화를 가져다준다." - Agnes de Mille

"댄스는 당신의 몸이 아는 것을 춤으로 표현하는 것이다." - Twyla Tharp

"댄스는 그것이 일어나는 순간에서 빛난다." - Martha Graham

"댄스는 타고난 본능이다." - Mikhail Baryshnikov

"댄스는 우리가 살아있는 것을 느끼게 만들어준다." - Judith Jamison

"댄스는 나를 찾게 만들고, 나를 발견하게 만들었다." - Alvin Ailey

"댄스는 내가 완전한 나다." - Martha Graham

"댄스는 나를 자유롭게 만들어주었다." - Mikhail

"댄스는 우리가 생각할 때가 아니라, 우리 몸이 자연스럽게 움직일 때 빛난다." - Twyla Tharp

"댄스는 우리가 우리 자신과 연결되는 순간이다." - Anna Halprin

"댄스는 매 순간 새로운 것을 발견할 수 있는 축제이다." - Martha Graham

"댄스는 우리가 자신의 몸과 마음을 받아들일 수 있게 만들어준다." - Alvin Ailey

"댄스는 우리가 존재하고 있다는 것을 증명해준다." - Judith Jamison

"댄스는 우리가 일상적인 것에서 벗어나고, 새로운 경험을 살아볼 수 있게 만들어준다." - Twyla Tharp

"댄스는 우리에게 가능성과 열정을 불어넣어준다." - Misty Copeland

"댄스는 우리가 우리 자신의 육체와 정신적인 측면을 탐구할 수 있는 기회를 제공한다." - Anna Halprin

"댄스는 나를 나로 만들어주었다." - Martha Graham

"댄스는 우리가 어디에서나 존재하고, 언제나 움직일 수 있다는 것을 보여준다." - Twyla Tharp

"댄스는 우리가 끊임없이 발전하고, 자신감을 얻을 수 있게 만들어준다." - Judith Jamison

"댄스는 내가 가진 모든 감정을 표현할 수 있는 자유를 준다." - Mikhail Baryshnikov

"댄스는 우리가 자신의 경계를 뛰어넘을 수 있는 기회를 제공한다." - Misty Copeland

"댄스는 우리가 존재하는 이유를 알게 해준다." - Alvin Ailey

"댄스는 내 삶에서 가장 중요한 순간 중 하나이다." - Martha Graham

"댄스는 우리가 자신의 몸과 정신을 이해할 수 있게 만들어준다." - Anna Halprin

"댄스는 우리가 감정적인 측면에서 자유롭게 표현할 수 있는 기회를 제공한다." - Twyla Tharp

"댄스는 우리가 자신의 육체와 정신적인 측면을 연결시켜주는 기회를 제공한다." - Misty Copeland

"댄스는 우리가 세상에 대한 우리만의 이야기를 전할 수 있는 수단이다." - Martha Graham

"댄스는 우리가 자신의 몸과 정신을 균형있게 유지할 수 있게 만들어준다." - Anna Halprin

"댄스는 우리가 우리 자신의 삶을 온전히 살아갈 수 있게 만들어준다." - Judith Jamison

"댄스는 우리가 자신의 몸과 마음을 존중하게 만들어준다." - Misty Copeland

"댄스는 우리가 우리 자신과 다른 사람들과 연결될 수 있는 기회를 제공한다." - Twyla Tharp

"댄스는 우리가 자신의 힘과 용기를 발견할 수 있게 만들어준다." - Alvin Ailey

"댄스는 우리가 자신의 몸과 마음을 더 잘 이해하게 만들어준다." - Anna Halprin

"댄스는 우리가 우리 자신의 예술적인 측면을 개발할 수 있게 만들어준다." - Martha Graham

"댄스는 우리가 우리 자신과 다른 사람들과의 연결을 더욱 깊게 만들어준다." - Misty Copeland

"댄스는 우리가 우리 자신의 내면에서 새로운 가능성을 발견할 수 있게 만들어준다." - Judith Jamison

"댄스는 우리가 우리 자신을 더욱 신뢰하게 만들어준다." - Twyla Tharp

"댄스는 우리가 우리 자신의 육체와 마음을 더욱 자유롭게 표현할 수 있게 만들어준다." - Alvin Ailey

"댄스는 우리가 우리 자신과 다른 사람들과 함께 삶을 더욱 풍요롭게 만들어준다." - Martha Graham

"댄스는 우리가 우리 자신과 다른 사람들과 함께 예술적인 경험을 나눌 수 있는 기회를 제공한다." - Misty Copeland

"댄스는 우리가 우리 자신의 삶을 더욱 확실히 살아갈 수 있게 만들어준다." - Judith Jamison

"댄스는 우리가 우리 자신의 목소리를 찾을 수 있게 만들어준다." - Twyla Tharp

"댄스는 우리가 우리 자신의 내면을 탐구할 수 있는 도구이다." - Anna Halprin
"댄스는 우리가 우리 자신의 감정을 자유롭게 표현할 수 있게 만들어준다." - Martha Graham
"댄스는 우리가 우리 자신의 인생을 더욱 즐길 수 있게 만들어준다." - Misty Copeland
"댄스는 우리가 우리 자신의 잠재력을 실현할 수 있게 만들어준다." - Judith Jamison
"댄스는 우리가 우리 자신의 몸과 마음을 강화시킬 수 있는 수단이다." - Twyla Tharp
"댄스는 우리가 우리 자신의 예술적인 열정을 발견할 수 있게 만들어준다." - Alvin Ailey
"댄스는 우리가 우리 자신의 내면에서 발견한 것을 세상과 나눌 수 있는 수단이다." - Anna Halprin
"댄스는 우리가 우리 자신의 몸과 마음을 조화롭게 유지할 수 있게 만들어준다." - Martha Graham
"댄스는 우리가 우리 자신과 다른 사람들과의 유대감을 형성할 수 있게 만들어준다." - Misty Copeland
"댄스는 우리가 우리 자신의 내면에서 출발하여 세상을 탐구할 수 있게 만들어준다." - Judith Jamison
"댄스는 우리가 우리 자신의 육체와 마음을 더욱 풍요롭게 경험할 수 있게 만들어준다." - Twyla Tharp
"댄스는 우리가 우리 자신의 감성을 깨우치게 만들어준다." - Alvin Ailey
"댄스는 우리가 우리 자신의 목표를 달성할 수 있게 만들어준다." - Martha Graham
"댄스는 우리가 우리 자신의 능력을 향상시킬 수 있게 만들어준다." - Misty Copeland
"댄스는 우리가 우리 자신의 성장과 발전을 도울 수 있는 수단이다." - Judith Jamison
"댄스는 우리가 우리 자신과 다른 사람들과의 대화를 가능하게 만들어준다." - Twyla Tharp
"댄스는 우리가 우리 자신의 열정을 발견할 수 있게 만들어준다." - Alvin Ailey
"댄스는 우리가 우리 자신의 예술적인 미각을 개발할 수 있게 만들어준다." - Martha Graham
"댄스는 우리가 우리 자신의 생각과 감정을 자유롭게 표현할 수 있게 만들어준다." - Misty Copeland
"댄스는 우리가 우리 자신의 내면을 탐구하는 자세를 가질 수 있게 만들어준다." - Judith Jamison
"댄스는 우리가 우리 자신의 몸과 마음을 더욱 풍요롭게 경험할 수 있게 만들어준다." - Twyla Tharp
"댄스는 우리가 우리 자신의 힘과 유연성을 강화시킬 수 있게 만들어준다." - Alvin Ailey
"댄스는 우리가 우리 자신의 삶에 더 많은 의미를 부여할 수 있게 만들어준다." - Martha Graham

"댄스는 우리가 우리 자신의 역량을 극대화할 수 있는 수단이다." - Misty Copeland
"댄스는 우리가 우리 자신의 재능과 열정을 발견할 수 있게 만들어준다." - Judith Jamison
"댄스는 우리가 우리 자신의 꿈을 실현할 수 있는 가능성을 제공한다." - Twyla Tharp
"댄스는 우리가 우리 자신의 인생을 창조적으로 만들 수 있는 수단이다." - Alvin Ailey
"댄스는 우리가 우리 자신의 예술적인 감각을 발전시킬 수 있게 만들어준다." - Martha Graham
"댄스는 우리가 우리 자신의 감정을 표현하는 방법을 배울 수 있게 만들어준다." - Misty Copeland
"댄스는 우리가 우리 자신의 몸과 마음을 조화롭게 유지할 수 있게 만들어준다." - Judith Jamison
"댄스는 우리가 우리 자신의 내면과 타인을 이해하는 데 도움을 줄 수 있다." - Twyla Tharp
"댄스는 우리가 우리 자신의 육체적인 능력을 발휘할 수 있는 수단이다." - Alvin Ailey
"댄스는 마음과 영혼을 움직이는 예술이다." - Unknown
"댄스는 음악을 시각적인 형태로 표현하는 것이다." - Ted Shawn
"댄스는 몸을 움직이는 것보다 훨씬 더 많은 것을 전달한다." - Martha Graham
"댄스는 우리가 내면의 감정을 자유롭게 표현할 수 있는 예술이다." - Isadora Duncan
"댄스는 우리가 인생을 더욱 아름답게 살 수 있게 만들어준다." - George Balanchine
"댄스는 우리의 마음과 영혼을 강력하게 영감을 받게 한다." - Ted Shawn
"댄스는 우리가 내면의 울림을 자유롭게 표현할 수 있는 예술이다." - Martha Graham

음악에 대한 명언

"음악은 언어의 감정적인 변이체다." - Leonard Bernstein
"음악은 영혼의 언어다." - Max Heindel
"음악은 삶의 소금이다." - Ludwig van Beethoven
"음악은 사람들의 마음을 움직이는 최고의 예술이다." - Frank Zappa
"음악은 가장 강력한 매체 중 하나이며, 이 세상의 모든 사람들에게 공통된 언어다." - Henry Wadsworth Longfellow
"음악은 우리가 말로 표현할 수 없는 감정을 표현할 수 있게 만들어준다." - Victor Hugo
"음악은 사랑의 언어다." - Richard Wagner
"음악은 인간이 만들어낸 가장 희소식이다." - Thomas Carlyle
"음악은 모든 인류의 국경을 초월하는 언어다." - Benjamin Britten
"음악은 우리가 언어로 전달하기 어려운 것들을 전달할 수 있게 해준다." - Leah LaBelle
"음악은 마음에 고민이 있을 때 가장 강력한 치유제다." - Billy Joel
"음악은 마음의 공간을 열어준다." - Yo-Yo Ma

"음악은 정신과 몸, 두 가지를 모두 강화시키는 역할을 한다." - Plato
"음악은 인간에게 새로운 운동장을 열어준다." - John Cage
"음악은 불멸의 예술이다." - Ludwig van Beethoven
"음악은 인생을 더욱 풍요롭게 만들어준다." - Franz Schubert
"음악은 영혼을 진정시키는 유일한 방법이다." - Pythagoras
"음악은 인간의 존엄성을 높여준다." - Bono
"음악은 인간이 불가능한 것들을 가능하게 만들어준다." - Ludwig van Beethoven
"음악은 세상을 아름답게 만들어준다." - Duke Ellington
"음악은 모든 문화를 초월하는 것이다." - Yo-Yo Ma
"음악은 마음으로부터 시작된다." - Daniel Barenboim
"음악은 시간과 공간을 초월한다." - Franz Liszt
"음악은 마음의 문을 열어준다." - Robert Schumann
"음악은 삶의 빛이다." - Jean Paul Richter
"음악은 영혼의 언어이다." - Johannes Brahms
"음악은 인간이 가장 높은 예술을 창조할 수 있는 것이다." - Richard Wagner
"음악은 무엇보다도 우리의 마음을 움직인다." - Johann Sebastian Bach
"음악은 마음을 깨우치는 것이다." - Plato
"음악은 가장 진정한 언어이며, 우리가 가진 모든 감정을 표현할 수 있다." - Igor Stravinsky
"음악은 세계를 보는 다른 시각을 제공해준다." - Aaron Copland
"음악은 정신적인 자유를 주는 것이다." - Nelson Mandela
"음악은 마음을 만든다." - 조지 셀든
"음악은 인간을 언어로 표현하기 어려운 영혼의 감정을 전달할 수 있는 매개체이다." - Oliver Sacks
"음악은 모든 문화를 이어주는 다리이다." - Yo-Yo Ma
"음악은 마음의 언어다." - Franz Schubert
"음악은 마음의 창조물이다." - Ludwig van Beethoven
"음악은 마음의 눈이다." - Kahlil Gibran
"음악은 마음을 사로잡는 순간이 있고, 그것은 평생 동안 기억될 것이다." - Aaron Copland
"음악은 마음을 돌보는 일이다." - Duke Ellington
"음악은 마음이 입을 열기 전에 먼저 말을 한다." - Hermann Hesse
"음악은 마음을 자유롭게 만든다." - Bob Marley
"음악은 우리의 정신을 상승시키는 에너지를 준다." - Ludwig van Beethoven
"음악은 마음이 가장 높은 곳으로 올라갈 수 있게 해준다." - Plato

"음악은 영혼에 다가갈 수 있는 가장 진실한 방법 중 하나이다." - Oliver Wendell Holmes

"음악은 우리의 마음을 움직이고, 우리의 영혼을 올려준다." - Ludwig van Beethoven

"음악은 인간의 마음을 표현하는데 가장 완벽한 수단이다." - Pyotr Ilyich Tchaikovsky

"음악은 인간이 가장 진실하게 자신을 표현할 수 있는 예술이다." - Gustav Mahler

"음악은 인간의 생각과 감정을 표현하는 가장 강력한 수단 중 하나이다." - Leonard Bernstein

"음악은 우리의 마음에 녹아내리는 소리이다." - Marjorie Kinnan Rawlings

"음악은 인간 정신의 최고 형태 중 하나이다." - John F. Kennedy

"음악은 모든 인간이 공유할 수 있는 언어이다." - Eduardo Galeano

"음악은 인간의 정신과 영혼을 바로잡는 능력이 있다." - Plato

"음악은 인간의 마음과 영혼을 살아있게 만든다." - Ludvig Holberg

"음악은 우리의 마음과 영혼을 이해하게 만든다." - Franz Liszt

"음악은 인간의 마음과 영혼을 강화시킨다." - John Calvin

"음악은 인간의 마음과 영혼을 일으키는 진정한 촉진제이다." - Berthold Auerbach

"음악은 인간의 마음과 영혼을 감동시킨다." - Franz Schubert

"음악은 우리의 마음과 영혼을 새로운 곳으로 이끌어준다." - Richard Wagner

"음악은 인간의 정신을 일으키는 불멸의 예술이다." - Ludwig van Beethoven

"음악은 인간의 마음과 영혼을 언제나 살아있게 만든다." - Johann Sebastian Bach

"음악은 인간이 감정과 상상력을 표현하는 방법 중 하나다." - Arthur Schopenhauer

"음악은 우리가 가진 모든 감정을 새롭게 정립한다." - Igor Stravinsky

"음악은 인간이 가장 진실하게 자신을 표현할 수 있는 예술 중 하나이다." - Beethoven

"음악은 인간의 마음과 영혼을 아름답게 만든다." - Pyotr Ilyich Tchaikovsky

"음악은 우리의 마음과 영혼을 풍요롭게 만든다." - Johann Wolfgang von Goethe

"음악은 우리가 경험하는 모든 감정을 더 깊이 경험하게 만든다." - Franz Schubert

"음악은 우리의 마음과 영혼을 강력하게 영감을 받게 한다." - Johann Sebastian Bach

"음악은 우리의 마음과 영혼을 열어주는 열쇠이다." - Ludwig van Beethoven

"음악은 인간이 가장 진실하게 자신을 표현할 수 있는 예술이다." - Claude Debussy

"음악은 인간이 가장 강력하게 감정을 전달할 수 있는 예술이다." - Johannes Brahms

"음악은 우리의 마음과 영혼을 위로해준다." - Robert Schumann

"음악은 인간이 가장 깊은 감정을 나타내는 것 중 하나이다." - Johann Sebastian Bach

"음악은 우리가 인생을 더욱 아름답게 살 수 있게 만든다." - Wolfgang Amadeus Mozart

"음악은 우리의 마음과 영혼을 진정시켜준다." - Ludwig van Beethoven

"음악은 인간의 마음과 영혼을 통합시켜준다." - Franz Liszt

"음악은 우리의 마음과 영혼을 깨우친다." - Robert Schumann

"음악은 인간이 가장 깊이 내면을 드러낼 수 있는 예술 중 하나이다." - Johannes Brahms
"음악은 인간의 마음과 영혼을 더욱 강력하게 만든다." - Wolfgang Amadeus Mozart
"음악은 우리의 마음과 영혼을 더욱 아름답게 만든다." - Pyotr Ilyich Tchaikovsky
"음악은 인간이 가장 높은 수준에서 자신을 표현하는 예술이다." - Franz Schubert
"음악은 우리의 마음과 영혼을 확장시켜준다." - Johann Sebastian Bach
"음악은 인간의 마음과 영혼을 더욱 깊이 이해할 수 있게 해준다." - Ludwig van Beethoven
"음악은 우리의 마음과 영혼을 더욱 섬세하게 만든다." - Robert Schumann
"음악은 인간이 가장 진정한 본성을 드러내는 예술이다." - Johann Sebastian Bach
"음악은 우리의 마음과 영혼을 청소해준다." - Ludwig van Beethoven
"음악은 우리의 마음과 영혼을 향상시켜준다." - Wolfgang Amadeus Mozart
"음악은 우리의 마음과 영혼을 양성시켜준다." - Franz Liszt
"음악은 인간의 마음과 영혼을 더욱 감미롭게 만들어준다." - Johannes Brahms
"음악은 우리가 세상을 더욱 아름답게 볼 수 있게 만든다." - Pyotr Ilyich Tchaikovsky
"음악은 인간이 가장 신중하게 감정을 전달할 수 있는 예술이다." - Franz Schubert
"음악은 우리가 더욱 깊이 생각할 수 있게 만든다." - Ludwig van Beethoven
"음악은 인간의 마음과 영혼을 가장 섬세하게 다루는 예술이다." - Johann Sebastian Bach
"음악은 우리의 마음과 영혼을 더욱 창조적으로 만든다." - Robert Schumann
"음악은 인간의 마음과 영혼을 균형있게 유지해준다." - Wolfgang Amadeus Mozart
"음악은 우리가 세상을 더욱 폭넓게 볼 수 있게 만든다." - Franz Liszt
"음악은 인간이 가장 표현력이 높은 예술 중 하나이다." - Johannes Brahms

예술에 대한 명언

"예술은 창조의 활동이며, 모든 예술은 진실성과 아름다움을 포함한다." - Aristoteles
"미술은 인간 정신의 선화이다." - Johann Wolfgang von Goethe
"음악은 인간의 영혼에 직접 다가가는 예술이다." - Robert Schumann
"예술은 사람들에게 무엇이 진실적으로 중요한지 알려주는 것이다." - Gustave Flaubert
"예술은 미적 경험이다." - Immanuel Kant
"미술은 사람들에게 어떻게 살아야 하는지 보여준다." - Vincent Van Gogh
"예술은 무엇이 아닌 것을 보여주는 것이다." - Pablo Picasso
"예술은 인간의 더 높은 자아를 향해 가는 길이다." - Andre Malraux
"예술은 인간이 자유로운 상태에서만 가능하다." - Friedrich Schiller
"미술은 삶과 불가분의 관계에 있다." - Georgia O'Keeffe
"예술은 인간의 정신적 상상력과 창조성을 보여준다." - Albert Einstein

"예술은 우리가 언어로 표현할 수 없는 것을 말해준다." - John F. Kennedy
"예술은 우리에게 인간의 본질을 보여준다." - Leo Tolstoy
"예술은 우리가 존재하는 이유를 알려준다." - Ralph Waldo Emerson
"예술은 인간 정신의 수련이다." - Wassily Kandinsky
"예술은 사람들이 보다 높은 차원의 존재를 경험할 기회를 제공한다." -Richard Wagner
"예술은 인간이 자신의 존재와 관련된 문제를 해결하는 방법을 보여준다." - Susanne Langer
"예술은 삶의 진실성과 본질을 알리는 신비한 방식이다." - Jean Cocteau
"예술은 인간의 영혼을 성숙시키는 데 큰 역할을 한다." - Friedrich Nietzsche
"예술은 우리에게 새로운 시선을 제공해주는 것이다." - Wassily Kandinsky
"예술은 우리에게 존재하는 것들을 새롭게 바라볼 수 있게 해준다." - Paul Cezanne
"예술은 우리가 일상에서 놓치는 아름다움을 발견하게 해준다." - Edgar Degas
"예술은 인간이 자유로워지기 위한 필요한 조건이다." - Friedrich Schelling
"예술은 사람들이 서로 이해할 수 있는 공통적인 언어를 제공한다." - George Bernard Shaw
"예술은 인간의 경험을 풍부하게 만들어준다." - Bertrand Russell
"예술은 사람들이 존재하는 의미와 목적을 이해할 수 있게 해준다." - Thomas Merton
"예술은 우리가 세상을 다른 시각으로 보게 해준다." - Claude Monet
"예술은 우리가 자아를 찾고 발견하는데 도움을 준다." - Martha Graham
"예술은 인간이 삶을 더욱 풍요롭게 만들어준다." - Michelangelo
"예술은 인간이 무엇을 원하는지 알게 해준다." - Aristotle
"예술은 우리가 자신의 존재를 더욱 깊게 이해하게 해준다." - Anselm Kiefer
"예술은 우리가 세상을 살아가는 방법을 찾을 수 있는 인도자이다." - Auguste Rodin
"예술은 인간의 감정과 상상력을 자유롭게 발휘할 수 있는 공간을 제공한다." - Claude Debussy
"예술은 인간의 자아를 확장시켜준다." - Carl Jung
"예술은 우리가 세상을 더욱 아름답게 만들어준다." - Vincent Van Gogh
"예술은 우리가 존재하는 의미와 가치를 이해할 수 있게 해준다." - John Dewey
"예술은 우리가 더욱 자아실현할 수 있게 해준다." - Georgia O'Keeffe
"예술은 인간의 삶에 깊이와 의미를 부여한다." - Pablo Picasso
"예술은 우리가 세상을 더욱 풍요롭게 만들어준다." - Henri Matisse
"예술은 인간이 어떻게 세상을 바라보는지를 나타낸다." - Kazimir Malevich
"예술은 우리가 살아가는 데 필요한 에너지를 공급한다." - Wassily Kandinsky
"예술은 인간의 상상력과 창조력을 자유롭게 펼칠 수 있는 공간을 제공한다." - Paul Klee
"예술은 우리가 삶에 대한 새로운 시각을 제공한다." - Wassily Leontief
"예술은 인간의 마음을 치유하고 위로해준다." - Edvard Munch

"예술은 우리가 다양성과 창의성을 존중할 수 있게 해준다." - Maya Angelou
"예술은 우리가 세상을 이해하고 인간관계를 개선할 수 있게 해준다." - Fernando Botero
"예술은 우리가 세상을 더욱 다양하고 풍부하게 만들어준다." - Marc Chagall
"예술은 우리가 삶을 즐길 수 있는 방법을 제공한다." - Jackson Pollock
"예술은 우리가 세상을 더욱 아름답게 만들어준다." - Salvador Dali
"예술은 우리가 자아를 발견하고 성장할 수 있는 기회를 제공한다." - Louise Bourgeois
"예술은 우리가 삶에 대한 희망을 보여준다." - Romare Bearden
"예술은 인간이 무엇을 의미있게 생각하는지를 나타낸다." - Chuck Close
"예술은 우리가 세상을 다양한 시각으로 바라볼 수 있게 해준다." - Paul Gauguin
"예술은 인간의 정신적인 발전에 도움을 준다." - Louise Nevelson
"예술은 우리가 세상을 더욱 깊이 이해할 수 있게 해준다." - Richard Serra
"예술은 우리가 사랑하는 것을 더욱 진정하게 느낄 수 있게 해준다." - Auguste Renoir
"예술은 우리가 인간적인 연결과 소통을 가능하게 해준다." - Keith Haring
"예술은 우리가 세상에서 가장 소중한 것을 발견할 수 있게 해준다." - Constantin Brancusi
"예술은 우리가 세상을 더욱 다양하게 이해하게 해준다." - Rene Magritte
."예술은 우리가 자아를 발견하고 표현할 방법을 제공한다." - Frida Kahlo
"예술은 우리가 세상에서 진정한 아름다움을 찾을 수 있게 해준다." - Vincent Van Gogh
"예술은 우리가 새로운 가능성과 경험을 발견할 수 있게 해준다." - Yoko Ono
"예술은 우리가 우리 자신을 이해하고 자기 계발에 도움을 줄 수 있다." - Georgia O'Keeffe
"예술은 우리가 생각과 감정을 표현할 수 있는 수단을 제공한다." - Robert Motherwell
"예술은 우리가 세상에서 가장 아름다운 것을 발견할 수 있게 해준다." - Henry Moore
"예술은 우리가 세상에서 가장 복잡한 것을 단순하게 보게 해준다." - Pablo Picasso
"예술은 우리 삶의 여러 측면을 살펴볼 수 있게 해준다." - Cindy Sherman
"예술은 우리가 생각을 키우고 혁신적인 아이디어를 발견할 수 있게 해준다." - Takashi Murakami
"예술은 우리가 역사를 이해하고 기록할 수 있는 수단을 제공한다." - Jean-Michel Basquiat
"예술은 우리가 세상에서 가장 소중한 것을 보존하고 전달할 수 있게 해준다." - Edgar Degas
"예술은 우리가 인간적인 삶의 진수를 탐구할 수 있는 수단을 제공한다." - Claude Monet
"예술은 우리가 세상에서 가장 미려한 것을 발견할 수 있게 해준다." - Mary Cassatt
"예술은 우리가 다른 사람과 연결되고 공감할 기회를 제공한다." - Ai Weiwei
"예술은 우리가 인간의 본성과 세상의 본질을 이해할 수 있는 수단을 제공한다." - Anselm Kiefer
"예술은 우리가 인간성과 사회성을 발전시키는 데 이바지할 수 있다." - Agnes Martin

"예술은 우리가 자아 성찰을 통해 새로운 시각을 발견할 기회를 제공한다." -Marina Abramović
"예술은 우리가 세상에서 진정한 자유를 경험할 수 있는 수단을 제공한다." - Wassily Kandinsky
"예술은 우리가 다른 문화와 관점을 이해하고 존중할 기회를 제공한다." - Shirin Neshat
"예술은 우리가 인간적인 공감과 연민을 키울 수 있는 수단을 제공한다." - Cindy Sherman
"예술은 우리가 세상에서 가장 미려한 것을 찾아낼 기회를 제공한다." - Édouard Manet
"예술은 우리가 다양한 감성과 경험을 공유하고 이해할 수 있는 수단을 제공한다." - Faith Ringgold
"예술은 우리가 삶의 복잡한 문제에 대해 새로운 시각을 제시할 기회를 제공한다." - Kerry James Marshall
"예술은 우리가 과거와 현재를 이해하고 미래를 상상할 기회를 제공한다." - Gerhard Richter
"예술은 우리가 삶의 무대에서 더욱 풍요로운 인간적 경험을 누릴 기회를 제공한다." - Jeff Koons
"예술은 우리가 삶과 사랑, 죽음과 고통, 희망과 변화 등 인간의 본성적인 경험을 표현할 수 있는 수단을 제공한다." - Frida Kahlo
"예술은 우리가 삶에서 가장 중요한 것들을 발견하고 인간적으로 성장할 기회를 제공한다." - Jackson Pollock
"예술은 우리가 삶에서 일어난 경험들을 기억하고 그것들을 표현하는 방법을 제공한다." - Louise Bourgeois
"예술은 우리가 삶의 모든 영역에서 창조적으로 생각하고 행동할 기회를 제공한다." - Yoko Ono
"예술은 우리가 세상에서 존재하는 아름다움과 신비를 발견할 수 있는 수단을 제공한다." - Edward Hopper
"예술은 우리가 삶에 대한 미각적인 경험을 더욱 풍부하게 만들어준다." - Pierre-Auguste Renoir
"예술은 우리가 인간적인 감성을 표현하고 나눌 수 있는 수단을 제공한다." - Marc Chagall
"예술은 우리가 세상에서 가장 놀라운 것을 찾아낼 기회를 제공한다." - Vincent van Gogh
"예술은 우리가 인간성에 대해 생각하고 논의할 수 있는 수단을 제공한다." - Ai Weiwei
"예술은 우리가 새로운 관점을 찾아내고 자신을 발견할 기회를 제공한다." - Pablo Picasso
"예술은 우리가 삶에서 일어나는 모든 것을 받아들이고, 그것들을 예술 작품으로 바꿀 힘을 제공한다." - Jean-Michel Basquiat
"예술은 우리가 새로운 세계를 탐험하고 그것들을 나눌 기회를 제공한다." - Anselm Kiefer
"예술은 우리가 자신의 존재와 세계와의 관계를 이해하고 나타낼 수 있는 수단을 제공한다." - Mark Rothko
"예술은 우리가 삶에서 의미와 가치를 찾을 기회를 제공한다." - Michelangelo